ILIADE

HOMÈRE

Iliade

Traduction par
LECONTE DE LISLE

HOMÈRE
(IXe-VIIIe s. av. J.-C.)

Qui était Homère ? cette question, qui fut soulevée dès l'Antiquité, divise le monde savant depuis la fin du XVIIe siècle. Selon les traditions les plus anciennes, l'auteur présumé de l'*Iliade* et de l'*Odyssée* aurait été un aède grec originaire d'Ionie, né à Smyrne ou dans l'île de Chios. Affligé d'une cécité dont l'attribution a été fondée sur l'une des étymologies possibles de son nom, « celui qui ne voit pas », il aurait parcouru a plusieurs reprises la Méditerranée pour y chanter, y commercer ou y fonder des écoles, avec notamment des séjours prolongés à Ithaque et à Chios où il aurait pris femme, pour finalement s'éteindre, lors d'un dernier voyage, dans une petite île de la mer égée, Ios...

L'analyse linguistique de ses poèmes, rapportée aux acquis de l'archéologie, a toutefois permis de dégager des hypothèses qui confirment partiellement la légende. Homère, dont Goethe disait que « si nous n'avions jamais connu ni les péchés de Sodome, ni les chimères de l'égypte et de Babylone », il « serait resté notre Bible », employait principalement le dialecte ionien, ce qui accrédite une naissance à Smyrne ou à Chios. L'époque de la composition ne laisse guère de doute non plus : si les événements légendaires qui y sont racontés remontent au deuxième millénaire avant notre ère, de multiples détails anachroniques font pencher la datation des deux poèmes pour la seconde moitié du VIIIe siècle. Enfin, le voyage d'Ulysse et les descriptions qui accompagnent sa narration dénotent une connaissance approfondie et peut-être directe du monde méditerranéen. Pour le reste, la vie d'Homère appartient à la fable.

L'existence d'un auteur unique de l'*Iliade* et de l'*Odyssée* fut cependant contestée en France par l'abbé d'Aubignac

(1604-1676) dans ses *Conjectures académiques,* puis par Charles Perrault dans le dernier volume de son célèbre *Parallèle des Anciens et des Modernes* (1693). Selon eux, l'*Iliade* et l'*Odyssée* ne sont pas à proprement parler des poèmes épiques, mais des rhapsodies, c'est-à-dire des « montages » plus ou moins cohérents de fragments de poèmes de sources et d'époques diverses. Cette opinion, réfutée notamment par Boileau, devait trouver des arguments nouveaux sous la plume du philosophe italien Giambattista Vico qui, dans ses *Principi di una scienza nuova d'intorno alla comune natura delle nazioni* (1725), fait d'Homère non pas un individu, mais un type symbolique personnifiant « la poésie populaire des premiers âges » de la Grèce. Enfin, la thèse de la compilation « rhapsodique » de chants distincts, censée révoquer en doute l'existence même d'Homère, a été brillamment soutenue par le philologue allemand Friedrich August Wolf dans ses *Prolegomena ad Homerum* (1795), où il dresse une comparaison il est vrai troublante entre d'une part l'*Iliade* et l'*Odyssée,* et d'autre part les grands cycles épiques, de caractère collectif et national, de l'Inde védique ou du monde germanique.

Ces spéculations, au demeurant riches d'enseignements, n'ont pas pour autant ruiné la thèse de l'unicité de la création de l'*Iliade* et de l'*Odyssée.* La théorie la plus communément admise aujourd'hui est que la multiplicité des sources, issues d'une mémoire collective préservée depuis l'âge du bronze par la tradition orale, ne présente aucune contradiction avec leur unification et leur mise en forme, au VIIIe siècle avant notre ère, par un poète ionien de génie que nous continuerons d'appeler Homère par convention, à défaut de certitude sur son exacte identité.

Le débat reste néanmoins ouvert sur un point capital. Sous le nom d'Homère, faut-il voir un ou deux poètes ? Et l'auteur de l'*Iliade* est-il bien le même que celui de l'*Odyssée* ? Entre les deux poèmes, il y a en effet des différences de sensibilité, de ton, voire de vision philosophique et religieuse, qui justifient en tout cas que l'on se soit posé cette question. Non sans humour, le romancier anglais Samuel Butler, à la fin du siècle dernier, a même avancé l'idée selon laquelle l'*Iliade* n'a pu être écrit que par une femme, idée reprise et développée plus récemment, avec des arguments séduisants, sinon pleinement convaincants, par le philosophe français Raymond Ruyer dans *Homère au féminin* (1977).

La guerre de Troie a-t-elle eu lieu ? La réponse à cette question ne souffre plus d'équivoque depuis qu'en 1870, l'archéologue allemand Heinrich Schliemann a formellement identifié le site de la ville de Priam en Asie mineure, à l'entrée du détroit des Dardanelles. Son invention, confirmée et affinée depuis, révélait notamment les traces d'un gigantesque incendie qui aurait détruit le cité à la fin du deuxième millénaire avant notre ère. Dès lors, l'expédition menée par les Achéens contre Troie (ou Ilion), telle qu'elle est partiellement racontée par Homère dans l'*Iliade*, posséderait un fondement historique auquel la légende aurait ensuite apporté une dimension mythique. Les causes réelles n'en relèvent pas moins de conjectures. Il est toutefois à peu près assuré que la guerre de Troie précède de très peu la destruction de la civilisation mycénienne sous la poussée des invasions doriennes et que les Achéens, dont on sait qu'ils parlaient une forme ancienne de grec, connaissaient alors les dernières heures d'une splendeur qui avait rayonné jusqu'en égypte et sur laquelle l'*Iliade* fournit de précieux renseignements. C'est donc un peu leur mémoire qui s'y trouve célébrée, par-delà un « moyen âge » dorien demeuré fort obscur

Le poème d'Homère commence au moment où le siège de Troie est dans une impasse, du fait de la fameuse « colère d'Achille », le fils de Thétis s'étant brouillé avec Agamemnon et retiré dans sa tente. La guerre, indécise malgré les prouesses tant des Achéens que des Troyens, risquerait même de tourner à l'avantage de ces derniers si Achille, bouleversé par la mort de son ami Patrocle, ne décidait de reprendre le combat et de faire la décision en tuant Hector.

L'*Iliade* constitue l'expression inaugurale de ce tragique grec qui marquera si profondément la conscience de l'Occident, et, à ce titre, peut être justement considéré comme un

poème fondateur. Si les héros y sont en effet le jouet de la
fatalité, s'ils acceptent leur destin, leur volonté n'en est pas
pour autant anéantie, et c'est bien cette contradiction inso-
luble, inhérente à la condition humaine, qui justifie le profond pathétisme qui anime de bout en bout le récit. La
brutalité, la cruauté parfois extrême dont font preuve les
personnages de l'*Iliade*, trouvent en effet leur contrepartie
dans la pitié, la compassion, voire la tendresse qu'ils sont
tout aussi bien capables de manifester. Car ces personnages
sont loin d'être tout d'une pièce. Ce sont des êtres de chair
et de cœur, avec leurs grandeurs et leurs faiblesses, et le
poète exprime à leur égard une sympathie dont les dieux
sont loin de toujours bénéficier. Faut-il y voir une impiété
de la part d'Homère ? Il serait certes aventuré de l'affirmer.
Mais force est de reconnaître que, chez lui, le sentiment
humain l'emporte de toute évidence sur la révérence absolue
que les habitants de l'Olympe, dont la conduite apparaît du
reste rien moins qu'exemplaire, seraient en droit d'exiger...

La belle traduction de Leconte de Lisle (1867), contraire-
ment à beaucoup d'autres, a l'immense avantage d'être d'une
fidélité scrupuleuse, presque fanatique, à la lettre et à l'esprit
du texte grec original, et cela jusque dans ses traits les plus
crus que d'autres traducteurs ont jugé bon d'atténuer. Bien
qu'écrite en prose, elle en restitue toute la puissance poéti-
que, ce qui ne saurait surprendre de la part de l'auteur
essentiellement tragique des somptueux *Poèmes barbares*.
Dans son souci d'exactitude, Leconte de Lisle a adopté une
transcription savante des noms propres qui pourra au début
dérouter le lecteur. Ainsi, Achille est-il nommé Akhilleus, les
Achéens, les Akhaiens, et Ulysse, Odysseus (en réalité son
véritable nom grec, Ulysse en étant la forme latine devenue
traditionnelle). Quant aux 24 chants qui composent le
poème, il leur a redonné l'antique dénomination de rhapsodies. Ces particularités ne sont pas des coquetteries, ni des
pédantismes. Elles contribuent puissamment à la restitution
du climat spécifique de l'*Iliade*, sans en altérer l'extraordi-
naire familiarité.

RHAPSODIE I

Chante, Déesse, du Pèléide Akhilleus la colère désastreuse, qui de maux infinis accabla les Akhaiens, et précipita chez Aidès tant de fortes âmes de héros, livrés eux-mêmes en pâture aux chiens et à tous les oiseaux carnassiers. Et le dessein de Zeus s'accomplissait ainsi, depuis qu'une querelle avait divisé l'Atréide, roi des hommes, et le divin Akhilleus.

Qui d'entre les Dieux les jeta dans cette dissension ? Le fils de Zeus et de Lètô. Irrité contre le Roi, il suscita dans l'armée un mal mortel, et les peuples périssaient, parce que l'Atréide avait couvert d'opprobre Khrysès le sacrificateur.

Et celui-ci était venu vers les nefs rapides des Akhaiens pour racheter sa fille ; et, portant le prix infini de l'affranchissement, et, dans ses mains, les bandelettes de l'Archer Apollôn, suspendues au sceptre d'or, il conjura tous les Akhaiens, et surtout les deux Atréides, princes des peuples :

— Atréides, et vous, Akhaiens aux belles knèmides, que les Dieux qui habitent les demeures Olympiennes vous donnent de détruire la ville de Priamos et de vous en retourner heureusement ; mais rendez-moi ma fille bien-aimée et recevez le prix de l'affranchissement, si vous révérez le fils de Zeus, l'Archer Apollôn.

Et tous les Akhaiens, par des rumeurs favorables, voulaient qu'on respectât le sacrificateur et qu'on reçût le prix splendide ; mais cela ne plut point à l'âme de l'Atréide Agamemnôn, et il le chassa outrageusement, et il lui dit cette parole violente :

— Prends garde, vieillard, que je te rencontre auprès des nefs creuses, soit que tu t'y attardes, soit que tu reviennes, de peur que le sceptre et les bandelettes du Dieu ne te protègent plus. Je n'affranchirai point ta fille. La vieillesse l'atteindra, en ma demeure, dans Argos, loin de sa patrie, tissant la toile et partageant mon lit. Mais, va ! ne m'irrite point, afin de t'en retourner sauf.

Il parla ainsi, et le vieillard trembla et obéit. Et il allait, silencieux, le long du rivage de la mer aux bruits sans nombre. Et, se voyant éloigné, il conjura le Roi Apollôn que Lêtô à la belle chevelure enfanta :

— Entends-moi, Porteur de l'arc d'argent, qui protèges Khrysè et Killa la sainte, et commandes fortement sur Ténédos, Smintheus ! Si jamais j'ai orné ton beau temple, si jamais j'ai brûlé pour toi les cuisses grasses des taureaux et des chèvres, exauce mon vœu : que les Danaens expient mes larmes sous tes flèches !

Il parla ainsi en priant, et Phoibos Apollôn l'entendit ; et, du sommet Olympien, il se précipita, irrité dans son cœur, portant l'arc sur ses épaules, avec le plein carquois. Et les flèches sonnaient sur le dos du Dieu irrité, à chacun de ses mouvements. Et il allait, semblable à la nuit.

Assis à l'écart, loin des nefs, il lança une flèche, et un bruit terrible sortit de l'arc d'argent. Il frappa les mulets d'abord et les chiens rapides ; mais, ensuite, il perça les hommes euxmêmes du trait qui tue. Et sans cesse les bûchers brûlaient, lourds de cadavres.

Depuis neuf jours les flèches divines sifflaient à travers l'armée ; et, le dixième, Akhilleus convoqua les peuples dans l'agora. Hèrè aux bras blancs le lui avait inspiré, anxieuse des Danaens et les voyant périr. Et quand ils furent tous réunis, se levant au milieu d'eux, Akhilleus aux pieds rapides parla ainsi :

— Atréide, je pense qu'il nous faut reculer et reprendre nos courses errantes sur la mer, si toutefois nous évitons la mort, car, toutes deux, la guerre et la contagion domptent les Akhaiens. Hâtons-nous d'interroger un divinateur ou un sacrificateur, ou un interprète des songes, car le songe vient de Zeus. Qu'il dise pourquoi Phoibos Apollôn est irrité, soit qu'il nous reproche des vœux négligés ou qu'il demande des hécatombes promises. Sachons si, content de la graisse fumante des agneaux et des belles chèvres, il écartera de nous cette contagion.

Ayant ainsi parlé, il s'assit. Et le Thestoride Kalkhas, l'excellent divinateur, se leva. Il savait les choses présentes, futures et passées, et il avait conduit à Ilios les nefs Akhaiennes, à l'aide de la science sacrée dont l'avait doué Phoibos Apollôn. Très sage, il dit dans l'agora :

— Ô Akhilleus, cher à Zeus, tu m'ordonnes d'expliquer la colère du roi Apollôn l'Archer. Je le ferai, mais promets d'abord et jure que tu me défendras de ta parole et de tes mains ; car, sans doute, je vais irriter l'homme qui commande à tous les Argiens et à qui tous les Akhaiens obéissent. Un roi est trop puissant contre un inférieur qui l'irrite. Bien que, dans l'instant, il refrène sa colère, il l'assouvit un jour, après l'avoir couvée dans son cœur. Dis-moi donc que tu me protégeras.

Et Akhilleus aux pieds rapides, lui répondant, parla ainsi :

— Dis sans peur ce que tu sais. Non ! par Apollôn, cher à Zeus, et dont tu découvres aux Danaens les volontés sacrées, non ! nul d'entre eux, Kalkhas, moi vivant et les yeux ouverts, ne portera sur toi des mains violentes auprès des nefs creuses, quand même tu nommerais Agamemnôn, qui se glorifie d'être le plus puissant des Akhaiens.

Et le divinateur irréprochable prit courage et dit :

— Apollôn ne vous reproche ni vœux ni hécatombes ; mais il venge son sacrificateur, qu'Agamemnôn a couvert d'opprobre, car il n'a point délivré sa fille, dont il a refusé le prix d'affranchissement. Et c'est pour cela que l'Archer Apollôn vous accable de maux ; et il vous en accablera, et il n'écartera point les lourdes Kères de la contagion, que vous n'ayez rendu à son père bien-aimé la jeune fille aux sourcils arqués, et qu'une hécatombe sacrée n'ait été conduite à Khrysè. Alors nous apaiserons le Dieu.

Ayant ainsi parlé, il s'assit. Et le héros Atréide Agamemnôn, qui commande au loin, se leva, plein de douleur ; et une noire colère emplissait sa poitrine, et ses yeux étaient pareils à des feux flambants. Furieux contre Kalkhas, il parla ainsi :

— Divinateur malheureux, jamais tu ne m'as rien dit d'agréable. Les maux seuls te sont doux à prédire. Tu n'as jamais ni bien parlé ni bien agi ; et voici maintenant qu'au milieu des Danaens, dans l'agora, tu prophétises que l'Archer Apollôn nous accable de maux parce que je n'ai point voulu recevoir le prix splendide de la vierge Khrysèis, aimant mieux la retenir dans ma demeure lointaine. En effet, je la préfère à Klytaimnestrè, que j'ai épousée vierge. Elle ne lui est inférieure ni par le corps, ni par la taille, ni par l'intelligence, ni par l'habileté aux travaux. Mais je la veux rendre. Je préfère le salut des peuples à leur destruction. Donc, préparez-moi promptement un prix, afin que, seul d'entre tous les Argiens, je ne sois point dépouillé. Cela ne conviendrait point ; car, vous le voyez, ma part m'est retirée.

Et le divin Akhilleus, aux pieds rapides, lui répondit :

— Très orgueilleux Atréide, le plus avare des hommes, comment les magnanimes Akhaiens te donneraient-ils un autre prix ? Avons-nous des dépouilles à mettre en commun ? Celles que nous avons enlevées des villes saccagées ont été distribuées, et il ne convient point que les hommes en fassent un nouveau partage. Mais toi, remets cette jeune fille à son Dieu, et nous, Akhaiens, nous te rendrons le triple et le quadruple, si jamais Zeus nous donne de détruire Troiè aux fortes murailles.

Et le roi Agamemnôn, lui répondant, parla ainsi :

— Ne crois point me tromper, quelque brave que tu sois, Akhilleus semblable à un Dieu, car tu ne me séduiras ni ne me persuaderas. Veux-tu, tandis que tu gardes ta part, que je reste assis dans mon indigence, en affranchissant cette jeune fille ? Si les magnanimes Akhaiens satisfont mon cœur par un prix d'une valeur égale, soit. Sinon, je ravirai le tien, ou celui d'Aias, ou celui d'Odysseus ; et je l'emporterai, et celui-là s'indignera vers qui j'irai. Mais nous songerons à ceci plus tard. Donc, lançons une nef noire à la mer divine, munie d'avirons, chargée d'une hécatombe, et faisons-y monter Khrysèis aux belles joues, sous la conduite d'un chef, Aias, Idoméneus, ou le divin Odysseus, ou toi-même, Pèléide, le plus effrayant des hommes, afin d'apaiser l'Archer Apollôn par les sacrifices accomplis.

Et Akhilleus aux pieds rapides, le regardant d'un œil sombre, parla ainsi :

— Ah ! revêtu d'impudence, âpre au gain ! Comment un seul d'entre les Akhaiens se hâterait-il de t'obéir, soit qu'il faille tendre une embuscade, soit qu'on doive combattre courageusement contre les hommes ? Je ne suis point venu pour ma propre cause attaquer les Troiens armés de lances, car ils ne m'ont jamais nui. Jamais ils ne m'ont enlevé ni mes bœufs ni mes chevaux ; jamais, dans la fructueuse Phthiè, ils n'ont ravagé mes moissons : car un grand nombre de montagnes ombragées et la mer sonnante nous séparent. Mais nous t'avons suivi pour te plaire, impudent ! pour venger Ménélaos et toi, œil de chien ! Et tu ne t'en soucies ni ne t'en souviens, et tu me menaces de m'enlever la récompense pour laquelle j'ai tant travaillé et que m'ont donnée les fils des Akhaiens ! Certes, je n'ai jamais une part égale à la tienne quand on saccage une ville troienne bien peuplée ; et cependant mes mains portent le plus lourd fardeau de la guerre impétueuse. Et, quand vient l'heure du partage, la meilleure part est pour toi ; et, ployant sous la fatigue du combat, je retourne vers mes nefs, satisfait d'une récompense modique. Aujourd'hui, je pars pour la Phthiè, car mieux vaut regagner ma demeure sur mes nefs éperonnées. Et je ne pense point qu'après m'avoir outragé tu recueilles ici des dépouilles et des richesses.

Et le Roi des hommes, Agamemnôn, lui répondit :

— Fuis, si ton cœur t'y pousse. Je ne te demande point de rester pour ma cause. Mille autres seront avec moi, surtout le très sage Zeus. Tu m'es le plus odieux des rois nourris par le Kronide. Tu ne te plais que dans la dissension, la guerre et le combat. Si tu es brave, c'est que les Dieux l'ont voulu sans doute. Retourne dans ta demeure avec tes nefs et tes compagnons ; commande aux Myrmidones ; je n'ai nul souci de ta colère, mais je te préviens de ceci : puisque Phoibos Apollôn m'enlève Khrysèis, je la renverrai sur une de mes nefs avec mes compagnons, et moi-même j'irai sous ta tente et j'en entraînerai Brisèis aux belles joues, qui fut ton partage, afin que tu comprennes que je suis plus puissant que toi, et que chacun redoute de se dire mon égal en face.

Il parla ainsi, et le Pèléiôn fut rempli d'angoisse, et son cœur, dans sa mâle poitrine, délibéra si, prenant l'épée aiguë sur sa cuisse, il écarterait la foule et tuerait l'Atréide, ou s'il apaiserait sa colère et refrénerait sa fureur.

Et tandis qu'il délibérait dans son âme et dans son esprit, et qu'il arrachait sa grande épée de la gaine, Athènè vint de l'Ouranos, car Hèrè aux bras blancs l'avait envoyée, aimant et protégeant les deux Rois. Elle se tint en arrière et saisit le Pèléiôn par sa chevelure blonde ; visible pour lui seul, car nul autre ne la voyait. Et Akhilleus, stupéfait, se retourna, et aussitôt il reconnut Athènè, dont les yeux étaient terribles, et il lui dit en paroles ailées :

— Pourquoi es-tu venue, fille de Zeus tempétueux ? Est-ce afin de voir l'outrage qui m'est fait par l'Atréide Agamemnôn ? Mais je te le dis, et ma parole s'accomplira, je pense : il va rendre l'âme à cause de son insolence.

Et Athènè aux yeux clairs lui répondit :

— Je suis venue de l'Ouranos pour apaiser ta colère, si tu veux obéir. La divine Hèrè aux bras blancs m'a envoyée,

vous aimant et vous protégeant tous deux. Donc, arrête ; ne
prends point l'épée en main, venge-toi en paroles, quoi qu'il
arrive. Et je te le dis, et ceci s'accomplira : bientôt ton injure
te sera payée par trois fois autant de présents splendides.
Réprime-toi et obéis-nous.

Et Akhilleus aux pieds rapides, lui répondant, parla ainsi :

— Déesse, il faut observer ton ordre, bien que je sois irrité
dans l'âme. Cela est pour le mieux sans doute, car les Dieux
exaucent qui leur obéit.

Il parla ainsi, et, frappant d'une main lourde la poignée
d'argent, il repoussa sa grande épée dans la gaine et n'enfrei-
gnit point l'ordre d'Athènè.

Et celle-ci retourna auprès des autres Dieux, dans les
demeures Olympiennes de Zeus tempétueux.

Et le Pèléide, débordant de colère, interpella l'Atréide avec
d'âpres paroles :

— Lourd de vin, œil de chien, cœur de cerf ! jamais tu
n'as osé, dans ton âme, t'armer pour le combat avec les hommes, ni tendre des embuscades avec les princes des
Akhaiens. Cela t'épouvanterait comme la mort elle-même.
Certes, il est beaucoup plus aisé, dans la vaste armée
Akhaienne, d'enlever la part de celui qui te contredit, Roi
qui manges ton peuple, parce que tu commandes à des hommes vils. S'il n'en était pas ainsi, Atréide, cette insolence
serait la dernière. Mais je te le dis, et j'en jure un grand
serment : par ce sceptre qui ne produit ni feuilles, ni
rameaux, et qui ne reverdira plus, depuis qu'il a été tranché
du tronc sur les montagnes et que l'airain l'a dépouillé de
feuilles et d'écorce ; et par le sceptre que les fils des Akhaiens
portent aux mains quand ils jugent et gardent les lois au
nom de Zeus, je te le jure par un grand serment : certes,
bientôt le regret d'Akhilleus envahira tous les fils des
Akhaiens, et tu gémiras de ne pouvoir les défendre, quand
ils tomberont en foule sous le tueur d'hommes Hektôr ; et
tu seras irrité et déchiré au fond de ton âme d'avoir outragé
le plus brave des Akhaiens.

Ainsi parla le Pèléide, et il jeta contre terre le sceptre aux
clous d'or, et il s'assit. Et l'Atréide s'irritait aussi ; mais l'excellent agorète des Pyliens, l'harmonieux Nestôr, se leva.

Et la parole coulait de sa langue, douce comme le miel.
Et il avait déjà vécu deux âges d'hommes nés et nourris avec
lui dans la divine Pylos, et il régnait sur le troisième âge.
Très sage, il dit dans l'agora :

— Ô Dieux ! Certes, un grand deuil envahit la terre Akhaienne ! Voici que Priamos se réjouira et que les fils de Priamos et tous les autres Troiens se réjouiront aussi dans leur cœur, quand ils apprendront vos querelles, à vous qui êtes au-dessus des Danaens dans l'agora et dans le combat. Mais laissez-vous persuader, car vous êtes tous deux moins âgés que moi. J'ai vécu autrefois avec des hommes plus braves que vous, et jamais ils ne m'ont cru moindre qu'eux. Non, jamais je n'ai vu et je ne reverrai des hommes tels que Peirithoos, et Dryas, prince des peuples, Kaineus, Exadios, Polyphèmos semblable à un dieu, et Thèseus Aigéide pareil aux Immortels. Certes, ils étaient les plus braves des hommes nourris sur la terre, et ils combattaient contre les plus braves, les Centaures des montagnes ; et ils les tuèrent terriblement. Et j'étais avec eux, étant venu de la terre lointaine de Pylos, et ils m'avaient appelé, et je combattais selon mes forces, car nul des hommes qui sont aujourd'hui sur la terre n'aurait pu leur résister. Mais ils écoutaient mes conseils et s'y conformaient. Obéissez donc, car cela est pour le mieux. Il n'est point permis à Agamemnôn, bien que le plus puissant, d'enlever au Pèléide la vierge que lui ont donnée les fils des Akhaiens, mais tu ne dois point aussi, Pèléide, résister au Roi, car tu n'es point l'égal de ce Porte-sceptre que Zeus a glorifié. Si tu es le plus brave, si une mère divine t'a enfanté, celui-ci est le plus puissant et commande à un plus grand nombre. Atréide, renonce à ta colère, et je supplie Akhilleus de réprimer la sienne, car il est le solide bouclier des Akhaiens dans la guerre mauvaise.

Et le roi Agamemnôn parla ainsi :

— Vieillard, tu as dit sagement et bien ; mais cet homme veut être au-dessus de tous, commander à tous et dominer sur tous. Je ne pense point que personne y consente. Si les Dieux qui vivent toujours l'ont fait brave, lui ont-ils permis d'insulter ?

Et le divin Akhilleus lui répondit :

— Certes, je mériterais d'être nommé lâche et vil si, à chacune de tes paroles, je te complaisais en toute chose. Commande aux autres, mais non à moi, car je ne pense point que je t'obéisse jamais plus désormais. Je te dirai ceci ; garde-le dans ton esprit : Je ne combattrai point contre aucun autre à cause de cette vierge, puisque vous m'enlevez ce que vous m'avez donné ; mais tu n'emporteras rien contre mon gré de toutes les autres choses qui sont dans ma nef noire et rapide. Tente-le, fais-toi ce danger, et que ceux-ci le voient, et aussitôt ton sang noir ruissellera autour de ma lance.

S'étant ainsi outragés de paroles, ils se levèrent et rompirent l'agora auprès des nefs des Akhaiens. Et le Pèléide se retira, avec le Ménoitiade et ses compagnons, vers ses tentes. Et l'Atréide lança à la mer une nef rapide, l'arma de vingt avirons, y mit une hécatombe pour le Dieu et y conduisit lui-même Khrysèis aux belles joues. Et le chef fut le subtil Odysseus.

Et comme ils naviguaient sur les routes marines, l'Atréide ordonna aux peuples de se purifier. Et ils se purifiaient tous, et ils jetaient leurs souillures dans la mer, et ils sacrifiaient à Apollôn des hécatombes choisies de taureaux et de chèvres, le long du rivage de la mer inféconde. Et l'odeur en montait vers l'Ouranos, dans un tourbillon de fumée.

Et pendant qu'ils faisaient ainsi, Agamemnôn n'oubliait ni sa colère, ni la menace faite à Akhilleus. Et il interpella Talthybios et Eurybatès, qui étaient ses hérauts familiers.

— Allez à la tente du Pèléide Akhilleus. Saisissez de la main Brisèis aux belles joues ; et, s'il ne la donne pas, j'irai la saisir moi-même avec un plus grand nombre, et ceci lui sera plus douloureux.

Et il les envoya avec ces âpres paroles. Et ils marchaient à regret le long du rivage de la mer inféconde, et ils parvinrent aux tentes et aux nefs des Myrmidones. Et ils trouvèrent le Pèléide assis auprès de sa tente et de sa nef noire, et Akhilleus ne fut point joyeux de les voir. Effrayés et pleins de respect, ils se tenaient devant le Roi, et ils ne lui parlaient, ni ne l'interrogeaient. Et il les comprit dans son âme et dit :

— Salut, messagers de Zeus et des hommes ! Approchez. Vous n'êtes point coupables envers moi, mais bien Agamemnôn, qui vous envoie pour la vierge Brisèis. Debout, divin Patroklos, amène-la, et qu'ils l'entraînent ! Mais qu'ils soient témoins devant les Dieux heureux, devant les hommes mortels et devant ce Roi féroce, si jamais on a besoin de moi pour conjurer la destruction de tous ; car, certes, il est plein de fureur dans ses pensées mauvaises, et il ne se souvient de rien, et il ne prévoit rien, de façon que les Akhaiens combattent saufs auprès des nefs.

Il parla ainsi, et Patroklos obéit à son compagnon bien-aimé. Il conduisit hors de la tente Brisèis aux belles joues, et il la livra pour être entraînée. Et les hérauts retournèrent

aux nefs des Akhaiens, et la jeune femme allait, les suivant
à contre-cœur. Et Akhilleus, en pleurant, s'assit, loin des
siens, sur le rivage blanc d'écume, et, regardant la haute mer
toute noire, les mains étendues, il supplia sa mère bien-
aimée :

— Mère ! puisque tu m'as enfanté pour vivre peu de
temps, l'Olympien Zeus qui tonne dans les nues devrait
m'accorder au moins quelque honneur ; mais il le fait maintenant moins que jamais. Et voici que l'Atréide Agamemnôn,
qui commande au loin, m'a couvert d'opprobre, et qu'il possède ma récompense qu'il m'a enlevée.

Il parla ainsi, versant des larmes. Et sa mère vénérable
l'entendit, assise au fond de l'abîme, auprès de son vieux
père. Et, aussitôt, elle émergea de la blanche mer, comme
une nuée ; et, s'asseyant devant son fils qui pleurait, elle le
caressa de la main et lui parla :

— Mon enfant, pourquoi pleures-tu ? Quelle amertume
est entrée dans ton âme ? Parle, ne cache rien, afin que nous
sachions tous deux.

Et Akhilleus aux pieds rapides parla avec un profond
soupir :

— Tu le sais ; pourquoi te dire ce que tu sais ? Nous sommes allés contre Thèbè la sainte, ville d'Étiôn, et nous
l'avons saccagée, et nous en avons tout enlevé ; et les fils des
Akhaiens, s'étant partagé les dépouilles, donnèrent à
l'Atréide Agamemnôn Khrysèis aux belles joues. Mais bientôt Khrysès, sacrificateur de l'Archer Apollôn, vint aux nefs
rapides des Akhaiens revêtus d'airain, pour racheter sa fille.
Et il portait le prix infini de l'affranchissement, et, dans ses
mains, les bandelettes de l'Archer Apollôn, suspendues au
sceptre d'or. Et, suppliant, il pria tous les Akhaiens, et surtout les deux Atréides, princes des peuples. Et tous les
Akhaiens, par des rumeurs favorables, voulaient qu'on respectât le sacrificateur et qu'on reçût le prix splendide. Mais
cela ne plut point à l'âme de l'Atréide Agamemnôn, et il le
chassa outrageusement avec une parole violente. Et le vieillard irrité se retira. Mais Apollôn exauça son vœu, car il lui
est très cher. Il envoya contre les Argiens une flèche mauvaise ; et les peuples périssaient amoncelés ; et les traits du
Dieu sifflaient au travers de la vaste armée Akhaienne. Un
divinateur sage interprétait dans l'agora les volontés sacrées
d'Apollôn. Aussitôt, le premier, je voulus qu'on apaisât le

Dieu. Mais la colère saisit l'Atréide, et, se levant soudainement, il prononça une menace qui s'est accomplie. Les
Akhaiens aux sourcils arqués ont conduit la jeune vierge à
Khrysè, sur une nef rapide, et portent des présents au Dieu ;
mais deux hérauts viennent d'entraîner de ma tente la vierge
Brisèis que les Akhaiens m'avaient donnée. Pour toi, si tu le
veux, secours ton fils bien-aimé. Monte à l'Ouranos Olympien et supplie Zeus, si jamais tu as touché son cœur par tes
paroles ou par tes actions. Souvent je t'ai entendue, dans les
demeures paternelles, quand tu disais que, seule parmi les
Immortels, tu avais détourné un indigne traitement du Kroniôn qui amasse les nuées, alors que les autres Olympiens,
Hèrè et Poseidaôn et Pallas Athènè le voulaient enchaîner.
Et toi, Déesse, tu accourus, et tu le délivras de ses liens, en
appelant dans le vaste Olympos le géant au cent mains que
les Dieux nomment Briaréôs, et les hommes Aigaiôn. Et
celui-ci était beaucoup plus fort que son père, et il s'assit,
orgueilleux de sa gloire, auprès du Kroniôn ; et les Dieux
heureux en furent épouvantés et n'enchaînèrent point Zeus.
Maintenant rappelle ceci en sa mémoire ; presse ses genoux ;
et que, venant en aide aux Troiens, ceux-ci repoussent, avec
un grand massacre, les Akhaiens contre la mer et dans leurs
nefs. Que les Argiens jouissent de leur Roi, et que l'Atréide
Agamemnôn qui commande au loin souffre de sa faute,
puisqu'il a outragé le plus brave des Akhaiens.

Et Thétis, répandant des larmes, lui répondit :

— Hélas ! mon enfant, pourquoi t'ai-je enfanté et nourri
pour une destinée mauvaise ! Oh ! que n'es-tu resté dans tes
nefs, calme et sans larmes du moins, puisque tu ne dois
vivre que peu de jours ! Mais te voici très malheureux et
devant mourir très vite, parce que je t'ai enfanté dans mes
demeures pour une destinée mauvaise ! Cependant, j'irai
dans l'Olympos neigeux, et je parlerai à Zeus qui se réjouit
de la foudre, et peut-être m'écoutera-t-il. Pour toi, assis dans
tes nefs rapides, reste irrité contre les Akhaiens et abstiens-
toi du combat. Zeus est allé hier du côté de l'Okéanos, à un
festin que lui ont donné les Aithiopiens irréprochables, et
tous les Dieux l'ont suivi. Le douzième jour il reviendra dans
l'Olympos. Alors j'irai dans la demeure d'airain de Zeus et je
presserai ses genoux, et je pense qu'il en sera touché.

Ayant ainsi parlé, elle partit et laissa Akhilleus irrité dans
son cœur au souvenir de la jeune femme à la belle ceinture
qu'on lui avait enlevée par violence.

Et Odysseus, conduisant l'hécatombe sacrée, parvint à Khrysè. Et les Akhaiens, étant entrés dans le port profond, plièrent les voiles qui furent déposées dans la nef noire. Ils abattirent joyeusement sur l'avant le mât dégagé de ses manœuvres ; et, menant la nef à force d'avirons, après avoir amarré les câbles et mouillé les roches, ils descendirent sur le rivage de la mer, avec l'hécatombe promise à l'Archer Apollôn. Khrysèis sortit aussitôt de la nef, et le subtil Odysseus, la conduisant vers l'autel, la remit aux mains de son père bien-aimé, et dit :

— Ô Khrysès ! le Roi des hommes, Agamemnôn, m'a envoyé pour te rendre ta fille et pour sacrifier une hécatombe sacrée à Phoibos en faveur des Danaens, afin que nous apaisions le Dieu qui accable les Argiens de calamités déplorables.

Ayant ainsi parlé, il lui remit aux mains sa fille bien-aimée, et le vieillard la reçut plein de joie. Aussitôt les Akhaiens rangèrent la riche hécatombe dans l'ordre consacré, autour de l'autel bâti selon le rite. Et ils se lavèrent les mains, et ils préparèrent les orges salées ; et Khrysès, à haute voix, les bras levés, priait pour eux :

— Entends-moi, Porteur de l'arc d'argent, qui protèges Khrysè et la divine Killa, et commandes fortement sur Ténédos. Déjà tu as exaucé ma prière ; tu m'as honoré et tu as couvert d'affliction les peuples des Akhaiens. Maintenant écoute mon vœu, et détourne loin d'eux la contagion.

Il parla ainsi en priant, et Phoibos Apollôn l'exauça. Et, après avoir prié et répandu les orges salées, renversant en arrière le cou des victimes, ils les égorgèrent et les écorchèrent. On coupa les cuisses, on les couvrit de graisse des deux côtés, et on posa sur elles les entrailles crues.

Et le vieillard les brûlait sur du bois sec et les arrosait d'une libation de vin rouge. Les jeunes hommes, auprès de lui, tenaient en mains des broches à cinq pointes. Et, les cuisses étant consumées, ils goûtèrent les entrailles ; et, séparant le reste en plusieurs morceaux, ils les transfixèrent de leurs broches et les firent cuire avec soin, et le tout fut retiré du feu. Après avoir achevé ce travail, ils préparèrent le repas ; et tous furent conviés, et nul ne se plaignit, dans son âme, de l'inégalité des parts.

Ayant assouvi la faim et la soif, les jeunes hommes couronnèrent de vin les kratères et les répartirent entre tous à pleines coupes. Et, durant tout le jour, les jeunes Akhaiens

apaisèrent le Dieu par leurs hymnes, chantant le joyeux
Paian et célébrant l'Archer Apollôn qui se réjouissait dans
son cœur de les entendre.

Quand Hélios tomba et que les ombres furent venues, ils
se couchèrent auprès des câbles, à la proue de leur nef ; et
quand Eôs, aux doigts rosés, née au matin, apparut, ils s'en
retournèrent vers la vaste armée des Akhaiens, et l'Archer
Apollôn leur envoya un vent propice. Et ils dressèrent le
mât, et ils déployèrent les voiles blanches ; et le vent les gonfla par le milieu ; et l'onde pourprée sonnait avec bruit
autour de la carène de la nef qui courait sur l'eau en faisant
sa route.

Puis, étant parvenus à la vaste armée des Akhaiens, ils
tirèrent la nef noire au plus haut des sables de la plage ; et,
l'ayant assujettie sur de longs rouleaux, ils se dispersèrent
parmi les tentes et les nefs.

Mais le divin fils de Pèleus, Akhilleus aux pieds rapides,
assis auprès de ses nefs légères, couvait son ressentiment ;
et il ne se montrait plus ni dans l'agora qui illustre les hommes, ni dans le combat. Et il restait là, se dévorant le cœur
et regrettant le cri de guerre et la mêlée.

Quand Eôs reparut pour la douzième fois, les Dieux qui
vivent toujours revinrent ensemble dans l'Olympos, et Zeus
marchait en tête. Et Thétis n'oublia point les prières de son
fils ; et, émergeant de l'écume de la mer, elle monta, mati-
nale, à travers le vaste Ouranos, jusqu'à l'Olympos, où elle
trouva Celui qui voit tout, le Kronide, assis loin des autres
Dieux, sur le plus haut faîte de l'Olympos aux cimes nombreuses. Elle s'assit devant lui, embrassa ses genoux de la
main gauche, lui toucha le menton de la main droite, et, le
suppliant, elle dit au Roi Zeus Kroniôn :

— Père Zeus, si jamais, entre les Immortels, je t'ai servi,
soit par mes paroles, soit par mes actions, exauce ma prière.
Honore mon fils qui, de tous les vivants, est le plus proche
de la mort. Voici que le Roi des hommes, Agamemnôn, l'a
outragé, et qu'il possède sa récompense qu'il lui a enlevée.
Mais toi, du moins, honore-le, Olympien, très sage Zeus, et
donne le dessus aux Troiens jusqu'à ce que les Akhaiens
aient honoré mon fils et lui aient rendu hommage.

Elle parla ainsi, et Zeus, qui amasse les nuées, ne répondit
pas et resta longtemps muet. Et Thétis, ayant saisi ses
genoux qu'elle tenait embrassés, dit une seconde fois :

— Consens et promets avec sincérité, ou refuse-moi, car

tu ne peux craindre rien. Que je sache si je suis la plus méprisée des Déesses !

Et Zeus, qui amasse les nuées, avec un profond soupir, lui dit :

— Certes, ceci va causer de grands malheurs, quand tu m'auras mis en lutte avec Hèrè, et quand elle m'aura irrité par des paroles outrageantes. Elle ne cesse, en effet, parmi les Dieux immortels, de me reprocher de soutenir les Troiens dans le combat. Maintenant, retire-toi en hâte, de peur que Hèrè t'aperçoive. Je songerai à faire ce que tu demandes, et je t'en donne pour gage le signe de ma tête, afin que tu sois convaincue. Et c'est le plus grand de mes signes pour les Immortels. Et je ne puis ni révoquer, ni renier, ni négliger ce que j'ai promis par un signe de ma tête.

Et le Kroniôn, ayant parlé, fronça ses sourcils bleus. Et la chevelure ambroisienne s'agita sur la tête immortelle du Roi, et le vaste Olympos en fut ébranlé.

Tous deux, s'étant ainsi parlé, se séparèrent. Et Thétis sauta dans la mer profonde, du haut de l'Olympos éblouissant, et Zeus rentra dans sa demeure. Et tous les Dieux se levèrent de leurs sièges à l'aspect de leur Père, et nul n'osa l'attendre, et tous s'empressèrent au-devant de lui, et il s'assit sur son thrône. Mais Hèrè n'avait pas été trompée, l'ayant vu se concerter avec la fille du Vieillard de la mer, Thétis aux pieds d'argent. Et elle adressa d'amers reproches à Zeus Kroniôn :

— Qui d'entre les Dieux, ô plein de ruses, s'est encore concerté avec toi ? Il te plaît sans cesse de prendre, loin de moi, de secrètes résolutions, et jamais tu ne me dis ce que tu médites.

Et le Père des Dieux et des hommes lui répondit :

— Hèrè, n'espère point connaître toutes mes pensées. Elles te seraient terribles, bien que tu sois mon épouse. Celle qu'il convient que tu saches, aucun des Dieux et des hommes ne la connaîtra avant toi ; mais pour celle que je médite loin des Dieux, ne la recherche ni ne l'examine.

Et la vénérable Hèrè aux yeux de bœuf lui répondit :

— Terrible Kronide, quelle parole as-tu dite ? Certes, je ne t'ai jamais interrogé et n'ai point recherché tes pensées, et tu médites ce qu'il te plaît dans ton esprit. Mais je tremble que la fille du Vieillard de la mer, Thétis aux pieds d'agent, ne t'ait séduit ; car, dès le matin, elle s'est assise auprès de toi et elle a saisi tes genoux. Tu lui as promis, je pense, que

tu honorerais Akhilleus et que tu ferais tomber un grand
nombre d'hommes auprès des nefs des Akhaiens.

Et Zeus qui amasse les nuées lui répondit, et il dit :

— Insensée ! tu me soupçonnes sans cesse et je ne puis
me cacher de toi. Mais, dans ton impuissance, tu ne feras
que t'éloigner de mon cœur, et ta peine en sera plus terrible.
Si tes soupçons sont vrais, sache qu'il me plaît d'agir ainsi.
Donc, tais-toi et obéis à mes paroles. Prends garde que tous
les Dieux Olympiens ne puissent te défendre, si j'étends sur
toi mes mains sacrées.

Il parla ainsi, et la vénérable Hèrè aux yeux de bœuf fut
saisie de crainte, et elle demeura muette, domptant son
cœur altier. Et, dans la demeure de Zeus, les Dieux Ouraniens gémirent.

Et l'illustre ouvrier Hèphaistos commença de parler, pour
consoler sa mère bien-aimée, Hèrè aux bras blancs :

— Certes, nos maux seront funestes et intolérables, si
vous vous querellez ainsi pour des mortels, et si vous mettez
le tumulte parmi les Dieux. Nos festins brillants perdront
leur joie, si le mal l'emporte. Je conseille à ma mère, bien
qu'elle soit déjà persuadée de ceci, de calmer Zeus, mon père
bien-aimé, afin qu'il ne s'irrite point de nouveau et qu'il ne
trouble plus nos festins. Certes, si l'Olympien qui darde les
éclairs le veut, il peut nous précipiter de nos thrônes, car il
est le plus puissant. Tente donc de le fléchir par de douces
paroles, et aussitôt l'Olympien nous sera bienveillant.

Il parla ainsi, et, s'étant élancé, il remit une coupe profonde aux mains de sa mère bien-aimée et lui dit :

— Sois patiente, ma mère, et, bien qu'affligée, supporte
ta disgrâce, de peur que je te voie maltraitée, toi qui m'es
chère, et que, malgré ma douleur, je ne puisse te secourir,
car l'Olympien est un terrible adversaire. Déjà, une fois,
comme je voulais te défendre, il me saisit par un pied et me
jeta du haut des demeures divines. Tout un jour je roulai,
et, avec Hélios, qui se couchait, je tombai dans Lèmnos,
presque sans vie. Là les hommes Sintiens me reçurent dans
ma chute.

Il parla ainsi, et la divine Hèrè aux bras blancs sourit, et
elle reçut la coupe de son fils. Et il versait, par la droite, à
tous les autres Dieux, puisant le doux nektar dans le kratère.
Et un rire inextinguible s'éleva parmi les Dieux heureux,
quand ils virent Hèphaistos s'agiter dans la demeure.

Et ils se livraient ainsi au festin, tout le jour, jusqu'au coucher de Hélios. Et nul d'entre eux ne fut privé d'une égale part du repas, ni des sons de la lyre magnifique que tenait Apollôn, tandis que les Muses chantaient tour à tour d'une belle voix. Mais après que la brillante lumière Hélienne se fut couchée, eux aussi se retirèrent, chacun dans la demeure que l'illustre Hèphaistos boiteux des deux pieds avait construite habilement. Et l'Olympien Zeus, qui darde les éclairs, se rendit vers sa couche, là où il reposait quand le doux sommeil le saisissait. Et il s'y endormit, et, auprès de lui, Hèrè au thrône d'or.

RHAPSODIE II

Les Dieux et les cavaliers armés de casques dormaient tous dans la nuit ; mais le profond sommeil ne saisissait point Zeus, et il cherchait dans son esprit comment il honorerait Akhilleus et tuerait une foule d'hommes auprès des nefs des Akhaiens. Et ce dessein lui parut le meilleur, dans son esprit, d'envoyer un Songe menteur à l'Atréide Agamemnôn. Et, l'ayant appelé, il lui dit ces paroles ailées :

— Va, Songe menteur, vers les nefs rapides des Akhaiens. Entre dans la tente de l'Atréide Agamemnôn et porte-lui très fidèlement mon ordre. Qu'il arme la foule des Akhaiens chevelus, car voici qu'il va s'emparer de la ville aux larges rues des Troiens. Les Immortels qui habitent les demeures Olympiennes ne sont plus divisés, car Hèrè les a tous fléchis par ses supplications, et les calamités sont suspendues sur les Troiens.

Il parla ainsi, et, l'ayant entendu, le Songe partit. Et il parvint aussitôt aux nefs rapides des Akhaiens, et il s'approcha de l'Atréide Agamemnôn qui dormait sous sa tente et qu'un sommeil ambroisien enveloppait. Et il se tint auprès de la tête du Roi. Et il était semblable au Nèlèiôn Nestôr, qui, de tous les vieillards, était le plus honoré d'Agamemnôn. Et, sous cette forme, le Songe divin parla ainsi :

— Tu dors, fils du brave Atreus dompteur de chevaux ? Il ne faut pas qu'un homme sage à qui les peuples ont été confiés, et qui a tant de soucis dans l'esprit, dorme toute la nuit. Et maintenant, écoute-moi sans tarder, car je te suis envoyé par Zeus qui, de loin, s'inquiète de toi et te prend en pitié. Il t'ordonne d'armer la foule des Akhaiens chevelus, car voici que tu vas t'emparer de la ville aux larges rues des Troiens. Les Immortels qui habitent les demeures Olympiennes ne sont plus divisés, car Hèrè les a tous fléchis par ses supplications, et les calamités sont suspendues sur les Troiens. Garde ces paroles dans ton esprit et n'oublie rien quand le doux sommeil t'aura quitté.

Ayant ainsi parlé, il disparut et le laissa rouler dans son esprit ces paroles qui ne devaient point s'accomplir. Et l'insensé crut qu'il allait s'emparer, ce jour-là, de la ville de Priamos, ne sachant point ce que Zeus méditait. Et le Kronide se préparait à répandre encore, en de terribles batailles, les douleurs et les gémissements sur les Troiens et sur les Danaens.

Et l'Atréide s'éveilla, et la voix divine résonnait autour de lui. Il se leva et revêtit sa tunique moelleuse, belle et neuve. Et il se couvrit d'une large manteau et noua à ses pieds robustes de belles sandales, et il suspendit à ses épaules l'épée aux clous d'argent. Enfin, il prit le sceptre immortel de ses pères et marcha ainsi vers les nefs des Akhaiens revêtus d'airain.

Et la divine Eôs gravit le haut Olympos, annonçant la lumière à Zeus et aux Immortels. Et l'Atréide ordonna aux hérauts à la voix sonore de convoquer à l'agora les Akhaiens chevelus. Et ils les convoquèrent, et tous accoururent en foule ; et l'Atréide réunit un conseil des chefs magnanimes, auprès de la nef de Nestôr, roi de Pylos. Et, les ayant réunis, il consulta leur sagesse :

— Amis, entendez-moi, Un Songe divin m'a été envoyé dans mon sommeil, au milieu de la nuit ambroisienne. Et il était semblable au divin Nestôr par le visage et la stature, et il s'est arrêté au-dessus de ma tête, et il m'a parlé ainsi :

— Tu dors, fils du brave Atreus, dompteur de chevaux ? Il ne faut point qu'un homme sage à qui les peuples ont été confiés, et qui a tant de soucis dans l'esprit, dorme toute la nuit. Et maintenant, écoute-moi sans tarder, car je te suis envoyé par Zeus qui, de loin, s'inquiète de toi et te prend en pitié. Il t'ordonne d'armer la foule des Akhaiens chevelus, car voici que tu vas t'emparer de la ville aux larges rues des Troiens. Les Immortels qui habitent les demeures Olympiennes ne sont plus divisés, car Hèrè les a tous fléchis par ses supplications, et les calamités sont suspendues sur les Troiens. Garde ces paroles dans ton esprit.

En parlant ainsi il s'envola, et le doux sommeil me quitta. Maintenant, songeons à armer les fils des Akhaiens. D'abord, je les tenterai par mes paroles, comme il est permis, et je les pousserai à fuir sur leurs nefs chargées de rameurs. Vous, par vos paroles, forcez-les de rester.

Ayant ainsi parlé, il s'assit. Et Nestôr se leva, et il était roi de la sablonneuse Pylos, et, les haranguant avec sagesse, il leur dit :

— Ô amis ! Rois et princes des Argiens, si quelque autre des Akhaiens nous eût dit ce songe, nous aurions pu croire qu'il mentait, et nous l'aurions repoussé ; mais celui qui l'a entendu se glorifie d'être le plus puissant dans l'armée. Songeons donc à armer les fils des Akhaiens.

Ayant ainsi parlé, il sortit le premier de l'agora. Et les autres Rois porte-sceptres se levèrent et obéirent au prince des peuples. Et les peuples accouraient. Ainsi des essaims d'abeilles innombrables sortent toujours et sans cesse d'une roche creuse et volent par légions sur les fleurs du printemps, et les unes tourbillonnent d'un côté, et les autres de l'autre. Ainsi la multitude des peuples, hors des nefs et des tentes, s'avançait vers l'agora, sur le rivage immense. Et, au milieu d'eux, Ossa, messagère de Zeus, excitait et hâtait leur course, et ils se réunissaient.

Et l'agora était pleine de tumulte, et la terre gémissait sous le poids des peuples. Et, comme les clameurs redoublaient, les hérauts à la voix sonore les contraignaient de se taire et d'écouter les Rois divins. Et la foule s'assit et resta silencieuse ; et le divin Agamemnôn se leva, tenant son sceptre. Hèphaistos, l'ayant fait, l'avait donné au Roi Zeus Kroniôn. Zeus le donna au Messager, tueur d'Argos ; et le roi Herméias le donna à Pélops, dompteur de chevaux, et Pélops le donna au prince des peuples Atreus. Atreus, en mourant, le laissa à Thyestès, riche en troupeaux, et Thyestès le laissa à Agamemnôn, afin que ce dernier le portât et commandât sur un grand nombre d'îles et sur tout Argos. Appuyé sur ce sceptre, il parla ainsi aux Argiens :

— Ô amis ! héros Danaens, serviteurs d'Arès, Zeus Kronide m'accable de maux terribles. L'impitoyable ! Autrefois il me promit que je reviendrais après avoir conquis Ilios aux fortes murailles ; mais il me trompait, et voici qu'il me faut

rentrer sans gloire dans Argos, ayant perdu un grand nombre d'hommes. Et cela plaît au tout-puissant Zeus qui a renversé et qui renversera tant de hautes citadelles, car sa force
est très grande. Certes, ceci sera une honte dans la postérité,
que la race courageuse et innombrable des Akhaiens ait
combattu tant d'années, et vainement, des hommes moins
nombreux, sans qu'on puisse prévoir la fin de la lutte. Car,
si, ayant scellé par serment d'inviolables traités, nous,
Akhaiens et Troiens, nous faisions un dénombrement des
deux races ; et que, les habitants de Troiè s'étant réunis,
nous nous rangions par décades, comptant un seul Troien
pour présenter la coupe à chacune d'elles, certes, beaucoup
de décades manqueraient d'échansons, tant les fils des
Argiens sont plus nombreux que les Troiens qui habitent
cette ville. Mais voici que de nombreux alliés, habiles à lancer la pique, s'opposent victorieusement à mon désir de renverser la citadelle populeuse de Troiè. Neuf années du grand
Zeus se sont écoulées déjà, et le bois de nos nefs se corrompt, et les cordages tombent en poussière ; et nos femmes
et nos petits enfants restent en nous attendant dans nos
demeures, et la tâche est inachevée pour laquelle nous sommes venus. Allons ! fuyons tous sur nos nefs vers la chère
terre natale. Nous ne prendrons jamais la grande Troiè !
    Il parla ainsi, et ses paroles agitèrent l'esprit de la multi-
tude qui n'avait point assisté au conseil. Et l'agora fut agitée
comme les vastes flots de la mer Ikarienne que remuent
l'Euros et le Notos échappés des nuées du Père Zeus, ou
comme un champ d'épis que bouleverse Zéphyros qui tombe
impétueusement sur la grande moisson. Telle l'agora était
agitée. Et ils se ruaient tous vers les nefs, avec des clameurs,
et soulevant de leurs pieds un nuage immobile de poussière.
Et ils s'exhortaient à saisir les nefs et à les traîner à la mer
divine. Les cris montaient dans l'Ouranos, hâtant le départ ;
et ils dégageaient les canaux et retiraient déjà les rouleaux
des nefs. Alors, les Argiens se seraient retirés, contre la destinée, si Hèrè n'avait parlé ainsi à Athènè :
    — Ah ! fille indomptée de Zeus tempétueux, les Argiens
fuiront-ils vers leurs demeures et la chère terre natale, sur
le vaste dos de la mer, laissant à Priamos et aux Troiens leur
gloire et l'Argienne Hélénè pour laquelle tant d'Akhaiens
sont morts devant Troiè, loin de la chère patrie ? Va trouver
le peuple des Akhaiens armés d'airain. Retiens chaque guerrier par de douces paroles, et ne permets pas qu'on traîne
les nefs à la mer.

Elle parla ainsi, et la divine Athènè aux yeux clairs obéit. Et elle sauta du faîte de l'Olympos, et, parvenue aussitôt aux nefs rapides des Akhaiens, elle trouva Odysseus, semblable à Zeus par l'intelligence, qui restait immobile. Et il ne saisissait point sa nef noire bien construite, car la douleur emplissait son cœur et son âme. Et, s'arrêtant auprès de lui, Athènè aux yeux clairs parla ainsi :

— Divin Laertiade, sage Odysseus, fuirez-vous donc tous dans vos nefs chargées de rameurs, laissant à Priamos et aux Troiens leur gloire et l'Argienne Hélénè pour laquelle tant d'Akhaiens sont morts devant Troiè, loin de la chère patrie ? Va ! hâte-toi d'aller vers le peuple des Akhaiens. Retiens chaque guerrier par de douces paroles, et ne permets pas qu'on traîne les nefs à la mer.

Elle parla ainsi, et il reconnut la voix de la Déesse, et il courut, jetant son manteau que releva le héraut Eurybatès d'Ithakè, qui le suivait. Et, rencontrant l'Atréide Agamemnôn, il reçut de lui le sceptre immortel de ses pères, et, avec ce sceptre, il marcha vers les nefs des Akhaiens revêtus d'airain. Et quand il se trouvait en face d'un Roi ou d'un homme illustre, il l'arrêtait par de douces paroles :

— Malheureux ! Il ne te convient pas de trembler comme un lâche. Reste et arrête les autres. Tu ne sais pas la vraie pensée de l'Atréide. Maintenant il tente les fils des Akhaiens, et bientôt il les punira. Nous n'avons point tous entendu ce qu'il a dit dans le conseil. Craignons que, dans sa colère, il outrage les fils des Akhaiens, car la colère d'un Roi nourrisson de Zeus est redoutable, et le très sage Zeus l'aime, et sa gloire vient de Zeus.

Mais quand il rencontrait quelque guerrier obscur et plein de clameurs, il le frappait du sceptre et le réprimait par de rudes paroles :

— Arrête, misérable ! Écoute ceux qui te sont supérieurs, lâche et sans force, toi qui n'as aucun rang ni dans le combat ni dans le conseil. Certes, tous les Akhaiens ne seront point Rois ici. La multitude des maîtres ne vaut rien. Il ne faut qu'un chef, un seul Roi, à qui le fils de Kronos empli de ruses a remis le sceptre et les lois, afin qu'il règne sur tous.

Ainsi Odysseus refrénait puissamment l'armée. Et ils se précipitaient de nouveau, tumultueux, vers l'agora, loin des nefs et des tentes, comme lorsque les flots aux bruits sans nombre se brisent en grondant sur le vaste rivage, et que la haute mer en retentit. Et tous étaient assis à leurs rangs.

Et, seul, Thersitès poursuivait ses clameurs. Il abondait en paroles insolentes et outrageantes, même contre les Rois, et parlait sans mesure, afin d'exciter le rire des Argiens. Et c'était l'homme le plus difforme qui fût venu devant Ilios. Il était louche et boiteux, et ses épaules recourbées se rejoignaient sur sa poitrine, et quelques cheveux épars poussaient sur sa tête pointue. Et il haïssait surtout Akhilleus et Odysseus, et il les outrageait. Et il poussait des cris injurieux contre le divin Agamemnôn. Les Akhaiens le méprisaient et le haïssaient, mais, d'une voix haute, il outrageait aussi Agamemnôn :

— Atréide, que te faut-il encore, et que veux-tu ? Tes tentes sont pleines d'airain et de nombreuses femmes fort belles que nous te donnons d'abord, nous, Akhaiens, quand nous prenons une ville. As-tu besoin de l'or qu'un Troien dompteur de chevaux t'apportera pour l'affranchissement de son fils que j'aurai amené enchaîné, ou qu'un autre Akhaien aura dompté ? Te faut-il une jeune femme que tu possèdes et que tu ne quittes plus ? Il ne convient point qu'un chef accable de maux les Akhaiens. Ô lâches ! opprobres vivants ! Akhaiennes et non Akhaiens ! Retournons dans nos demeures avec les nefs ; laissons-le, seul devant Troiè, amasser des dépouilles, et qu'il sache si nous lui étions nécessaires ou non. N'a-t-il point outragé Akhilleus, meilleur guerrier que lui, et enlevé sa récompense ? Certes, Akhilleus n'a point de colère dans l'âme, car c'eût été, Atréide, ta dernière insolence !

Il parla ainsi, outrageant Agamemnôn, prince des peuples. Et le divin Odysseus, s'arrêtant devant lui, le regarda d'un œil sombre et lui dit rudement :

— Thersitès, infatigable harangueur, silence ! Et cesse de t'en prendre aux Rois. Je ne pense point qu'il soit un homme plus vil que toi parmi ceux qui sont venus devant Troiè avec les Atréides, et tu ne devrais point haranguer avec le nom des Rois à la bouche, ni les outrager, ni exciter au retour. Nous ne savons point quelle sera notre destinée, et s'il est bon ou mauvais que nous partions. Et voici que tu te plais à outrager l'Atréide Agamemnôn, prince des peuples, parce que les héros Danaens l'ont comblé de dons ! Et c'est pour cela que tu harangues ? Mais je te le dis, et ma parole s'accomplira : si je te rencontre encore plein de rage comme maintenant, que ma tête saute de mes épaules, que je ne sois plus nommé le père de Tèlémakhos, si je ne te saisis, et, t'ayant arraché ton vêtement, ton manteau et ce qui couvre ta nudité, je ne te renvoie, sanglotant, de l'agora aux nefs rapides, en te frappant de coups terribles !

Il parla ainsi, et il le frappa du sceptre sur le dos et les épaules. Et Thersitès se courba, et les larmes lui tombèrent des yeux. Une tumeur saignante lui gonfla le dos sous le coup du sceptre d'or, et il s'assit, tremblant et gémissant, hideux à voir, et il essuya ses yeux. Et les Akhaiens, bien que soucieux, rirent aux éclats ; et, se regardant les uns les autres, ils se disaient : Certes, Odysseus a déjà fait mille choses excellentes, par ses sages conseils et par sa science guerrière ; mais ce qu'il a fait de mieux, entre tous les Argiens, a été de réduire au silence ce harangueur injurieux. De longtemps, il se gardera d'outrager les Rois par ses paroles injurieuses.

La multitude parlait ainsi. Et le preneur de villes, Odysseus, se leva, retenant son sceptre. Auprès de lui, Athènè aux yeux clairs, semblable à un héraut, ordonna à la foule de se taire, afin que tous les fils des Akhaiens, les plus proches et les plus éloignés, pussent entendre et comprendre. Et l'excellent Agorète parla ainsi :

— Roi Atréide, voici que les Akhaiens veulent te couvrir d'opprobre en face des hommes vivants, et ils ne tiennent point la promesse qu'ils te firent, en venant d'Argos, féconde en chevaux, de ne retourner qu'après avoir renversé la forte muraille d'Ilios. Et voici qu'ils pleurent, pleins du désir de leurs demeures, comme des enfants et des veuves. Certes, c'est une amère douleur de fuir après tant de maux soufferts. Je sais, il est vrai, qu'un voyageur, éloigné de sa femme depuis un seul mois, s'irrite auprès de sa nef chargée de rameurs, que retiennent les vents d'hiver et la mer soulevée. Or, voici neuf années bientôt que nous sommes ici. Je n'en veux donc point aux Akhaiens de s'irriter auprès de leurs nefs éperonnées ; mais il est honteux d'être restés si longtemps et de s'en retourner les mains vides. Souffrez donc, amis, et demeurez ici quelque temps encore, afin que nous sachions si Kalkhas a dit vrai ou faux. Et nous le savons, et vous en êtes tous témoins, vous que les Kères de la mort n'ont point emportés. Était-ce donc hier ? Les nefs des Akhaiens étaient réunies devant Aulis, portant les calamités à Priamos et aux Troiens. Et nous étions autour de la source, auprès des autels sacrés, offrant aux Immortels de complètes hécatombes, sous un beau platane ; et, à son ombre, coulait une eau vive, quand nous vîmes un grand prodige. Un

dragon terrible, au dos ensanglanté, envoyé de l'Olympien
lui-même, sortit de dessous l'autel et rampa vers le platane.
Là étaient huit petits passereaux, tout jeunes, sur la branche
la plus haute et blottis sous les feuilles ; et la mère qui les
avait enfantés était la neuvième. Et le dragon les dévorait
cruellement, et ils criaient, et la mère, désolée, volait tout
autour de ses petits. Et, comme elle emplissait l'air de cris,
il la saisit par une aile ; et quand il eut mangé la mère et les
petits, le Dieu qui l'avait envoyé en fit un signe mémorable ;
car le fils de Kronos empli de ruses le changea en pierre. Et
nous admirions ceci, et les choses terribles qui étaient dans
les hécatombes des Dieux. Et voici que Kalkhas nous révéla
aussitôt les volontés divines : — Pourquoi êtes-vous muets,
Akhaiens chevelus ? Ceci est un grand signe du très sage
Zeus ; et ces choses s'accompliront fort tard, mais la gloire
n'en périra jamais. De même que ce dragon a mangé les
petits passereaux, et ils étaient huit, et la mère qui les avait
enfantés, et elle était la neuvième, de même nous combattrons pendant neuf années, et, dans la dixième, nous prendrons Troiè aux larges rues. C'est ainsi qu'il parla, et ses
paroles se sont accomplies. Restez donc tous, Akhaiens aux
belles knèmides, jusqu'à ce que nous prenions la grande
citadelle de Priamos.

Il parla ainsi, et les Argiens, par des cris éclatants, applaudissaient la harangue du divin Odysseus. Et, à ces cris, les
nefs creuses rendirent des sons terribles. Et le cavalier
Gérennien Nestôr leur dit :

— Ah ! certes, ceci est une agora d'enfants étrangers aux
fatigues de la guerre ! Où iront nos paroles et nos serments ?
Les conseils et la sagesse des hommes, et les libations de vin
pur, et les mains serrées en gage de notre foi commune, tout
sera-t-il jeté au feu ? Nous ne combattons qu'en paroles vaines, et nous n'avons rien trouvé de bon après tant d'années.
Atréide, sois donc inébranlable et commande les Argiens
dans les rudes batailles. Laisse périr un ou deux lâches qui
conspirent contre les Akhaiens et voudraient regagner Argos
avant de savoir si Zeus tempétueux a menti. Mais ils n'y
réussiront pas. Moi, je dis que le terrible Kroniôn engagea
sa promesse le jour où les Argiens montaient dans les nefs
rapides pour porter aux Troiens les Kères de la mort, car il
tonna à notre droite, par un signe heureux. Donc, que nul
ne se hâte de s'en retourner avant d'avoir entraîné la femme
de quelque Troien et vengé le rapt de Hélénè et tous les

maux qu'il a causés. Et si quelqu'un veut fuir malgré tout,
qu'il saisisse sa nef noire et bien construite, afin de trouver
une prompte mort. Mais, ô Roi, délibère avec une pensée
droite et écoute mes conseils. Ce que je dirai ne doit pas être
négligé. Sépare les hommes par races et par tribus, et que
celles-ci se viennent en aide les unes les autres. Si tu fais
ainsi, et que les Akhaiens t'obéissent, tu connaîtras la
lâcheté ou le courage des chefs et des hommes, car chacun
combattra selon ses forces. Et si tu ne renverses point cette
ville, tu sauras si c'est par la volonté divine ou par la faute
des hommes.

Et le roi Agamemnôn, lui répondant, parla ainsi :

— Certes, vieillard, tu surpasses dans l'agora tous les fils
des Akhaiens. Ô Père Zeus ! Athènè, Apollôn ! Si j'avais dix
conseillers tels que toi parmi les Akhaiens, la ville du roi
Priamos tomberait bientôt, emportée et saccagée par nos
mains ! Mais le Kronide Zeus tempétueux m'a accablé de
maux en me jetant au milieu de querelles fatales. Akhilleus
et moi nous nous sommes divisés à cause d'une jeune vierge,
et je me suis irrité le premier. Si jamais nous nous réunis-
sons, la ruine des Troiens ne sera point retardée, même d'un
jour. Maintenant, allez prendre votre repas, afin que nous
combattions. Et que, d'abord, chacun aiguise sa lance,
consolide son bouclier, donne à manger à ses chevaux, s'occupe attentivement de son char et de toutes les choses de la
guerre, afin que nous fassions tout le jour l'œuvre du terrible
Arès. Et nous n'aurons nulle relâche, jusqu'à ce que la nuit
sépare les hommes furieux. La courroie du bouclier préser-
vateur sera trempée de la sueur de chaque poitrine, et la
main guerrière se fatiguera autour de la lance, et le cheval
fumera, inondé de sueur, en traînant le char solide. Et je
le dis, celui que je verrai loin du combat, auprès des nefs
éperonnées, celui-là n'évitera point les chiens et les oiseaux
carnassiers.

Il parla ainsi, et les Argiens jetèrent de grands cris, avec
le bruit que fait la mer quand le Notos la pousse contre une
côte élevée, sur un roc avancé que les flots ne cessent jamais
d'assiéger, de quelque côté que soufflent les vents. Et ils coururent, se dispersant au milieu des nefs ; et la fumée sortit
des tentes, et ils prirent leur repas. Et chacun d'eux sacrifiait
à l'un des Dieux qui vivent toujours, afin d'éviter les blessures d'Arès et la mort. Et le roi des hommes, Agamemnôn,

sacrifia un taureau gras, de cinq ans, au très puissant Kroniôn, et il convoqua les plus illustres des Panakhaiens, Nestôr, le roi Idoméneus, les deux Aias et le fils de Tydeus.
Odysseus, égal à Zeus par l'intelligence, fut le sixième.
Ménélaos, brave au combat, vint de lui-même, sachant les
desseins de son frère. Entourant le taureau, ils prirent les
orges salées, et, au milieu d'eux, le Roi des hommes, Agamemnôn, dit en priant :

— Zeus ! Très glorieux, très grand, qui amasses les noires
nuées et qui habites l'Aither ! puisse Hélios ne point se coucher et la nuit ne point venir avant que j'aie renversé la
demeure enflammée de Priamos, après avoir brûlé ses portes et brisé, de l'épée, la cuirasse de Hektôr sur sa poitrine,
et vu la foule de ses compagnons, couchés autour de lui dans
la poussière, mordre de leurs dents la terre !

Il parla ainsi, et le Kroniôn accepta le sacrifice, mais il ne
l'exauça pas, lui réservant de plus longues fatigues. Et, après
qu'ils eurent prié et jeté les orges salées, ils renversèrent la
tête du taureau ; et, l'ayant égorgé et dépouillé, ils coupèrent
les cuisses qu'ils couvrirent deux fois de graisse ; et, posant
par-dessus des morceaux sanglants, ils les rôtissaient avec
des rameaux sans feuilles, et ils tenaient les entrailles sur le
feu. Et quand les cuisses furent rôties et qu'il eurent goûté
aux entrailles, ils coupèrent le reste par morceaux qu'ils
embrochèrent et firent rôtir avec soin, et ils retirèrent le
tout. Et, après ce travail, ils préparèrent le repas, et aucun
ne put se plaindre d'une part inégale. Puis, ayant assouvi la
faim et la soif, le cavalier Gérennien Nestôr parla ainsi :

— Très glorieux Roi des hommes, Atréide Agamemnôn,
ne tardons pas plus longtemps à faire ce que Zeus nous permet d'accomplir. Allons ! que les hérauts, par leurs clameurs, rassemblent auprès des nefs l'armée des Akhaiens
revêtus d'airain ; et nous, nous mêlant à la foule guerrière
des Akhaiens, excitons à l'instant l'impétueux Arès.

Il parla ainsi, et le Roi des hommes, Agamemnôn, obéit,
et il ordonna aux hérauts à la voix éclatante d'appeler au
combat les Akhaiens chevelus. Et, autour de l'Atréiôn, les
Rois divins couraient çà et là, rangeant l'armée. Et, au
milieu d'eux, Athènè aux yeux clairs portait l'Aigide glorieuse, impérissable et immortelle. Et cent franges d'or bien
tissues, chacune du prix de cent bœufs, y étaient suspendues. Avec cette Aigide, elle allait ardemment à travers l'armée des Akhaiens, poussant chacun en avant, lui mettant la

force et le courage au cœur, afin qu'il guerroyât et combattît sans relâche. Et aussitôt il leur semblait plus doux de combattre que de retourner sur leurs nefs creuses vers la chère terre natale. Comme un feu ardent qui brûle une grande forêt au faîte d'une montagne, et dont la lumière resplendit au loin, de même s'allumait dans l'Ouranos l'airain étincelant des hommes qui marchaient.

Comme les multitudes ailées des oies, des grues ou des cygnes au long cou, dans les prairies d'Asios, sur les bords du Kaystros, volent çà et là, agitant leurs ailes joyeuses, et se devançant les uns les autres avec des cris dont la prairie résonne, de même les innombrables tribus Akhaiennes roulaient en torrents dans la plaine du Skamandros, loin des nefs et des tentes ; et, sous leurs pieds et ceux des chevaux, la terre mugissait terriblement. Et ils s'arrêtèrent dans la plaine fleurie du Skamandros, par milliers, tels que les feuilles et les fleurs du printemps. Aussi nombreux que les tourbillons infinis de mouches qui bourdonnent autour de l'étable, dans la saison printanière, quand le lait abondant blanchit les vases, les Akhaiens chevelus s'arrêtaient dans la plaine en face des Troiens, et désirant les détruire. Comme les bergers reconnaissent aisément leurs immenses troupeaux de chèvres confondus dans les pâturages, ainsi les chefs rangeaient leurs hommes. Et le grand roi Agamemnôn était au milieu d'eux, semblable par les yeux et la tête à Zeus qui se réjouit de la foudre, par la stature à Arès, et par l'ampleur de la poitrine à Poseidaôn. Comme un taureau l'emporte sur le reste du troupeau et s'élève au-dessus des génisses qui l'environnent, de même Zeus, en ce jour, faisait resplendir l'Atréide entre d'innombrables héros.

Et maintenant, Muses, qui habitez les demeures Olympiennes, vous qui êtes Déesses et présentes à tout, et qui savez toutes choses, tandis que nous ne savons rien et n'entendons seulement qu'un bruit de gloire, dites les Rois et les princes des Danaens. Car je ne pourrais nommer ni décrire la multitude, même ayant dix langues, dix bouches, une voix infatigable et une poitrine d'airain, si les Muses Olympiades, filles de Zeus tempétueux, ne me rappellent ceux qui vinrent sous Ilios. Je dirai donc les chefs et toutes les nefs.

Pènéléôs et Lèitos, et Arkésilaos, et Prothoènôr, et Klonios commandaient aux Boiôtiens. Et c'étaient ceux qui habitaient Hyriè et la pierreuse Aulis, et Skhoinos, et Skôlos, et les nombreuses collines d'Etéôn, et Thespéia, et Graia, et la grande Mykalèsos ; et ceux qui habitaient autour de Harma et d'Eilésion et d'Erythra ; et ceux qui habitaient Eléôn et Hylè, et Pétéôn, Okaléè et Médéôn bien bâtie, Kôpa et Eutrèsis et Thisbè abondante en colombes ; et ceux qui habitaient Korônéia et Haiartos aux grandes prairies ; et ceux qui habitaient Platia ; et ceux qui vivaient dans Glissa ; et ceux qui habitaient la cité bien bâtie de Hypothèba, et la sainte Onkhèstos, bois sacré de Poseidaôn ; et ceux qui habitaient Arnè qui abonde en raisin, et Midéia, et la sainte Nissa, et la ville frontière Anthèdôn. Et ils étaient venus sur cinquante nefs, et chacune portait cent vingt jeunes Boiôtiens.

Et ceux qui habitaient Asplèdôn et Orkhoménos de Minyas étaient commandés par Askalaphos et Ialménos, fils d'Arès. Et Astyokhè Azéide les avait enfantés dans la demeure d'Aktôr, le puissant Arès ayant surpris la vierge innocente dans les chambres hautes. Et ils étaient venus sur trente nefs creuses.

Et Skhédios et Epistrophos, fils du magnanime Iphitos Naubolide, commandaient aux Phôkèens. Et c'étaient ceux qui habitaient Kyparissos et la pierreuse Pythôn et la sainte Krissa, et Daulis et Panopè ; et ceux qui habitaient autour d'Anémôréia et de Hyampolis ; et ceux qui habitaient auprès du divin fleuve Kèphisos et qui possédaient Lilaia, à la source du Kèphisos. Et ils étaient venus sur quarante nefs noires, et leurs chefs les rangèrent à la gauche des Boiôtiens.

Et l'agile Aias Oilèide commandait aux Lokriens. Il était beaucoup moins grand qu'Aias Télamônien, et sa cuirasse était de lin ; mais, par la lance, il excellait entre les Panhellènes et les Akhaiens. Et il commandait à ceux qui habitaient Kynos et Opoén, et Kalliaros, et Bèssa et Skarphè, et l'heureuse Augéia, et Tarphè, et Thronios, auprès du Boagrios. Et tous ces Lokriens, qui habitaient au delà de la sainte Euboiè, étaient venus sur quarante nefs noires.

Et les Abantes, pleins de courage, qui habitaient l'Euboia et Khalkis, et Eirétria, et Histiaia qui abonde en raisin, et la maritime Kèrinthos, et la haute citadelle de Dion ; et ceux qui habitaient Karystos et Styra étaient commandés par Eléphènôr Khalkôdontiade, de la race d'Arès ; et il était le prince des magnanimes Abantes. Et les Abantes agiles, aux cheveux flottant sur le dos, braves guerriers, désiraient percer de près les cuirasses ennemies de leurs piques de frêne. Et ils étaient venus sur quarante nefs noires.

Et ceux qui habitaient Athèna, ville forte et bien bâtie du

magnanime Erékhtheus qui nourrit Athènè, fille de Zeus,
après que la terre féconde l'eut enfanté, et qu'elle plaça dans
le temple abondant où les fils des Athènaiens offrent chaque
année, pour lui plaire, des hécatombes de taureaux et
d'agneaux ; ceux-là étaient commandés par Ménestheus, fils
de Pétéôs. Jamais aucun homme vivant, si ce n'était Nestôr,
qui était plus âgé, ne fut son égal pour ranger en bataille
les cavaliers et les porte-boucliers. Et ils étaient venus sur
cinquante nefs noires.

Et Aias avait amené douze nefs de Salamis, et il les avait
placées auprès des Athènaiens.

Et ceux qui habitaient Argos et la forte Tiryntha, Her-
mionè et Asinè aux golfes profonds, Troizènè, Eiôna et Epi-
dauros qui abonde en vignes ; et ceux qui habitaient Aigina
et Masès étaient commandés par Diomèdès, hardi au
combat, et par Sthénélos, fils de l'illustre Kapaneus, et par
Euryalos, semblable aux Dieux, fils du roi Mèkisteus Talaionide. Mais Diomèdès, hardi au combat, les commandait
tous. Et ils étaient venus sur quatre-vingts nefs noires.

Et ceux qui habitaient la ville forte et bien bâtie de
Mykènè, et la riche Korinthos et Kléôna ; et ceux qui habitaient Ornéia et l'heureuse Araithyrèè, et Sikyôn où régna,
le premier, Adrèstos ; et ceux qui habitaient Hypérèsiè et la
haute Gonoessa et Pellènè, et qui vivaient autour d'Aigion et
de la grande Hélikè, et sur toute la côte, étaient commandés
par le roi Agamemnôn Atréide. Et ils étaient venus sur cent
nefs, et ils étaient les plus nombreux et les plus braves des
guerriers. Et l'Atréide, revêtu de l'airain splendide, était fier
de commander à tous les héros, étant lui-même très brave,
et ayant amené le plus de guerriers.

Et ceux qui habitaient la grande Lakédaimôn dans sa
creuse vallée, et Pharis et Spartè, et Messè qui abonde en
colombes, et Bryséia et l'heureuse Augéia, Amykla et la
maritime Hélos ; et ceux qui habitaient Laas et Oitylos,
étaient commandés par Ménélaos hardi au combat, et séparés des guerriers de son frère. Et ils étaient venus sur
soixante nefs. Et Ménélaos était au milieu d'eux, confiant
dans son courage, et les excitant à combattre ; car, plus
qu'eux, il désirait venger le rapt de Hélénè et les maux qui
en venaient.

Et ceux qui habitaient Pylos et l'heureuse Arènè, et Thryos
traversée par l'Alphios, et Aipy habilement construite, et
Kyparissè et Amphigénéia, Ptéléos, Hélos et Dôrios, où les

Muses, ayant rencontré le Thrèkien Tamyris qui venait d'Oikhaliè, de chez le roi Eurytos l'Oikhalien, le rendirent muet,
parce qu'il s'était vanté de vaincre en chantant les Muses
elles-mêmes, filles de Zeus tempétueux. Et celles-ci, irritées,
lui ôtèrent la science divine de chanter et de jouer de la
kithare. Et ceux-là étaient commandés par le cavalier Gérennien Nestôr. Et ils étaient venus sur quatre-vingt-dix nefs
creuses.

Et ceux qui habitaient l'Arkadiè, aux pieds de la haute
montagne de Kyllènè où naissent les hommes braves, auprès
du tombeau d'Aipytos ; et ceux qui habitaient Phénéos et
Orkhoménos riche en troupeaux, et Rhipè, et Stratiè, et
Enispè battue des vents ; et ceux qui habitaient Tégéè et
l'heureuse Mantinéè, et Stymphèlos et Parrhasiè, étaient
commandés par le fils d'Ankaios, le roi Agapènôr. Et ils
étaient venus sur cinquante nefs, et dans chacune il y avait
un grand nombre d'Arkadiens belliqueux. Et le roi Agamemnôn leur avait donné des nefs bien construites pour traverser
la noire mer, car ils ne s'occupaient point des travaux de la
mer.

Et ceux qui habitaient Bouprasion et la divine Elis, et la
terre qui renferme Hyrminè et la ville frontière de Myrsinos,
et la roche Olénienne et Aleision, étaient venus sous quatre
chefs, et chaque chef conduisait dix nefs rapides où étaient
de nombreux Epéiens. Amphimakhos et Thalpios commandaient les uns ; et le premier était fils de Ktéatos, et le second
d'Eurytos Aktoriôn. Et le robuste Diôrès Amarynkéide
commandait les autres, et le divin Polizeinos commandait
aux derniers ; et il était fils d'Agasthénès Augèiade.

Et ceux qui habitaient Doulikhiôn et les saintes îles Ekhi-
nades qui sont à l'horizon de la mer, en face de l'Elis, étaient
commandés par Mégès Phyléide, semblable à Arès. Et il était
fils de Phyleus, habile cavalier cher à Zeus, qui, s'étant irrité
contre son père, s'était réfugié à Doulikiôn. Et ils étaient
venus sur quarante nefs noires.

Et Odysseus commandait les magnanimes Képhallèniens,
et ceux qui habitaient Ithakè et le Nèritos aux forêts agitées,
et ceux qui habitaient Krokyléia et l'aride Aigilipa, et Zakyn-
thos et Samos, et ceux qui habitaient l'Epeiros sur la rive
opposée. Et Odysseus, égal à Zeus par l'intelligence, les
commandait. Et ils étaient venus sur douze nefs rouges.

Et Thoas Andraimonide commandait les Aitôliens qui

habitaient Pleurôn et Olénos, et Pylènè, et la maritime Khalkis, et la pierreuse Kalydôn. Car les fils du magnanime Oineus étaient morts, et lui-même était mort, et le blond Méléagros était mort, et Thoas commandait maintenant les Aitôliens. Et ils étaient venus sur quarante nefs noires.

Et Idoméneus, habile à lancer la pique, commandait les Krètois et ceux qui habitaient Gnôssos et la forte Gortyna, et les villes populeuses de Lyktos, de Milètos, de Lykastos, de Phaistos et de Rhytion, et d'autres qui habitaient aussi la Krètè aux cent villes. Et Idoméneus, habile à lancer la pique, les commandait avec Mérionès, pareil au tueur d'hommes Arès. Et ils étaient venus sur quatre-vingts nefs noires.

Et Tlèpolémos Hèrakléide, très fort et très grand, avait conduit de Rhodos, sur neuf nefs, les fiers Rhodiens qui habitaient les trois parties de Rhodos : Lindos, Ièlyssos et la riche Kaméiros. Et Tlèpolémos, habile à lancer la pique, les commandait. Et Astyokhéia avait donné ce fils au grand Hèraklès, après que ce dernier l'eut emmenée d'Ephyrè, des bords du Sellèis, où il avait renversé beaucoup de villes défendues par des jeunes hommes. Et Tlèpolémos, élevé dans la belle demeure, tua l'oncle de son père, Likymnios, race d'Arès. Et il construisit des nefs, rassembla une grande multitude et s'enfuit sur la mer, car les fils et les petits-fils du grand Hèraklès le menaçaient. Ayant erré et subi beaucoup de maux, il arriva dans Rhodos, où ils se partagèrent en trois tribus. Et Zeus, qui commande aux Dieux et aux hommes, les aima et les combla de richesses.

Et Nireus avait amené de Symè trois nefs. Et il était né d'Aglaiè et du roi Kharopos, et c'était le plus beau de tous les Danaens, après l'irréprochable Pèléiôn, mais il n'était point brave et commandait peu de guerriers.

Et ceux qui habitaient Nisyros et Krapathos, et Kasos, et Kôs, ville d'Eurypylos, et les îles Kalynades, étaient commandés par Pheidippos et Antiphos, deux fils du roi Thessalos Hèrakléide. Et ils étaient venus sur trente nefs creuses.

Et je nommerai aussi ceux qui habitaient Argos Pélasgique, et Alos et Alopè, et ceux qui habitaient Trèkhinè et la Phthiè, et la Hellas aux belles femmes. Et ils se nommaient Myrmidones, ou Hellènes, ou Akhaiens, et Akhilleus commandait leurs cinquante nefs. Mais ils ne se souvenaient plus des clameurs de la guerre, n'ayant plus de chef qui les menât. Car le divin Akhilleus aux pieds rapides était couché

dans ses nefs, irrité au souvenir de la vierge Brisèis aux
beaux cheveux qu'il avait emmenée de Lyrnèssos, après
avoir pris cette ville et renversé les murailles de Thèbè avec
de grandes fatigues. Là, il avait tué les belliqueux Mynès et
Epistrophos, fils du roi Evènos Sélèpiade. Et, dans sa douleur, il restait couché ; mais il devait se relever bientôt.

Et ceux qui habitaient Phylakè et la fertile Pyrasos consa-
crée à Dèmètèr, et Itôn riche en troupeaux, et la maritime
Antrôn, et Ptéléos aux grandes prairies, étaient commandés
par le brave Prôtésilaos quand il vivait ; mais déjà la terre
noire le renfermait ; et sa femme se meurtrissait le visage,
seule à Phylakè, dans sa demeure abandonnée ; car un guerrier Dardanien le tua, comme il s'élançait de sa nef, le premier de tous les Akhaiens. Mais ses guerriers n'étaient point
sans chef, et ils étaient commandés par un nourrisson
d'Arès, Podarkès, fils d'Iphiklos riche en troupeaux, et il était
frère du magnanime Prôtésilaos. Et ce héros était l'aîné et
le plus brave, et ses guerriers le regrettaient. Et ils étaient
venus sur quarante nefs noires.

Et ceux qui habitaient Phéra, auprès du lac Boibèis, et
Boibè, et Glaphyra, et Iaôlkos, étaient commandés, sur onze
nefs, par le fils bien-aimé d'Admètos, Eumèlos, qu'Alkèstis,
la gloire des femmes et la plus belle des filles de Pèlias, avait
donné à Admètos.

Et ceux qui habitaient Mèthônè et Thaumakiè, et Méliboia
et l'aride Olizôn, Philoktètès, très excellent archer, les
commandait, sur sept nefs. Et dans chaque nef étaient cinquante rameurs, excellents archers, et très braves. Et Philoktètès était couché dans une île, en proie à des maux terribles,
dans la divine Lèmnos, où les fils des Akhaiens le laissèrent,
souffrant de la mauvaise blessure d'un serpent venimeux.
C'est là qu'il gisait, plein de tristesse. Mais les Argiens
devaient bientôt se souvenir, dans leurs nefs, du roi Philoktètès. Et ses guerriers n'étaient point sans chef, s'ils regrettaient celui-là. Et Médôn les commandait, et il était fils du
brave Oileus, de qui Rhènè l'avait conçu.

Et ceux qui habitaient Trikkè et la montueuse Ithomè, et
Oikhaliè, ville d'Eurytos Oikhalien, étaient commandés par
les deux fils d'Asklèpios, Podaleirios et Makhaôn. Et ils
étaient venus sur trente nefs creuses.

Et ceux qui habitaient Orménios et la fontaine Hypéréia,
et Astériôn, et les cimes neigeuses du Titanos, étaient

commandés par Eurypylos, illustre fils d'Evaimôn. Et ils
étaient venus sur quarante nefs noires.

Et ceux qui habitaient Argissa et Gyrtônè, Orthè et Elônè,
et la blanche ville Oloossôn, étaient commandés par le belliqueux Polypoitès, fils de Peirithoos qu'engendra l'éternel
Zeus. Et l'illustre Hippodaméia le donna pour fils à Peirithoos le jour où celui-ci dompta les Centaures féroces et les
chassa du Pèlion, jusqu'aux monts Aithikiens. Et Polypoitès
ne commandait point seul, mais avec Léonteus, nourrisson
d'Arès, et fils du magnanime Korônos Kainéide. Et ils
étaient venus sur quarante nefs noires.

Et Gouneus avait amené de Kyphos, sur vingt-deux nefs,
les Eniènes et les braves Péraibes qui habitaient la froide
Dôdônè, et ceux qui habitaient les champs baignés par l'heureux Titarèsios qui jette ses belles eaux dans le Pènéios, et
ne se mêle point au Pènéios aux tourbillons d'argent, mais
coule à sa surface comme de l'huile. Et sa source est Styx
par qui jurent les Dieux.

Et Prothoos, fils de Tenthrèdôn, commandait les Magnè-
tes qui habitaient auprès du Pènéios et du Pèlion aux forêts
secouées par le vent. Et l'agile Prothoos les commandait, et
ils étaient venus sur quarante nefs noires.

Et tels étaient les Rois et les chefs des Danaens.

Dis-moi, Muse, quel était le plus brave, et qui avait les
meilleurs chevaux parmi ceux qui avaient suivi les Atréides.

Les meilleurs chevaux étaient ceux du Phèrètiade Eumèlos. Et ils étaient rapides comme les oiseaux, du même poil,
du même âge et de la même taille. Apollôn à l'arc d'argent
éleva et nourrit sur le mont Pèréiè ces cavales qui portaient
la terreur d'Arès. Et le plus brave des guerriers était Aias
Télamônien, depuis qu'Akhilleus se livrait à sa colère ; car
celui-ci était de beaucoup le plus fort, et les chevaux qui
traînaient l'irréprochable Pèléiôn étaient de beaucoup les
meilleurs. Mais voici qu'il était couché dans sa nef éperonnée, couvant sa fureur contre Agamemnôn. Et ses guerriers,
sur le rivage de la mer, lançaient pacifiquement le disque, la
pique ou la flèche ; et les chevaux, auprès des chars,
broyaient le lôtos et le sélinos des marais ; et les chars solides restaient sous les tentes des chefs ; et ceux-ci, regrettant
leur Roi cher à Arès, erraient à travers le camp et ne combattaient point.

Et les Akhaiens roulaient sur la terre comme un incendie ;
et la terre mugissait comme lorsque Zeus tonnant la fouette

à coups de foudre autour des rochers Arimiens où l'on dit
que Typhôeus est couché. Ainsi la terre rendait un grand
mugissement sous les pieds des Akhaiens qui franchissaient
rapidement la plaine.

Et la légère Iris, qui va comme le vent, envoyée de Zeus
tempétueux, vint annoncer aux Troiens la nouvelle
effrayante. Et ils étaient réunis, jeunes et vieux, à l'agora,
devant les vestibules de Priamos. Et la légère Iris s'approcha,
semblable par le visage et la voix à Politès Priamide, qui, se
fiant à la rapidité de sa course, s'était assis sur la haute
tombe du vieux Aisyètès, pour observer le moment où les
Akhaiens se précipiteraient hors des nefs.

Et la légère Iris, étant semblable à lui, parla ainsi :

— Ô vieillard ! tu te plais aux paroles sans fin, comme
autrefois, du temps de la paix ; mais voici qu'une bataille
inévitable se prépare. Certes, j'ai vu un grand nombre de
combats, mais je n'ai point encore vu une armée aussi formidable et aussi innombrable. Elle est pareille aux feuilles et
aux grains de sable ; et voici qu'elle vient, à travers la plaine,
combattre autour de la ville. Hektôr, c'est à toi d'agir. Il y a
de nombreux alliés dans la grande ville de Priamos, de races
et de langues diverses. Que chaque chef arme les siens et les
mène au combat.

Elle parla ainsi, et Hektôr reconnut sa voix, et il rompit
l'agora, et tous coururent aux armes. Et les portes s'ouvrirent, et la foule des hommes, fantassins et cavaliers, en sortit
à grand bruit. Et il y avait, en avant de la ville, une haute
colline qui s'inclinait de tous côtés dans la plaine ; et les
hommes la nommaient Batiéia, et les Immortels, le tombeau
de l'agile Myrinnè. Là, se rangèrent les Troiens et les alliés.

Et le grand Hektôr Priamide au beau casque commandait
les Troiens, et il était suivi d'hommes nombreux et braves
qui désiraient frapper de la pique.

Et le vaillant fils d'Ankhisès, Ainéias, commandait les Dardaniens. Et la divine Aphroditè l'avait donné pour fils à Ankhisès, s'étant unie à un mortel, quoique Déesse, sur les cimes
de l'Ida. Et il ne commandait point seul ; mais les deux Antènorides l'accompagnaient, Arkhélokhos et Akamas, habiles
à tous les combats.

Et ceux qui habitaient Zéléiè, aux pieds de la dernière
chaîne de l'Ida, les riches Troadiens qui boivent l'eau profonde de l'Aisèpos, étaient commandés par l'illustre fils de

Lykaôn, Pandaros, à qui Apollôn lui-même avait donné son arc.

Et ceux qui habitaient Adrèstéia et Apaisos, et Pityéia et les hauteurs de Tèréiè, étaient commandés par Adrèstos et par Amphios à la cuirasse d'airain. Et ils étaient tous deux fils de Mérops, le Perkôsien, qui, n'ayant point d'égal dans la science divinatoire, leur défendit de tenter la guerre qui dévore les hommes ; mais ils ne lui obéirent point, parce que les Kères de la noire mort les entraînaient.

Et ceux qui habitaient Perkôtè et Praktios, et Sèstos et Abydos, et la divine Arisbè, étaient commandés par Asios Hyrtakide, que des chevaux grands et ardents avaient amené des bords du fleuve Sellèis.

Et les tribus Pélasgiques habiles à lancer la pique, et ceux qui habitaient Larissa aux plaines fertiles, étaient commandés par Hippothoos et Pylaios, nourrissons d'Arès, fils du Pélasge Lèthos Teutamide.

Et Akamas commandait les Thrèkiens, et le héros Peiroos ceux qu'enferme le Hellespontos rapide.

Et Euphèmos commandait les braves Kikones, et il était fils de Troizènos Kéade, cher à Zeus.

Et Pyraikhmès commandait les archers Paiones, venus de la terre lointaine d'Amydôn et du large Axios qui répand ses belles eaux sur la terre.

Et le brave Pylaiménès commandait les Paphlagones, du pays des Enétiens, où naissent les mules sauvages. Et ils habitaient aussi Kytôros et Sésamos, et les belles villes du fleuve Parthénios, et Krômna, et Aigialos et la haute Erythinos.

Et Odios et Epistrophos commandaient les Halizônes, venus de la lointaine Alybè, où germe l'argent.

Et Khromis et le divinateur Ennemos commandaient les Mysiens. Mais Ennemos ne devina point la noire mort, et il devait tomber sous la main du rapide Aiakide, dans le fleuve où celui-ci devait tuer tant de Troiens.

Et Phorkys commandait les Phrygiens, avec Askanios pareil à un Dieu. Ils étaient venus d'Askaniè, désirant le combat.

Et Mesthlès et Antiphos, fils de Pylaiménès, nés sur les bords du lac de Gygaiè, commandaient les Maiones qui habitaient aux pieds du Tmolos.

Et Nastès commandait les Kariens au langage barbare qui habitaient Milètos et les hauteurs Phthéiriennes, et les bords du Maiandros et les cimes de Mykalè. Et Amphimakhos et Nastès les commandaient, et ils étaient les fils illustres de Nomiôn. Et Amphimakhos combattait chargé d'or comme une femme, et ceci ne lui fit point éviter la noire mort, le malheureux ! Car il devait tomber sous la main du rapide Aiakide, dans le fleuve, et le brave Akhilleus devait enlever son or.

Et l'irréprochable Sarpèdôn commandait les Lykiens, avec l'irréprochable Glaukos. Et ils étaient venus de la lointaine Lykiè et du Xanthos plein de tourbillons.

RHAPSODIE III

Quand tous, de chaque côté, se furent rangés sous leurs chefs, les Troiens s'avancèrent, pleins de clameurs et de bruit, comme des oiseaux. Ainsi, le cri des grues monte dans l'air, quand, fuyant l'hiver et les pluies abondantes, elles volent sur les flots d'Okéanos, portant le massacre et la Kèr de la mort aux Pygmées. Et elles livrent dans l'air un rude combat. Mais les Akhaiens allaient en silence, respirant la force, et, dans leur cœur, désirant s'entre-aider. Comme le Notos enveloppe les hauteurs de la montagne d'un brouillard odieux au berger et plus propice au voleur que la nuit même, de sorte qu'on ne peut voir au delà d'une pierre qu'on a jetée ; de même une noire poussière montait sous les pieds de ceux qui marchaient, et ils traversaient rapidement la plaine.

Et quand ils furent proches les uns des autres, le divin Alexandros apparut en tête des Troiens, ayant une peau de léopard sur les épaules, et l'arc recourbé et l'épée. Et, agitant deux piques d'airain, il appelait les plus braves des Argiens à combattre un rude combat. Et dès que Ménélaos, cher à Arès, l'eut aperçu qui devançait l'armée et qui marchait à grands pas ; comme un lion se réjouit, quand il a faim, de rencontrer un cerf cornu ou une chèvre sauvage, et dévore sa proie, bien que les chiens agiles et les ardents jeunes hommes le poursuivent ; de même Ménélaos se réjouit quand il vit devant lui le divin Alexandros. Et il espéra se venger de celui qui l'avait outragé, et il sauta du char avec ses armes.

Et dès que le divin Alexandros l'eut aperçu en tête de l'armée, son cœur se serra, et il recula parmi les siens pour éviter la Kèr de la mort. Si quelqu'un, dans les gorges des montagnes, voit un serpent, il saute en arrière, et ses genoux tremblent, et ses joues pâlissent. De même le divin Alexandros, craignant le fils d'Atreus, rentra dans la foule des hardis Troiens.

Et Hektôr, l'ayant vu, l'accabla de paroles amères :

— Misérable Pâris, qui n'as que ta beauté, trompeur et efféminé, plût aux Dieux que tu ne fusses point né, ou que tu fusses mort avant tes dernières noces ! Certes, cela eût mieux valu de beaucoup, plutôt que d'être l'opprobre et la risée de tous ! Voici que les Akhaiens chevelus rient de mépris, car ils croyaient que tu combattais hardiment hors des rangs, parce que ton visage est beau ; mais il n'y a dans ton cœur ni force ni courage. Pourquoi, étant un lâche, as-tu traversé la mer sur tes nefs rapides, avec tes meilleurs compagnons, et, mêlé à des étrangers, as-tu enlevé une très belle jeune femme d'un pays lointain, parente d'hommes belliqueux ? Immense malheur pour ton père, pour ta ville et pour tout le peuple ; joie pour nos ennemis et honte pour toi-même ! Et tu n'as point osé attendre Ménélaos, cher à Arès. Tu saurais maintenant de quel guerrier tu retiens la femme. Ni ta kithare, ni les dons d'Aphroditè, ta chevelure et ta beauté, ne t'auraient sauvé d'être traîné dans la poussière. Mais les Troiens ont trop de respect, car, autrement, tu serais déjà revêtu d'une tunique de pierre, pour prix des maux que tu as causés.

Et le divin Alexandros lui répondit :

— Hektôr, tu m'as réprimandé justement. Ton cœur est toujours indompté, comme la hache qui fend le bois et accroît la force de l'ouvrier constructeur de nefs. Telle est l'âme indomptée qui est dans ta poitrine. Ne me reproche point les dons aimables d'Aphroditè d'or. Il ne faut point rejeter les dons glorieux des Dieux, car eux seuls en disposent, et nul ne les pourrait prendre à son gré. Mais si tu veux maintenant que je combatte et que je lutte, arrête les Troiens et les Akhaiens, afin que nous combattions, moi et Ménélaos cher à Arès, au milieu de tous, pour Hélénè et pour toutes ses richesses. Et le vainqueur emportera cette femme et toutes ses richesses, et, après avoir échangé des serments inviolables, vous, Troiens, habiterez la féconde Troiè, et les

Akhaiens retourneront dans Argos, nourrice de chevaux, et dans l'Akhaiè aux belles femmes.

Il parla ainsi, et Hektôr en eut une grande joie, et il s'avança, arrêtant les phalanges des Troiens, à l'aide de sa pique qu'il tenait par le milieu. Et ils s'arrêtèrent. Et les Akhaiens chevelus tiraient sur lui et le frappaient de flèches et de pierres. Mais le Roi des hommes, Agamemnôn, cria à voix haute :

— Arrêtez, Argiens ! ne frappez point, fils des Akhaiens ! Hektôr au casque mouvant semble vouloir dire quelques mots.

Il parla ainsi, et ils cessèrent et firent silence, et Hektôr parla au milieu d'eux :

— Écoutez, Troiens et Akhaiens, ce que dit Alexandros qui causa cette guerre. Il désire que les Troiens et les Akhaiens déposent leurs belles armes sur la terre nourricière, et que lui et Ménélaos, cher à Arès, combattent, seuls, au milieu de tous, pour Hélénè et pour toutes ses richesses. Et le vainqueur emportera cette femme et toutes ses richesses, et nous échangerons des serments inviolables.

Il parla ainsi, et tous restèrent silencieux. Et Ménélaos, hardi au combat, leur dit :

— Écoutez-moi maintenant. Une grande douleur serre mon cœur, et j'espère que les Argiens et les Troiens vont cesser la guerre, car vous avez subi des maux infinis pour ma querelle et pour l'injure que m'a faite Alexandros. Que celui des deux à qui sont réservées la Moire et la mort, meure donc ; et vous, cessez aussitôt de combattre. Apportez un agneau noir pour Gaia et un agneau blanc pour Hélios, et nous en apporterons autant pour Zeus. Et vous amènerez Priamos lui-même, pour qu'il se lie par des serments, car ses enfants sont parjures et sans foi, et que personne ne puisse violer les serments de Zeus. L'esprit des jeunes hommes est léger, mais, dans ses actions, le vieillard regarde à la fois l'avenir et le passé et agit avec équité.

Il parla ainsi, et les Troiens et les Akhaiens se réjouirent, espérant mettre fin à la guerre mauvaise. Et ils retinrent les chevaux dans les rangs, et ils se dépouillèrent de leurs armes déposées sur la terre. Et il y avait peu d'espace entre les deux armées. Et Hektôr envoya deux hérauts à la ville pour apporter deux agneaux et appeler Priamos. Et le roi Agamemnôn envoya Talthybios aux nefs creuses pour y prendre un agneau, et Talthybios obéit au divin Agamemnôn.

Et la messagère Iris s'envola chez Hélénè aux bras blancs, s'étant faite semblable à sa belle-sœur Laodikè, la plus belle des filles de Priamos, et qu'avait épousée l'Antènoride Hélikaôn.

Et elle trouva Hélénè dans sa demeure, tissant une grande toile double, blanche comme le marbre, et y retraçant les nombreuses batailles que les Troiens dompteurs de chevaux et les Akhaiens revêtus d'airain avaient subies pour elle par les mains d'Arès. Et Iris aux pieds légers, s'étant approchée, lui dit :

— Viens, chère Nymphe, voir le spectacle admirable des Troiens dompteurs de chevaux et des Akhaiens revêtus d'airain. Ils combattaient tantôt dans la plaine, pleins de la fureur d'Arès, et les voici maintenant assis en silence, appuyés sur leurs boucliers, et la guerre a cessé, et les piques sont enfoncées en terre. Alexandros et Ménélaos cher à Arès combattront pour toi, de leurs longues piques, et tu seras l'épouse bien-aimée du vainqueur.

Et la Déesse, ayant ainsi parlé, jeta dans son cœur un doux souvenir de son premier mari, et de son pays, et de ses parents. Et Hélénè, s'étant couverte aussitôt de voiles blancs, sortit de la chambre nuptiale en pleurant ; et deux femmes la suivaient, Aithrè, fille de Pittheus, et Klymènè aux yeux de bœuf. Et voici qu'elles arrivèrent aux portes Skaies. Priamos, Panthoos, Thymoitès, Lampos, Klytios, Hikétaôn, nourrisson d'Arès, Oukalégôn et Antènôr, très sages tous deux, siégeaient, vieillards vénérables, au-dessus des portes Skaies. Et la vieillesse les écartait de la guerre ; mais c'étaient d'excellents Agorètes ; et ils étaient pareils à des cigales qui, dans les bois, assises sur un arbre, élèvent leur voix mélodieuse. Tels étaient les princes des Troiens, assis sur la tour. Et quand ils virent Hélénè qui montait vers eux, ils se dirent les uns aux autres, et à voix basse, ces paroles ailées :

— Certes, il est juste que les Troiens et les Akhaiens aux belles knèmides subissent tant de maux, et depuis si longtemps, pour une telle femme, car elle ressemble aux Déesses immortelles par sa beauté. Mais, malgré cela, qu'elle s'en retourne sur ses nefs, et qu'elle ne nous laisse point, à nous et à nos enfants, un souvenir misérable.

Ils parlaient ainsi, et Priamos appela Hélénè :

— Viens, chère enfant, approche, assieds-toi auprès de moi, afin de revoir ton premier mari, et tes parents, et tes amis. Tu n'es point la cause de nos malheurs. Ce sont les

Dieux seuls qui m'ont accablé de cette rude guerre
Akhaienne. Dis-moi le nom de ce guerrier d'une haute stature ; quel est cet Akhaien grand et vigoureux ? D'autres ont
une taille plus élevée, mais je n'ai jamais vu de mes yeux un
homme aussi beau et majestueux. Il a l'aspect d'un Roi.

Et Hélénè, la divine femme, lui répondit :

— Tu m'es vénérable et redoutable, père bien-aimé. Que
n'ai-je subi la noire mort quand j'ai suivi ton fils, abandonnant ma chambre nuptiale et ma fille née en mon pays lointain, et mes frères, et les chères compagnes de ma jeunesse !
Mais telle n'a point été ma destinée, et c'est pour cela que je
me consume en pleurant. Je te dirai ce que tu m'as
demandé. Cet homme est le roi Agamemnôn Atréide, qui
commande au loin, roi habile et brave guerrier. Et il fut mon
beau-frère, à moi infâme, s'il m'est permis de dire qu'il le
fut.

Elle parla ainsi, et le vieillard, plein d'admiration, s'écria :

— Ô heureux Atréide, né pour d'heureuses destinées !
Certes, de nombreux fils des Akhaiens te sont soumis. Autrefois, dans la Phrygiè féconde en vignes, j'ai vu de nombreux
Phrygiens, habiles cavaliers, tribus belliqueuses d'Otreus et
de Mygdôn égal aux Dieux, et qui étaient campés sur les
bords du Sangarios. Et j'étais au milieu d'eux, étant leur
allié, quand vinrent les Amazones viriles. Mais ils n'étaient
point aussi nombreux que les Akhaiens aux yeux noirs.

Puis, ayant vu Odysseus, le vieillard interrogea Hélénè :

— Dis-moi aussi, chère enfant, qui est celui-ci. Il est
moins grand que l'Atréide Agamemnôn, mais plus large des
épaules et de la poitrine. Et ses armes sont couchées sur la
terre nourricière, et il marche, parmi les hommes, comme
un bélier chargé de laine au milieu d'un grand troupeau de
brebis blanches.

Et Hélénè, fille de Zeus, lui répondit :

— Celui-ci est le subtil Laertiade Odysseus, nourri dans le
pays stérile d'Ithakè. Et il est plein de ruses et de prudence.

Et le sage Antènôr lui répondit :

— Ô femme ! tu as dit une parole vraie. Le divin Odysseus
vint autrefois ici, envoyé pour toi, avec Ménélaos cher à
Arès, et je les reçus dans mes demeures, et j'ai appris à
connaître leur aspect et leur sagesse. Quand ils venaient à
l'agora des Troiens, debout, Ménélaos surpassait Odysseus
des épaules, mais, assis, le plus majestueux était Odysseus.
Et quand ils haranguaient devant tous, certes, Ménélaos,

bien que le plus jeune, parlait avec force et concision, en peu de mots, mais avec une clarté précise et allant droit au but. Et quand le subtil Odysseus se levait, il se tenait immobile, les yeux baissés, n'agitant le sceptre ni en avant ni en arrière, comme un agorète inexpérimenté. On eût dit qu'il était plein d'une sombre colère et tel qu'un insensé. Mais quand il exhalait de sa poitrine sa voix sonore, ses paroles pleuvaient, semblables aux neiges de l'hiver. En ce moment, nul n'aurait osé lutter contre lui ; mais, au premier aspect, nous ne l'admirions pas autant.

Ayant vu Aias, une troisième fois le vieillard interrogea Hélénè :

— Qui est cet autre guerrier Akhaien, grand et athlétique, qui surpasse tous les Argiens de la tête et des épaules ?

Et Hélénè au long péplos, la divine femme, lui répondit :

— Celui-ci est le grand Aias, le bouclier des Akhaiens. Et voici, parmi les Krètois, Idoméneus tel qu'un Dieu, et les princes Krètois l'environnent. Souvent, Ménélaos cher à Arès le reçut dans nos demeures, quand il venait de la Krètè. Et voici tous les autres Akhaiens aux yeux noirs, et je les reconnais, et je pourrais dire leurs noms. Mais je ne vois point les deux princes des peuples, Kastôr dompteur de chevaux et Polydeukès invincible au pugilat, mes propres frères, car une même mère nous a enfantés. N'auraient-ils point quitté l'heureuse Lakédaimôn, ou, s'ils sont venus sur leurs nefs rapides, ne veulent-ils point se montrer au milieu des hommes, à cause de ma honte et de mon opprobre ?

Elle parla ainsi, mais déjà la terre féconde les renfermait, à Lakédaimôn, dans la chère patrie.

Et les hérauts, à travers la ville, portaient les gages sincères des Dieux, deux agneaux, et, dans une outre de peau de chèvre, le vin joyeux, fruit de la terre. Et le héraut Idaios portait un kratère étincelant et des coupes d'or ; et, s'approchant, il excita le vieillard par ces paroles :

— Lève-toi, Laomédontiade ! Les princes des Troiens dompteurs de chevaux et des Akhaiens revêtus d'airain t'invitent à descendre dans la plaine, afin que vous échangiez des serments inviolables. Et Alexandros et Ménélaos cher à Arès combattront pour Hélénè avec leurs longues piques, et ses richesses appartiendront au vainqueur. Et tous, ayant fait alliance et échangé des serments inviolables, nous, Troiens, habiterons la féconde Troiè, et les Akhaiens retourneront dans Argos nourrice de chevaux et dans l'Akhaiè aux belles femmes.

Il parla ainsi, et le vieillard frémit, et il ordonna à ses compagnons d'atteler les chevaux, et ils obéirent promptement. Et Priamos monta, tenant les rênes, et, auprès de lui, Antènôr entra dans le beau char ; et, par les portes Skaies, tous deux poussèrent les chevaux agiles dans la plaine.

Et quand ils furent arrivés au milieu des Troiens et des Akhaiens, ils descendirent du char sur la terre nourricière et se placèrent au milieu des Troiens et des Akhaiens.

Et, aussitôt, le Roi des hommes, Agamemnôn, se leva, ainsi que le subtil Odysseus. Puis, les hérauts vénérables réunirent les gages sincères des Dieux, mêlant le vin dans le kratère et versant de l'eau sur les mains des Rois. Et l'Atréide Agamemnôn, tirant le couteau toujours suspendu à côté de la grande gaine de l'épée, coupa du poil sur la tête des agneaux, et les hérauts le distribuèrent aux princes des Troiens et des Akhaiens. Et, au milieu d'eux, l'Atréide pria, à haute voix, les mains étendues :

— Père Zeus, qui commandes du haut de l'Ida, très glorieux, très grand ! Hélios, qui vois et entends tout ! Fleuves et Gaia ! Et vous qui, sous la terre, châtiez les parjures, soyez tous témoins, scellez nos serments inviolables. Si Alexandros tue Ménélaos, qu'il garde Hélénè et toutes ses richesses, et nous retournerons sur nos nefs rapides ; mais si le blond Ménélaos tue Alexandros, que les Troiens rendent Hélénè et toutes ses richesses, et qu'ils paient aux Argiens, comme il est juste, un tribut dont se souviendront les hommes futurs. Mais si, Alexandros mort, Priamos et les fils de Priamos refusaient de payer ce tribut, je resterai et combattrai pour ceci, jusqu'à ce que je termine la guerre.

Il parla ainsi, et, de l'airain cruel, il trancha la gorge des agneaux et ils les jeta palpitants sur la terre et rendant l'âme, car l'airain leur avait enlevé la vie. Et tous, puisant le vin du kratère avec des coupes, ils le répandirent et prièrent les Dieux qui vivent toujours. Et les Troiens et les Akhaiens disaient :

— Zeus, très glorieux, très grand, et vous, Dieux immortels ! que la cervelle de celui qui violera le premier ce serment, et la cervelle de ses fils, soient répandues sur la terre comme ce vin, et que leurs femmes soient outragées par autrui !

Mais le Kroniôn ne les exauça point. Et le Dardanide Priamos parla et leur dit :

— Écoutez-moi, Troiens et Akhaiens aux belles knèmides.

Je retourne vers la hauteur d'Ilios, car je ne saurais voir de mes yeux mon fils bien-aimé lutter contre Ménélaos cher à Arès. Zeus et les Dieux immortels savent seuls auquel des deux est réservée la mort.

Ayant ainsi parlé, le divin vieillard plaça les agneaux dans le char, y monta, et saisit les rênes. Et Antènôr, auprès de lui, entra dans le beau char, et ils retournèrent vers Ilios.

Et le Priamide Hektôr et le divin Odysseus mesurèrent l'arène d'abord, et remuèrent les sorts dans un casque, pour savoir qui lancerait le premier la pique d'airain. Et les peuples priaient et levaient les mains vers les Dieux, et les Troiens et les Akhaiens disaient : — Père Zeus, qui commandes au haut de l'Ida, très glorieux, très grand ! que celui qui nous a causé tant de maux descende chez Aidès, et puissions-nous sceller une alliance et des traités inviolables !

Ils parlèrent ainsi, et le grand Hektôr au casque mouvant agita les sorts en détournant les yeux, et celui de Pâris sortit le premier. Et tous s'assirent en rangs, chacun auprès de ses chevaux agiles et de ses armes éclatantes. Et le divin Alexandros, l'époux de Hélénè aux beaux cheveux, couvrit ses épaules de ses belles armes. Et il mit autour de ses jambes ses belles knèmides aux agrafes d'argent, et, sur sa poitrine, la cuirasse de son frère Lykaôn, faite à sa taille ; et il suspendit à ses épaules l'épée d'airain aux clous d'argent. Puis il prit le bouclier vaste et lourd, et il mit sur sa tête guerrière un riche casque orné de crins, et ce panache s'agitait fièrement ; et il saisit une forte pique faite pour ses mains. Et le brave Ménélaos se couvrit aussi de ses armes.

Tous deux, s'étant armés, avancèrent au milieu des Troiens et des Akhaiens, se jetant de sombres regards ; et les Troiens dompteurs de chevaux et les Akhaiens aux belles knèmides les regardaient avec terreur. Ils s'arrêtèrent en face l'un de l'autre, agitant les piques et pleins de fureur.

Et Alexandros lança le premier sa longue pique et frappa le bouclier poli de l'Atréide, mais il ne perça point l'airain, et la pointe se ploya sur le dur bouclier. Et Ménélaos, levant sa pique, supplia le Père Zeus : — Père Zeus ! fais que je punisse le divin Alexandros, qui le premier m'a outragé, et fais qu'il tombe sous mes mains, afin que, parmi les hommes futurs, chacun tremble d'outrager l'hôte qui l'aura reçu avec bienveillance.

Ayant parlé ainsi, il brandit sa longue pique, et, la lançant, il en frappa le bouclier poli du Priamide. Et la forte pique,

à travers le bouclier éclatant, perça la riche cuirasse et
déchira la tunique auprès du flanc. Et Alexandros, se courbant, évita la noire Kèr. Et l'Atréide, ayant tiré l'épée aux
clous d'argent, en frappa le cône du casque ; mais l'épée,
rompue en trois ou quatre morceaux, tomba de sa main, et
l'Atréide gémit en regardant le vaste Ouranos :

— Père Zeus ! nul d'entre les Dieux n'est plus inexorable
que toi ! Certes, j'espérais me venger de l'outrage d'Alexandros ; et l'épée s'est rompue dans ma main, et la pique a été
vainement lancée, et je ne l'ai point frappé !

Il parla ainsi, et, d'un bond, il le saisit par les crins du
casque, et il le traîna vers les Akhaiens aux belles knèmides.
Et le cuir habilement orné, qui liait le casque sous le menton, étouffait le cou délicat d'Alexandros ; et l'Atréide l'eût
traîné et eût remporté une grande gloire, si la fille de Zeus,
Aphroditè, ayant vu cela, n'eût rompu le cuir de bœuf ; et le
casque vide suivit la main musculeuse de Ménélaos. Et
celui-ci le fit tournoyer et le jeta au milieu des Akhaiens aux
belles knèmides, et ses chers compagnons l'emportèrent.
Puis, il se rua de nouveau, désirant tuer le Priamide de sa
pique d'airain ; mais Aphroditè, étant Déesse, enleva très
facilement Alexandros en l'enveloppant d'une nuée épaisse,
et elle le déposa dans sa chambre nuptiale, sur son lit parfumé. Et elle sortit pour appeler Hélénè, qu'elle trouva sur la
haute tour, au milieu de la foule des Troiennes. Et la divine
Aphroditè, s'étant faite semblable à une vieille femme habile
à tisser la laine, et qui la tissait pour Hélénè dans la populeuse Lakédaimôn, et qui aimait Hélénè, saisit celle-ci par
sa robe nektaréenne et lui dit :

— Viens ! Alexandros t'invite à revenir. Il est couché,
plein de beauté et richement vêtu, sur son lit habilement
travaillé. Tu ne dirais point qu'il vient de lutter contre un
homme, mais tu croirais qu'il va aux danses, ou qu'il repose
au retour des danses.

Elle parla ainsi, et elle troubla le cœur de Hélénè ; mais
dès que celle-ci eut vu le beau cou de la Déesse, et son sein
d'où naissent les désirs, et ses yeux éclatants, elle fut saisie
de terreur, et la nommant de son nom, elle lui dit :

— Ô mauvaise ! Pourquoi veux-tu me tromper encore ?
Me conduiras-tu dans quelque autre ville populeuse de la
Phrygiè ou de l'heureuse Maioniè, si un homme qui t'est
cher y habite ? Est-ce parce que Ménélaos, ayant vaincu le
divin Alexandros, veut m'emmener dans ses demeures, moi

qui me suis odieuse, que tu viens de nouveau me tendre des pièges ? Va plutôt ! abandonne la demeure des Dieux, ne retourne plus dans l'Olympos, et reste auprès de lui, toujours inquiète ; et prends-le sous ta garde, jusqu'à ce qu'il fasse de toi sa femme ou son esclave ! Pour moi, je n'irai plus orner son lit, car ce serait trop de honte et toutes les Troiennes me blâmeraient, et j'ai trop d'amers chagrins dans le cœur.

Et la divine Aphroditè, pleine de colère, lui dit :

— Malheureuse ! crains de m'irriter, de peur que je t'abandonne dans ma colère, et que je te haïsse autant que je t'ai aimée, et que, jetant des haines inexorables entre les Troiens et les Akhaiens, je te fasse périr d'une mort violente !

Elle parla ainsi, et Hélénè, fille de Zeus, fut saisie de terreur, et, couverte de sa robe éclatante de blancheur, elle marcha en silence, s'éloignant des Troiennes, sur les pas de la Déesse.

Et quand elles furent parvenues à la belle demeure d'Alexandros, toutes les servantes se mirent à leur tâche, et la divine femme monta dans la haute chambre nuptiale, Aphroditè qui aime les sourires avança un siège pour elle auprès d'Alexandros, et Hélénè, fille de Zeus tempétueux, s'y assit en détournant les yeux ; mais elle adressa ces reproches à son époux :

— Te voici revenu du combat. Que n'y restais-tu, mort et dompté par l'homme brave qui fut mon premier mari ! Ne te vantais-tu pas de l'emporter sur Ménélaos cher à Arès, par ton courage, par ta force et par ta lance ? Va ! défie encore Ménélaos cher à Arès, et combats contre lui ; mais non, je te conseille plutôt de ne plus lutter contre le blond Ménélaos, de peur qu'il te dompte aussitôt de sa lance !

Et Pâris, lui répondant, parla ainsi :

— Femme ! ne blesse pas mon cœur par d'amères paroles. Il est vrai, Ménélaos m'a vaincu à l'aide d'Athènè, mais je le vaincrai plus tard, car nous avons aussi des Dieux qui nous sont amis. Viens ! couchons-nous et aimons-nous ! Jamais le désir ne m'a brûlé ainsi, même lorsque naviguant sur mes nefs rapides, après t'avoir enlevée de l'heureuse Lakédaimôn, je m'unis d'amour avec toi dans l'île de Kranaè, tant je t'aime maintenant et suis saisi de désirs !

Il parla ainsi et marcha vers son lit, et l'épouse le suivit, et ils se couchèrent dans le lit bien construit.

Cependant l'Atréide courait comme une bête féroce au travers de la foule, cherchant le divin Alexandros. Et nul des Troiens ni des illustres Alliés ne put montrer Alexandros à Ménélaos cher à Arès. Et certes, s'ils l'avaient vu, ils ne l'auraient point caché, car ils le haïssaient tous comme la noire Kèr. Et le roi des hommes, Agamemnôn, leur parla ainsi :

— Écoutez-moi, Troiens, Dardaniens et Alliés. La victoire, certes, est à Ménélaos cher à Arès. Rendez-nous donc l'Argienne Hélénè et ses richesses, et payez, comme il est juste, un tribut dont se souviendront les hommes futurs.

L'Atréide parla ainsi, et tous les Akhaiens applaudirent.

RHAPSODIE IV

Les Dieux, assis auprès de Zeus, étaient réunis sur le pavé d'or, et la vénérable Hèbè versait le nektar, et tous, buvant les coupes d'or, regardaient la ville des Troiens. Et le Kronide voulut irriter Hèrè par des paroles mordantes, et il dit :

— Deux Déesses défendent Ménélaos, Hèrè l'Argienne et la Protectrice Athènè ; mais elles restent assises et ne font que regarder, tandis qu'Aphroditè qui aime les sourires ne quitte jamais Alexandros et écarte de lui les Kères. Et voici qu'elle l'a sauvé comme il allait périr. Mais la victoire est à Ménélaos cher à Arès. Songeons donc à ceci. Faut-il exciter de nouveau la guerre mauvaise et le rude combat, ou sceller l'alliance entre les deux peuples ? S'il plaît à tous les Dieux, la ville du roi Priamos restera debout, et Ménélaos emmènera l'Argienne Hélénè.

Il parla ainsi, et les Déesses Athènè et Hèrè se mordirent les lèvres, et, assises à côté l'une de l'autre, elles méditaient la destruction des Troiens. Et Athènè restait muette, irritée contre son Père Zeus, et une sauvage colère la brûlait ; mais Hèrè ne put contenir la sienne et dit :

— Très dur Kronide, quelle parole as-tu dite ? Veux-tu rendre vaines toutes mes fatigues et la sueur que j'ai suée ? J'ai lassé mes chevaux en rassemblant les peuples contre Priamos et contre ses enfants. Fais donc, mais les Dieux ne t'approuveront pas.

Et Zeus qui amasse les nuées, très irrité, lui dit :

— Malheureuse ! Quels maux si grands Priamos et les

enfants de Priamos t'ont-ils causés, que tu veuilles sans relâche détruire la forte citadelle d'Ilios ? Si, dans ses larges murailles, tu pouvais dévorer Priamos et les enfants de Priamos et les autres Troiens, peut-être ta haine serait-elle assouvie. Fais selon ta volonté, et que cette dissension cesse désormais entre nous. Mais je te dirai ceci, et garde mes paroles dons ton esprit : Si jamais je veux aussi détruire une ville habitée par des hommes qui te sont amis, ne t'oppose point à ma colère et laisse-moi agir, car c'est à contre-cœur que je te livre celle-ci. De toutes les villes habitées par les hommes terrestres, sous Hélios et sous l'Ouranos étoilé, aucune ne m'est plus chère que la ville sacrée d'Ilios, où sont Priamos et le peuple de Priamos qui tient la lance. Là, mon autel n'a jamais manqué de nourriture, de libations et de graisse ; car nous avons cet honneur en partage.

Et la vénérable Hèrè aux yeux de bœuf lui répondit :

— Certes, j'ai trois villes qui me sont très chères, Argos, Spartè et Mykènè aux larges rues. Détruis-les quand tu les haïras, et je ne les défendrai point ; mais je m'opposerais en vain à ta volonté, puisque tu es infiniment plus puissant. Il ne faut pas que tu rendes mes fatigues vaines. Je suis Déesse aussi, et ma race est la tienne. Le subtil Kronos m'a engendrée, et je suis deux fois vénérable, par mon origine et parce que je suis ton épouse, à toi qui commandes à tous les Immortels. Cédons-nous donc tour à tour, et les Dieux immortels nous obéiront. Ordonne qu'Athènè se mêle au rude combat des Troiens et des Akhaiens. Qu'elle pousse les Troiens à outrager les premiers, les fiers Akhaiens, malgré l'alliance jurée.

Elle parla ainsi, et le Père des hommes et des Dieux le voulut, et il dit à Athènè ces paroles ailées :

— Va très promptement au milieu des Troiens et des Akhaiens, et pousse les Troiens à outrager, les premiers, les fiers Akhaiens, malgré l'alliance jurée.

Ayant ainsi parlé, il excita Athènè déjà pleine de ce désir, et elle se précipita des sommets de l'Olympos. Comme un signe lumineux que le fils du subtil Kronos envoie aux marins et aux peuples nombreux, et d'où jaillissent mille étincelles, Pallas Athènè s'élança sur la terre et tomba au milieu des deux armées. Et sa vue emplit de frayeur les Troiens dompteurs de chevaux et les Akhaiens aux belles knèmides. Et ils se disaient entre eux :

— Certes, la guerre mauvaise et le rude combat vont

recommencer, ou Zeus va sceller l'alliance entre les deux peuples, car il règle la guerre parmi les hommes.

Ils parlaient ainsi, et Athènè se mêla aux Troiens, sembla-ble au brave Laodokos, Antènoride, et cherchant Pandaros égal aux Dieux. Et elle trouva debout le brave et irréprocha-ble fils de Lykaôn, et, autour de lui, la foule des hardis porte-boucliers qui l'avaient suivi des bords de l'Aisèpos. Et, s'étant approchée, Athènè lui dit en paroles ailées :

— Te laisseras-tu persuader par moi, brave fils de Lykaôn, et oserais-tu lancer une flèche rapide à Ménélaos ? Certes, tu seras comblé de gloire et de gratitude par tous les Troiens et surtout par le roi Alexandros. Et il te ferait de riches présents, s'il voyait le brave Ménélaos, fils d'Atreus, dompté par ta flèche et montant sur le bûcher funéraire. Courage ! Tire contre le noble Ménélaos, et promets une belle hécatombe à l'illustre Archer Apollôn Lykien, quand tu seras de retour dans la citadelle de Zéléiè la sainte.

Athènè parla ainsi, et elle persuada l'insensé. Et il tira de l'étui un arc luisant, dépouille d'une chèvre sauvage et bon-dissante qu'il avait percée à la poitrine, comme elle sortait d'un creux de rocher. Et elle était tombée morte sur la pierre. Et ses cornes étaient hautes de seize palmes. Un excellent ouvrier les travailla, les polit et les dora à chaque extrémité. Et Pandaros, ayant bandé cet arc, le posa à terre, et ses braves compagnons le couvrirent de leurs boucliers, de peur que les fils des courageux Akhaiens vinssent à se ruer avant que le brave Ménélaos, chef des Akhaiens, ne fût frappé.

Et Pandaros ouvrit le carquois et en tira une flèche neuve, ailée, source d'amères douleurs. Et il promit à l'illustre Archer Apollôn Lykien une belle hécatombe d'agneaux pre-miers-nés, quand il serait de retour dans la citadelle de Zéléiè la sainte.

Et il saisit à la fois la flèche et le nerf de bœuf, et, les ayant attirés, le nerf toucha sa mamelle, et la pointe d'airain toucha l'arc, et le nerf vibra avec force, et la flèche aiguë s'élança, désirant voler au travers de la foule.

Mais les Dieux heureux ne t'oublièrent point, Ménélaos ! Et la terrible fille de Zeus se tint la première devant toi pour détourner la flèche amère. Elle la détourna comme une mère chasse une mouche loin de son enfant enveloppé par le doux sommeil. Et elle la dirigea là où les anneaux d'or du baudrier forment comme une seconde cuirasse. Et la flèche amère tomba sur le solide baudrier, et elle le perça ainsi que la cuirasse artistement ornée et la mitre qui, par-dessous, garantissait la peau des traits. Et la flèche la perça aussi, et elle effleura la peau du héros, et un sang noir jaillit de la blessure.

Comme une femme Maionienne ou Karienne teint de pourpre l'ivoire destiné à orner le mors des chevaux, et qu'elle garde dans sa demeure, et que tous les cavaliers désirent, car il est l'ornement d'un roi, la parure du cheval et l'orgueil du cavalier, ainsi, Ménélaos, le sang rougit tes belles cuisses et tes jambes jusqu'aux chevilles. Et le Roi des hommes, Agamemnôn, frémit de voir ce sang noir couler de la blessure ; et Ménélaos cher à Arès frémit aussi. Mais quand il vit que le fer de la flèche avait à peine pénétré, son cœur se raffermit ; et, au milieu de ses compagnons qui se lamentaient, Agamemnôn qui commande au loin, prenant la main de Ménélaos, lui dit en gémissant :

— Cher frère, c'était ta mort que je décidais par ce traité, en t'envoyant seul combattre les Troiens pour tous les Akhaiens, puisqu'ils t'ont frappé et ont foulé aux pieds des serments inviolables. Mais ces serments ne seront point vains, ni le sang des agneaux, ni les libations sacrées, ni le gage de nos mains unies. Si l'Olympien ne les frappe point maintenant, il les punira plus tard ; et ils expieront par des calamités terribles cette trahison qui retombera sur leurs têtes, sur leurs femmes et sur leurs enfants. Car je le sais, dans mon esprit, un jour viendra où la sainte Ilios périra, et Priamos et le peuple de Priamos habile à manier la lance. Zeus Kronide qui habite l'Aithèr agitera d'en haut sur eux sa terrible Aigide, indigné de cette trahison qui sera châtiée. Ô Ménélaos, ce serait une amère douleur pour moi si, accomplissant tes destinées, tu mourais. Couvert d'opprobre je retournerais dans Argos, car les Akhaiens voudraient aussitôt rentrer dans la terre natale, et nous abandonnerions l'Argienne Hélénè comme un triomphe à Priamos et aux Troiens. Et les orgueilleux Troiens diraient, foulant la tombe de l'illustre Ménélaos :

— Plaise aux Dieux qu'Agamemnôn assouvisse toujours ainsi sa colère ! il a conduit ici l'armée inutile des Akhaiens, et voici qu'il est retourné dans son pays bien-aimé, abandonnant le brave Ménélaos !

Ils parleront ainsi un jour ; mais, alors, que la profonde terre m'engloutisse !

Et le blond Ménélaos, le rassurant, parla ainsi :

— Reprends courage, et n'effraye point le peuple des Akhaiens. Le trait aigu ne m'a point blessé à mort, et le baudrier m'a préservé, ainsi que la cuirasse, le tablier et la mitre que de bons armuriers ont forgée.

Et Agamemnôn qui commande au loin, lui répondant, parla ainsi :

— Plaise aux Dieux que cela soit, ô cher Ménélaos ! Mais un médecin soignera ta blessure et mettra le remède qui apaise les noires douleurs.

Il parla ainsi, et appela le héraut divin Talthybios :

— Talthybios, appelle le plus promptement possible l'irréprochable médecin Makhaôn Asklèpiade, afin qu'il voie le brave Ménélaos, prince des Akhaiens, qu'un habile archer Troien ou Lykien a frappé d'une flèche. Il triomphe, et nous sommes dans le deuil.

Il parla ainsi, et le héraut lui obéit. Et il chercha, parmi le peuple des Akhaiens aux tuniques d'airain, le héros Makhaôn, qu'il trouva debout au milieu de la foule belliqueuse des porte-boucliers qui l'avaient suivi de Trikkè, nourrice de chevaux. Et s'approchant, il dit ces paroles ailées :

— Lève-toi, Asklèpiade ! Agamemnôn, qui commande au loin, t'appelle, afin que tu voies le brave Ménélaos, fils d'Atreus, qu'un habile archer Troien ou Lykien a frappé d'une flèche. Il triomphe, et nous sommes dans le deuil.

Il parla ainsi, et le cœur de Makhaôn fut ému dans sa poitrine. Et ils marchèrent à travers l'armée immense des Akhaiens ; et quand ils furent arrivés à l'endroit où le blond Ménélaos avait été blessé et était assis, égal aux Dieux, en un cercle formé par les princes, Makhaôn arracha le trait du solide baudrier, en ployant les crochets aigus ; et il détacha le riche baudrier, et le tablier et la mitre que de bons armuriers avaient forgée. Et, après avoir examiné la plaie faite par la flèche amère, et sucé le sang, il y versa adroitement un doux baume que Kheirôn avait autrefois donné à son père qu'il aimait.

Et tandis qu'ils s'empressaient autour de Ménélaos hardi au combat, l'armée des Troiens, porteurs de boucliers, s'avançait, et les Akhaiens se couvrirent de nouveau de leurs armes, désirant combattre.

Et le divin Agamemnôn n'hésita ni ne se ralentit, mais il se prépara en hâte pour la glorieuse bataille. Et il laissa ses

chevaux et son char orné d'airain ; et le serviteur Eurymédôn, fils de Ptolémaios Peiraide, les retint à l'écart, et
l'Atréide leur ordonna de ne point s'éloigner, afin qu'il pût
monter dans le char, si la fatigue l'accablait pendant qu'il
donnerait partout ses ordres. Et il marcha à travers la foule
des hommes. Et il encourageait encore ceux des Danaens
aux rapides chevaux, qu'il voyait pleins d'ardeur :

— Argiens ! ne perdez rien de cette ardeur impétueuse,
car le Père Zeus ne protégera point le parjure. Ceux qui, les
premiers, ont violé nos traités, les vautours mangeront leur
chair ; et, quand nous aurons pris leur ville, nous emmène-
rons sur nos nefs leurs femmes bien-aimées et leurs petits
enfants.

Et ceux qu'il voyait lents au combat, il leur disait ces paroles irritées :

— Argiens promis à la pique ennemie ! lâches, n'avez-
vous point de honte ? Pourquoi restez-vous glacés de peur,
comme des biches qui, après avoir couru à travers la vaste
plaine, s'arrêtent épuisées et n'ayant plus de force au cœur ?
C'est ainsi que, glacés de peur, vous vous arrêtez et ne
combattez point. Attendez-vous que les Troiens pénétrent
jusqu'aux nefs aux belles poupes, sur le rivage de la blanche
mer, et que le Kroniôn vous aide ?

C'est ainsi qu'il donnait ses ordres en parcourant la foule
des hommes. Et il parvint là où les Krètois s'armaient autour
du brave Idoméneus. Et Idoméneus, pareil à un fort sanglier, était au premier rang ; et Mèrionès hâtait les dernières
phalanges. Et le Roi des hommes, Agamemnôn, ayant vu
cela, s'en réjouit et dit à Idoméneus ces paroles flatteuses :

— Idoméneus, certes, je t'honore au-dessus de tous les
Danaens aux rapides chevaux, soit dans le combat, soit dans
les repas, quand les princes des Akhaiens mêlent le vin vieux
dans les kratères. Et si les autres Akhaiens chevelus boivent
avec mesure, ta coupe est toujours aussi pleine que la
mienne, et tu bois selon ton désir. Cours donc au combat,
et sois tel que tu as toujours été.

Et le prince des Krètois, Idoméneus, lui répondit :

— Atréide, je te serai toujours fidèle comme je te l'ai promis. Va ! encourage les autres Akhaiens chevelus, afin que
nous combattions promptement, puisque les Troiens ont
violé nos traités. La mort et les calamités les accableront,
puisque, les premiers, ils se sont parjurés.

Il parla ainsi, et l'Atréide s'éloigna, plein de joie. Et il alla vers les Aias, à travers la foule des hommes. Et les Aias s'étaient armés, suivis d'un nuage de guerriers. Comme une nuée qu'un chevrier a vue d'une hauteur, s'élargissant sur la mer, sous le souffle de Zéphyros, et qui, par tourbillons épais, lui apparaît de loin plus noire que la poix, de sorte qu'il s'inquiète et pousse ses chèvres dans une caverne ; de même les noires phalanges hérissées de boucliers et de piques des jeunes hommes nourrissons de Zeus se mouvaient derrière les Aias pour le rude combat. Et Agamemnôn qui commande au loin, les ayant vus, se réjouit et dit ces paroles ailées :

— Aias ! Princes des Argiens aux tuniques d'airain, il ne serait point juste de vous ordonner d'exciter vos hommes, car vous les pressez de combattre bravement. Père Zeus ! Athènè ! Apollôn ! que votre courage emplisse tous les cœurs ! Bientôt la ville du roi Priamos, s'il en était ainsi, serait renversée, détruite et saccagée par nos mains !

Ayant ainsi parlé, il les laissa et marcha vers d'autres. Et il trouva Nestôr, l'harmonieux agorète des Pyliens, qui animait et rangeait en bataille ses compagnons autour du grand Pélagôn, d'Alastôr, de Khromios, de Haimôn et de Bias, prince des peuples. Et il rangeait en avant les cavaliers, les chevaux et les chars, et en arrière les fantassins braves et nombreux, pour être le rempart de la guerre, et les lâches au milieu, afin que chacun d'eux combattît forcément. Et il enseignait les cavaliers, leur ordonnant de contenir les chevaux et de ne point courir au hasard dans la mêlée :

— Que nul ne s'élance en avant des autres pour combattre les Troiens, et que nul ne recule, car vous seriez sans force. Que le guerrier qui abandonnera son char pour un autre combatte plutôt de la pique, car ce sera pour le mieux, et c'est ainsi que les hommes anciens, qui ont eu ce courage et cette prudence, ont renversé les villes et les murailles.

Et le vieillard les exhortait ainsi, étant habile dans la guerre depuis longtemps. Et Agamemnôn qui commande au loin, l'ayant vu, se réjouit et lui dit ces paroles ailées :

— Ô vieillard ! plût aux Dieux que tes genoux eussent autant de vigueur, que tu eusses autant de force que ton cœur a de courage ! Mais la vieillesse, qui est la même pour tous, t'accable. Plût aux Dieux qu'elle accablât plutôt tout autre guerrier, et que tu fusses des plus jeunes.

Et le cavalier Gérennien Nestôr lui répondit :

— Certes, Atréide, je voudrais être encore ce que j'étais

quand je tuai le divin Ereuthaliôn. Mais les Dieux ne prodi-
guent point tous leurs dons aux hommes. Alors, j'étais jeune,
et voici que la vieillesse s'est emparée de moi. Mais tel que
je suis, je me mêlerai aux cavaliers et je les exciterai par mes
conseils et par mes paroles, car c'est la part des vieillards.

Il parla ainsi, et l'Atréide, joyeux, alla plus loin. Et il
trouva le cavalier Ménestheus, fils de Pétéôs, immobile, et
autour de lui les Athènaiens belliqueux, et, auprès, le subtil
Odysseus, et autour de ce dernier la foule hardie des Képhallèniens. Et ils n'avaient point entendu le cri de guerre, car
les phalanges des Troiens dompteurs de chevaux et des
Akhaiens commençaient de s'ébranler. Et ils se tenaient
immobiles, attendant que d'autres phalanges Akhaiennes,
s'élançant contre les Troiens, commençassent le combat. Et
Agamemnôn, les ayant vus, les injuria et leur dit ces paroles
ailées :

— Ô fils de Pétéôs, d'un roi issu de Zeus, et toi, qui es
toujours plein de ruses subtiles, pourquoi, saisis de terreur,
attendez-vous que d'autres combattent ? Il vous appartenait
de courir en avant dans le combat furieux, ainsi que vous
assistez les premiers à mes festins, où se réunissent les plus
vénérables des Akhaiens. Là, sans doute, il vous est doux de
manger des viandes rôties et de boire des coupes de bon vin
autant qu'il vous plaît. Et voici que, maintenant, vous verriez
avec joie dix phalanges des Akhaiens combattre avant vous,
armées de l'airain meurtrier !

Et le subtil Odysseus, avec un sombre regard, lui
répondit :

— Atréide, quelle parole s'est échappée de ta bouche ?
Comment oses-tu dire que nous hésitions devant le combat ?
Lorsque nous pousserons le rude Arès contre les Troiens
dompteurs de chevaux, tu verras, si tu le veux, et si cela te
plaît, le père bien-aimé de Tèlémakhos au milieu des Troiens
dompteurs de chevaux. Mais tu as dit une parole vaine.

Et Agamemnôn qui commande au loin, le voyant irrité,
sourit, et, se rétractant, lui répondit :

— Subtil Odysseus, divin Laertiade, je ne veux t'adresser
ni injures ni reproches. Je sais que ton cœur, dans ta poitrine, est plein de desseins excellents, car tes pensées sont
les miennes. Nous réparerons ceci, si j'ai mal parlé. Va donc,
et que les Dieux rendent mes paroles vaines !

Ayant ainsi parlé, il les laissa et alla vers d'autres. Et il
trouva Diomèdès, l'orgueilleux fils de Tydeus, immobile au

milieu de ses chevaux et de ses chars solides. Et Sthénélos,
fils de Kapaneus, était auprès de lui. Et Agamemnôn qui
commande au loin, les ayant vus, l'injuria et lui dit ces paroles ailées :

— Ah ! fils du brave Tydeus dompteur de chevaux, pourquoi trembles-tu et regardes-tu entre les rangs ? Certes,
Tydeus n'avait point coutume de trembler, mais il combattait hardiment l'ennemi, et hors des rangs, en avant de ses
compagnons. Je ne l'ai point vu dans la guerre, mais on dit
qu'il était au-dessus de tous. Il vint à Mykènè avec Polynei-
kès égal aux Dieux, pour rassembler les peuples et faire une
expédition contre les saintes murailles de Thèbè. Et ils nous
conjuraient de leur donner de courageux alliés, et tous y
consentaient, mais les signes contraires de Zeus nous en
empêchèrent. Et ils partirent, et quand ils furent arrivés
auprès de l'Asôpos plein de joncs et d'herbes, Tydeus fut l'envoyé des Akhaiens. Et il partit, et il trouva les Kadméiônes,
en grand nombre, mangeant dans la demeure de la Force
Etéokléenne. Et là, le cavalier Tydeus ne fut point effrayé,
bien qu'étranger et seul au milieu des nombreux Kadméiônes. Et il les provoqua aux luttes et les vainquit aisément,
car Athènè le protégeait. Mais les cavaliers Kadméiônes,
pleins de colère, lui dressèrent, à son départ, une embuscade
de nombreux guerriers commandés par Maiôn Haimonide,
tel que les Immortels, et par Lykophontès, hardi guerrier,
fils d'Autophonos. Et Tydeus les tua tous et n'en laissa revenir qu'un seul. Obéissant aux signes des Dieux, il laissa revenir Maiôn. Tel était Tydeus l'Aitôlien ; mais il a engendré un
fils qui ne le vaut point dans le combat, s'il parle mieux dans
l'agora.

Il parla ainsi, et le brave Diomèdès ne répondit rien, plein
de respect pour le Roi vénérable. Mais le fils de l'illustre
Kapaneus répondit à l'Atréide :

— Atréide, ne mens point, sachant que tu mens. Certes
nous nous glorifions de valoir beaucoup mieux que nos
pères, nous qui, confiants dans les signes des Dieux, et avec
l'aide de Zeus, avons pris Thèbè aux sept portes, ayant
conduit sous ses fortes murailles des peuples moins nombreux. Nos pères ont péri par leurs propres fautes. Ne
compare donc point leur gloire à la nôtre.

Et le robuste Diomèdès, avec un sombre regard, lui
répondit :

— Ami, tais-toi et obéis. Je ne m'irrite point de ce que le

prince des peuples, Agamemnôn, excite les Akhaiens aux belles knèmides à combattre ; car si les Akhaiens détruisent les Troiens et prennent la sainte Ilios, il en aura la gloire ; mais si les Akhaiens sont détruits, il en portera le deuil. Occupons-nous tous deux de la guerre impétueuse.

Il parla ainsi, et sauta de son char à terre avec ses armes ; et l'airain retentit terriblement sur la poitrine du Roi, et ce bruit aurait troublé le cœur du plus brave.

Et comme le flot de la mer roule avec rapidité vers le rivage, poussé par Zéphyros, et, se gonflant d'abord sur la haute mer, se brise violemment contre terre, et se hérisse autour des promontoires en vomissant l'écume de la mer, de même les phalanges pressées des Danaens se ruaient au combat. Et chaque chef donnait ses ordres, et le reste marchait en silence. On eût dit une grande multitude muette, pleine de respect pour ses chefs. Et les armes brillantes resplendissaient tandis qu'ils marchaient en ordre. Mais, tels que les nombreuses brebis d'un homme riche, et qui bêlent sans cesse à la voix des agneaux, tandis qu'on trait leur lait blanc dans l'étable, les Troiens poussaient des cris confus et tumultueux de tous les points de la vaste armée. Et leurs cris étaient poussés en beaucoup de langues diverses, par des hommes venus d'un grand nombre de pays lointains.

Et Arès excitait les uns, et Athènè aux yeux clairs excitait les autres, et partout allaient la Crainte et la Terreur et la furieuse et insatiable Eris, sœur et compagne d'Arès tueur d'hommes, et qui, d'abord, est faible, et qui, les pieds sur la terre, porte bientôt sa tête dans l'Ouranos. Et elle s'avançait à travers la foule, éveillant la haine et multipliant les gémissements des hommes.

Et quand ils se furent rencontrés, ils mêlèrent leurs boucliers, leurs piques et la force des hommes au cuirasses d'airain ; et les boucliers bombés se heurtèrent, et un vaste tumulte retentit. Et on entendait les cris de victoire et les hurlements des hommes qui renversaient ou étaient renversés, et le sang inondait la terre. Comme des fleuves, gonflés par l'hiver, tombent du haut des montagnes et mêlent leurs eaux furieuses dans une vallée qu'ils creusent profondément, et dont un berger entend de loin le fracas, de même le tumulte des hommes confondus roulait.

Et, le premier, Antilokhos tua Ekhépôlos Thalysiade, courageux Troien, brave entre tous ceux qui combattaient en avant. Et il le frappa au casque couvert de crins épais, et il

perça le front, et la pointe d'airain entra dans l'os. Et le
Troien tomba comme une tour dans le rude combat. Et le
roi Eléphènôr Khalkodontiade, prince des magnanimes
Abantes, le prit par les pieds pour le traîner à l'abri des traits
et le dépouiller de ses armes ; mais sa tentative fut brève,
car le magnanime Agènôr, l'ayant vu traîner le cadavre, le
perça au côté, d'une pique d'airain, sous le bouclier, tandis
qu'il se courbait et le tua. Et, sur lui, se rua un combat
furieux de Troiens et d'Akhaiens ; et, comme des loups, ils
se jetaient les uns sur les autres, et chaque guerrier en renversait un autre.

C'est là qu'Aias Télamônien tua Simoéisios, fils d'Anthé-
miôn, jeune et beau, et que sa mère, descendant de l'Ida
pour visiter ses troupeaux avec ses parents, avait enfanté sur
les rives du Simoïs, et c'est pourquoi on le nommait Simoéisios. Mais il ne rendit pas à ses parents bien-aimés le prix
de leurs soins, car sa vie fut brève, ayant été dompté par la
pique du magnanime Aias. Et celui-ci le frappa à la poitrine,
près de la mamelle droite, et la pique d'airain sortit par
l'épaule. Et Simoésios tomba dans la poussière comme un
peuplier dont l'écorce est lisse, et qui, poussant au milieu
d'un grand marais, commence à se couvrir de hauts
rameaux, quand un constructeur de chars le tranche à l'aide
du fer aiguisé pour en faire la roue d'un beau char ; et il gît,
flétri, aux bords du fleuve. Et le divin Aias dépouilla ainsi
Simoésios Anthémiônide.

Et le Priamide Antiphos à la cuirasse éclatante, du milieu
de la foule, lança contre Aias sa pique aiguë ; mais elle le
manqua et frappa à l'aine Leukos, brave compagnon d'Odysseus, tandis qu'il traînait le cadavre, et le cadavre lui
échappa des mains. Et Odysseus, irrité de cette mort,
s'avança, armé de l'airain éclatant, au delà des premiers
rangs, regardant autour de lui et agitant sa pique éclatante.
Et les Troiens reculèrent devant l'homme menaçant ; mais
il ne lança point sa pique en vain, car il frappa Dèmokoôn,
fils naturel de Priamos, et qui était venu d'Abydos avec ses
chevaux rapides. Et Odysseus, vengeant son compagnon,
frappa Dèmokoôn à la tempe, et la pointe d'airain sortit par
l'autre tempe, et l'obscurité couvrit ses yeux. Et il tomba
avec bruit, et ses armes retentirent. Et les Troiens les plus
avancés reculèrent, et même l'illustre Hektôr. Et les
Akhaiens poussaient de grands cris, entraînant les cadavres

et se ruant en avant. Et Apollôn s'indigna, les ayant vus du faîte de Pergamos, et d'une voix haute il excita les Troiens :

— Troiens, dompteurs de chevaux, ne le cédez point aux Akhaiens. Leur peau n'est ni de pierre ni de fer pour résister, quand elle en est frappée, à l'airain qui coupe la chair. Akhilleus, le fils de Thétis à la belle chevelure, ne combat point ; il couve, près de ses nefs, la colère qui lui ronge le cœur.

Ainsi parla le Dieu terrible du haut de la citadelle. Et Tritogénia, la glorieuse fille de Zeus, marchant au travers de la foule, excitait les Akhaiens là où ils reculaient.

Et la Moire saisit Diôrès Amarynkéide, et il fut frappé à la cheville droite d'une pierre anguleuse. Et ce fut l'Imbraside Peiroos, prince des Thrèkiens, et qui était venu d'Ainos, qui le frappa. Et la pierre rude fracassa les deux tendons et les os. Et Diôrès tomba à la renverse dans la poussière, étendant les mains vers ses compagnons et respirant à peine. Et Peiroos accourut et enfonça sa pique près du nombril, et les intestins se répandirent à terre, et l'obscurité couvrit ses yeux. Et comme Peiroos s'élançait, l'Aitôlien Thoas le frappa de sa pique dans la poitrine, au-dessus de la mamelle, et l'airain traversa le poumon. Puis il accourut, arracha de la poitrine la pique terrible, et, tirant son épée aiguë, il ouvrit le ventre de l'homme et le tua. Mais il ne le dépouilla point de ses armes, car les Thrèkiens aux cheveux ras et aux longues lances entourèrent leur chef, et repoussèrent Thoas, tout robuste, hardi et grand qu'il était. Et il recula loin d'eux. Ainsi les deux chefs, l'un des Thrèkiens, l'autre des Epéiens aux tuniques d'airain, étaient couchés côte à côte dans la poussière et les cadavres s'amassaient autour d'eux.

Si un guerrier, sans peur du combat, et que l'airain aigu n'eût encore ni frappé ni blessé, eût parcouru la mêlée furieuse, et que Pallas Athènè l'eût conduit par la main, écartant de lui l'impétuosité des traits, certes, il eût vu, en ce jour, une multitude de Troiens et d'Akhaiens renversés et couchés confusément sur la poussière.

RHAPSODIE V

Alors, Pallas Athènè donna la force et l'audace au Tydéide Diomèdès, afin qu'il s'illustrât entre tous les Argiens et remportât une grande gloire. Et elle fit jaillir de son casque et

de son bouclier un feu inextinguible, semblable à l'étoile de
l'automne qui éclate et resplendit hors de l'Okéanos. Tel ce
feu jaillissait de sa tête et de ses épaules. Et elle le poussa
dans la mêlée où tous se ruaient tumultueusement.

Parmi les Troiens vivait Darès, riche et irréprochable
sacrificateur de Hèphaistos, et il avait deux fils, Phègeus et
Idaios, habiles à tous les combats. Et tous deux, sur un
même char, se ruèrent sur le Tydéide, qui était à pied. Et,
lorsqu'il se furent rapprochés, Phègeus, le premier, lança sa
longue pique, et la pointe effleura l'épaule gauche du
Tydéide, mais il ne le blessa point. Et celui-ci, à son tour,
lança sa pique, et le trait ne fut point inutile qui partit de sa
main, car il s'enfonça dans la poitrine, entre les mamelles,
et jeta le guerrier à bas. Et Idaios s'enfuit, abandonnant son
beau char et n'osant défendre son frère tué. Certes, il n'eût
point, pour cela, évité la noire mort ; mais Hèphaistos,
l'ayant enveloppé d'une nuée, l'enleva, afin que la vieillesse
de leur vieux père ne fût point désespérée. Et le fils du
magnanime Tydeus saisit leurs chevaux, qu'il remit à ses
compagnons pour être conduits aux nefs creuses.

Et les magnanimes Troiens, voyant les deux fils de Darès,
l'un en fuite et l'autre mort auprès de son char, furent troublés jusqu'au fond de leurs cœurs. Mais Athènè aux yeux
clairs, saisissant le furieux Arès par la main, lui parla ainsi :

— Arès, Arès, fléau des hommes, tout sanglant, et qui renverses les murailles, ne laisserons-nous point combattre les
Troiens et les Akhaiens ? Que le Père Zeus accorde la gloire
à qui il voudra. Retirons-nous et évitons la colère de Zeus.

Ayant ainsi parlé, elle conduisit le furieux Arès hors du
combat et le fit asseoir sur la haute rive du Skamandros. Et
les Danaens repoussèrent les Troiens. Chacun des chefs tua
un guerrier. Et, le premier, le roi Agamemnôn précipita de
son char le grand Odios, chef des Halizônes. Comme celui-
ci fuyait, il lui enfonça sa pique dans le dos, entre les épaules, et elle lui traversa la poitrine, et les armes d'Odios résonnèrent dans sa chute.

Et Idoméneus tua Phaistos, fils du Maionien Bôros, qui
était venu de la fertile Tarnè. L'illustre Idoméneus le perça
à l'épaule droite, de sa longue pique, comme il montait sur
son char. Et il tomba, et une ombre affreuse l'enveloppa, et
les serviteurs d'Idoméneus le dépouillèrent.

Et l'Atréide Ménélaos tua de sa pique aiguë Skamandrios
habile à la chasse, fils de Strophios. C'était un excellent

chasseur qu'Artémis avait instruit elle-même à percer les bêtes fauves, et qu'elle avait nourri dans les bois, sur les montagnes. Mais ni son habileté à lancer les traits, ni Artémis qui se réjouit de ses flèches, ne lui servirent. Comme il fuyait, l'illustre Atréide Ménélaos le perça de sa pique dans le dos, entre les deux épaules, et lui traversa la poitrine. Et il tomba sur la face, et ses armes résonnèrent.

Et Mèrionès tua Phéréklos, fils du charpentier Harmôn, qui fabriquait adroitement toute chose de ses mains et que Pallas Athènè aimait beaucoup. Et c'était lui qui avait construit pour Alexandros ces nefs égales qui devaient causer tant de maux aux Troiens et à lui-même ; car il ignorait les oracles des Dieux. Et Mèrionès, poursuivant Phéréklos, le frappa à la fesse droite, et la pointe pénétra dans l'os jusque dans la vessie. Et il tomba en gémissant, et la mort l'enveloppa.

Et Mégès tua Pèdaios, fils illégitime d'Antènôr, mais que la divine Théanô avait nourri avec soin au milieu de ses enfants bien-aimés, afin de plaire à son mari. Et l'illustre Phyléide, s'approchant de lui, le frappa de sa pique aiguë derrière la tête. Et l'airain, à travers les dents, coupa la langue, et il tomba dans la poussière en serrant de ses dents le froid airain.

Et l'Evaimonide Eurypylos tua le divin Hypsènôr, fils du magnanime Dolopiôn, sacrificateur du Skamandros, et que le peuple honorait comme un Dieu. Et l'illustre fils d'Evaimôn, Eurypylos, se ruant sur lui, comme il fuyait, le frappa de l'épée à l'épaule et lui coupa le bras, qui tomba sanglant et lourd. Et la mort pourprée et la Moire violente emplirent ses yeux.

Tandis qu'ils combattaient ainsi dans la rude mêlée, nul n'aurait pu reconnaître si le Tydéide était du côté des Troiens ou du côté des Akhaiens. Il courait à travers la plaine, semblable à un fleuve furieux et débordé qui roule impétueusement et renverse les ponts. Ni les digues ne l'arrêtent, ni les enclos des vergers verdoyants, car la pluie de Zeus abonde, et les beaux travaux des jeunes hommes sont détruits. Ainsi les épaisses phalanges des Troiens se dissipaient devant le Tydéide, et leur multitude ne pouvait soutenir son choc.

Et l'illustre fils de Lykaôn, l'ayant aperçu se ruant par la plaine et dispersant les phalanges, tendit aussitôt contre lui son arc recourbé, et, comme il s'élançait, le frappa à l'épaule

droite, au défaut de la cuirasse. Et la flèche acerbe vola en
sifflant et s'enfonça, et la cuirasse ruissela de sang. Et l'illustre fils de Lykaôn s'écria d'une voix haute :

— Courage, Troiens, cavaliers magnanimes ! Le plus
brave des Akhaiens est blessé, et je ne pense pas qu'il supporte longtemps ma flèche violente, s'il est vrai que le Roi,
fils de Zeus, m'ait poussé à quitter la Lykiè.

Il parla ainsi orgueilleusement, mais la flèche rapide
n'avait point tué le Tydéide, qui, reculant, s'arrêta devant ses
chevaux et son char, et dit à Sthénélos, fils de Kapaneus :

— Hâte-toi, ami Kapanéide ! Descends du char et retire
cette flèche amère.

Il parla ainsi, et Sthénélos, sautant à bas du char, arracha
de l'épaule la flèche rapide. Et le sang jaillit sur la tunique,
et Diomèdès hardi au combat pria ainsi :

— Entends-moi, fille indomptée de Zeus tempétueux ! Si
jamais tu nous as protégés, mon père et moi, dans la guerre
cruelle, Athènè ! secours-moi de nouveau. Accorde-moi de
tuer ce guerrier. Amène-le au-devant de ma pique impétueuse, lui qui m'a blessé le premier, et qui s'en glorifie, et
qui pense que je ne verrai pas longtemps encore la splendide
lumière de Hélios.

Il parla ainsi en priant, et Pallas Athènè l'exauça. Elle rendit tous ses membres, et ses pieds et ses mains plus agiles ;
et s'approchant, elle lui dit en paroles ailées :

— Reprends courage, ô Diomèdès, et combats contre les
Troiens, car j'ai mis dans ta poitrine l'intrépide vigueur que
possédait le porte-bouclier, le cavalier Tydeus. Et j'ai dissipé
le nuage qui était sur tes yeux, afin que tu reconnaisses les
Dieux et les hommes. Si un Immortel venait te tenter, ne
lutte point contre les Dieux immortels ; mais si Aphroditè,
la fille de Zeus, descendait dans la mêlée, frappe-la de l'airain aigu.

Ayant ainsi parlé, Athènè aux yeux clairs s'éloigna, et le
Tydéide retourna à la charge, mêlé aux premiers rangs. Et,
naguère, il était, certes, plein d'ardeur pour combattre les
Troiens, mais son courage est maintenant trois fois plus
grand. Il est comme un lion qui, dans un champ où paissaient des brebis laineuses, au moment où il sautait vers
l'étable, a été blessé par un pâtre, et non tué. Cette blessure
accroît ses forces, il entre dans l'étable et disperse les brebis,
qu'on n'ose plus défendre. Et celles-ci gisent égorgées, les

unes sur les autres ; et le lion bondit hors de l'enclos. Ainsi le brave Diomèdès se rua sur les Troiens.

Alors, il tua Astynoos et Hypeinôr, princes des peuples. Et il perça l'un, de sa pique d'airain, au-dessus de la mamelle ; et, de sa grande épée, il brisa la clavicule de l'autre et sépara la tête de l'épaule et du dos. Puis, les abandonnant, il se jeta sur Abas et Polyeidos, fils du vieux Eurydamas, interprète des songes. Mais le vieillard ne les avait point consultés au départ de ses enfants. Et le brave Diomèdès les tua.

Et il se jeta sur Xanthos et Thoôn, fils tardifs de Phainops, qui les avait eus dans sa triste vieillesse, et qui n'avait point engendré d'autres enfants à qui il pût laisser ses biens. Et le Tydéide les tua, leur arrachant l'âme et ne laissant que le deuil et les tristes douleurs à leur père, qui ne devait point les revoir vivants au retour du combat, et dont l'héritage serait partagé selon la loi.

Et Diomèdès saisit deux fils du Dardanide Priamos, montés sur un même char, Ekhémmôn et Khromios. Comme un lion, bondissant sur des bœufs, brise le cou d'une génisse ou d'un taureau paissant dans les bois, ainsi le fils de Tydeus, les renversant tous deux de leur char, les dépouilla de leurs armes et remit leurs chevaux à ses compagnons pour être conduits aux nefs.

Mais Ainéias, le voyant dissiper les lignes des guerriers, s'avança à travers la mêlée et le bruissement des piques, cherchant de tous côtés le divin Pandaros. Et il rencontra le brave et irréprochable fils de Lykaôn, et, s'approchant, il lui dit :

— Pandaros ! où sont ton arc et tes flèches ? Et ta gloire, quel guerrier pourrait te la disputer ? Qui pourrait, en Lykiè, se glorifier de l'emporter sur toi ? Allons, tends les mains vers Zeus et envoie une flèche à ce guerrier. Je ne sais qui il est, mais il triomphe et il a déjà infligé de grands maux aux Troiens. Déjà il a fait ployer les genoux d'une multitude de braves. Peut-être est-ce un Dieu irrité contre les Troiens à cause de sacrifices négligés. Et la colère d'un Dieu est lourde.

Et l'illustre fils de Lykaôn lui répondit :

— Ainéias, conseiller des Troiens revêtus d'airain, je crois que ce guerrier est le Tydéide. Je le reconnais à son bouclier, à son casque aux trois cônes et à ses chevaux. Cependant, je ne sais si ce n'est point un Dieu. Si ce guerrier est le brave fils de Tydeus, comme je l'ai dit, certes, il n'est point ainsi furieux sans l'appui d'un Dieu. Sans doute, un des Immortels, couvert d'une nuée, se tient auprès de lui et détourne les flèches rapides. Déjà je l'ai frappé d'un trait à l'épaule droite, au défaut de la cuirasse. J'étais certain de l'avoir envoyé chez Aidès, et voici que je ne l'ai point tué. Sans doute quelque Dieu est irrité contre nous. Ni mes chevaux ni mon char ne sont ici. J'ai, dans les demeures de Lykaôn, onze beaux chars tout neufs, couverts de larges draperies. Auprès de chacun d'eux sont deux chevaux qui paissent l'orge et l'avoine. Certes, le belliqueux vieillard Lykaôn, quand je partis de mes belles demeures, me donna de nombreux conseils. Il m'ordonna, monté sur mon char et traîné par mes chevaux, de devancer tous les Troiens dans les mâles combats. J'aurais mieux fait d'obéir ; mais je ne le voulus point, désirant épargner mes chevaux accoutumés à manger abondamment, et de peur qu'ils manquassent de nourriture au milieu de guerriers assiégés. Je les laissai, et vins à pied vers Ilios, certain de mon arc, dont je ne devais pas me glorifier cependant. Déjà, je l'ai tendu contre deux chefs, l'Atréide et le Tydéide, et je les ai blessés, et j'ai fait couler leur sang, et je n'ai fait que les irriter. Certes, ce fut par une mauvaise destinée que je détachai du mur cet arc recourbé, le jour funeste où je vins, dans la riante Ilios, commander aux Troiens, pour plaire au divin Hektôr. Si je retourne jamais, et si je revois de mes yeux ma patrie et ma femme et ma haute demeure, qu'aussitôt un ennemi me coupe la tête, si je ne jette, brisé de mes mains, dans le feu éclatant, cet arc qui m'aura été un compagnon inutile !

Et le chef des Troiens, Ainéias, lui répondit :

— Ne parle point tant. Rien ne changera si nous ne poussons à cet homme, sur notre char et nos chevaux, et couverts de nos armes. Tiens ! monte sur mon char, et vois quels sont les chevaux de Trôs, habiles à poursuivre ou à fuir rapidement dans la plaine. Ils nous ramèneront saufs dans la ville, si Zeus donne la victoire au Tydéide Diomèdès. Viens ! saisis le fouet et les belles rênes, et je descendrai pour combattre ; ou combats toi-même, et je guiderai les chevaux.

Et l'illustre fils de Lykaôn lui répondit :

— Ainéias, charge-toi des rênes et des chevaux. Ils traîneront mieux le char sous le conducteur accoutumé, si nous prenions la fuite devant le fils de Tydeus. Peut-être, pleins de terreur, resteraient-ils inertes et ne voudraient-ils plus nous emporter hors du combat, n'entendant plus ta voix.

Ayant ainsi parlé, ils montèrent sur le char brillant et poussèrent les chevaux rapides contre le Tydéide. Et l'illustre fils de Kapaneus, Sthénélos, les vit ; et aussitôt il dit au Tydéide ces paroles ailées :

— Tydéide Diomèdès, le plus cher à mon âme, je vois deux braves guerriers qui se préparent à te combattre. Tous deux sont pleins de force. L'un est l'habile archer Pandaros, qui se glorifie d'être le fils de Lykaôn. L'autre est Ainéias, qui se glorifie d'être le fils du magnanime Ankhisès, et qui a pour mère Aphroditè elle-même. Reculons donc, et ne te jette point en avant, si tu ne veux perdre ta chère âme.

Et le brave Diomèdès, le regardant d'un œil sombre, lui répondit :

— Ne parle point de fuir, car je ne pense point que tu me persuades. Ce n'est point la coutume de ma race de fuir et de trembler. Je possède encore toutes mes forces. J'irai au-devant de ces guerriers. Pallas Athènè ne me permet point de craindre. Leurs chevaux rapides ne nous les arracheront point tous deux, si, du moins, un seul en réchappe. Mais je te dis, et souviens-toi de mes paroles : si la sage Athènè me donnait la gloire de les tuer tous deux, arrête nos chevaux rapides, attache les rênes au char, cours aux chevaux d'Ainéias et pousse-les parmi les Akhaiens aux belles knèmides. Ils sont de la race de ceux que le prévoyant Zeus donna à Trôs en échange de son fils Ganymèdès, et ce sont les meilleurs chevaux qui soient sous Eôs et Hélios. Le Roi des hommes, Ankhisès, à l'insu de Laomédôn, fit saillir des cavales par ces étalons, et il en eut dix rejetons. Il en retint quatre qu'il nourrit à la crèche, et il a donné ces deux-ci, rapides à la fuite, à Ainéias. Si nous les enlevons, nous remporterons une grande gloire.

Pendant qu'ils se parlaient ainsi, les deux Troiens poussaient vers eux leurs chevaux rapides, et le premier, l'illustre fils de Lykaôn, s'écria :

— Très brave et très excellent guerrier, fils de l'illustre Tydeus, mon trait rapide, ma flèche amère ne t'a point tué ; mais je vais tenter de te percer de ma pique.

Il parla, et, lançant sa longue pique, frappa le bouclier du Tydéide. La pointe d'airain siffla et s'enfonça dans la cuirasse, et l'illustre fils de Lykaôn cria à voix haute :

— Tu es blessé dans le ventre ! Je ne pense point que tu survives longtemps, et tu vas me donner une grande gloire.

Et le brave Diomèdès lui répondit avec calme :

— Tu m'as manqué, loin de m'atteindre ; mais je ne pense pas que vous vous reposiez avant qu'un de vous, au moins, ne tombe et ne rassasie de son sang Arès, l'audacieux combattant.

Il parla ainsi, et lança sa pique. Et Athènè la dirigea au-dessus du nez, auprès de l'œil, et l'airain indompté traversa les blanches dents, coupa l'extrémité de la langue et sortit sous le menton. Et Pandaros tomba du char, et ses armes brillantes, aux couleurs variées, résonnèrent sur lui, et les chevaux aux pieds rapides frémirent, et la vie et les forces de l'homme furent brisées.

Alors, Ainéias s'élança avec son bouclier et sa longue pique, de peur que les Akhaiens n'enlevassent le cadavre. Et, tout autour, il allait, comme un lion confiant dans ses for-ces, brandissant sa pique et son bouclier bombé, prêt à tuer celui qui oserait approcher, et criant horriblement. Mais le Tydéide saisit de sa main un lourd rocher que deux hom-mes, de ceux qui vivent aujourd'hui, ne pourraient soulever. Seul, il le remua facilement. Et il en frappa Ainéias à la cuisse, là où le fémur tourne dans le cotyle. Et la pierre rugueuse heurta le cotyle, rompit les deux muscles supé-rieurs et déchira la peau. Le héros, tombant sur les genoux, s'appuya d'une main lourde sur la terre, et une nuit noire couvrit ses yeux. Et le Roi des hommes, Ainéias, eût sans doute péri, si la fille de Zeus, Aphroditè, ne l'eût aperçu : car elle était sa mère, l'ayant conçu d'Ankhisès, comme il pais-sait ses bœufs. Elle jeta ses bras blancs autour de son fils bien-aimé et l'enveloppa des plis de son péplos éclatant, afin de le garantir des traits, et de peur qu'un des guerriers Danaens enfonçât l'airain dans sa poitrine et lui arrachât l'âme. Et elle enleva hors de la mêlée son fils bien-aimé.

Mais le fils de Kapaneus n'oublia point l'ordre que lui avait donné Diomèdès hardi au combat. Il arrêta brusque-ment les chevaux aux sabots massifs, en attachant au char les rênes tendues ; et, se précipitant vers les chevaux aux longues crinières d'Ainéias, il les poussa du côté des Akhaiens aux belles knèmides. Et il les remit à son cher compagnon Dèipylos, qu'il honorait au-dessus de tous, tant leurs âmes étaient d'accord, afin que celui-ci les conduisît aux nefs creuses.

Puis le héros, remontant sur son char, saisit les belles rênes, et, traîné par ses chevaux aux sabots massifs, suivit le Tydéide. Et celui-ci, de l'airain meurtrier, pressait ardemment Aphroditè, sachant que c'était une Déesse pleine de faiblesse, et qu'elle n'était point de ces divinités qui se mêlent aux luttes des guerriers, comme Athènè ou comme Enyô, le destructrice des citadelles. Et, la poursuivant dans la mêlée tumultueuse, le fils du magnanime Tydeus bondit, et de sa pique aiguë blessa sa main délicate. Et aussitôt l'airain perça la peau divine à travers le péplos que les Kharites avaient tissé elles-mêmes. Et le sang immortel de la Déesse coula, subtil, et tel qu'il sort des Dieux heureux. Car ils ne mangent point de pain, ils ne boivent point le vin ardent, et c'est pourquoi ils n'ont point notre sang et sont nommés Immortels. Elle poussa un grand cri et laissa tomber son fils ; mais Phoibos Apollôn le releva de ses mains et l'enveloppa d'une noire nuée, de peur qu'un des cavaliers Danaens enfonçât l'airain dans sa poitrine et lui arrachât l'âme. Et Diomèdès hardi au combat cria d'une voix haute à la Déesse :

— Fille de Zeus, fuis la guerre et le combat. Ne te suffit-il pas de tromper de faibles femmes ? Si tu retournes jamais au combat, certes, je pense que la guerre et son nom seul te feront trembler désormais.

Il parla ainsi, et Aphroditè s'envola, pleine d'affliction et gémissant profondément. Iris aux pieds rapides la conduisit hors de la mêlée, accablée de douleurs, et son beau corps était devenu noir. Et elle rencontra l'impétueux Arès assis à la gauche de la bataille. Sa pique et ses chevaux rapides étaient couverts d'une nuée. Et Aphroditè, tombant à genoux, supplia son frère bien-aimé de lui donner ses chevaux liés par des courroies d'or :

— Frère bien-aimé, secours-moi ! Donne-moi tes chevaux pour que j'aille dans l'Olympos, qui est la demeure des Immortels. Je souffre cruellement d'une blessure que m'a faite le guerrier mortel Tydéide, qui combattrait maintenant le Père Zeus lui-même.

Elle parla ainsi, et Arès lui donna ses chevaux aux aigrettes dorées. Et, gémissant dans sa chère âme, elle monta sur le char. Iris monta auprès d'elle, prit les rênes en mains et frappa les chevaux du fouet, et ceux-ci s'envolèrent et atteignirent aussitôt le haut Olympos, demeure des Dieux. Et la rapide Iris arrêta les chevaux aux pieds prompts comme le vent, et, sautant du char, leur donna leur nourriture immortelle. Et la divine Aphroditè tomba aux genoux de Diônè sa mère ; et celle-ci, entourant sa fille de ses bras, la caressa et lui dit :

— Quel Ouranien, chère fille, t'a ainsi traitée, comme si tu avais ouvertement commis une action mauvaise ?

— Et Aphroditè qui aime les sourires lui répondit :

— L'audacieux Diomèdès, fils de Tydeus, m'a blessée, parce que j'emportais hors de la mêlée mon fils bien-aimé Ainéias, qui m'est le plus cher de tous les hommes. La bataille furieuse n'est plus seulement entre les Troiens et les Akhaiens, mais les Danaens combattent déjà contre les Immortels.

Et l'illustre Déesse Diônè lui répondit :

— Subis et endure ton mal, ma fille, bien que tu sois affligée. Déjà plusieurs habitants des demeures Ouraniennes, par leurs discordes mutuelles, ont beaucoup souffert de la part des hommes. Arès a subi de grands maux quand Otos et le robuste Ephialtès, fils d'Alôeus, le lièrent de fortes chaînes. Il resta treize mois enchaîné dans une prison d'airain. Et peut-être qu'Arès, insatiable de combats, eût péri, si la belle Euriboia, leur marâtre, n'eût averti Hermès, qui délivra furtivement Arès respirant à peine, tant les lourdes chaînes l'avaient dompté. Hèrè souffrit aussi quand le vigoureux Amphitryôniade la blessa à la mamelle droite d'une flèche à trois pointes, et une irrémédiable douleur la saisit. Et le grand Aidès souffrit entre tous quand le même homme, fils de Zeus tempétueux, le blessa, sur le seuil du Hadès, au milieu des morts, d'une flèche rapide, et l'accabla de douleurs. Et il vint dans la demeure de Zeus, dans le grand Olympos, plein de maux et gémissant dans son cœur, car la flèche était fixée dans sa large épaule et torturait son âme. Et Paièôn, répandant de doux baumes sur la plaie, guérit Aidès, car il n'était point mortel comme un homme. Et tel était Hèraklès, impie, irrésistible, se souciant peu de commettre des actions mauvaises et frappant de ses flèches les Dieux qui habitent l'Olympos. C'est la divine Athènè aux yeux clairs qui a excité un insensé contre toi. Et le fils de Tydeus ne sait pas, dans son âme, qu'il ne vit pas longtemps celui qui lutte contre les Immortels. Ses enfants, assis sur ses genoux, ne le nomment point leur père au retour de la guerre et de la rude bataille. Maintenant, que le Tydéide craigne, malgré sa force, qu'un plus redoutable que toi ne le combatte. Qu'il craigne que la sage fille d'Adrèstos, Aigialéia, la noble femme du dompteur de chevaux Diomèdès, gémisse bientôt en s'éveillant et en troublant ses serviteurs, parce qu'elle pleurera son premier mari, le plus brave des Akhaiens !

Elle parla ainsi, et, de ses deux mains, étancha la plaie, et celle-ci fut guérie, et les amères douleurs furent calmées.

Mais Hèrè et Athènè, qui les regardaient, tentèrent d'irriter le Kronide Zeus par des paroles mordantes. Et la divine Athènè aux yeux clairs parla ainsi la première :

— Père Zeus, peut-être seras-tu irrité de ce que je vais dire ; mais voici qu'Aphroditè, en cherchant à mener quelque femme Akhaienne au milieu des Troiens qu'elle aime tendrement, en s'efforçant de séduire par ses caresses une des Akhaiennes au beau péplos, a déchiré sa main délicate à une agrafe d'or.

Elle parla ainsi, et le Père des hommes et des Dieux sourit, et, appelant Aphroditè d'or, il lui dit :

— Ma fille, les travaux de la guerre ne te sont point confiés, mais à l'impétueux Arès et à Athènè. Ne songe qu'aux douces joies des Hyménées.

Et ils parlaient ainsi entre eux. Et Diomèdès hardi au combat se ruait toujours sur Ainéias, bien qu'il sût qu'Apollôn le couvrait des deux mains. Mais il ne respectait même plus le grand Dieu, désirant tuer Ainéias et le dépouiller de ses armes illustres. Et trois fois il se rua, désirant le tuer, et trois fois Apollôn repoussa son bouclier éclatant. Mais, quand il bondit une quatrième fois, semblable à un Dieu, Apollôn lui dit d'une voix terrible :

— Prends garde, Tydéide, et ne t'égale point aux Dieux, car la race des Dieux immortels n'est point semblable à celle des hommes qui marchent sur la terre.

Il parla ainsi, et le Tydéide recula un peu, de peur d'exciter la colère de l'Archer Apollôn. Et celui-ci déposa Ainéias loin de la mêlée, dans la sainte Pergamos, où était bâti son temple. Et Lètô et Artémis qui se réjouit de ses flèches prirent soin de ce guerrier et l'honorèrent dans le vaste sanctuaire. Et Apollôn à l'arc d'argent suscita une image vaine semblable à Ainéias et portant des armes pareilles. Et autour de cette image les Troiens et les divins Akhaiens se frappaient sur les peaux de bœuf qui couvraient leurs poitrines, sur les boucliers bombés et sur les cuirasses légères. Alors, le roi Phoibos Apollôn dit à l'impétueux Arès :

— Arès, Arès, fléau des hommes, sanglant, et qui renverses les murailles, ne vas-tu pas chasser hors de la mêlée ce guerrier, le Tydéide, qui, certes, combattrait maintenant même contre le Père Zeus ? Déjà il a blessé la main d'Aphrodité, puis il a bondi sur moi, semblable à un Dieu.

Ayant ainsi parlé, il retourna s'asseoir sur la haute Pergamos, et le cruel Arès, se mêlant aux Troiens, les excita à combattre, ayant pris la forme de l'impétueux Akamas, prince des Thrèkiens. Et il exhorta les fils de Priamos, nourrissons de Zeus :

— Ô fils du roi Priamos, nourris par Zeus, jusques à quand laisserez-vous les Akhaiens massacrer votre peuple ? Attendrez-vous qu'ils combattent autour de nos portes solides ? Un guerrier est tombé que nous honorions autant que le divin Hektôr, Ainéias, fils du magnanime Ankhisès. Allons ! Enlevons notre brave compagnon hors de la mêlée.

Ayant ainsi parlé, il excita la force et le courage de chacun. Et Sarpèdôn dit ces dures paroles au divin Hektôr :

— Hektôr, qu'est devenu ton ancien courage ? Tu te vantais naguère de sauver ta ville, sans l'aide des autres guerriers, seul, avec tes frères et tes parents, et je n'en ai encore aperçu aucun, car ils tremblent tous comme des chiens devant le lion. C'est nous, vos alliés, qui combattons. Me voici, moi, qui suis venu de très loin pour vous secourir. Elle est éloignée, en effet, la Lykiè où coule le Xanthos plein de tourbillons. J'y ai laissé ma femme bien-aimée et mon petit enfant, et mes nombreux domaines que le pauvre convoite. Et, cependant, j'excite les Lykiens au combat, et je suis prêt moi-même à lutter contre les hommes, bien que je n'aie rien à redouter ou à perdre des maux que vous apportent les Akhaiens, ou des biens qu'ils veulent vous enlever. Et tu restes immobile, et tu ne commandes même pas à tes guerriers de résister et de défendre leurs femmes ! Ne crains-tu pas qu'enveloppés tous comme dans un filet de lin, vous deveniez la proie des guerriers ennemis ? Sans doute, les Akhaiens renverseront bientôt votre ville aux nombreux habitants. C'est à toi qu'il appartient de songer à ces choses, nuit et jour, et de supplier les princes alliés, afin qu'ils tiennent fermement et qu'ils cessent leurs durs reproches.

Sarpèdôn parla ainsi, et il mordit l'âme de Hektôr, et celui-ci sauta aussitôt de son char avec ses armes, et, brandissant deux lances aiguës, courut de toutes parts à travers l'armée, l'excitant à combattre un rude combat. Et les Troiens revinrent à la charge et tinrent tête aux Akhaiens. Et les Argiens les attendirent de pied ferme.

Ainsi que, dans les aires sacrées, à l'aide des vanneurs et du vent, la blonde Dèmètèr sépare le bon grain de la paille, et que celle-ci, amoncelée, est couverte d'une poudre blanche, de même les Akhaiens étaient enveloppés d'une poussière blanche qui montait du milieu d'eux vers l'Ouranos, et que soulevaient les pieds des chevaux frappant la terre, tandis que les guerriers se mêlaient de nouveau et que les conducteurs de chars les ramenaient au combat. Et le furieux Arès, couvert d'une nuée, allait de toutes parts, excitant les Troiens. Et il obéissait ainsi aux ordres que lui avait donnés Phoibos Apollôn qui porte une épée d'or, quand celui-ci avait vu partir Athènè, protectrice des Danaens.

Et l'Archer Apollôn fit sortir Ainéias du sanctuaire et remplit de vigueur la poitrine du prince des peuples. Et ce dernier reparut au milieu de ses compagnons, pleins de joie de le voir vivant, sain et sauf et possédant toutes ses forces. Mais ils ne lui dirent rien, car les travaux que leur préparaient Arès, fléau des hommes, Apollôn et Eris, ne leur permirent point de l'interroger.

Et les deux Aias, Odysseus et Diomèdès exhortaient les Danaens au combat ; et ceux-ci, sans craindre les forces et l'impétuosité des Troiens, les attendaient de pied ferme, semblables à ces nuées que le Kroniôn arrête à la cime des montagnes, quand le Boréas et les autres vents violents se sont calmés, eux dont le souffle disperse les nuages épais et immobiles. Ainsi les Danaens attendaient les Troiens de pied ferme. Et l'Atréide, courant çà et là au milieu d'eux, les excitait ainsi :

— Amis, soyez des hommes ! ruez-vous, d'un cœur ferme, dans la rude bataille. Ce sont les plus braves qui échappent en plus grand nombre à la mort ; mais ceux qui fuient n'ont ni force ni gloire.

Il parla, et, lançant sa longue pique, il perça, au premier rang, le guerrier Dèikoôn Pergaside, compagnon du magnanime Ainéias, et que les Troiens honoraient autant que les fils de Priamos, parce qu'il était toujours parmi les premiers au combat. Et le roi Agamemnôn le frappa de sa pique dans le bouclier qui n'arrêta point le coup, car la pique le traversa et entra dans le ventre en déchirant le ceinturon. Et il tomba avec bruit, et ses armes résonnèrent sur son corps.

Alors, Ainéias tua deux braves guerriers Danaens, fils de Diokleus, Krèthôn et Orsilokhos. Et leur père habitait Phèrè bien bâtie, et il était riche, et il descendait du fleuve Alphéios

qui coule largement sur la terre des Pyliens. Et l'Alphéios
avait engendré Orsilokhos, chef de nombreux guerriers ; et
Orsilokhos avait engendré le magnanime Diokleus, et de
Diokleus étaient nés deux fils jumeaux, Krèthôn et Orsilokhos, habiles à tous les combats. Tout jeunes encore, ils vinrent sur leurs nefs noires vers Ilios aux bons chevaux, ayant
suivi les Argiens pour la cause et l'honneur des Atréides,
Agamemnôn et Ménélaos, et c'est là que la mort les atteignit.
Comme deux jeunes lions nourris par leur mère sur le sommet des montagnes, au fond des épaisses forêts, et qui enlèvent les bœufs et les brebis, et qui dévastent les établs
jusqu'à ce qu'ils soient tués de l'airain aigu par les mains des
pâtres, tels ils tombèrent tous deux, frappés par les mains
d'Ainéias, pareils à des pins élevés.

Et Ménélaos, hardi au combat, eut pitié de leur chute, et
il s'avança au premier rang, vêtu de l'airain étincelant et
brandissant sa pique. Et Arès l'excitait afin qu'il tombât sous
les mains d'Ainéias. Mais Antilokhos, fils du magnanime
Nestôr, le vit et s'avança au premier rang, car il craignait
pour le prince des peuples, dont la mort eût rendu leurs travaux inutiles. Et ils croisaient déjà leurs piques aiguës, prêts
à se combattre, quand Antilokhos vint se placer auprès du
prince des peuples. Et Ainéias, bien que très brave, recula,
voyant les deux guerriers prêts à l'attaquer. Et ceux-ci
entraînèrent les morts parmi les Akhaiens, et, les remettant
à leurs compagnons, revinrent combattre au premier rang.

Alors ils tuèrent Pylaiménès, égal à Arès, chef des magnanimes Paphlagones porteurs de boucliers. Et l'illustre
Atréide Ménélaos le perça de sa pique à la clavicule. Et Antilokhos frappa au coude, d'un coup de pierre, le conducteur
de son char, le brave Atymniade Mydôn, comme il faisait
reculer ses chevaux aux sabots massifs. Et les blanches rênes
ornées d'ivoire s'échappèrent de ses mains, et Antilokhos,
sautant sur lui, le perça à la tempe d'un coup d'épée. Et, ne
respirant plus, il tomba du beau char, la tête et les épaules
enfoncées dans le sable qui était creusé en cet endroit. Ses
chevaux le foulèrent aux pieds, et Antilokhos les chassa vers
l'armée des Akhaiens.

Mais Hektôr, les ayant aperçus tous deux, se rua à travers
la mêlée en poussant des cris. Et les braves phalanges des
Troiens le suivaient, et devant elles marchaient Arès et la
vénérable Enyô. Celle-ci menait le tumulte immense du

combat, et Arès, brandissant une grande pique, allait tantôt devant, tantôt derrière Hektôr.

Et Diomèdès hardi au combat, ayant vu Arès, frémit. Comme un voyageur troublé s'arrête, au bout d'une plaine immense, sur le bord d'un fleuve impétueux qui tombe dans la mer, et qui recule à la vue de l'onde bouillonnante, ainsi le Tydéide recula et dit aux siens :

— Ô amis, combien nous admirions justement le divin Hektôr, habile à lancer la pique et audacieux en combattant ! Quelque Dieu se tient toujours à son côté et détourne de lui la mort. Maintenant, voici qu'Arès l'accompagne, semblable à un guerrier. C'est pourquoi reculons devant les Troiens et ne vous hâtez point de combattre les Dieux.

Il parla ainsi, et les Troiens approchèrent. Alors, Hektôr tua deux guerriers habiles au combat et montés sur un même char, Ménesthès et Ankhialos.

Et le grand Télamônien Aias eut pitié de leur chute, et, marchant en avant, il lança sa pique brillante. Et il frappa Amphios, fils de Sélagos, qui habitait Paisos, et qui était fort riche. Mais sa Moire l'avait envoyé secourir les Priamides. Et le Télamônien Aias l'atteignit au ceinturon, et la longue pique resta enfoncée dans le bas-ventre. Et il tomba avec bruit, et l'illustre Aias accourut pour le dépouiller de ses armes. Mais les Troiens le couvrirent d'une grêle de piques aiguës et brillantes, et son bouclier en fut hérissé. Cependant, pressant du pied le cadavre, il en arracha sa pique d'airain ; mais il ne put enlever les belles armes, étant accablé de traits. Et il craignit la vigoureuse attaque des braves Troiens qui le pressaient de leurs piques et le firent reculer, bien qu'il fût grand, fort et illustre.

Et c'est ainsi qu'ils luttaient dans la rude mêlée. Et voici que la Moire violente amena, en face du divin Sarpèdôn, le grand et vigoureux Hèrakléide Tlèpolémos. Et quand ils se furent rencontrés tous deux, le fils et le petit-fils de Zeus qui amasse les nuées, Tlèpolémos, le premier, parla ainsi :

— Sarpèdôn, chef des Lykiens, quelle nécessité te pousse tremblant dans la mêlée, toi qui n'es qu'un guerrier inhabile ? Des menteurs disent que tu es fils de Zeus tempétueux, tandis que tu es loin de valoir les guerriers qui naquirent de Zeus, aux temps antiques des hommes, tel que le robuste Hèraklès au cœur de lion, mon père. Et il vint ici autrefois, à cause des chevaux de Laomédôn ; et, avec six nefs seulement et peu de compagnons, il renversa Ilios et dépeupla

ses rues. Mais toi, tu n'es qu'un lâche, et tes guerriers suc-
combent. Et je ne pense point que, même étant brave, tu
aies apporté de Lykiè un grand secours aux Troiens, car, tué
par moi, tu vas descendre au seuil d'Aidès.

Et Sarpèdôn, chef des Lykiens, lui répondit :

— Tlèpolémos, certes, Hèraklès renversa la sainte Ilios,
grâce à la témérité de l'illustre Laomédôn qui lui adressa
injustement de mauvaises paroles et lui refusa les cavales
qu'il était venu chercher de si loin. Mais, pour toi, je te pré-
dis la mort et la noire Kèr, et je vais t'envoyer, tué par ma
pique et me donnant une grande gloire, vers Aidès qui a d'illustres chevaux.

Sarpèdôn parla ainsi. Et Tlèpolémos leva sa pique de
frêne, et les deux longues piques s'élancèrent en même
temps de leurs mains. Et Sarpèdôn le frappa au milieu du
cou, et la pointe amère le traversa de part en part. Et la noire
nuit enveloppa les yeux de Tlèpolémos. Mais celui-ci avait
percé de sa longue pique la cuisse gauche de Sarpèdôn, et
la pointe était restée engagée dans l'os, et le Kronide, son
père, avait détourné la mort de lui. Et les braves compagnons de Sarpèdôn l'enlevèrent hors de la mêlée. Et il gémissait, traînant la longue pique de frêne restée dans la
blessure, car aucun d'eux n'avait songé à l'arracher de la
cuisse du guerrier, pour qu'il pût monter sur son char, tant
ils se hâtaient.

De leur côté, les Akhaiens aux belles knèmides emportaient Tlèpolémos hors de la mêlée. Et le divin Odysseus au
cœur ferme, l'ayant aperçu, s'affligea dans son âme ; et il
délibéra dans son esprit et dans son cœur s'il poursuivrait le
fils de Zeus qui tonne hautement, ou s'il arracherait l'âme à
une multitude de Lykiens. Mais il n'était point dans la destinée du magnanime Odysseus de tuer avec l'airain aigu le
brave fils de Zeus. C'est pourquoi Athènè lui inspira de se
jeter sur la foule des Lykiens. Alors il tua Koiranos et Alastôr, et Kromios et Alkandros et Halios, et Noèmôn et Pryta-
nis. Et le divin Odysseus eût tué une plus grande foule de
Lykiens, si le grand Hektôr au casque mouvant ne l'eût
aperçu. Et il s'élança aux premiers rangs, armé de l'airain
éclatant, jetant la terreur parmi les Danaens. Et Sarpèdôn,
fils de Zeus, se réjouit de sa venue et lui dit cette parole
lamentable :

— Priamide, ne permets pas que je reste la proie des
Danaens, et viens à mon aide, afin que je puisse au moins

expirer dans votre ville, puisque je ne dois plus revoir la chère patrie, et ma femme bien-aimée et mon petit enfant.

Mais Hektôr au casque mouvant ne lui répondit pas, et il s'élança en avant, plein du désir de repousser promptement les Argiens et d'arracher l'âme à une foule d'entre eux. Et les compagnons du divin Sarpèdôn le déposèrent sous le beau hêtre de Zeus tempétueux, et le brave Pélagôn, qui était le plus cher de ses compagnons, lui arracha hors de la cuisse la pique de frêne. Et son âme défaillit, et une nuée épaisse couvrit ses yeux. Mais le souffle de Boréas le ranima, et il ressaisit son âme qui s'évanouissait.

Et les Akhaiens, devant Arès et Hektôr au casque d'airain, ne fuyaient point vers les nefs noires et ne se ruaient pas non plus dans la mêlée, mais reculaient toujours, ayant aperçu Arès parmi les Troiens. Alors, quel fut le guerrier qui, le premier, fut tué par Hektôr Priamide et par Arès vêtu d'airain, et quel fut le dernier ? Teuthras, semblable à un Dieu, et l'habile cavalier Orestès, et Trékhos, combattant Aitôlien ; Oinamaos et l'Oinopide Hélénos, et Oresbios qui portait une mitre brillante. Et celui-ci habitait Hylè, où il prenait soin de ses richesses, au milieu du lac Kèphisside, non loin des riches tribus des Boiôtiens.

Et la divine Hèrè aux bras blancs, voyant que les Argiens périssaient dans la rude mêlée, dit à Athènè ces paroles ailées :

— Ah ! fille indomptable de Zeus impétueux, certes, nous aurons vainement promis à Ménélaos qu'il retournerait dans sa patrie après avoir renversé Ilios aux fortes murailles, si nous laissons ainsi le cruel Arès répandre sa fureur. Viens, et souvenons-nous de notre courage impétueux.

Elle parla ainsi, et la divine Athènè aux yeux clairs obéit. La vénérable Déesse Hèrè, fille du grand Kronos, se hâta de mettre à ses chevaux leurs harnais d'or. Hèbè attacha promptement les roues au char, aux deux bouts de l'essieu de fer. Et les roues étaient d'airain à huit rayons, et les jantes étaient d'un or incorruptible, mais, par-dessus, étaient posées des bandes d'airain admirables à voir. Les deux moyeux étaient revêtus d'argent, et le siège était suspendu à des courroies d'or et d'argent, et deux cercles étaient placés en avant d'où sortait le timon d'argent, et, à l'extrémité du timon, Hèrè lia le beau joug d'or et les belles courroies d'or. Puis, avide de discorde et de cris de guerre, elle soumit au joug ses chevaux aux pieds rapides.

Et Athènè, fille de Zeus tempétueux, laissa tomber sur le pavé de la demeure paternelle le péplos subtil, aux ornements variés, qu'elle avait fait et achevé de ses mains. Et elle revêtit la cuirasse de Zeus qui amasse les nuées, et l'armure de la guerre lamentable. Elle plaça autour de ses épaules l'Aigide aux longues franges, horrible, et que la Fuite environnait. Et là, se tenaient la Discorde, la Force et l'effrayante Poursuite, et la tête affreuse, horrible et divine du monstre Gorgô. Et Athènè posa sur sa tête un casque hérissé d'aigrettes, aux quatre cônes d'or, et qui eût recouvert les habitants de cent villes. Et elle monta sur le char splendide, et elle saisit une pique lourde, grande, solide, avec laquelle elle domptait la foule des hommes héroïques, contre lesquels elle s'irritait, étant la fille d'un père puissant.

Hèrè pressa du fouet les chevaux rapides, et, devant eux, s'ouvrirent d'elles-mêmes les portes Ouraniennes que gardaient les Heures. Et celles-ci, veillant sur le grand Ouranos et sur l'Olympos, ouvraient ou fermaient la nuée épaisse qui flottait autour. Et les chevaux dociles franchirent ces portes, et les Déesses trouvèrent le Kroniôn assis, loin des Dieux, sur le plus haut sommet de l'Olympos aux cimes sans nombre. Et la divine Hèrè aux bras blancs, retenant ses chevaux, parla ainsi au très haut Zeus Kronide :

— Zeus, ne réprimeras-tu pas les cruelles violences d'Arès qui cause impudemment tant de ravages parmi les peuples Akhaiens ? J'en ai une grande douleur ; et voici qu'Aphroditè et Apollôn à l'arc d'argent se réjouissent d'avoir excité cet insensé qui ignore toute justice. Père Zeus, ne t'irriteras-tu point contre moi, si je chasse de la mêlée Arès rudement châtié ?

Et Zeus qui amasse les nuées lui répondit :

— Va ! Excite contre lui la dévastatrice Athènè, qui est accoutumée à lui infliger de rudes châtiments.

Il parla ainsi, et la divine Hèrè aux bras blancs obéit, et elle frappa ses chevaux, et ils s'envolèrent entre la terre et l'Ouranos étoilé. Autant un homme, assis sur une roche élevée, et regardant la mer pourprée, voit d'espace aérien, autant les chevaux des Dieux en franchirent d'un saut. Et quand les deux Déesses furent parvenues devant Ilios, là où le Skamandros et le Simoïs unissent leurs cours, la divine Hèrè aux bras blancs détela ses chevaux et les enveloppa d'une nuée épaisse. Et le Simoïs fit croître pour eux une pâture ambroisienne. Et les Déesses, semblables dans leur vol à de jeunes colombes, se hâtèrent de secourir les Argiens.

Et quand elles parvinrent là où les Akhaiens luttaient en foule autour de la force du dompteur de chevaux Diomèdès, tels que des lions mangeurs de chair crue, ou de sauvages et opiniâtres sangliers, la divine Hèrè aux bras blancs s'arrêta et jeta un grand cri, ayant pris la forme du magnanime Stentôr à la voix d'airain, qui criait aussi haut que cinquante autres :

— Honte à vous, ô Argiens, fiers d'être beaux, mais couverts d'opprobre ! Aussi longtemps que le divin Akhilleus se rua dans la mêlée, jamais les Troiens n'osèrent passer les portes Dardaniennes ; et, maintenant, voici qu'ils combattent loin d'Ilios, devant les nefs creuses !

Ayant ainsi parlé, elle ranima le courage de chacun. Et la Déesse Athènè aux yeux clairs, cherchant le Tydéide, rencontra ce Roi auprès de ses chevaux et de son char. Et il rafraîchissait la blessure que lui avait faite la flèche de Pandaros. Et la sueur l'inondait sous le large ceinturon d'où pendait son bouclier bombé ; et ses mains étaient lasses. Il soulevait son ceinturon et étanchait un sang noir. Et la Déesse, auprès du joug, lui parla ainsi :

— Certes, Tydeus n'a point engendré un fils semblable à lui. Tydeus était de petite taille, mais c'était un homme. Je lui défendis vainement de combattre quand il vint seul, envoyé à Thèbè par les Akhaiens, au milieu des innombrables Kadméiônes. Et je lui ordonnai de s'asseoir paisiblement à leurs repas, dans leurs demeures. Cependant, ayant toujours le cœur aussi ferme, il provoqua les jeunes Kadméiônes et les vainquit aisément, car j'étais sa protectrice assidue. Certes, aujourd'hui, je te protège, je te défends et je te pousse à combattre ardemment les Troiens. Mais la fatigue a rompu tes membres, ou la crainte t'a saisi le cœur, et tu n'es plus le fils de l'excellent cavalier Tydeus Oinéide.

Et le brave Diomèdès lui répondit :

— Je te reconnais, Déesse, fille de Zeus tempétueux. Je te parlerai franchement et ne te cacherai rien. Ni la crainte ni la faiblesse ne m'accablent, mais je me souviens de tes ordres. Tu m'as défendu de combattre les Dieux heureux, mais de frapper de l'airain aigu Aphroditè, la fille de Zeus, si elle descendait dans la mêlée. C'est pourquoi je recule maintenant, et j'ai ordonné à tous les Argiens de se réunir ici, car j'ai reconnu Arès qui dirige le combat.

Et la divine Athènè aux yeux clairs lui répondit :

— Tydéide Diomèdès, le plus cher à mon cœur, ne crains ni Arès ni aucun des autres Immortels, car je suis pour toi une protectrice assidue. Viens ! pousse contre Arès tes chevaux aux sabots massifs ; frappe-le, et ne respecte pas le furieux Arès, ce Dieu changeant et insensé qui, naguère, nous avait promis, à moi et à Hèrè, de combattre les Troiens et de secourir les Argiens, et qui, maintenant, s'est tourné du côté des Troiens et oublie ses promesses.

Ayant ainsi parlé, elle saisit de la main Sthénélos pour le faire descendre du char, et celui-ci sauta promptement à terre. Et elle monta auprès du divin Diomèdès, et l'essieu du char gémit sous le poids, car il portait une Déesse puissante et un brave guerrier. Et Pallas Athènè, saisissant le fouet et les rênes, poussa vers Arès les chevaux aux sabots massifs. Et le Dieu venait de tuer le grand Périphas, le plus brave des Aitôliens, illustre fils d'Okhèsios ; et, tout sanglant, il le dépouillait ; mais Athènè mit le casque d'Aidès, pour que le puissant Arès ne la reconnût pas. Et dès que le fléau des hommes, Arès, eut aperçu le divin Diomèdès, il laissa le grand Périphas étendu dans la poussière, là où, l'ayant tué, il lui avait arraché l'âme, et il marcha droit à l'habile cavalier Diomèdès.

Et quand ils se furent rapprochés l'un de l'autre, Arès, le premier, lança sa pique d'airain par-dessus le joug et les rênes des chevaux, voulant arracher l'âme du Tydéide ; mais la divine Athènè aux yeux clairs, saisissant le trait d'une main, le détourna du char, afin de le rendre inutile. Puis, Diomèdès hardi au combat lança impétueusement sa pique d'airain, et Pallas Athènè la dirigea dans le bas-ventre, sous le ceinturon.

Et le Dieu fut blessé, et la pique, ramenée en arrière, déchira sa belle peau, et le féroce Arès poussa un cri aussi fort que la clameur de dix mille guerriers se ruant dans la mêlée. Et l'épouvante saisit les Akhaiens et les Troiens, tant avait retenti le cri d'Arès insatiable de combats. Et, comme apparaît, au-dessous des nuées, une noire vapeur chassée par un vent brûlant, ainsi Arès apparut au brave Tydéide Diomèdès, tandis qu'il traversait le vaste Ouranos, au milieu des nuages. Et il parvint à la demeure des Dieux, dans le haut Olympos. Et il s'assit auprès de Zeus Kroniôn, gémissant dans son cœur ; et, lui montrant le sang immortel qui coulait de sa blessure, il lui dit en paroles ailées :

— Père Zeus, ne t'indigneras-tu point de voir ces violences ? Toujours, nous, les Dieux, nous nous faisons souffrir cruellement pour la cause des hommes. Mais c'est toi qui es la source de nos querelles, car tu as enfanté une fille insensée, perverse et inique. Nous, les Dieux Olympiens, nous t'obéissons et nous te sommes également soumis ; mais jamais tu ne blâmes ni ne réprimes celle-ci, et tu lui permets tout, parce que tu as engendré seul cette fille funeste qui pousse le fils de Tydeus, le magnanime Diomèdès, à se jeter furieux sur les Dieux immortels. Il a blessé d'abord la main d'Aphroditè, puis il s'est rué sur moi, semblable à un Dieu, et si mes pieds rapides ne m'avaient emporté, je subirais mille maux, couché vivant au milieu des cadavres et livré sans force aux coups de l'airain.

Et Zeus qui amasse les nuées, le regardant d'un œil sombre, lui répondit :

— Cesse de te plaindre à moi, Dieu changeant ! Je te hais le plus entre tous les Olympiens, car tu n'aimes que la discorde, la guerre et le combat, et tu as l'esprit intraitable de ta mère, Hèrè, que mes paroles répriment à peine. C'est son exemple qui cause tes maux. Mais je ne permettrai pas que tu souffres plus longtemps, car tu es mon fils, et c'est de moi que ta mère t'a conçu. Méchant comme tu es, si tu étais né de quelque autre Dieu, depuis longtemps déjà tu serais le dernier des Ouraniens.

Il parla ainsi et ordonna à Paièôn de le guérir, et celui-ci le guérit en arrosant sa blessure de doux remèdes liquides, car il n'était point mortel. Aussi vite le lait blanc s'épaissit quand on l'agite, aussi vite le furieux Arès fut guéri. Hèbè le baigna et le revêtit de beaux vêtements, et il s'assit, fier de cet honneur, auprès de Zeus Kroniôn. Et l'Argienne Hèrè et la Protectrice Athènè rentrèrent dans la demeure du grand Zeus, après avoir chassé le cruel Arès de la mêlée guerrière.

RHAPSODIE VI

Livrée à elle-même, la rude bataille des Troiens et des Akhaiens se répandit confusément çà et là par la plaine. Et ils se frappaient, les uns les autres, de leurs lances d'airain, entre les eaux courantes du Simoïs et du Xanthos.

Et, le premier, Aias Télamônien enfonça la phalange des
Troiens et ralluma l'espérance de ses compagnons, ayant
percé un guerrier, le plus courageux d'entre les Thrèkiens,
le fils d'Eussôros, Akamas, qui était robuste et grand. Il
frappa le cône du casque à l'épaisse crinière de cheval, et la
pointe d'airain, ouvrant le front, s'enfonça à travers l'os, et
les ténèbres couvrirent ses yeux.

Et Diomèdès hardi au combat tua Axylos Teuthranide qui
habitait dans Arisbè bien bâtie ; il était riche et bienveillant
aux hommes, et les recevait tous avec amitié, sa demeure
étant au bord de la route. Mais nul alors ne se mit au-devant
de lui pour détourner la sombre mort. Et Diomèdès le tua,
ainsi que son serviteur Kalèsios, qui dirigeait ses chevaux,
et tous deux descendirent sous la terre.

Et Euryalos tua Drèsos et Opheltios, et il se jeta sur Aisèpos et Pèdasos, que la nymphe naiade Abarbaréé avait
conçus autrefois de l'irréprochable Boukoliôn. Et Boukoliôn
était le fils du noble Laomédôn, et il était son premier-né, et
sa mère l'avait enfanté en secret. En paissant ses brebis, il
s'était uni à la nymphe sur une même couche ; et, enceinte,
elle avait enfanté deux fils jumeaux ; mais le Mèkistéiade
brisa leur force et leurs souples membres, et arracha leurs
armures de leurs épaules.

Et Polypoitès prompt au combat tua Astyalos ; et Odysseus tua Pidytès le Perkôsien, par la lance d'airain ; et Teukros tua le divinateur Arétaôn.

Et Antilokhos Nestoride tua Ablèros de sa lance éclatante ;
et le Roi des hommes, Agamemnôn, tua Elatos qui habitait
la haute Pèdasos, sur les bords du Satnioïs au beau cours.
Et le héros Lèitos tua Phylakos qui fuyait, et Eurypylos tua
Mélanthios. Puis, Ménélaos hardi au combat prit Adrèstos
vivant. Arrêtés par une branche de tamaris, les deux chevaux
de celui-ci, ayant rompu le char près du timon, s'enfuyaient,
épouvantés, par la plaine, du côté de la ville, avec d'autres
chevaux effrayés, et Adrèstos avait roulé du char, auprès de
la roue, la face dans la poussière. Et l'Atréide Ménélaos,
armé d'une longue lance, s'arrêta devant lui ; et Adrèstos saisit ses genoux et le supplia :

— Laisse-moi la vie, fils d'Atreus, et accepte une riche
rançon. Une multitude de choses précieuses sont dans la
demeure de mon père, et il est riche. Il a de l'airain, de l'or
et du fer ouvragé dont il te fera de larges dons, s'il apprend
que je vis encore sur les nefs des Argiens.

Il parla ainsi, et déjà il persuadait le cœur de Ménélaos, et celui-ci allait le remettre à son serviteur pour qu'il l'emmenât vers les nefs rapides des Akhaiens ; mais Agamemnôn vint en courant au-devant de lui, et lui cria cette dure parole :

— Ô lâche Ménélaos, pourquoi prendre ainsi pitié des hommes ? Certes, les Troiens ont accompli d'excellentes actions dans ta demeure ! Que nul n'évite une fin terrible et n'échappe de nos mains ! Pas même l'enfant dans le sein de sa mère ! qu'ils meurent tous avec Ilios, sans sépulture et sans mémoire !

Par ces paroles équitables, le héros changea l'esprit de son frère qui repoussa le héros Adrèstos. Et le roi Agamemnôn le frappa au front et le renversa, et l'Atréide, lui mettant le pied sur la poitrine, arracha la lance de frêne.

Et Nestôr, à haute voix, animait les Argiens :

— Ô amis, héros Danaens, serviteurs d'Arès, que nul ne s'attarde, dans son désir des dépouilles et pour en porter beaucoup vers les nefs ! Tuons des hommes ! Vous dépouillerez ensuite à loisir les morts couchés dans la plaine !

Ayant ainsi parlé, il excitait la force et le courage de chacun. Et les Troiens, domptés par leur lâcheté, eussent regagné la haute Ilios, devant les Akhaiens chers à Arès, si le Priamide Hélénos, le plus illustre de tous les divinateurs, ayant abordé Ainéias et Hektôr, ne leur eût dit :

— Ainéias et Hektôr, puisque le fardeau des Troiens et des Lykiens pèse tout entier sur vous qui êtes les princes du combat et des délibérations, debout ici, arrêtez de toutes parts ce peuple devant les portes, avant qu'ils se réfugient tous jusque dans les bras des femmes et soient en risée aux ennemis. Et quand vous aurez exhorté toutes les phalanges, nous combattrons, inébranlables, contre les Danaens, bien que rompus de lassitude ; mais la nécessité le veut. Puis, Hektôr, rends-toi à la Ville, et dis à notre mère qu'ayant réuni les femmes âgées dans le temple d'Athènè aux yeux clairs, au sommet de la citadelle, et ouvrant les portes de la maison sacrée, elle pose sur les genoux d'Athènè à la belle chevelure le péplos le plus riche et le plus grand qui soit dans sa demeure, et celui qu'elle aime le plus ; et qu'elle s'engage à sacrifier dans son temple douze génisses d'un an encore indomptées, si elle prend pitié de la Ville et des femmes Troiennes et de leurs enfants, et si elle détourne de la sainte Ilios le fils de Tydeus, le féroce guerrier qui répand le

plus de terreur et qui est, je pense, le plus brave des
Akhaiens. Jamais nous n'avons autant redouté Akhilleus, ce
chef des hommes, et qu'on dit le fils d'une Déesse ; car Diomèdès est plein d'une grande fureur, et nul ne peut égaler
son courage.

Il parla ainsi, et Hektôr obéit à son frère. Et il sauta hors
du char avec ses armes, et, agitant deux lances aiguës, il
allait de tous côtés par l'armée, excitant au combat, et il
suscita une rude bataille. Et tous, s'étant retournés, firent
tête aux Akhaiens ; et ceux-ci, reculant, cessèrent le carnage,
car ils croyaient qu'un Immortel était descendu de l'Ouranos
étoilé pour secourir les Troiens, ces derniers revenant ainsi
à la charge. Et, d'une voix haute, Hektôr excitait les Troiens :

— Braves Troiens, et vous, Alliés venus de si loin, soyez
des hommes ! Souvenez-vous de tout votre courage, tandis
que j'irai vers Ilios dire à nos vieillards prudents et à nos
femmes de supplier les Dieux et de leur vouer des hécatombes.

Ayant ainsi parlé, Hektôr au beau casque s'éloigna, et le
cuir noir qui bordait tout autour l'extrémité du bouclier
arrondi heurtait ses talons et son cou.

Et Glaukos, fils de Hippolokhos, et le fils de Tydeus,
prompts à combattre, s'avancèrent entre les deux armées. Et
quand ils furent en face l'un de l'autre, le premier, Diomèdès
hardi au combat lui parla ainsi :

— Qui es-tu entre les hommes mortels, ô très brave ? Je
ne t'ai jamais vu jusqu'ici dans le combat qui glorifie les
guerriers ; et certes, maintenant, tu l'emportes de beaucoup
sur eux tous par ta fermeté, puisque tu as attendu ma longue
lance. Ce sont les fils des malheureux qui s'opposent à mon
courage. Mais si tu es quelque Immortel, et si tu viens de
l'Ouranos, je ne combattrai point contre les Ouraniens. Car
le fils de Dryas, le brave Lykoorgos, ne vécut pas longtemps,
lui qui combattait contre les Dieux Ouraniens. Et il poursuivait, sur le sacré Nysa, les nourrices du furieux Diônysos ; et
celles-ci, frappées du fouet du tueur d'hommes Lykoorgos,
jetèrent leurs thyrses ; et Diônysos, effrayé, sauta dans la
mer, et Thétis le reçut dans son sein, tremblant et saisi d'un
grand frisson à cause des menaces du guerrier. Et les Dieux
qui vivent en repos furent irrités contre celui-ci ; et le fils de
Kronos le rendit aveugle, et il ne vécut pas longtemps, parce
qu'il était odieux à tous les Immortels. Moi, je ne voudrais
point combattre contre les Dieux heureux. Mais si tu es un

des mortels qui mangent les fruits de la terre, approche, afin
d'atteindre plus promptement aux bornes de la mort.

Et l'illustre fils de Hippolokhos lui répondit :

— Magnanime Tydéide, pourquoi t'informes-tu de ma
race ? La génération des hommes est semblable à celle des
feuilles. Le vent répand les feuilles sur la terre, et la forêt
germe et en produit de nouvelles, et le temps du printemps
arrive. C'est ainsi que la génération des hommes naît et
s'éteint. Mais si tu veux savoir quelle est ma race que
connaissent de nombreux guerriers, sache qu'il est une ville,
Ephyrè, au fond de la terre d'Argos féconde en chevaux. Là
vécut Sisyphos, le plus rusé des hommes, Sisyphos Aiolidès ;
et il engendra Glaukos, et Glaukos engendra l'irréprochable
Bellérophontès, à qui les Dieux donnèrent la beauté et la
vigueur charmante. Mais Proitos, qui était le plus puissant
des Argiens, car Zeus les avait soumis à son sceptre, eut
contre lui de mauvaises pensées et le chassa de son peuple.
Car la femme de Proitos, la divine Antéia, désira ardemment
s'unir au fils de Glaukos par un amour secret ; mais elle ne
persuada point le sage et prudent Bellérophontès ; et, pleine
de mensonge, elle parla ainsi au roi Proitos :

— Meurs, Proitos, ou tue Bellérophontès qui, par violence, a voulu s'unir d'amour à moi.

Elle parla ainsi, et, à ces paroles, la colère saisit le Roi.
Et il ne tua point Bellérophontès, redoutant pieusement ce
meurtre dans son esprit ; mais il l'envoya en Lykiè avec des
tablettes où il avait tracé des signes de mort, afin qu'il les
remît à son beau-père et que celui-ci le tuât. Et Bellérophontès alla en Lykiè sous les heureux auspices des Dieux. Et
quand il y fut arrivé, sur les bords du rapide Xanthos, le Roi
de la grande Lykiè le reçut avec honneur, lui fut hospitalier
pendant neuf jours et sacrifia neuf bœufs. Mais quand Eôs
aux doigts rosés reparut pour la dixième fois, alors il l'interrogea et demanda à voir les signes envoyés par son gendre
Proitos. Et, quand il les eut vus, il lui ordonna d'abord de
tuer l'indomptable Khimaira. Celle-ci était née des Dieux et
non des hommes, lion par devant, dragon par l'arrière et
chèvre par le milieu du corps. Et elle soufflait des flammes
violentes. Mais il la tua, s'étant fié aux prodiges des Dieux.
Puis, il combattit les Solymes illustres, et il disait avoir
entrepris là le plus rude combat des guerriers. Enfin il tua
les Amazones viriles. Comme il revenait, le Roi lui tendit un

piège rusé, ayant choisi et placé en embuscade les plus braves guerriers de la grande Lykiè. Mais nul d'entre eux ne revit sa demeure, car l'irréprochable Bellérophontès les tua tous. Et le Roi connut alors que cet homme était de la race illustre d'un Dieu, et il le retint et lui donna sa fille et la moitié de sa domination royale. Et les Lykiens lui choisirent un domaine, le meilleur de tous, plein d'arbres et de champs, afin qu'il le cultivât. Et sa femme donna trois enfants au brave Bellérophontès : Isandros, Hippolokhos et Laodaméia. Et le sage Zeus s'unit à Laodaméia, et elle enfanta le divin Sarpèdôn couvert d'airain. Mais quand Bellérophontès fut en haine aux Dieux, il errait seul dans le désert d'Alèion. Arès insatiable de guerre tua son fils Isandros, tandis que celui-ci combattait les illustres Solymes. Artémis aux rênes d'or, irritée, tua Laodaméia ; et Hippolokhos m'a engendré, et je dis que je suis né de lui. Et il m'a envoyé à Troiè, m'ordonnant d'être le premier parmi les plus braves, afin de ne point déshonorer la génération de mes pères qui ont habité Ephyrè et la grande Lykiè. Je me glorifie d'être de cette race et de ce sang.

Il parla ainsi, et Diomèdès brave au combat fut joyeux, et il enfonça sa lance dans la terre nourricière, et il dit avec bienveillance au prince des peuples :

— Tu es certainement mon ancien hôte paternel. Autrefois, le noble Oineus reçut pendant vingt jours, dans ses demeures hospitalières l'irréprochable Bellérophontès. Et ils se firent de beaux présents. Oineus donna un splendide ceinturon de pourpre, et Bellérophontès donna une coupe d'or très creuse que j'ai laissée, en partant, dans mes demeures. Je ne me souviens point de Tydeus, car il me laissa tout petit quand l'armée des Akhaiens périt devant Thèbè. C'est pourquoi je suis un ami pour toi dans Argos, et tu seras le mien en Lykiè quand j'irai vers ce peuple. Evitons nos lances, même dans la mêlée. J'ai à tuer assez d'autres Troiens illustres et d'Alliés, soit qu'un Dieu me les amène, soit que je les atteigne, et toi assez d'Akhaiens, si tu le peux. Échangeons nos armes, afin que tous sachent que nous sommes des hôtes paternels.

Ayant ainsi parlé tous deux, ils descendirent de leurs chars et se serrèrent la main et échangèrent leur foi. Mais le Kronide Zeus troubla l'esprit de Glaukos qui donna au Tydéide Diomèdès des armes d'or du prix de cent bœufs pour des armes d'airain du prix de neuf bœufs.

Dès que Hektôr fut arrivé aux portes Skaies et au Hêtre, toutes les femmes et toutes les filles des Troiens couraient autour de lui, s'inquiétant de leurs fils, de leurs frères, de leurs concitoyens et de leurs maris. Et il leur ordonna de supplier toutes ensemble les Dieux, un grand deuil étant réservé à beaucoup d'entre elles. Et quand il fut parvenu à la belle demeure de Priamos aux portiques éclatants, — et là s'élevaient cinquante chambres nuptiales de pierre polie, construites les unes auprès des autres, où couchaient les fils de Priamos avec leurs femmes légitimes ; et, en face, dans la cour, étaient douze hautes chambres nuptiales de pierre polie, construites les unes auprès des autres, où couchaient les gendres de Priamos avec leurs femmes chastes, — sa mère vénérable vint au-devant de lui, comme elle allait chez Laodikè, la plus belle de ses filles, et elle lui prit la main et parla ainsi :

— Enfant, pourquoi as-tu quitté la rude bataille ? Les fils odieux des Akhaiens nous pressent sans doute et combattent autour de la ville, et tu es venu tendre les mains vers Zeus, dans la citadelle ? Attends un peu, et je t'apporterai un vin mielleux afin que tu en fasses des libations au Père Zeus et aux autres Immortels, et que tu sois ranimé, en ayant bu ; car le vin augmente la force du guerrier fatigué ; et ta fatigue a été grande, tandis que tu défendais tes concitoyens.

Et le grand Hektôr au casque mouvant lui répondit :

— Ne m'apporte pas un vin mielleux, mère vénérable, de peur que tu m'affaiblisses et que je perde force et courage. Je craindrais de faire des libations de vin pur à Zeus avec des mains souillées, car il n'est point permis, plein de sang et de poussière, d'implorer le Kroniôn qui amasse les nuées. Donc, porte des parfums et réunis les femmes âgées dans le temple d'Athènè dévastatrice ; et dépose sur les genoux d'Athènè à la belle chevelure le péplos le plus riche et le plus grand qui soit dans ta demeure, et celui que tu aimes le plus ; et promets de sacrifier dans son temple douze génisses d'un an, encore indomptées, si elle prend pitié de la Ville et des femmes Troiennes et de leurs enfants, et si elle détourne de la sainte Ilios le fils de Tydeus, le féroce guerrier qui répand le plus de terreur. Va donc au temple d'Athènè dévastatrice, et moi, j'irai vers Pâris, afin de l'appeler, si pourtant il veut entendre ma voix. Plût aux Dieux que la terre s'ouvrît sous lui ! Car l'Olympien l'a certainement nourri pour la ruine entière des Troiens, du magnanime Priamos et de ses fils. Si je le voyais descendre chez Aidès, mon âme serait délivrée de ses amères douleurs.

Il parla ainsi, et Hékabè se rendit à sa demeure et commanda aux servantes ; et celles-ci, par la ville, réunirent les femmes âgées. Puis Hékabè entra dans sa chambre nuptiale parfumée où étaient les péplos diversement peints, ouvrage des femmes Sidoniennes que le divin Alexandros avait ramenées de Sidôn, dans sa navigation sur la haute mer par où il avait conduit Hélénè née d'un père divin. Et, pour l'offrir à Athènè, Hékabè en prit un, le plus beau, le plus varié et le plus grand ; et il brillait comme une étoile, et il était placé le dernier. Et elle se mit en marche, et les femmes âgées la suivaient.

Et quand elles furent arrivées dans le temple d'Athènè, Théanô aux belles joues, fille de Kissès, femme du dompteur de chevaux Antènôr, leur ouvrit les portes, car les Troiens l'avaient faite prêtresse d'Athènè. Et toutes, avec un gémissement, tendirent les mains vers Athènè. Et Théanô aux belles joues, ayant reçu le péplos, le déposa sur les genoux d'Athènè à la belle chevelure, et, en le lui vouant, elle priait la fille du grand Zeus :

— Vénérable Athènè, gardienne de la Ville, très divine Déesse, brise la lance de Diomèdès, et fais-le tomber lui-même devant les portes Skaies, afin que nous te sacrifions dans ton temple douze génisses d'un an, encore indomptées, si tu prends pitié de la Ville, des femmes Troiennes et de leurs enfants.

Elle parla ainsi dans son vœu, et elles suppliaient ainsi la fille du grand Zeus ; mais Pallas Athènè les refusa.

Et Hektôr gagna les belles demeures d'Alexandros, que celui-ci avait construites lui-même à l'aide des meilleurs ouvriers de la riche Troiè. Et ils avaient construit une chambre nuptiale, une maison et une cour, auprès des demeures de Priamos et de Hektôr, au sommet de la citadelle. Ce fut là que Hektôr, cher à Zeus, entra. Et il tenait à la main une lance haute de dix coudées ; et une pointe d'airain étincelait à l'extrémité de la lance, fixée par un anneau d'or. Et dans la chambre nuptiale, il trouva Alexandros qui s'occupait de ses belles armes, polissant son bouclier, sa cuirasse et ses arcs recourbés. Et l'Argienne Hélénè était assise au milieu de ses femmes, dirigeant leurs beaux travaux.

Et Hektôr, ayant regardé Pâris, lui dit ces paroles outrageantes :

— Misérable ! la colère que tu as ressentie n'était point bonne. Nos troupes périssent autour de la Ville, sous les hautes murailles. Grâce à toi, les clameurs de la guerre montent avec fureur autour de cette ville, et tu blâmerais toi-même celui que tu verrais s'éloigner de la rude bataille. Lève-toi donc, si tu ne veux voir la Ville consumée bientôt par la flamme ardente.

Et le divin Alexandros lui répondit :

— Hektôr, puisque tu ne m'as point blâmé avec violence, mais dans la juste mesure, je te répondrai. Je ne restais point dans ma chambre nuptiale par colère ou par indignation contre les Troiens, mais pour me livrer à la douleur. Maintenant que mon épouse me conseille par de douces paroles de retourner au combat, je crois, comme elle, que cela est pour le mieux. La victoire exauce tour à tour les guerriers. Mais attends que je revête mes armes belliqueuses, ou précède-moi, je vais te suivre.

Il parla ainsi, et Hektôr ne lui répondit rien ; et Hélénè dit à Hektôr ces douces paroles :

— Mon frère, frère d'une misérable chienne de malheur, et horrible ! Plût aux Dieux qu'au jour même où ma mère m'enfanta un furieux souffle de vent m'eût emportée sur une montagne ou abîmée dans la mer tumultueuse, et que l'onde m'eût engloutie, avant que ces choses fussent arrivées ! Mais, puisque les Dieux avaient résolu ces maux, je voudrais être la femme d'un meilleur guerrier, et qui souffrît au moins de l'indignation et des exécrations des hommes. Mais celui-ci n'a point un cœur inébranlable, et il ne l'aura jamais, et je pense qu'il en portera bientôt la peine. Viens, mon frère, entre et prends ce siège, car ton âme est pleine d'un lourd souci, grâce à moi, chienne que je suis, et grâce au crime d'Alexandros. Zeus nous a fait à tous deux une mauvaise destinée, afin que nous soyons célèbres par là chez les hommes qui naîtront dans l'avenir.

Et le grand Hektôr au casque mouvant lui répondit :

— Ne me fais point asseoir, Hélénè, bien que tu m'aimes, car tu ne me persuaderas point. Mon cœur est plein du désir de secourir les Troiens qui regrettent vivement mon absence. Mais excite Pâris et qu'il se hâte de me suivre, tandis que je serai encore dans la Ville. Je vais, dans ma demeure, revoir mes serviteurs, ma femme bien-aimée et mon petit enfant. Je ne sais s'il me sera permis de les revoir jamais plus, ou si les Dieux me dompteront par les mains des Akhaiens.

Ayant ainsi parlé, Hektôr au casque mouvant sortit et parvint bientôt à ses demeures, et il n'y trouva point Andromakhè aux bras blancs, car elle était sortie avec son fils et une servante au beau péplos, et elle se tenait sur la tour, pleurant et gémissant. Hektôr, n'ayant point trouvé dans ses demeures sa femme irréprochable, s'arrêta sur le seuil et parla ainsi aux servantes :

— Venez, servantes, et dites-moi la vérité. Où est allée, hors des demeures, Andromakhè aux bras blancs ? Est-ce chez mes sœurs ou chez mes belles-sœurs au beau péplos, ou dans le temple d'Athènè avec les autres Troiennes qui apaisent la puissante Déesse à la belle chevelure ?

Et la vigilante Intendante lui répondit :

— Hektôr, puisque tu veux que nous disions la vérité, elle n'est point allée chez tes sœurs, ni chez tes belles-sœurs au beau péplos, ni dans le temple d'Athènè avec les autres Troiennes qui apaisent la puissante Déesse à la belle chevelure ; mais elle est au faîte de la vaste tour d'Ilios, ayant appris une grande victoire des Akhaiens sur les Troiens. Et, pleine d'égarement, elle s'est hâtée de courir aux murailles, et la nourrice, auprès d'elle, portait l'enfant.

Et la femme intendante parla ainsi. Hektôr, étant sorti de ses demeures, reprit son chemin à travers les rues magnifiquement construites et populeuses, et, traversant la grande Ville, il arriva aux portes Skaies par où il devait sortir dans la plaine. Et sa femme, qui lui apporta une riche dot, accourut au-devant de lui, Andromakhè, fille du magnanime Étiôn qui habita sous le Plakos couvert de forêts, dans Thèbè Hypoplakienne, et qui commanda aux Kilikiens. Et sa fille était la femme de Hektôr au casque d'airain. Et quand elle vint au-devant de lui, une servante l'accompagnait qui portait sur le sein son jeune fils, petit enfant encore, le Hektoride bien-aimé, semblable à une belle étoile. Hektôr le nommait Skamandrios, mais les autres Troiens Astyanax, parce que Hektôr seul protégeait Troiè. Et il sourit en regardant son fils en silence ; mais Andromakhè, se tenant auprès de lui en pleurant, prit sa main et lui parla ainsi :

— Malheureux, ton courage te perdra ; et tu n'as pitié ni de ton fils enfant, ni de moi, misérable, qui serai bientôt ta veuve, car les Akhaiens te tueront en se ruant tous contre toi. Il vaudrait mieux pour moi, après t'avoir perdu, subir la

sépulture, car rien ne me consolera quand tu auras accompli
ta destinée, et il ne me restera que mes douleurs. Je n'ai plus
ni mon père ni ma mère vénérable. Le divin Akhilleus tua
mon père, quand il saccagea la ville populeuse des Kilikiens,
Thèbè aux portes hautes. Il tua Étiôn, mais ne le dépouilla
point, par un respect pieux. Il le brûla avec ses belles armes
et il lui éleva un tombeau, et les Nymphes Orestiades, filles
de Zeus tempétueux, plantèrent des ormes autour. J'avais
sept frères dans nos demeures ; et tous descendirent en un
jour chez Aidès, car le divin Akhilleus aux pieds rapides les
tua tous, auprès de leurs bœufs aux pieds lents et de leurs
blanches brebis. Et il emmena, avec les autres dépouilles,
ma mère qui régnait sous le Plakos planté d'arbres, et il l'af-
franchit bientôt pour une grande rançon ; mais Artémis qui
se réjouit de ses flèches la perça dans nos demeures. Hektôr ! Tu es pour moi un père, une mère vénérable, un frère
et un époux plein de jeunesse ! Aie pitié ! Reste sur cette
tour ; ne fais point ton fils orphelin et ta femme veuve. Réunis l'armée auprès de ce figuier sauvage où l'accès de la Ville
est le plus facile. Déjà, trois fois, les plus courageux des
Akhaiens ont tenté cet assaut, les deux Aias, l'illustre Idoméneus, les Atréides et le brave fils de Tydeus, soit par le
conseil d'un divinateur, soit par le seul élan de leur courage.
Et le grand Hektôr au casque mouvant lui répondit :

— Certes, femme, ces inquiétudes me possèdent aussi,
mais je redouterais cruellement les Troiens et les Troiennes
aux longs péplos traînants, si, comme un lâche, je fuyais le
combat. Et mon cœur ne me pousse point à fuir, car j'ai
appris à être toujours audacieux et à combattre, parmi les
premiers, pour la gloire de mon père et pour la mienne. Je
sais, dans mon esprit et dans mon cœur, qu'un jour viendra
où la sainte Troiè périra, et Priamos, et le brave peuple de
Priamos. Mais ni le malheur futur des Troiens ni celui de
Hékabè elle-même, du roi Priamos et de mes frères courageux qui tomberont en foule sous les guerriers ennemis, ne
m'afflige autant que le tien, quand un Akhaien cuirassé d'airain te ravira la liberté et t'emmènera pleurante ! Et tu tisse-
ras la toile de l'Étranger, et tu porteras de force l'eau de
Messèis et de Hypéréiè, car la dure nécessité le voudra. Et,
sans doute, quelqu'un dira, te voyant répandre des larmes :
— Celle-ci est la femme de Hektôr qui était le plus brave des
Troiens dompteurs de chevaux quand il combattait autour
de Troiè. — Quelqu'un dira cela, et tu seras déchirée d'une

grande douleur, en songeant à cet époux que tu auras perdu,
et qui, seul, pourrait finir ta servitude. Mais que la lourde
terre me recouvre, avant que j'entende tes cris et que je te
voie arracher d'ici !

Ayant ainsi parlé, l'illustre Hektôr tendit les mains vers
son fils, mais l'enfant se rejeta en arrière dans le sein de la
nourrice à la belle ceinture, épouvanté à l'aspect de son père
bien-aimé, et de l'airain et de la queue de cheval qui s'agitait
terriblement sur le cône du casque. Et le père bien-aimé sourit et la mère vénérable aussi. Et l'illustre Hektôr ôta son
casque et le déposa resplendissant sur la terre. Et il baisa
son fils bien-aimé, et, le berçant dans ses bras, il supplia
Zeus et les autres Dieux :

— Zeus, et vous, Dieux, faites que mon fils s'illustre
comme moi parmi les Troiens, qu'il soit plein de force et
qu'il règne puissamment dans Troiè ! Qu'on dise un jour, le
voyant revenir du combat : Celui-ci est plus brave que son
père ! Qu'ayant tué le guerrier ennemi, il rapporte de sanglantes dépouilles, et que le cœur de sa mère en soit réjoui !

Ayant ainsi parlé, il déposa son enfant entre les bras de sa
femme bien-aimée, qui le reçut sur son sein parfumé, en
pleurant et en souriant ; et le guerrier, voyant cela, la caressa
de la main et lui dit :

— Malheureuse, ne te désespère point à cause de moi.
Aucun guerrier ne m'enverra chez Aidès contre ma destinée,
et nul homme vivant ne peut fuir sa destinée, lâche ou brave.
Mais retourne dans tes demeures, prends soin de tes travaux, de la toile et de la quenouille, et mets tes servantes à
leur tâche. Le souci de la guerre appartient à tous les guerriers qui sont nés dans Ilios, et surtout à moi.

Ayant ainsi parlé, l'illustre Hektôr reprit son casque à flot-
tante queue de cheval. Et l'Épouse bien-aimée retourna vers
ses demeures, regardant en arrière et versant des larmes. Et
aussitôt qu'elle fut arrivée aux demeures du tueur d'hommes
Hektôr, elle y trouva ses nombreuses servantes en proie à
une grande douleur. Et celles-ci pleuraient, dans ses demeures, Hektôr encore vivant, ne pensant pas qu'il revînt jamais
plus du combat, ayant échappé aux mains guerrières des
Akhaiens.

Et Pâris ne s'attardait point dans ses hautes demeures ;
mais, ayant revêtu ses armes excellentes, d'un airain varié,
il parcourait la ville, de ses pieds rapides, tel qu'un étalon

qui, longtemps nourri d'orge à la crèche, ses liens étant rompus, court dans la plaine en frappant la terre et saute dans le fleuve au beau cours où il a coutume de se baigner. Et il redresse la tête, et ses crins flottent épars sur ses épaules, et, fier de sa beauté, ses jarrets le portent d'un trait aux lieux où paissent les chevaux. Ainsi Pâris Priamide, sous ses armes éclatantes comme l'éclair, descendait de la hauteur de Pergamos ; et ses pieds rapides le portaient ; et voici qu'il rencontra le divin Hektôr, son frère, comme celui-ci quittait le lieu où il s'était entretenu avec Andromakhè.

Et, le premier, le roi Alexandros lui dit :

— Frère vénéré, sans doute je t'ai retardé et je ne suis point venu promptement comme tu me l'avais ordonné.

Hektôr au casque mouvant lui répondit :

— Ami, aucun guerrier, avec équité, ne peut te blâmer dans le combat, car tu es brave ; mais tu te lasses vite, et tu refuses alors de combattre, et mon cœur est attristé par les outrages que t'adressent les Troiens qui subissent tant de maux à cause de toi. Mais, allons ! et nous apaiserons ces ressentiments, si Zeus nous donne d'offrir un jour, dans nos demeures, un libre kratèr aux Dieux Ouraniens qui vivent toujours, après avoir chassé loin de Troiè les Akhaiens aux belle knèmides.

RHAPSODIE VII

Ayant ainsi parlé, l'illustre Hektôr sortit des portes, et son frère Alexandros l'accompagnait, et tous deux, dans leur cœur, étaient pleins du désir de combattre. Comme un Dieu envoie un vent propice aux matelots suppliants qui se sont épuisés à battre la mer de leurs avirons polis, de sorte que leurs membres sont rompus de fatigue, de même les Priamides apparurent aux Troiens qui les désiraient.

Et aussitôt Alexandros tua le fils du roi Arèithoos, Ménesthios, qui habitait dans Arnè, et que Arèithoos, qui combattait avec une massue, engendra de Phylomédousa aux yeux de bœuf. Et Hektôr tua, de sa pique aiguë, Eioneus ; et l'airain le frappa au cou, sous le casque, et brisa ses forces. Et Glaukos, fils de Hippolokhos, chef des Lykiens, blessa, de sa pique, entre les épaules, au milieu de la mêlée, Iphinoos

Dexiade qui sautait sur ses chevaux rapides. Et il tomba sur la terre, et ses forces furent brisées.

Et la divine Athènè aux yeux clairs, ayant vu les Argiens qui périssaient dans la rude bataille, descendit à la hâte du faîte de l'Olympos devant la sainte Ilios, et Apollôn accourut vers elle, voulant donner la victoire aux Troiens, et l'ayant vue de la hauteur de Pergamos. Et ils se rencontrèrent auprès du Hêtre, et le roi Apollôn, fils de Zeus, parla le premier :

— Pourquoi, pleine d'ardeur, viens-tu de nouveau de l'Olympos, fille du grand Zeus ? Est-ce pour assurer aux Danaens la victoire douteuse ? Car tu n'as nulle pitié des Troiens qui périssent. Mais, si tu veux m'en croire, ceci sera pour le mieux. Arrêtons pour aujourd'hui la guerre et le combat. Tous lutteront ensuite jusqu'à la chute de Troiè, puisqu'il vous plaît, à vous, Immortels, de renverser cette ville.

Et la Déesse aux yeux clairs, Athènè, lui répondit :

— Qu'il en soit ainsi, ô Archer ! C'est dans ce même dessein que je suis venue de l'Olympos vers les Troiens et les Akhaiens. Mais comment arrêteras-tu le combat des guerriers ?

Et le roi Apollôn, fils de Zeus, lui répondit :

— Excitons le solide courage de Hektôr dompteur de chevaux, et qu'il provoque, seul, un des Danaens à combattre un rude combat. Et les Akhaiens aux knèmides d'airain exciteront un des leurs à combattre le divin Hektôr.

Il parla ainsi, et la divine Athènè aux yeux clairs consentit. Et Hélénos, le cher fils de Priamos, devina dans son esprit ce qu'il avait plu aux Dieux de décider, et il s'approcha de Hektôr et lui parla ainsi :

— Hektôr Priamide, égal à Zeus en sagesse, voudras-tu m'en croire, moi qui suis ton frère ? Fais que les Troiens et tous les Akhaiens s'arrêtent, et provoque le plus brave des Akhaiens à combattre contre toi un rude combat. Ta Moire n'est point de mourir et de subir aujourd'hui ta destinée, car j'ai entendu la voix des Dieux qui vivent toujours.

Il parla ainsi, et Hektôr s'en réjouit, et, s'avançant en tête des Troiens, il arrêta leurs phalanges à l'aide de la pique qu'il tenait par le milieu, et tous s'arrêtèrent. Et Agamemnôn contint aussi les Akhaiens aux belles knèmides. Et Athènè et Apollôn qui porte l'arc d'argent, semblables à des vautours, s'assirent sous le hêtre élevé du Père Zeus tempétueux qui se réjouit des guerriers. Et les deux armées, par rangs épais, s'assirent, hérissées et brillantes de boucliers, de casques et de piques. Comme, au souffle de Zéphyros, l'ombre se répand sur la mer qui devient toute noire, de même les rangs des Akhaiens et des Troiens couvraient la plaine. Et Hektôr leur parla ainsi :

— Écoutez-moi, Troiens et Akhaiens aux belles knèmides, afin que je vous dise ce que mon cœur m'ordonne de dire. Le sublime Kronide n'a point scellé notre alliance, mais il songe à nous accabler tous de calamités, jusqu'à ce que vous preniez Troiè aux fortes tours, ou que vous soyez domptés auprès des nefs qui fendent la mer. Puisque vous êtes les princes des Panakhaiens, que celui d'entre vous que son courage poussera à combattre contre moi sorte des rangs et combatte le divin Hektôr. Je vous le dis, et que Zeus soit témoin : si celui-là me tue de sa pique d'airain, me dépouillant de mes armes, il les emportera dans ses nefs creuses ; mais il renverra mon corps dans ma demeure, afin que les Troiens et les femmes des Troiens brûlent mon cadavre sur un bûcher ; et, si je le tue, et qu'Apollôn me donne cette gloire, j'emporterai ses armes dans la sainte Ilios et je les suspendrai dans le temple de l'Archer Apollôn ; mais je renverrai son corps aux nefs solides, afin que les Akhaiens chevelus l'ensevelissent. Et ils lui élèveront un tombeau sur le rivage du large Hellespontos. Et quelqu'un d'entre les hommes futurs, naviguant sur la noire mer, dans sa nef solide, dira, voyant ce tombeau d'un guerrier mort depuis long-temps :

— Celui-ci fut tué autrefois par l'illustre Hektôr dont le courage était grand. — Il le dira, et ma gloire ne mourra jamais.

Il parla ainsi, et tous restèrent muets, n'osant refuser ni accepter. Alors Ménélaos se leva et dit, plein de reproches, et soupirant profondément :

— Hélas ! Akhaiennes menaçantes, et non plus Akhaiens ! certes, ceci nous sera un grand opprobre, si aucun des Danaens ne se lève contre Hektôr. Mais que la terre et l'eau vous manquent, à vous qui restez assis sans courage et sans gloire ! Moi, je m'armerai donc contre Hektôr, car la victoire enfin est entre les mains des Dieux immortels.

Il parla ainsi, et il se couvrait de ses belles armes. Alors, Ménélaos, tu aurais trouvé la fin de ta vie sous les mains de Hektôr, car il était beaucoup plus fort que toi, si les Rois des Akhaiens, s'étant levés, ne t'eussent retenu. Et l'Atréide Agamemnôn qui commande au loin lui prit la main et lui dit :

— Insensé Ménélaos, nourrisson de Zeus, d'où te vient cette démence ? Contiens-toi, malgré ta douleur. Cesse de vouloir combattre contre un meilleur guerrier que toi, le Priamide Hektôr, que tous redoutent. Akhilleus, qui est beaucoup plus fort que toi dans la bataille qui illustre les guerriers, craint de le rencontrer. Reste donc assis dans les rangs de tes compagnons, et les Akhaiens exciteront un autre combattant. Bien que le Priamide soit brave et insatiable de guerre, je pense qu'il se reposera volontiers, s'il échappe à ce rude combat.

Il parla ainsi, et l'esprit du héros fut persuadé par les paroles sages de son frère, et lui obéit. Et ses serviteurs, joyeux, enlevèrent les armes de ses épaules. Et Nestôr se leva au milieu des Argiens et dit :

— Ah ! certes, un grand deuil envahit la terre Akhaienne ! Et le vieux cavalier Pèleus, excellent et sage agorète des Myrmidones, va gémir grandement, lui qui, autrefois, m'interrogeant dans sa demeure, apprenait, plein de joie, quels étaient les pères et les fils de tous les Akhaiens ! Quand il saura que tous sont épouvantés par Hektôr, il étendra souvent les mains vers les Immortels, afin que son âme, hors de son corps, descende dans la demeure d'Aidès ! Plût à vous, ô Zeus, Athènè et Apollôn, que je fusse plein de jeunesse, comme au temps où, près du rapide Kéladôn, les Pyliens combattaient les Arkadiens armés de piques, sous les murs de Phéia où viennent les eaux courantes du Iardanos. Au milieu d'eux était le divin guerrier Ereuthaliôn, portant sur ses épaules les armes du roi Arèithoos, du divin Arèithoos que les hommes et les femmes aux belles ceintures appelaient le porte-massue, parce qu'il ne combattait ni avec l'arc, ni avec la longue pique, mais qu'il rompait les rangs ennemis à l'aide d'une massue de fer. Lykoorgos le tua par ruse, et non par force, dans une route étroite, où la massue de fer ne put écarter de lui la mort. Là, Lykoorgos, le prévenant, le perça de sa pique dans le milieu du corps, et le renversa sur la terre. Et il le dépouilla des armes que lui avait données le rude Arès. Dès lors, Lykoorgos les porta dans la guerre ; mais, devenu vieux dans ses demeures, il les donna à son cher compagnon Ereuthaliôn, qui, étant ainsi armé, provoquait les plus braves. Et tous tremblaient, pleins de crainte, et nul n'osait. Et mon cœur hardi me poussa à combattre, confiant dans mes forces, bien que le plus jeune de tous. Et je combattis, et Athènè m'accorda la victoire, et je tuai ce très robuste et très brave guerrier dont le grand corps couvrit un vaste espace. Plût aux Dieux que je fusse ainsi plein de jeunesse et que mes forces fussent intactes ! Hektôr au casque mouvant commencerait aussitôt le combat. Mais vous ne vous hâtez point de lutter contre Hektôr, vous qui êtes les plus braves des Panakhaiens.

Et le vieillard leur fit ces reproches, et neuf d'entre eux se levèrent. Et le premier fut le Roi des hommes, Agamemnôn. Puis, le brave Diomèdès Tydéide se leva. Et après eux se levèrent les Aias revêtus d'une grande force, et Idoméneus et le compagnon d'Idoméneus, Mèrionès, semblable au tueur de guerriers Arès, et Eurypylos, l'illustre fils d'Evaimôn, et Thoas Andraimonide et le divin Odysseus. Tous voulaient combattre contre le divin Hektôr. Et le cavalier Gérennien Nestôr dit au milieu d'eux :

— Remuez maintenant tous les sorts, et celui qui sera choisi par le sort combattra pour tous les Akhaiens aux belles knèmides, et il se réjouira de son courage, s'il échappe au rude combat et à la lutte dangereuse.

Il parla ainsi, et chacun marqua son signe, et tous furent mêlés dans le casque de l'Atréide Agamemnôn. Et les peuples priaient, élevant les mains vers les Dieux, et chacun disait, regardant le large Ouranos :

Père Zeus, fais sortir le signe d'Aias, ou du fils de Tydeus, ou du Roi de la très riche Mykènè !

Ils parlèrent ainsi, et le cavalier Gérennien Nestôr agita le casque et en fit sortir le signe d'Aias que tous désiraient. Un héraut le prit, le présentant par la droite aux princes Akhaiens. Et ceux qui ne le reconnaissaient point le refusaient. Mais quand il parvint à celui qui l'avait marqué et jeté dans le casque, à l'illustre Aias, celui-ci le reconnut aussitôt, et, le laissant tomber à ses pieds, il dit, plein de joie :

— Ô amis, ce signe est le mien ; et je m'en réjouis dans mon cœur, et je pense que je dompterai le divin Hektôr. Allons ! pendant que je revêtirai mes armes belliqueuses, suppliez tout bas, afin que les Troiens ne vous entendent point, le roi Zeus Kroniôn ; ou priez-le tout haut, car nous ne craignons personne. Quel guerrier pourrait me dompter aisément, à l'aide de sa force ou de ma faiblesse ? Je suis né dans Salamis, et je n'y ai point été élevé sans gloire.

Il parla ainsi, et tous suppliaient le Père Zeus Kroniôn, et chacun disait, regardant le vaste Ouranos :

— Père Zeus, qui commandes de l'Ida, très auguste, très grand, donne la victoire à Aias et qu'il remporte une gloire brillante ; mais, si tu aimes Hektôr et le protèges, fais que le courage et la gloire des deux guerriers soient égaux.

Ils parlèrent ainsi, et Aias s'armait de l'airain éclatant. Et après qu'il eut couvert son corps de ses armes, il marcha en avant, pareil au monstrueux Arès que le Kroniôn envoie au milieu des guerriers qu'il pousse à combattre, le cœur plein de fureur. Ainsi marchait le grand Aias, rempart des Akhaiens, avec un sourire terrible, à grands pas, et brandissant sa longue pique. Et les Argiens se réjouissaient en le regardant, et un tremblement saisit les membres des Troiens, et le cœur de Hektôr lui-même palpita dans sa poitrine ; mais il ne pouvait reculer dans la foule des siens, ni fuir le combat, puisqu'il l'avait demandé. Et Aias s'approcha, portant un bouclier fait d'airain et de sept peaux de bœuf, et tel qu'une tour. Et l'excellent ouvrier Tykhios qui habitait Hylè l'avait fabriqué à l'aide de sept peaux de forts taureaux, recouvertes d'une plaque d'airain. Et Aias Télamônien, portant ce bouclier devant sa poitrine, s'approcha de Hektôr, et dit ces paroles menaçantes :

— Maintenant, Hektôr, tu sauras, seul à seul, quels sont les chefs des Danaens, sans compter Akhilleus au cœur de lion, qui rompt les phalanges des guerriers. Il repose aujourd'hui, sur le rivage de la mer, dans ses nefs aux poupes recourbées, irrité contre Agamemnôn le prince des peuples ; mais nous pouvons tous combattre contre toi. Commence donc le combat.

Et Hektôr au casque mouvant lui répondit :

— Divin Aias Télamônien, prince des peuples, ne m'éprouve point comme si j'étais un faible enfant ou une femme qui ignore les travaux de la guerre. Je sais combattre et tuer les hommes, et mouvoir mon dur bouclier de la main droite ou de la main gauche, et il m'est permis de combattre audacieusement. Je sais, dans la rude bataille, de pied ferme marcher au son d'Arès, et me jeter dans la mêlée sur mes cavales rapides. Mais je ne veux point frapper un homme tel que toi par surprise, mais en face, si je puis.

Il parla ainsi, et il lança sa longue pique vibrante et frappa le grand bouclier d'Aias. Et la pique irrésistible pénétra à travers les sept peaux de bœuf jusqu'à la dernière lame d'airain. Et le divin Aias lança aussi sa longue pique, et il en frappa le bouclier égal du Priamide ; et la pique solide pénétra dans le bouclier éclatant, et, perçant la cuirasse artistement faite, déchira la tunique sur le flanc. Mais le Priamide se courba et évita la noire Kèr.

Et tous deux, relevant leurs piques, se ruèrent, semblables à des lions mangeurs de chair crue, ou à des sangliers dont la vigueur est grande. Et le Priamide frappa de sa pique le milieu du bouclier, mais il n'en perça point l'airain, et la pointe s'y tordit. Et Aias, bondissant, frappa le bouclier, qu'il traversa de sa pique, et il arrêta Hektôr qui se ruait, et lui blessa la gorge, et un sang noir en jaillit. Mais Hektôr au casque mouvant ne cessa point de combattre, et, reculant, il prit de sa forte main une pierre, grande, noire et rugueuse, qui gisait sur la plaine, et il frappa le milieu du grand bouclier couvert de sept peaux de bœuf, et l'airain résonna sourdement. Et Aias, soulevant à son tour une pierre plus grande encore, la lança en lui imprimant une force immense. Et, de cette pierre, il brisa le bouclier, et les genoux du Priamide fléchirent, et il tomba à la renverse sous le bouclier. Mais Apollôn le releva aussitôt. Et déjà ils se seraient frappés tous deux de leurs épées, en se ruant l'un contre l'autre, si les hérauts, messagers de Zeus et des hommes, n'étaient survenus, l'un du côté des Troiens, l'autre du côté des Akhaiens cuirassés, Talthybios et Idaios, sages tous deux, et ils levèrent leurs sceptres entre les deux guerriers, et Idaios plein de conseils prudents, leur dit :

— Ne combattez pas plus longtemps, mes chers fils. Zeus qui amasse les nuées vous aime tous deux, et tous deux vous êtes très braves, comme nous le savons tous. Mais voici la nuit, et il est bon d'obéir à la nuit.

Et le Télamônien Aias lui répondit :

— Idaios, ordonne à Hektôr de parler. C'est lui qui a provoqué au combat les plus braves d'entre nous. Qu'il décide, et j'obéirai, et je ferai ce qu'il fera.

Et le grand Hektôr au casque mouvant lui répondit :

— Aias, un Dieu t'a donné la prudence, la force et la grandeur, et tu l'emportes par ta lance sur tous les Akhaiens. Cessons pour aujourd'hui la lutte et le combat. Nous combattrons de nouveau plus tard, jusqu'à ce qu'un Dieu en décide et donne à l'un de nous la victoire. Voici la nuit, et il est bon d'obéir à la nuit, afin que tu réjouisses, auprès des

nefs Akhaiennes, tes concitoyens et tes compagnons, et que
j'aille, dans la grande ville du roi Priamos, réjouir les Troiens
et les Troiennes ornées de longues robes, qui prieront pour
moi dans les Temples divins. Mais faisons-nous de mutuels
et illustres dons, afin que les Akhaiens et les Troiens disent :
ils ont combattu pour la discorde qui brûle le cœur, et voici
qu'ils se sont séparés avec amitié.

Ayant ainsi parlé, il offrit à Aias l'épée aux clous d'argent,
avec la gaine et les courroies artistement travaillées, et Aias
lui donna un ceinturon éclatant, couleur de pourpre. Et ils
se retirèrent, l'un vers l'armée des Akhaiens, l'autre vers les
Troiens. Et ceux-ci se réjouirent en foule, quand ils virent
Hektôr vivant et sauf, échappé des mains invaincues et de
la force d'Aias. Et ils l'emmenèrent vers la Ville, après avoir
désespéré de son salut.

Et, de leur côté, les Akhaiens bien armés conduisirent au
divin Agamemnôn Aias joyeux de sa victoire. Et quand ils
furent arrivés aux tentes de l'Atréide, le Roi des hommes
Agamemnôn sacrifia au puissant Kroniôn un taureau de
cinq ans. Après l'avoir écorché, disposé et coupé adroitement en morceaux, ils percèrent ceux-ci de broches, les
firent rôtir avec soin et les retirèrent du feu. Puis, ils préparèrent le repas et se mirent à manger, et aucun ne put se
plaindre, en son âme, de manquer d'une part égale. Mais le
héros Atréide Agamemnôn, qui commande au loin, honora
Aias du dos entier. Et tous ayant bu et mangé selon leur soif
et leur faim, le vieillard Nestôr ouvrit le conseil et parla
ainsi, plein de prudence :

— Atréides, et vous, chefs des Akhaiens, beaucoup
d'Akhaiens chevelus sont morts, dont le rude Arès a répandu
le sang noir sur les bords du clair Skamandros, et dont les
âmes sont descendues chez Aidès. C'est pourquoi il faut suspendre le combat dès la lueur du matin. Puis, nous étant
réunis, nous enlèverons les cadavres à l'aide de nos bœufs
et de nos mulets, et nous les brûlerons devant les nefs, afin
que chacun en rapporte les cendres à ses fils, quand tous
seront de retour dans la terre de la patrie. Et nous leur élève-
rons, autour d'un seul bûcher, un même tombeau dans la
plaine. Et tout auprès, nous construirons aussitôt de hautes
tours qui nous protégeront nous et nos nefs. Et nous y met-
trons des portes solides pour le passage des cavaliers, et
nous creuserons en dehors un fossé profond qui arrêtera les

cavaliers et les chevaux, si les braves Troiens poussent le combat jusque-là.

Il parla ainsi, et tous les Rois l'approuvèrent.

Et l'agora tumultueuse et troublée des Troiens s'était réunie devant les portes de Priamos, sur la haute citadelle d'Ilios. Et le sage Antènôr parla ainsi le premier :

— Écoutez-moi, Troiens, Dardaniens et Alliés, afin que je dise ce que mon cœur m'ordonne. Allons ! rendons aux Atréides l'Argienne Hélénè et toutes ses richesses, et qu'ils les emmènent. Nous combattons maintenant contre les serments sacrés que nous avons jurés, et je n'espère rien de bon pour nous, si vous ne faites ce que je dis.

Ayant ainsi parlé, il s'assit. Et alors se leva du milieu de tous le divin Alexandros, l'époux de Hélénè à la belle chevelure. Et il répondit en paroles ailées :

— Antènôr, ce que tu as dit ne m'est point agréable. Tu aurais pu concevoir de meilleurs desseins, et, si tu as parlé sérieusement, certes, les Dieux t'ont ravi l'esprit. Mais je parle devant les Troiens dompteurs de chevaux, et je repousse ce que tu as dit. Je ne rendrai point cette femme. Pour les richesses que j'ai emportées d'Argos dans ma demeure, je veux les rendre toutes, et j'y ajouterai des miennes.

Ayant ainsi parlé, il s'assit. Et, au milieu de tous, se leva le Dardanide Priamos, semblable à un Dieu par sa prudence. Et, plein de sagesse, il parla ainsi et dit :

— Écoutez-moi, Troiens, Dardaniens et Alliés, afin que je dise ce que mon cœur m'ordonne. Maintenant, prenez votre repas comme d'habitude, et faites tour à tour bonne garde. Que dès le matin Idaios se rende aux nefs creuses, afin de porter aux Atréides Agamemnôn et Ménélaos l'offre d'Alexandros d'où viennent nos discordes. Et qu'il leur demande, par de sages paroles, s'ils veulent suspendre la triste guerre jusqu'à ce que nous ayons brûlé les cadavres. Nous combattrons ensuite de nouveau, en attendant que le sort décide entre nous et donne la victoire à l'un des deux peuples.

Il parla ainsi, et ceux qui l'écoutaient obéirent, et l'armée prit son repas comme d'habitude. Dès le matin, Idaios se rendit aux nefs creuses. Et il trouva les Danaens, nourrissons de Zeus, réunis dans l'agora, auprès de la poupe de la nef d'Agamemnôn. Et, se tenant au milieu d'eux, il parla ainsi :

— Atréides et Akhaiens aux belles knèmides, Priamos et les illustres Troiens m'ordonnent de vous porter l'offre d'Alexandros d'où viennent nos discordes, si toutefois elle vous est agréable. Toutes les richesses qu'Alexandros a rapportées dans Ilios sur ses nefs creuses, — plût aux Dieux qu'il fût mort auparavant ! — il veut les rendre et y ajouter des siennes ; mais il refuse de rendre la jeune épouse de l'illustre Ménélaos, malgré les supplications des Troiens. Et ils m'ont aussi ordonné de vous demander si vous voulez suspendre la triste guerre jusqu'à ce que nous ayons brûlé les cadavres. Nous combattrons ensuite de nouveau, en attendant que le sort décide entre nous et donne la victoire à l'un des deux peuples.

Il parla ainsi, et tous restèrent muets. Et Diomèdès hardi au combat parla ainsi :

— Qu'aucun de nous n'accepte les richesses d'Alexandros ni Hélénè elle-même. Il est manifeste pour tous, fût-ce pour un enfant, que le suprême désastre est suspendu sur la tête des Troiens.

Il parla ainsi, et tous les fils des Akhaiens poussèrent des acclamations, admirant les paroles du dompteur de chevaux Diomèdès. Et le roi Agamemnôn dit à Idaios :

— Idaios, tu as entendu la réponse des Akhaiens. Ils t'ont répondu, et ce qu'ils disent me plaît. Cependant, je ne vous refuse point de brûler vos morts et d'honorer par le feu les cadavres de ceux qui ont succombé. Que l'époux de Hèrè, Zeus qui tonne dans les hauteurs, soit témoin de notre traité !

Ayant ainsi parlé, il éleva son sceptre vers les Dieux. Et Idaios retourna dans la sainte Ilios, où les Troiens et les Dardaniens étaient réunis en agora, attendant son retour. Et il arriva, et, au milieu d'eux, il rendit compte de son message. Et aussitôt ils s'empressèrent de transporter, ceux-ci les cadavres, ceux-là le bois du bûcher. Et les Argiens, de leur côté, s'exhortaient, loin des nefs creuses, à relever leurs morts et à construire le bûcher.

Hélios, à son lever, frappait les campagnes de ses rayons, et, montant dans l'Ouranos, sortait doucement du cours profond de l'Okéanos. Et les deux armées accouraient l'une vers l'autre. Alors, il leur fut difficile de reconnaître leurs guerriers ; mais quand ils eurent lavé leur poussière sanglante, ils les déposèrent sur les chars en répandant des larmes brûlantes. Et le grand Priamos ne leur permit point de gémir, et ils amassèrent les morts sur le bûcher, se lamentant dans leur cœur. Et, après les avoir brûlés, ils retournèrent vers la sainte Ilios.

De leur côté, les Akhaiens aux belles knèmides amassèrent les cadavres sur le bûcher, tristes dans leur cœur. Et, après les avoir brûlés, ils s'en retournèrent vers les nefs creuses. Eôs n'était point levée encore, et déjà la nuit était douteuse, quand un peuple des Akhaiens vint élever dans la plaine un seul tombeau sur l'unique bûcher. Et, non loin, d'autres guerriers construisirent, pour se protéger eux-mêmes et les nefs, de hautes tours avec des portes solides pour le passage des cavaliers. Et ils creusèrent, au dehors et tout autour, un fossé profond, large et grand, qu'ils défendirent avec des pieux. Et c'est ainsi que travaillaient les Akhaiens chevelus.

Et les Dieux, assis auprès du foudroyant Zeus, regardaient avec admiration ce grand travail des Akhaiens aux tuniques d'airain. Et, au milieu d'eux, Poseidaôn qui ébranle la terre parla ainsi :

— Père Zeus, qui donc, parmi les mortels qui vivent sur la terre immense, fera connaître désormais aux Immortels sa pensée et ses desseins ? Ne vois-tu pas que les Akhaiens chevelus ont construit une muraille devant leurs nefs, avec un fossé tout autour, et qu'ils n'ont point offert d'illustres hécatombes aux Dieux ? La gloire de ceci se répandra autant que la lumière d'Eôs ; et les murs que Phoibos Apollôn et moi avons élevés au héros Laomédôn seront oubliés.

Et Zeus qui amasse les nuées, avec un profond soupir, lui répondit :

— Ah ! Très-Puissant, qui ébranles la terre, qu'as-tu dit ? Un Dieu, moins doué de force que toi, n'aurait point cette crainte. Certes, ta gloire se répandra aussi loin que la lumière d'Eôs. Reprends courage, et quand les Akhaiens chevelus auront regagné sur leurs nefs la terre bien-aimée de la patrie, engloutis tout entier dans la mer ce mur écroulé, couvre de nouveau de sables le vaste rivage, et que cette immense muraille des Akhaiens s'évanouisse devant toi.

Et ils s'entretenaient ainsi. Et Hélios se coucha, et le travail des Akhaiens fut terminé. Et ceux-ci tuaient des bœufs sous les tentes, et ils prenaient leurs repas. Et plusieurs nefs avaient apporté de Lemnos le vin qu'avait envoyé le Ièsonide Eunèos que Hypsipylè avait conçu du prince des peuples Ièsôn. Et le Ièsonide avait donné aux Atréides mille mesures de vin. Et les Akhaiens chevelus leur achetaient ce vin, ceux-ci avec de l'airain, ceux-là avec du fer brillant ; les uns avec des peaux de bœufs, les autres avec les bœufs eux-mêmes, et d'autres avec leurs esclaves. Et tous enfin préparaient l'excellent repas.

Et, pendant toute la nuit, les Akhaiens chevelus mangeaient ; et les Troiens aussi et les Alliés mangeaient dans la Ville. Et, au milieu de la nuit, le sage Zeus, leur préparant de nouvelles calamités, tonna terriblement ; et la pâle crainte les saisit. Et ils répandaient le vin hors des coupes, et aucun n'osa boire avant de faire des libations au très puissant Kroniôn. Enfin, s'étant couchés, ils goûtèrent la douceur du sommeil.

RHAPSODIE VIII

Eôs au péplos couleur de safran éclairait toute la terre, et Zeus qui se réjouit de la foudre convoqua l'agora des Dieux sur le plus haut faîte de l'Olympos aux sommets sans nombre. Et il leur parla, et ils écoutaient respectueusement :

— Écoutez-moi tous, Dieux et Déesses, afin que je vous dise ce que j'ai résolu dans mon cœur. Et que nul Dieu, mâle ou femelle, ne résiste à mon ordre ; mais obéissez tous, afin que j'achève promptement mon œuvre. Car si j'apprends que quelqu'un des Dieux est allé secourir soit les Troiens, soit les Danaens, celui-là reviendra dans l'Olympos honteusement châtié. Et je le saisirai, et je le jetterai au loin, dans le plus creux des gouffres de la terre, au fond du noir Tartaros qui a des portes de fer et un seuil d'airain, au-dessous de la demeure d'Aidès, autant que la terre est au-dessous de l'Ouranos. Et il saura que je suis le plus fort de tous les Dieux. Debout, Dieux ! tentez-le, et vous le saurez. Suspendez une chaîne d'or du faîte de l'Ouranos, et tous, Dieux et Déesses, attachez-vous à cette chaîne. Vous n'entraînerez jamais, malgré vos efforts, de l'Ouranos sur la terre, Zeus le modérateur suprême. Et moi, certes, si je le voulais, je vous enlèverais tous, et la terre et la mer, et j'attacherais cette chaîne au faîte de l'Olympos, et tout y resterait suspendu, tant je suis au-dessus des Dieux et des hommes !

Il parla ainsi, et tous restèrent muets, stupéfaits de ces

paroles, car il avait durement parlé. Et Athènè, la Déesse
aux yeux clairs, lui dit :

— Ô notre Père ! Kronide, le plus haut des Rois, nous
savons bien que ta force ne le cède à aucune autre ; mais
nous gémissons sur les Danaens, habiles à lancer la pique,
qui vont périr par une destinée mauvaise. Certes, nous ne
combattrons pas, si tu le veux ainsi, mais nous conseillerons
les Argiens, afin qu'ils ne périssent point tous, grâce à ta
colère.

Et Zeus qui amasse les nuées, souriant, lui dit :

— Reprends courage, Tritogénéia, chère enfant. Certes,
j'ai parlé très rudement, mais je veux être doux pour toi.

Ayant ainsi parlé, il lia au char les chevaux aux pieds d'airain, rapides, ayant pour crinières des chevelures d'or ; et il
s'enveloppa d'un vêtement d'or ; et il prit un fouet d'or bien
travaillé, et il monta sur son char. Et il frappa les chevaux
du fouet, et ils volèrent aussitôt entre la terre et l'Ouranos
étoilé. Il parvint sur l'Ida qui abonde en sources, où vivent
les bêtes sauvages, et sur le Gargaros, où il possède une
enceinte sacrée et un autel parfumé. Le Père des hommes et
des Dieux y arrêta ses chevaux, les délia et les enveloppa
d'une grande nuée. Et il s'assit sur le faîte, plein de gloire,
regardant la ville des Troiens et les nefs des Akhaiens.

Et les Akhaiens chevelus s'armaient, ayant mangé en hâte
sous les tentes ; et les Troiens s'armaient dans la Ville ; et ils
étaient moins nombreux, mais brûlants du désir de combattre, par nécessité, pour leurs enfants et pour leurs femmes.
Et les portes s'ouvraient, et les peuples, fantassins et cavaliers, se ruaient au dehors, et il s'élevait un bruit immense.

Et quand ils se furent rencontrés, les piques et les forces
des guerriers aux cuirasses d'airain se mêlèrent confusément, et les boucliers bombés se heurtèrent, et il s'éleva un
bruit immense. On entendait les cris de joie et les lamentations de ceux qui tuaient ou mouraient, et la terre ruisselait
de sang ; et tant qu'Eôs brilla et que le jour sacré monta, les
traits frappèrent les hommes, et les hommes tombaient.
Mais quand Hélios fut parvenu au faîte de l'Ouranos, le Père
Zeus étendit ses balances d'or, et il y plaça deux Kères de la
mort qui rend immobile à jamais, la Kèr des Troiens dompteurs de chevaux et la Kèr des Akhaiens aux cuirasses d'airain. Il éleva les balances, les tenant par le milieu, et le jour
fatal des Akhaiens s'inclina ; et la destinée des Akhaiens toucha la terre nourricière, et celle des Troiens monta vers le

large Ouranos. Et il roula le tonnerre immense sur l'Ida, et il lança l'ardent éclair au milieu du peuple guerrier des Akhaiens ; et, l'ayant vu, ils restèrent stupéfaits et pâles de terreur.

Ni Idoméneus, ni Agamemnôn, ni les deux Aias, serviteurs d'Arès, n'osèrent rester. Le Gérennien Nestôr, rempart des Akhaiens, resta seul, mais contre son gré, par la chute de son cheval. Le divin Alexandros, l'époux de Hélénè aux beaux cheveux, avait percé le cheval d'une flèche au sommet de la tête, endroit mortel, là où croissent les premiers crins. Et, l'airain ayant pénétré dans la cervelle, le cheval, saisi de douleur, se roulait et épouvantait les autres chevaux. Et, comme le vieillard se hâtait de couper les rênes avec l'épée, les rapides chevaux de Hektôr, portant leur brave conducteur, approchaient dans la mêlée, et le vieillard eût perdu la vie, si Diomèdès ne l'eût vu. Et il jeta un cri terrible, appelant Odysseus :

— Divin Laertiade, subtil Odysseus, pourquoi fuis-tu, tournant le dos comme un lâche dans la mêlée ? Crains qu'on ne te perce d'une pique dans le dos, tandis que tu fuis. Reste, et repoussons ce rude guerrier loin de ce vieillard.

Il parla ainsi, mais le divin et patient Odysseus ne l'entendit point et passa outre vers les nefs creuses des Akhaiens. Et le Tydéide, bien que seul, se mêla aux combattants avancés, et se tint debout devant les chevaux du vieux Nèlèide, et lui dit ces paroles ailées :

— Ô vieillard, voici que de jeunes guerriers te pressent avec fureur. Ta force est dissoute, la lourde vieillesse t'accable, ton serviteur est faible et tes chevaux sont lents. Mais monte sur mon char, et tu verras quels sont les chevaux de Trôs que j'ai pris à Ainéias, et qui savent, avec une rapidité égale, poursuivre l'ennemi ou fuir à travers la plaine. Que nos serviteurs prennent soin de tes chevaux, et poussons ceux-ci sur les Troiens dompteurs de chevaux, et que Hektôr sache si ma pique est furieuse entre mes mains.

Il parla ainsi, et le cavalier Gérennien Nestôr lui obéit. Et les deux braves serviteurs, Sthénélos et Eurymédôn, prirent soin de ses cavales. Et les deux Rois montèrent sur le char de Diomèdès, et Nestôr saisit les rênes brillantes et fouetta les chevaux ; et ils approchèrent. Et le fils de Tydeus lança sa pique contre le Priamide qui venait à lui, et il le manqua ; mais il frappa dans la poitrine, près de la mamelle, Eniopeus, fils du magnanime Thèbaios, et qui tenait les rênes des chevaux. Et celui-ci tomba du char, et ses chevaux rapides reculèrent, et il perdit l'âme et la force. Une amère douleur enveloppa l'âme de Hektôr à cause de son compagnon ; mais il le laissa gisant, malgré sa douleur, et chercha un autre brave conducteur. Et ses chevaux n'en manquèrent pas long-temps, car il trouva promptement le hardi Arkhéptolémos Iphitide ; et il lui confia les chevaux rapides, et il lui remit les rênes en main.

Alors, il serait arrivé un désastre, et des actions furieuses auraient été commises, et les Troiens auraient été renfermés dans Ilios comme des agneaux, si le Père des hommes et des Dieux ne s'était aperçu de ceci. Et il tonna fortement, lan-çant la foudre éclatante devant les chevaux de Diomèdès ; et l'ardente flamme du soufre brûlant jaillit. Les chevaux effrayés s'abattirent sous le char, et les rênes splendides échappèrent des mains de Nestôr ; et il craignit dans son cœur, et il dit à Diomèdès :

— Tydéide ! retourne, fais fuir les chevaux aux sabots épais. Ne vois-tu point que Zeus ne t'aide pas ? Voici que Zeus Kronide donne maintenant la victoire à Hektôr, et il nous la donnera aussi, selon sa volonté. Le plus brave des hommes ne peut rien contre la volonté de Zeus dont la force est sans égale.

Et Diomèdès hardi au combat lui répondit :

— Oui, vieillard, tu as dit vrai, et selon la justice ; mais une amère douleur envahit mon âme. Hektôr dira, haran-guant les Troiens : Le Tydéide a fui devant moi vers ses nefs ! Avant qu'il se glorifie de ceci, que la terre profonde m'en-gloutisse !

Et le cavalier Gérennien Nestôr lui répondit :

— Ah ! fils du brave Tydeus, qu'as-tu dit ? Si Hektôr te nommait lâche et faible, ni les Troiens, ni les Dardaniens, ne l'en croiraient, ni les femmes des magnanimes Troiens porteurs de boucliers, elles dont tu as renversé dans la pous-sière les jeunes époux.

Ayant ainsi parlé, il prit la fuite, poussant les chevaux aux sabots massifs à travers la mêlée. Et les Troiens et Hektôr, avec de grands cris, les accablaient de traits ; et le grand Hektôr au casque mouvant cria d'une voix haute :

— Tydéide, certes, les cavaliers Danaens t'honoraient entre tous, te réservant la meilleure place, et les viandes, et les coupes pleines. Aujourd'hui, ils t'auront en mépris, car

tu n'es plus qu'une femme ! Va donc, fille lâche ! Tu ne mon-
teras jamais par ma faute sur nos tours, et tu n'emmèneras
point nos femmes dans tes nefs. Auparavant, je t'aurai
donné la mort.

Il parla ainsi, et le Tydéide hésita, voulant fuir et combattre face à face. Et il hésita trois fois dans son esprit et dans
son cœur ; et trois fois le sage Zeus tonna du haut des monts
Idaiens, en signe de victoire pour les Troiens. Et Hektôr,
d'une voix puissante, animait les Troiens :

— Troiens, Lykiens et hardis Dardaniens, amis, soyez des
hommes et souvenez-vous de votre force et de votre courage.
Je sens que le Kroniôn me promet la victoire et une grande
gloire, et réserve la défaite aux Danaens. Les insensés ! Ils
ont élevé ces murailles inutiles et méprisables qui n'arrête-
ront point ma force ; et mes chevaux sauteront aisément
par-dessus le fossé profond. Mais quand j'aurai atteint les
nefs creuses, souvenez-vous de préparer le feu destructeur,
afin que je brûle les nefs, et qu'auprès des nefs je tue les
Argiens eux-mêmes, aveuglés par la fumée.

Ayant ainsi parlé, il dit à ses chevaux :

— Xanthos, Podargos, Aithôn et divin Lampos, payez-moi
les soins infinis d'Andromakhè, fille du magnanime Étiôn,
qui vous présente le doux froment et vous verse du vin,
quand vous le désirez, même avant moi qui me glorifie d'être
son jeune époux. Hâtez-vous donc, courez ! Si nous pouvons
enlever le bouclier de Nestôr, qui est tout en or ainsi que ses
poignées, et dont la gloire est parvenue jusqu'à l'Ouranos, et
la riche cuirasse de Diomèdès dompteur de chevaux, et que
Héphaistos a forgée avec soin, j'espère que les Akhaiens
remonteront cette nuit même dans leurs nefs rapides.

Il parla ainsi dans son désir, et la vénérable Hèrè s'en indigna ; et elle s'agita sur son trône, et le vaste Olympos
s'ébranla. Et elle dit en face au grand Dieu Poseidaôn :

— Toi qui ébranles la terre, ah ! Tout-Puissant, ton cœur
n'est-il point ému dans ta poitrine quand les Danaens périssent ? Ils t'offrent cependant, dans Hélikè et dans Aiga, un
grand nombre de beaux présents. Donne-leur donc la victoire. Si nous voulions, nous tous qui soutenons les
Danaens, repousser les Troiens et résister à Zeus dont la voix
sonne au loin, il serait bientôt seul, assis sur l'Ida.

Et le Puissant qui ébranle la terre, plein de colère, lui dit :

— Audacieuse Hèrè, qu'as-tu dit ? Je ne veux point que

nous combattions Zeus Krônion, car il est bien plus fort que nous.

Et tandis qu'ils se parlaient ainsi, tout l'espace qui séparait les nefs du fossé était empli confusément de chevaux et de porteurs de boucliers, car Hektôr Priamide, semblable à l'impétueux Arès, les avait enfermés là, Zeus l'ayant glorifié. Et il eût consumé les nefs égales, à l'aide du feu, si la vénérable Hèrè n'eût inspiré à Agamemnôn de ranimer à la hâte les Akhaiens. Et il parcourut les tentes et les nefs des Akhaiens, portant à sa main robuste un grand manteau pourpré. Et il s'arrêta sur la grande et noire nef d'Odysseus, qui était au centre de toutes, afin d'être entendu des deux extrémités, des tentes d'Aias Télamôniade à celles d'Akhilleus, car tous deux avaient tiré sur le sable leurs nefs égales aux deux bouts du camp, certains de leur force et de leur courage. Et là, d'une voix haute, il cria aux Akhaiens :

— Honte à vous, Argiens couverts d'opprobre, qui n'avez qu'une vaine beauté ! Que sont devenues vos paroles orgueilleuses, quand, à Lemnos, mangeant la chair des bœufs aux longues cornes, et buvant les kratères pleins de vin, vous vous vantiez d'être les plus braves et de vaincre les Troiens, un contre cent et contre deux cents ? Et maintenant, nous ne pouvons même pas résister à un seul d'entre eux, à Hektôr qui va consumer nos nefs par le feu. Père Zeus ! as-tu déjà accablé d'un tel désastre quelqu'un des Rois tout-puissants, et l'as-tu privé de tant de gloire ? Certes, je n'ai jamais passé devant tes temples magnifiques, quand je vins ici pour ma ruine, sur ma nef chargée de rameurs, plein du désir de renverser les hautes murailles de Troiè, sans brûler sur tes nombreux autels la graisse et les cuisses des bœufs. Ô Zeus ! exauce donc mon vœu : que nous puissions au moins échapper et nous enfuir, et que les Troiens ne tuent pas tous les Akhaiens !

Il parla ainsi, et le Père Zeus eut pitié de ses larmes, et il promit par un signe que les peuples ne périraient pas. Et il envoya un aigle, le plus sûr des oiseaux, tenant entre ses serres le jeune faon d'une biche agile. Et l'aigle jeta ce faon sur l'autel magnifique de Zeus, où les Akhaiens sacrifiaient à Zeus, source de tous les oracles. Et quand ils virent l'oiseau envoyé de Zeus, ils retournèrent dans la mêlée et se ruèrent sur les Troiens.

Et alors, aucun des Danaens innombrables ne put se glorifier, poussant ses chevaux rapides au delà du fossé, d'avoir devancé le Tydéide et combattu le premier. Et, tout d'abord, il tua un guerrier Troien, Agélaos Phradmonide, qui fuyait. Et il lui enfonça sa pique dans le dos, entre les épaules ; et la pique traversa la poitrine. Le Troien tomba du char, et ses armes retentirent.

Et les Atréides le suivaient, et les deux Aias pleins d'une vigueur indomptable, et Idoméneus, et Mèrionès, compagnon d'Idoméneus, tel qu'Arès le tueur d'hommes, et Eurypylos, fils illustre d'Evaimôn. Et Teukros survint le neuvième, avec son arc tendu, et se tenant derrière le bouclier d'Aias Télamôniade. Et quand le grand Aias soulevait le bouclier, Teukros, regardant de toutes parts, ajustait et frappait un ennemi dans la mêlée, et celui-ci tombait mort. Et il revenait auprès d'Aias comme un enfant vers sa mère, et Aias l'abritait de l'éclatant bouclier.

Quel fut le premier Troien que tua l'irréprochable Teukros ? D'abord Orsilokhos, puis Orménos, et Ophélestès, et Daitôr, et Kromios, et le divin Lykophontès, et Amopaôn Polyaimonide, et Mélanippos. Et il les coucha tour à tour sur la terre nourricière. Et le Roi des hommes, Agamemnôn, plein de joie de le voir renverser de ses flèches les phalanges des Troiens, s'approcha et lui dit :

— Cher Teukros Télamônien, prince des peuples, continue à lancer tes flèches pour le salut des Danaens, et pour glorifier ton père Télamôn qui t'a nourri et soigné dans ses demeures tout petit et bien que bâtard. Et je te le dis, et ma parole s'accomplira : Si Zeus tempétueux et Athènè me donnent de renverser la forte citadelle d'Ilios, le premier après moi tu recevras une glorieuse récompense : un trépied, deux chevaux et un char, et une femme qui partagera ton lit.

Et l'irréprochable Teukros lui répondit :

— Très illustre Atréide, pourquoi m'excites-tu quand je suis plein d'ardeur ? Certes, je ferai de mon mieux et selon mes forces. Depuis que nous les repoussons vers Ilios, je tue les guerriers de mes flèches. J'en ai lancé huit, et toutes se sont enfoncées dans la chair des jeunes hommes impétueux ; mais je ne puis frapper ce chien enragé !

Il parla ainsi, et il lança une flèche contre Hektôr, plein du désir de l'atteindre, et il le manqua. Et la flèche perça la poitrine de l'irréprochable Gorgythiôn, brave fils de Priamos, qu'avait enfanté la belle Kastianéira, venue d'Aisymè, et semblable aux Déesses par sa beauté. Et comme un pavot, dans un jardin, penche la tête sous le poids de ses fruits et des rosées printanières, de même le Priamide pencha la tête sous le poids de son casque. Et Teukros lança une autre flèche contre Hektôr, plein du désir de l'atteindre, et il le manqua encore ; et il perça, près de la mamelle, le brave Arkhéptolémos, conducteur des chevaux de Hektôr ; et Arkhéptolémos tomba du char ; ses chevaux rapides reculèrent, et sa vie et sa force furent anéanties. Le regret amer de son compagnon serra le cœur de Hektôr, mais, malgré sa douleur, il le laissa gisant, et il ordonna à son frère Kébrionès de prendre les rênes, et ce dernier obéit.

Alors, Hektôr sauta du char éclatant, poussant un cri terrible ; et, saisissant une pierre, il courut à Teukros, plein du désir de l'en frapper. Et le Télamônien avait tiré du carquois une flèche amère, et il la plaçait sur le nerf, quand Hektôr au casque mouvant, comme il tendait l'arc, le frappa de la pierre dure à l'épaule, là où la clavicule sépare le cou de la poitrine, à un endroit mortel. Et le nerf de l'arc fut brisé, et le poignet fut écrasé, et l'arc s'échappa de sa main, et il tomba à genoux. Mais Aias n'abandonna point son frère tombé, et il accourut, le couvrant de son bouclier. Puis, ses deux chers compagnons, Mèkisteus, fils d'Ekhios, et le divin Alastôr, emportèrent vers les creuses nefs Teukros qui poussait des gémissements.

Et l'Olympien rendit de nouveau le courage aux Troiens, et ils repoussèrent les Akhaiens jusqu'au fossé profond ; et Hektôr marchait en avant, répandant la terreur de sa force. Comme un chien qui poursuit de ses pieds rapides un sanglier sauvage ou un lion, le touche aux cuisses et aux fesses, épiant l'instant où il se retournera, de même Hektôr poursuivait les Akhaiens chevelus, tuant toujours celui qui restait en arrière. Et les Akhaiens fuyaient. Et beaucoup tombaient sous les mains des Troiens, en traversant les pieux et le fossé. Mais les autres s'arrêtèrent auprès des nefs, s'animant entre eux, levant les bras et suppliant tous les Dieux. Et Hektôr poussait de tous côtés ses chevaux aux belles crinières, ayant les yeux de Gorgô et du sanguinaire Arès. Et la divine Hèrè aux bras blancs, à cette vue, fut saisie de pitié et dit à Athènè ces paroles ailées :

— Ah ! fille de Zeus tempétueux, ne secourrons-nous point, en ce combat suprême, les Danaens qui périssent ? Car voici que, par une destinée mauvaise, ils vont périr sous la violence d'un seul homme. Le Priamide Hektôr est plein d'une fureur intolérable, et il les accable de maux.

Et la divine Athènè aux yeux clairs lui répondit :

— Certes, le Priamide aurait déjà perdu la force avec la vie et serait tombé mort sous la main des Argiens, sur sa terre natale, si mon père, toujours irrité, dur et inique, ne s'opposait à ma volonté. Et il ne se souvient plus que j'ai souvent secouru son fils accablé de travaux par Eurystheus. Hèraklès criait vers l'Ouranos, et Zeus m'envoya pour le secourir. Certes, si j'avais prévu ceci, quand Hèraklès fut envoyé dans les demeures aux portes massives d'Aidès, pour enlever, de l'Erébos, le Chien du haïssable Aidès, certes, il n'aurait point repassé l'eau courante et profonde de Styx ! Et Zeus me hait, et il cède aux désirs de Thétis qui a embrassé ses genoux et lui a caressé la barbe, le suppliant d'honorer Akhilleus le destructeur de citadelles. Et il me nommera encore sa chère fille aux yeux clairs ! Mais attelle nos chevaux aux sabots massifs, tandis que j'irai dans la demeure de Zeus prendre l'Aigide et me couvrir de mes armes guerrières. Je verrai si le Priamide Hektôr au casque mouvant sera joyeux de nous voir descendre toutes deux dans la mêlée. Certes, plus d'un Troien couché devant les nefs des Akhaiens va rassasier les chiens et les oiseaux carnassiers de sa graisse et de sa chair !

Elle parla ainsi, et la divine Hèrè aux bras blancs obéit. Et la divine et vénérable Hèrè, fille du grand Kronos, se hâta d'atteler les chevaux liés par des harnais d'or. Et Athènè, fille de Zeus tempétueux, laissa tomber son riche péplos qu'elle avait travaillé de ses mains, sur le pavé de la demeure de son père, et elle prit la cuirasse de Zeus qui amasse les nuées, et elle se revêtit de ses armes pour la guerre lamentable.

Et elle monta dans le char flamboyant, et elle saisit la lance lourde, grande et solide, avec laquelle, étant la fille d'un père tout-puissant, elle dompte la foule des héros contre qui elle s'irrite. Et Hèrè frappa du fouet les chevaux rapides, et les portes de l'Ouranos s'ouvrirent d'elles-mêmes en criant, gardées par les Heures qui sont chargées d'ouvrir le grand Ouranos et l'Olympos, ou de les fermer avec un nuage épais. Et ce fut par là que les Déesses poussèrent les chevaux obéissant à l'aiguillon. Et le Père Zeus, les ayant vues de l'Ida, fut saisi d'une grande colère, et il envoya la Messagère Iris aux ailes d'or :

— Va ! hâte-toi, légère Iris ! Fais-les reculer, et qu'elles ne se présentent point devant moi, car ceci serait dangereux pour elles. Je le dis, et ma parole s'accomplira : j'écraserai les chevaux rapides sous leur char que je briserai, et je les en précipiterai, et, avant dix ans, elles ne guériront point des plaies que leur fera la foudre. Athènè aux yeux clairs saura qu'elle a combattu son père. Ma colère n'est point aussi grande contre Hèrè, car elle est habituée à toujours résister à ma volonté.

Il parla ainsi, et la Messagère Iris aux pieds prompts comme le vent s'élança, et elle descendit des cimes Idaïennes dans le grand Olympos, et elle les arrêta aux premières portes de l'Olympos aux vallées sans nombre, et elle leur dit les paroles de Zeus :

— Où allez-vous ? Pourquoi votre cœur est-il ainsi troublé ? Le Kronide ne veut pas qu'on vienne en aide aux Argiens. Voici la menace du fils de Kronos, s'il agit selon sa parole : il écrasera les chevaux rapides sous votre char qu'il brisera, et il vous en précipitera, et, avant dix ans, vous ne guérirez point des plaies que vous fera la foudre. Athènè aux yeux clairs, tu sauras que tu as combattu ton père ! Sa colère n'est point aussi grande contre Hèrè, car elle est habituée à toujours résister à sa volonté. Mais toi, très violente et audacieuse chienne, oseras-tu lever ta lance terrible contre Zeus ?

Ayant ainsi parlé, Iris aux pieds rapides s'envola, et Hèrè dit à Athènè :

— Ah ! fille de Zeus tempétueux, je ne puis permettre que nous combattions contre Zeus pour des mortels. Que l'un meure, que l'autre vive, soit ! Et que Zeus décide, comme il est juste, et selon sa volonté, entre les Troiens et les Danaens.

Ayant ainsi parlé, elle fit retourner les chevaux aux sabots massifs, et les Heures dételèrent les chevaux aux belles crinières et les attachèrent aux crèches divines, et appuyèrent le char contre le mur éclatant. Et les Déesses, le cœur triste, s'assirent sur des sièges d'or au milieu des autres Dieux. Et le Père Zeus poussa du haut de l'Ida, vers l'Olympos, son char aux belles roues et ses chevaux, et il parvint aux sièges des Dieux. Et l'Illustre qui ébranle la terre détella les chevaux, posa le char sur un autel et le couvrit d'un voile de lin. Et Zeus à la grande voix s'assit sur son trône d'or, et le large Olympos trembla sous lui. Et Athènè et Hèrè étaient assises loin de Zeus, et elles ne lui parlaient ni ne l'interrogeaient ; mais il les devina et dit :

— Athènè et Hèrè, pourquoi êtes-vous ainsi affligées ?
Vous ne vous êtes point longtemps fatiguées, du moins, dans
la bataille qui illustre les guerriers, afin d'anéantir les
Troiens pour qui vous avez tant de haine. Non ! Tous les
Dieux de l'Olympos ne me résisteront point, tant la force de
mes mains invincibles est grande. La terreur a fait trembler
vos beaux membres avant d'avoir vu la guerre et la mêlée
violente. Et je le dis, et ma parole se serait accomplie : frappées toutes deux de la foudre, vous ne seriez point revenues
sur votre char dans l'Olympos qui est la demeure des
Immortels.

Et il parla ainsi, et Athènè et Hèrè gémissaient, assises à
côté l'une de l'autre, et méditant le malheur des Troiens. Et
Athènè restait muette, irritée contre son père Zeus, et une
sauvage colère la brûlait ; mais Hèrè ne put contenir la
sienne, et elle dit :

— Très dur Kronide, quelle parole as-tu dite ? Nous
savons bien que ta force est grande, mais nous gémissons
sur les belliqueux Danaens qui vont périr par une destinée
mauvaise. Nous ne combattrons point, si tu le veux ; mais
nous aiderons les Argiens de nos conseils, afin qu'ils ne
périssent point tous par ta colère.

Et Zeus qui amasse les nuées lui répondit :

— Certes, au retour d'Eôs, tu pourras voir, vénérable
Hèrè aux yeux de bœuf, le tout-puissant Kroniôn mieux
détruire encore l'armée innombrable des Argiens ; car le
brave Hektôr ne cessera point de combattre, que le rapide
Pèléiôn ne se soit levé auprès des nefs, le jour où les
Akhaiens combattront sous leurs poupes, luttant dans un
étroit espace sur le cadavre de Patroklos. Ceci est fatal. Je
me soucie peu de ta colère, quand même tu irais aux dernières limites de la terre et de la mer, où sont couchés Iapétos
et Kronos, loin des vents et de la lumière de Hélios, fils de
Hypériôn, dans l'enceinte du creux Tartaros. Quand même
tu irais là, je me soucie peu de ta colère, car rien n'est plus
impudent que toi.

Il parla ainsi, et Hèrè aux bras blancs ne répondit rien. Et
la brillante lumière Hélienne tomba dans l'Okéanos, laissant
la noire nuit sur la terre nourricière. La lumière disparut
contre le gré des Troiens, mais la noire nuit fut la bienvenue
des Akhaiens qui la désiraient ardemment.

Et l'illustre Hektôr réunit l'agora des Troiens, les ayant

conduits loin des nefs, sur les bords du fleuve tourbillonnant, en un lieu où il n'y avait point de cadavres. Et ils descendirent de leurs chevaux pour écouter les paroles de
Hektôr cher à Zeus. Et il tenait à la main une pique de onze
coudées, à la brillante pointe d'airain retenue par un anneau
d'or. Et, appuyé sur cette pique, il dit aux Troiens ces paroles ailées :

— Écoutez-moi, Troiens, Dardaniens et Alliés. J'espérais
ne retourner dans Ilios battue des vents qu'après avoir
détruit les nefs et tous les Akhaiens ; mais les ténèbres sont
venues qui ont sauvé les Argiens et les nefs sur le rivage de
la mer. C'est pourquoi, obéissons à la nuit noire, et préparons le repas. Dételez les chevaux aux belles crinières et don-
nez-leur de la nourriture. Amenez promptement de la Ville
des bœufs et de grasses brebis, et apportez un doux vin de
vos demeures, et amassez beaucoup de bois, afin que, toute
la nuit, jusqu'au retour d'Eôs qui naît le matin, nous allu-
mions beaucoup de feux dont l'éclat s'élève dans l'Ouranos,
et afin que les Akhaiens chevelus ne profitent pas de la nuit
pour fuir sur le vaste dos de la mer. Qu'ils ne montent point
tranquillement du moins sur leurs nefs, et que chacun d'eux,
en montant sur sa nef, emporte dans son pays une blessure
faite par nos piques et nos lances aiguës ! Que tout autre
redoute désormais d'apporter la guerre lamentable aux
Troiens dompteurs de chevaux. Que les hérauts chers à Zeus
appellent, par la Ville, les jeunes enfants et les vieillards aux
tempes blanches à se réunir sur les tours élevées par les
Dieux ; et que les femmes timides, chacune dans sa
demeure, allument de grands feux, afin qu'on veille avec
vigilance, de peur qu'on entre par surprise dans la Ville, en
l'absence des hommes. Qu'il soit fait comme je le dis,
magnanimes Troiens, car mes paroles sont salutaires. Dès le
retour d'Eôs je parlerai encore aux Troiens dompteurs de
chevaux. Je me vante, ayant supplié Zeus et les autres Dieux,
de chasser bientôt d'ici ces chiens que les Kères ont amenés
sur les nefs noires. Veillons sur nous-mêmes pendant la
nuit ; mais, dès la première heure du matin, couvrons-nous
de nos armes et poussons l'impétueux Arès sur les nefs creuses. Je saurai si le brave Diomèdès Tydéide me repoussera
loin des nefs jusqu'aux murailles, ou si, le perçant de l'airain,
j'emporterai ses dépouilles sanglantes. Demain, il pourra se
glorifier de sa force, s'il résiste à ma pique ; mais j'espère
plutôt que demain, quand Hélios se lèvera, il tombera des

premiers, tout sanglant, au milieu d'une foule de ses compagnons. Et plût aux Dieux que je fusse immortel et toujours
jeune, et honoré comme Athènè et Apollôn, autant qu'il est
certain que ce jour sera funeste aux Argiens !

Hektôr parla ainsi, et les Troiens poussèrent des acclamations. Et ils détachèrent du joug les chevaux mouillés de
sueur, et ils les lièrent avec des lanières auprès des chars ;
et ils amenèrent promptement de la Ville des bœufs et des
brebis grasses ; et ils apportèrent un doux vin et du pain de
leurs demeures, et ils amassèrent beaucoup de bois. Puis, ils
sacrifièrent de complètes hécatombes aux Immortels, et le
vent en portait la fumée épaisse et douce dans l'Ouranos.
Mais les Dieux heureux n'en voulurent point et la dédaignè-
rent, car ils haïssaient la sainte Ilios, et Priamos, et le peuple
de Priamos aux piques de frêne.

Et les Troiens, pleins d'espérance, passaient la nuit sur le
sentier de la guerre, ayant allumé de grands feux. Comme,
lorsque les astres étincellent dans l'Ouranos autour de la
claire Sélènè, et que le vent ne trouble point l'air, on voit
s'éclairer les cimes et les hauts promontoires et les vallées,
et que l'Aithèr infini s'ouvre au faîte de l'Ouranos, et que le
berger joyeux voit luire tous les astres ; de même, entre les
nefs et l'eau courante de Xanthos, les feux des Troiens brillaient devant Ilios. Mille feux brûlaient ainsi dans la plaine ;
et, près de chacun, étaient assis cinquante guerriers autour
de la flamme ardente. Et les chevaux, mangeant l'orge et
l'avoine, se tenaient auprès des chars, attendant Eôs au beau
thrône.

RHAPSODIE IX

Tandis que les Troiens plaçaient ainsi leurs gardes, le
désir de la fuite, qui accompagne la froide terreur, saisissait
les Akhaiens. Et les plus braves étaient frappés d'une accablante tristesse.

De même, lorsque les deux vents Boréas et Zéphyros, soufflant de la Thrèkè, bouleversent la haute mer poissonneuse,
et que l'onde noire se gonfle et se déroule en masses d'écumes, ainsi, dans leurs poitrines, se déchirait le cœur des
Akhaiens. Et l'Atréide, frappé d'une grande douleur,

ordonna aux hérauts à la voix sonore d'appeler, chacun par son nom, et sans clameurs, les hommes à l'agora. Et lui-même appela les plus proches. Et tous vinrent s'asseoir dans l'agora, pleins de tristesse. Et Agamemnôn se leva, versant des larmes, comme une source abondante qui tombe large-ment d'une roche élevée. Et, avec un profond soupir, il dit aux Argiens :

— Ô amis, Rois et chefs des Argiens, le Kronide Zeus m'a accablé d'un lourd malheur, lui qui m'avait solennellement promis que je ne m'en retournerais qu'après avoir détruit Ilios aux murailles solides. Maintenant, il médite une fraude funeste, et il m'ordonne de retourner sans gloire dans Argos, quand j'ai perdu tant de guerriers déjà ! Et ceci plaît au tout-puissant Zeus qui a renversé les citadelles de tant de villes, et qui en renversera encore, car sa puissance est très grande. Allons ! obéissez tous à mes paroles : fuyons sur nos nefs vers la terre bien-aimée de la patrie. Nous ne prendrons jamais Ilios aux larges rues.

Il parla ainsi, et tous restèrent muets, et les fils des Akhaiens étaient tristes et silencieux. Enfin, Diomèdès hardi au combat parla au milieu d'eux :

— Atréide, je combattrai le premier tes paroles insensées, comme il est permis, ô Roi, dans l'agora ; et tu ne t'en irrite-ras pas, car toi-même tu m'as outragé déjà au milieu des Danaens, me nommant faible et lâche. Et ceci, les Argiens le savent, jeunes et vieux. Certes, le fils du subtil Kronos t'a doué inégalement. Il t'a accordé le sceptre et les honneurs suprêmes, mais il ne t'a point donné la fermeté de l'âme, qui est la plus grande vertu. Malheureux ! penses-tu que les fils des Akhaiens soient aussi faibles et aussi lâches que tu le dis ? Si ton cœur te pousse à retourner en arrière, va ! voici la route ; et les nombreuses nefs qui t'ont suivi de Mykènè sont là, auprès du rivage de la mer. Mais tous les autres Akhaiens chevelus resteront jusqu'à ce que nous ayons ren-versé Ilios. Et s'ils veulent eux-mêmes fuir sur leurs nefs vers la terre bien-aimée de la patrie, moi et Sthénélos nous combattrons jusqu'à ce que nous ayons vu la fin d'Ilios, car nous sommes venus ici sur la foi des Dieux !

Il parla ainsi, et tous les fils des Akhaiens applaudirent, admirant le discours du dompteur de chevaux Diomèdès. Et le cavalier Nestôr, se levant au milieu d'eux, parla ainsi :

— Tydéide, tu es le plus hardi au combat, et tu es aussi le premier à l'agora parmi tes égaux en âge. Nul ne blâmera tes paroles, et aucun des Akhaiens ne les contredira ; mais tu n'as pas tout dit. À la vérité, tu es jeune, et tu pourrais être le moins âgé de mes fils ; et, cependant, tu parles avec prudence devant les Rois des Argiens, et comme il convient. C'est à moi de tout prévoir et de tout dire, car je me glorifie d'être plus vieux que toi. Et nul ne blâmera mes paroles, pas même le roi Agamemnôn. Il est sans intelligence, sans justice et sans foyers domestiques, celui qui aime les affreuses discordes intestines. Mais obéissons maintenant à la nuit noire : préparons notre repas, plaçons des gardes choisies auprès du fossé profond, en avant des murailles. C'est aux jeunes hommes de prendre ce soin, et c'est à toi, Atréide, qui es le chef suprême, de le leur commander. Puis, offre un repas aux chefs, car ceci est convenable et t'appartient. Tes tentes sont pleines du vin que les nefs des Akhaiens t'apportent chaque jour de la Thrèkè, à travers l'immensité de la haute mer. Tu peux aisément beaucoup offrir, et tu commandes à un grand nombre de serviteurs. Quand les chefs seront assemblés, obéis à qui te donnera le meilleur conseil ; car les Akhaiens ont tous besoin de sages conseils au moment où les ennemis allument tant de feux auprès des nefs. Qui de nous pourrait s'en réjouir ? Cette nuit, l'armée sera perdue ou sauvée.

Il parla ainsi, et tous, l'ayant écouté, obéirent. Et les gardes armées sortirent, conduites par le Nestoride Thrasymèdès, prince des peuples, par Askalaphos et Ialménos, fils d'Arès, par Mèrionès, Aphareus et Dèipyros, et par le divin Lykomèdès, fils de Kréiôn. Et les sept chefs des gardes conduisaient, chacun, cent jeunes guerriers armés de longues piques. Et ils se placèrent entre le fossé et la muraille, et ils allumèrent des feux et prirent leur repas. Et l'Atréide conduisit les chefs des Akhaiens sous sa tente et leur offrit un abondant repas. Et tous étendirent les mains vers les mets. Et quand ils eurent assouvi la soif et la faim, le premier d'entre eux, le vieillard Nestôr, qui avait déjà donné le meilleur conseil, parla ainsi, plein de sagesse, et dit :

— Très illustre Atréide Agamemnôn, Roi des hommes, je commencerai et je finirai par toi, car tu commandes à de nombreux peuples, et Zeus t'a donné le sceptre et les droits afin que tu les gouvernes. C'est pourquoi il faut que tu saches parler et entendre, et accueillir les sages conseils, si le cœur ordonne aux autres chefs de t'en donner de meilleurs. Et je te dirai ce qu'il y a de mieux à faire, car personne n'a une meilleure pensée que celle que je médite maintenant, et depuis longtemps, depuis le jour où tu as enlevé, ô race divine, contre notre gré, la vierge Brisèis de la tente d'Akhilleus irrité. Et j'ai voulu te dissuader, et, cédant à ton cœur orgueilleux, tu as outragé le plus brave des hommes, que les Immortels mêmes honorent, et tu lui as enlevé sa récompense. Délibérons donc aujourd'hui, et cherchons comment nous pourrons apaiser Akhilleus par des présents pacifiques et par des paroles flatteuses.

Et le Roi des hommes, Agamemnôn, lui répondit :

— Ô vieillard, tu ne mens point en rappelant mes injustices. J'ai commis une offense, et je ne le nie point. Un guerrier que Zeus aime dans son cœur l'emporte sur tous les guerriers. Et c'est pour l'honorer qu'il accable aujourd'hui l'armée des Akhaiens. Mais, puisque j'ai failli en obéissant à de funestes pensées, je veux maintenant apaiser Akhilleus et lui offrir des présents infinis. Et je vous dirai quels sont ces dons illustres : sept trépieds vierges du feu, dix talents d'or, vingt bassins qu'on peut exposer à la flamme, douze chevaux robustes qui ont toujours remporté les premiers prix par la rapidité de leur course. Et il ne manquerait plus de rien, et il serait comblé d'or celui qui posséderait les prix que m'ont rapportés ces chevaux aux sabots massifs. Et je donnerai encore au Pèléide sept belles femmes Lesbiennes, habiles aux travaux, qu'il a prises lui-même dans Lesbos bien peuplée, et que j'ai choisies, car elles étaient plus belles que toutes les autres femmes. Et je les lui donnerai, et, avec elles, celle que je lui ai enlevée, la vierge Brisèis ; et je jurerai un grand serment qu'elle n'a point connu mon lit, et que je l'ai respectée. Toutes ces choses lui seront livrées aussitôt. Et si les Dieux nous donnent de renverser la grande Ville de Priamos, il remplira abondamment sa nef d'or et d'airain. Et quand nous, Akhaiens, partagerons la proie, qu'il choisisse vingt femmes Troiennes, les plus belles après l'Argienne Hélènè. Et si nous retournons dans la fertile Argos, en Akhaiè, qu'il soit mon gendre, et je l'honorerai autant qu'Orestès, mon unique fils nourri dans les délices. J'ai trois filles dans mes riches demeures, Khrysothémis, Laodikè et Iphianassa. Qu'il emmène, sans lui assurer une dot, celle qu'il aimera le mieux, dans les demeures de Pèleus. Ce sera moi qui la doterai, comme jamais personne n'a doté sa fille, car je lui donnerai sept villes très illustres : Kardamylè, Enopè, Hira aux prés verdoyants, la divine Phèra, Anthéia

aux gras pâturages, la belle Aipéia et Pèdasos riche en
vignes. Toutes sont aux bords de la mer, auprès de la sablonneuse Pylos. Leurs habitants abondent en bœufs et en troupeaux, et, par leurs dons, ils l'honoreront comme un Dieu ;
et, sous son spectre, ils lui payeront de riches tributs. Je lui
donnerai tout cela s'il dépose sa colère. Qu'il s'apaise donc.
Aidès seul est implacable et indompté, et c'est pourquoi, de
tous les Dieux, il est le plus haï des hommes. Qu'il me cède
comme il est juste, puisque je suis plus puissant et plus âgé
que lui.

Et le cavalier Gérennien Nestôr lui répondit :

— Très illustre Atréide Agamemnôn, Roi des hommes,
certes, ils ne sont point à mépriser les présents que tu offres
au roi Akhilleus. Allons ! envoyons promptement des messagers choisis sous la tente du Pèléide Akhilleus. Je les dési-
gnerai moi-même, et ils obéiront. Que Phoinix aimé de Zeus
les conduise, et ce seront le grand Aias et le divin Odysseus,
suivis des hérauts Odios et Eurybatès. Trempons nos mains
dans l'eau, et supplions en silence Zeus Kronide de nous
prendre en pitié.

Il parla ainsi, et tous furent satisfaits de ses paroles. Et les
hérauts versèrent aussitôt de l'eau sur leurs mains, et les
jeunes hommes emplirent les kratères de vin qu'ils distribuèrent, selon l'ordre, à pleines coupes. Et, après avoir bu
autant qu'ils le voulaient, ils sortirent de la tente de l'Atréide
Agamemnôn. Et le cavalier Gérennien Nestôr exhorta longuement chacun d'eux, et surtout Odysseus, à faire tous
leurs efforts pour apaiser et fléchir l'irréprochable Pèléide.
Et ils allaient le long du rivage de la mer aux bruits sans
nombre, suppliant Celui qui entoure la terre de leur accorder de toucher le grand cœur de l'Aiakide.

Et ils parvinrent aux nefs et aux tentes des Myrmidones.
Et ils trouvèrent le Pèléide qui charmait son âme en jouant
d'une kithare aux doux sons, belle, artistement faite et sur-
montée d'un joug d'argent, et qu'il avait prise parmi les
dépouilles, après avoir détruit la ville d'Étiôn. Et il charmait
son âme, et il chantait les actions glorieuses des hommes. Et
Patroklos, seul, était assis auprès de lui, l'écoutant en silence
jusqu'à ce qu'il eut cessé de chanter.

Et ils s'avancèrent, précédés par le divin Odysseus, et ils
s'arrêtèrent devant le Pèléide. Et Akhilleus, étonné, se leva
de son siège, avec sa kithare, et Patroklos se leva aussi en

voyant les guerriers. Et Akhilleus aux pieds rapides leur parla ainsi :

— Je vous salue, guerriers. Certes, vous êtes les bienvenus, mais quelle nécessité vous amène, vous qui, malgré ma colère, m'êtes les plus chers parmi les Akhaiens ?

Ayant ainsi parlé, le divin Akhilleus les conduisit et aussitôt il dit à Patroklos :

— Fils de Ménoitios, apporte un grand kratèr, fais un doux mélange, et prépare des coupes pour chacun de nous, car des hommes très chers sont venus sous ma tente.

Il parla ainsi, et Patroklos obéit à son cher compagnon. Et Akhilleus étendit sur un grand billot, auprès du feu, le dos d'une brebis, celui d'une chèvre grasse et celui d'un porc gras. Et tandis qu'Automédôn maintenait les chairs, le divin Akhilleus les coupait par morceaux et les embrochait. Et le Ménoitiade, homme semblable à un Dieu, allumait un grand feu. Et quand la flamme tomba et s'éteignit, il étendit les broches au-dessus des charbons en les appuyant sur des pierres, et il les aspergea de sel sacré. Et Patroklos, ayant rôti les chairs et les ayant posées sur la table, distribua le pain dans de belles corbeilles. Et Akhilleus coupa les viandes, et il s'assit en face du divin Odysseus, et il ordonna à Patroklos de sacrifier aux Dieux. Et celui-ci fit des libations dans le feu. Et tous étendirent les mains vers les mets offerts. Et quand ils eurent assouvi la faim et la soif, Aias fit signe à Phoinix. Aussitôt le divin Odysseus le comprit, et, remplissant sa coupe de vin, il parla ainsi à Akhilleus :

— Salut, Akhilleus ! Aucun de nous n'a manqué d'une part égale, soit sous la tente de l'Atréide Agamemnôn, soit ici. Les mets y abondent également. Mais il ne nous est point permis de goûter la joie des repas, car nous redoutons un grand désastre, ô race divine ! et nous l'attendons, et nous ne savons si nos nefs solides périront ou seront sauvées, à moins que tu ne t'armes de ton courage. Voici que les Troiens orgueilleux et leurs alliés venus de loin ont assis leur camp devant nos murailles et nos nefs. Et ils ont allumé des feux sans nombre, et ils disent que rien ne les retiendra plus et qu'ils vont se jeter sur nos nefs noires. Et le Kronide Zeus a lancé l'éclair, montrant à leur droite des signes propices. Hektôr, appuyé par Zeus, et très orgueilleux de sa force, est plein d'une fureur terrible, n'honorant plus ni les hommes ni les Dieux. Une rage s'est emparée de lui. Il fait des imprécations pour que la divine Eôs reparaisse promptement. Il se vante de rompre bientôt les éperons de nos nefs et de consumer celles-ci dans le feu ardent, et de massacrer les Akhaiens aveuglés par la fumée. Je crains bien, dans mon esprit, que les Dieux n'accomplissent ses menaces, et que nous périssions inévitablement devant Troiè, loin de la fertile Argos nourrice de chevaux. Lève-toi, si tu veux, au dernier moment, sauver les fils des Akhaiens de la rage des Troiens. Sinon, tu seras saisi de douleur, car il n'y a point de remède contre un mal accompli. Songe donc maintenant à reculer le dernier jour des Danaens. Ô ami, ton père Pèleus te disait, le jour où il t'envoya, de la Phthiè, vers Agamemnôn : — Mon fils, Athènè et Hèrè te donneront la victoire, s'il leur plaît ; mais réprime ton grand cœur dans ta poitrine, car la bienveillance est au-dessus de tout. Fuis la discorde qui engendre les maux, afin que les Argiens, jeunes et vieux, t'honorent. — Ainsi parlait le vieillard, et tu as oublié ses paroles ; mais aujourd'hui apaise-toi, refrène la colère qui ronge le cœur, et Agamemnôn te fera des présents dignes de toi. Si tu veux m'écouter, je te dirai ceux qu'il promet de remettre sous tes tentes : — Sept trépieds vierges du feu, dix talents d'or, vingt bassins qu'on peut exposer à la flamme, douze chevaux robustes qui ont toujours remporté les premiers prix par la rapidité de leur course. Et il ne manquerait plus de rien, et il serait comblé d'or, celui qui posséderait les prix qu'ont rapportés à l'Atréide Agamemnôn ces chevaux aux sabots massifs. Et il te donnera encore sept belles femmes Lesbiennes, habiles aux travaux, que tu as prises toi-même dans Lesbos bien peuplée, et qu'il a choisies, car elles étaient plus belles que toutes les autres femmes. Et il te les donnera, et, avec elles, celle qu'il t'a enlevée, la vierge Brisèis ; et il jurera un grand serment qu'elle n'a point connu son lit et qu'il l'a respectée. Toutes ces choses te seront livrées aussitôt. Mais si les Dieux nous donnent de renverser la grande Ville de Priamos, tu rempliras abondamment ta nef d'or et d'airain. Et quand nous, Akhaiens, nous partagerons la proie, tu choisiras vingt femmes Troiennes, les plus belles après l'Argienne Hélénè. Et si nous retournons dans la fertile Argos, en Akhaiè, tu seras son gendre, et il t'honorera autant qu'Orestès, son unique fils nourri dans les délices. Il a trois filles dans ses riches demeures : Khrysothémis, Laodikè et Iphianassa. Tu emmèneras, sans lui assurer une dot, celle que tu aimeras le mieux, dans les demeures de Pèleus. Ce sera lui qui la dotera comme jamais personne n'a doté sa fille, car il te donnera sept villes très illustres : Kardamylè, Enopè, Hira aux prés verdoyants, la divine Phèra, Anthéia aux gras pâturages, la belle Aipéia et Pèdasos riche en vignes. Toutes sont aux bords de la mer, auprès de la sablonneuse Pylos. Leurs habitants abondent en bœufs et en troupeaux. Et, par leurs dons, il t'honoreront comme un Dieu ; et, sous ton sceptre, ils te payeront de riches tributs. Et il te donnera tout cela si tu déposes ta colère. Mais si l'Atréide et ses présents te sont odieux, aie pitié au moins des Panakhaiens accablés de douleur dans leur camp et qui t'honoreront comme un Dieu. Certes, tu leur devras une grande gloire, et tueras Hektôr qui viendra à ta rencontre et qui se vante que nul ne peut se comparer à lui de tous les Danaens que les nefs ont apportés ici.

Et Akhilleus aux pieds rapides lui répondit :

— Divin Laertiade, très subtil Odysseus, il faut que je dise clairement ce que j'ai résolu et ce qui s'accomplira, afin que vous n'insistiez pas tour à tour. Celui qui cache sa pensée dans son âme et ne dit point la vérité m'est plus odieux que le seuil d'Aidès. Je dirai donc ce qui me semble préférable. Ni l'Atréide Agamemnôn, ni les autres Danaens ne me persuaderont, puisqu'il ne m'a servi à rien de combattre sans relâche les guerriers ennemis. Celui qui reste au camp et celui qui combat avec courage ont une même part. Le lâche et le brave remportent le même honneur, et l'homme oisif est tué comme celui qui agit. Rien ne m'est resté d'avoir souffert des maux sans nombre et d'avoir exposé mon âme en combattant. Comme l'oiseau qui porte à ses petits sans plume la nourriture qu'il a ramassée et dont il n'a rien gardé pour lui-même, j'ai passé sans sommeil d'innombrables nuits, j'ai lutté contre les hommes pendant des journées sanglantes, pour la cause de vos femmes ; j'ai dévasté, à l'aide de mes nefs, douze villes, demeures des hommes ; sur terre, j'en ai pris onze autour de la fertile Ilios ; j'ai rapporté de toutes ces villes mille choses précieuses et superbes, et j'ai tout donné à l'Atréide Agamemnôn, tandis qu'assis auprès des nefs rapides, il n'en distribuait qu'une moindre part aux Rois et aux chefs et se réservait la plus grande. Du moins ceux-ci ont gardé ce qu'il leur a donné ; mais, de tous les Akhaiens, à moi seul il m'a enlevé ma récompense ! Qu'il se réjouisse donc de cette femme et qu'il en jouisse ! Pourquoi les Argiens combattent-ils les Troiens ? Pourquoi les Atréides ont-ils conduit ici cette nombreuse armée ? N'est-ce

point pour la cause de Hélénè à la belle chevelure ? Sont-ils
les seuls de tous les hommes qui aiment leurs femmes ? Tout
homme sage et bon aime la sienne et en prend soin. Et moi
aussi, j'aimais celle-ci dans mon cœur, bien que captive.
Maintenant que, de ses mains, il m'a arraché ma récompense, et qu'il m'a volé, il ne me persuadera, ni ne me trom-
pera plus, car je suis averti. Qu'il délibère avec toi, ô
Odysseus, et avec les autres Rois, afin d'éloigner des nefs la
flamme ardente. Déjà il a fait sans moi de nombreux travaux ; il a construit un mur et creusé un fossé profond et
large, défendu par des pieux. Mais il n'en a pas réprimé
davantage la violence du tueur d'hommes Hektôr. Quand je
combattais au milieu des Akhaiens, Hektôr ne sortait que
rarement de ses murailles. À peine se hasardait-il devant les
portes Skaies et auprès du Hêtre. Et il m'y attendit une fois,
et à peine put-il échapper à mon impétuosité. Maintenant,
puisque je ne veux plus combattre le divin Hektôr, demain,
ayant sacrifié à Zeus et à tous les Dieux, je traînerai à la mer
mes nefs chargées ; et tu verras, si tu le veux et si tu t'en
soucies, mes nefs voguer, dès le matin, sur le Hellespontos
poissonneux, sous l'effort vigoureux des rameurs. Et si l'Illustre qui entoure la terre me donne une heureuse navigation, le troisième jour j'arriverai dans la fertile Phthiè, où
sont les richesses que j'y ai laissées quand je vins ici pour
mon malheur. Et j'y conduirai l'or et le rouge airain, et les
belles femmes et le fer luisant que le sort m'a accordés, car
le roi Atréide Agamemnôn m'a arraché la récompense qu'il
m'avait donnée. Et répète-lui ouvertement ce que je dis, afin
que les Akhaiens s'indignent, s'il espère tromper de nouveau
quelque autre des Danaens. Mais, bien qu'il ait l'impudence
d'un chien, il n'oserait me regarder en face. Je ne veux plus
ni délibérer, ni agir avec lui, car il m'a trompé et outragé.
C'est assez. Mais qu'il reste en repos dans sa méchanceté,
car le très sage Zeus lui a ravi l'esprit. Ses dons me sont
odieux, et lui, je l'honore autant que la demeure d'Aidès. Et
il me donnerait dix et vingt fois plus de richesses qu'il n'en
a et qu'il n'en aura, qu'il n'en vient d'Orkhoménos, ou de
Thèbè dans l'Aigyptiè, où les trésors abondent dans les
demeures, qui a cent portes, et qui, par chacune, voit sortir
deux cents guerriers avec chevaux et chars ; et il me ferait
autant de présents qu'il y a de grains de sable et de poussière, qu'il n'apaiserait point mon cœur avant d'avoir expié
l'outrage sanglant qu'il m'a fait. Et je ne prendrai point pour

femme légitime la fille de l'Atréide Agamemnôn, fût-elle plus belle qu'Aphroditè d'or et plus habile aux travaux qu'Athènè aux yeux clairs. Je ne la prendrai point pour femme légitime. Qu'il choisisse un autre Akhaien qui lui plaise et qui soit un Roi plus puissant. Si les Dieux me gardent, et si je rentre dans ma demeure, Pèleus me choisira lui-même une femme légitime. Il y a, dans l'Akhaiè, la Hellas et la Phthiè, de nombreuses jeunes filles de chefs guerriers qui défendent les citadelles, et je ferai de l'une d'elles ma femme légitime bien-aimée. Et mon cœur généreux me pousse à prendre une femme légitime et à jouir des biens acquis par le vieillard Pèleus. Toutes les richesses que renfermait la grande Ilios aux nombreux habitants pendant la paix, avant la venue des fils des Akhaiens, ne sont point d'un prix égal à la vie, non plus que celles que renferme le sanctuaire de pierre de l'Archer Phoibos Apollôn, dans l'âpre Pythô. Les bœufs, les grasses brebis, les trépieds, les blondes crinières des chevaux, tout cela peut être conquis ; mais l'âme qui s'est une fois échappée d'entre nos dents ne peut être ressaisie ni rappelée. Ma mère, la Déesse Thétis aux pieds d'argent, m'a dit que deux Kères m'étaient offertes pour arriver à la mort. Si je reste et si je combats autour de la ville des Troiens, je ne retournerai jamais dans mes demeures, mais ma gloire sera immortelle. Si je retourne vers ma demeure, dans la terre bien-aimée de ma patrie, je perdrai toute gloire, mais je vivrai très vieux, et la mort ne me saisira qu'après de très longues années. Je conseille à tous les Akhaiens de retourner vers leurs demeures, car vous ne verrez jamais le dernier jour de la haute Ilios. Zeus qui tonne puissamment la protège de ses mains et a rempli son peuple d'une grande audace. Pour vous, allez porter ma réponse aux chefs des Akhaiens, car c'est là le partage des anciens ; et ils chercheront dans leur esprit un meilleur moyen de sauver les nefs et les tribus Akhaiennes, car ma colère rend inutile celui qu'ils avaient trouvé. Et Phoinix restera et couchera ici, afin de me suivre demain, sur mes nefs, dans notre patrie, s'il le désire, du moins, car je ne le contraindrai point.

Il parla ainsi, et tous restèrent muets, accablés de ce discours et de ce dur refus. Enfin, le vieux cavalier Phoinix parla ainsi, versant des larmes, tant il craignait pour les nefs des Akhaiens :

— Si déjà tu as résolu ton retour, illustre Akhilleus, et si tu refuses d'éloigner des nefs rapides la violence du feu destructeur, parce que la colère est tombée dans ton cœur, comment, cher fils, pourrai-je t'abandonner et rester seul ici ? Le vieux cavalier Pèleus m'ordonna de t'accompagner le jour où il t'envoya, loin de la Phthiè, vers Agamemnôn, tout jeune encore, ignorant la guerre lamentable et l'agora où les hommes deviennent illustres. Et il m'ordonna de t'accompagner afin que je pusse t'enseigner à parler et à agir. C'est pourquoi je ne veux point me séparer de toi, cher fils, même quand un Dieu me promettrait de m'épargner la vieillesse et me rendrait à ma jeuneses florissante, tel que j'étais quand je quittai pour la première fois la Hellas aux belles femmes, fuyant la colère de mon père Amyntôr Orménide. Et il s'était irrité contre moi à cause de sa concubine aux beaux cheveux qu'il aimait et pour laquelle il méprisait sa femme légitime, ma mère. Et celle-ci me suppliait toujours, à genoux, de séduire cette concubine, pour que le vieillard la prît en haine. Et je lui obéis, et mon père, s'en étant aperçu, se répandit en imprécations, et supplia les odieuses Erinnyes, leur demandant que je ne sentisse jamais sur mes genoux un fils bien-aimé, né de moi ; et les Dieux, Zeus le Souterrain et la cruelle Perséphonéia accomplirent ses imprécations. Alors je ne pus me résoudre dans mon âme à rester dans les demeures de mon père irrité. Et de nombreux amis et parents, venus de tous côtés, me retinrent. Et ils tuèrent beaucoup de grasses brebis et de bœufs noirs aux pieds lents ; et ils passèrent à l'ardeur du feu les porcs lourds de graisse, et ils burent, par grandes cruches, le vin du vieillard. Et pendant neuf nuits ils dormirent autour de moi, et chacun me gardait tour à tour. L'un se tenait sous le portique de la cour, l'autre dans le vestibule de la salle bien fermée. Et le feu ne s'éteignait jamais. Mais, dans l'obscurité de la dixième nuit, ayant rompu les portes de la salle, j'échappai facilement à mes gardiens et aux serviteurs, et je m'enfuis loin de la grande Hellas, et j'arrivai dans la fertile Phthiè, nourrice de brebis, auprès du roi Pèleus. Et il me reçut avec bienveillance, et il m'aima comme un père aime un fils unique, né dans son extrême vieillesse, au milieu de ses domaines. Et il me fit riche, et il me donna à gouverner un peuple, aux confins de la Phthiè, et je commandai aux Dolopiens. Et je t'ai aimé de même dans mon cœur, ô Akhilleus égal aux Dieux. Et tu ne voulais t'asseoir aux repas et manger dans tes demeures qu'assis sur mes genoux, et rejetant parfois le vin et les mets dont tu étais rassasié, sur ma poitrine et ma tunique, comme font les petits enfants. Et j'ai beaucoup souffert et beaucoup travaillé pour toi, pensant que, si les Dieux m'avaient refusé une postérité, je t'adopterais pour fils, ô Akhilleus semblable aux Dieux, afin que tu pusses un jour me défendre des outrages et de la mort. Ô Akhilleus, apaise ta grande âme, car il ne te convient pas d'avoir un cœur sans pitié. Les Dieux eux-mêmes sont exorables, bien qu'ils n'aient point d'égaux en vertu, en honneurs et en puissance ; et les hommes les fléchissent cependant par les prières, par les vœux, par les libations et par l'odeur des sacrifices, quand ils les ont offensés en leur désobéissant. Les Prières, filles du grand Zeus, boiteuses, ridées et louches, suivent à grand'peine Atè. Et celle-ci, douée de force et de rapidité, les précède de très loin et court sur la face de la terre en maltraitant les hommes. Et les Prières la suivent, en guérissant les maux qu'elle a faits, secourant et exauçant celui qui les vénère, elles qui sont filles de Zeus. Mais elles supplient Zeus Kroniôn de faire poursuivre et châtier par Atè celui qui les repousse et les renie. C'est pourquoi, ô Akhilleus, rends aux filles de Zeus l'honneur qui fléchit l'âme des plus braves. Si l'Atréide ne t'offrait point de présents, s'il ne t'en annonçait point d'autres encore, s'il gardait sa colère, je ne t'exhorterais point à déposer la tienne, et à secourir les Argiens qui, cependant, désespèrent du salut. Mais voici qu'il t'offre dès aujourd'hui de nombreux présents et qu'il t'en annonce d'autres encore, et qu'il t'envoie, en suppliants, les premiers chefs de l'armée Akhaienne, ceux qui te sont chers entre tous les Argiens. Ne méprise donc point leurs paroles, afin que nous ne blâmions point la colère que tu ressentais ; car nous avons appris que les anciens héros qu'une violente colère avait saisis se laissaient fléchir par des présents et par des paroles pacifiques. Je me souviens d'une histoire antique. Certes, elle n'est point récente. Amis, je vous la dirai. — Les Kourètes combattaient les Aitôliens belliqueux, autour de la ville de Kalydôn ; et les Kourètes voulaient la saccager. Et Artémis au siège d'or avait attiré cette calamité sur les Aitôliens, irritée qu'elle était de ce qu'Oineus ne lui eût point offert de prémices dans ses grasses prairies. Tous les Dieux avaient joui de ses hécatombes ; mais, oublieux ou imprudent, il n'avait point sacrifié à la seule fille du grand Zeus, ce qui causa des maux amers ; car, dans sa colère, la Race divine qui se réjouit de

ses flèches suscita un sanglier sauvage, aux blanches défenses, qui causa des maux innombrables, dévasta les champs
d'Oineus et arracha de grands arbres, avec racines et fleurs.

Et le fils d'Oineus, Méléagros, tua ce sanglier, après avoir
appelé, des villes prochaines, des hommes chasseurs et des
chiens. Et cette bête sauvage ne fut point domptée par peu
de chasseurs, et elle en fit monter plusieurs sur le bûcher.
Mais Artémis excita la discorde et la guerre entre les Kourètes et les magnanimes Aitôliens, à cause de la hure du sanglier et de sa dépouille hérissée. Aussi longtemps que
Méléagros cher à Arès combattit, les Kourètes, vaincus, ne
purent rester hors de leurs murailles ; mais la colère, qui
trouble l'esprit des plus sages, envahit l'âme de Méléagros ;
et, irrité dans son cœur contre sa mère Althaiè, il resta inac-
tif auprès de sa femme légitime, la belle Kléopatrè, fille de
la vierge Marpèssa Evènide et d'Idas, le plus brave des hommes qui fussent alors sur la terre. Et celui-ci avait tendu son
arc contre le Roi Phoibos Apollôn, à cause de la belle Nymphe Marpèssa. Et le père et la mère vénérable de Kléopatrè
l'avaient surnommée Alkyonè, parce que la mère d'Alkyôn
avait gémi amèrement quand l'Archer Phoibos Apollôn la
ravit. Et Méléagros restait auprès de Kléopatrè, couvant une
ardente colère dans son cœur, à cause des imprécations de
sa mère qui suppliait en gémissant les Dieux de venger le
meurtre fraternel. Et, les genoux ployés, le sein baigné de
pleurs, frappant de ses mains la terre nourricière, elle conju-
rait Aidès et la cruelle Perséphonéia de donner la mort à son
fils Méléagros. Et Erinnys à l'âme implacable, qui erre dans
la nuit, l'entendit du fond de l'Erébos. Et les Kourètes se
ruèrent, en fureur et en tumulte, contre les portes de la ville,
et ils heurtaient les tours. Et les vieillards Aitôliens suppliè-
rent Méléagros ; et ils lui envoyèrent les sacrés sacrificateurs
des Dieux, afin qu'il sortît et secoûrut les siens. Et ils lui
offrirent un très riche présent, lui disant de choisir le plus
fertile et le plus beau domaine de l'heureuse Kalydôn, vaste
de cinquante arpents, moitié en vignes, moitié en terres ara-
bles. Et le vieux cavalier Oineus le suppliait, debout sur le
seuil élevé de la chambre nuptiale et frappant les portes
massives. Et ses sœurs et sa mère vénérable le suppliaient
aussi ; mais il ne les écoutait point, non plus que ses plus
chers compagnons, et ils ne pouvaient apaiser son cœur.
Mais déjà les Kourètes escaladaient les tours, incendiaient
la Ville et approchaient de la chambre nuptiale. Alors, la

belle jeune femme de Méléagros le supplia à son tour, et elle lui rappela les calamités qui accablent les habitants d'une ville prise d'assaut : les hommes tués, les demeures réduites en cendre, les enfants et les jeunes femmes emmenés. Et enfin son âme fut ébranlée au tableau de ces misères. Et il se leva, revêtit ses armes éclatantes, et recula le dernier jour des Aitôliens, car il avait déposé sa colère. Et ils ne lui firent point de nombreux et riches présents, et cependant il les sauva ainsi. Mais ne songe point à ces choses, ami, et qu'un Dieu contraire ne te détermine point à faire de même. Il serait plus honteux pour toi de ne secourir les nefs que lorsqu'elles seront en flammes. Viens ! reçois ces présents, et les Akhaiens t'honoreront comme un Dieu. Si tu combattais plus tard, sans accepter ces dons, tu serais moins honoré, même si tu repoussais le danger loin des nefs.

Et Akhilleus aux pieds rapides lui répondit :

— Ô Phoinix, père divin et vénérable, je n'ai nul besoin d'honneurs. Je suis assez honoré par la volonté de Zeus qui me retient auprès de mes nefs aux poupes recourbées, et je le serai tant qu'il y aura un souffle dans ma poitrine et que mes genoux pourront se mouvoir. Mais je te le dis, garde mes paroles dans ton esprit : Ne trouble point mon cœur, en pleurant et en gémissant, à cause du héros Atréide, car il ne te convient point de l'aimer, à moins de me devenir odieux, à moi qui t'aime. Il est juste que tu haïsses celui qui me hait. Règne avec moi et défends ta part de mon honneur. Ceux-ci vont partir, et tu resteras ici, couché sur un lit moelleux ; et, aux premières lueurs d'Éôs, nous délibérerons s'il nous faut retourner vers notre patrie, ou rester.

Il parla, et, de ses sourcils, il fit signe à Patroklos, afin que celui-ci préparât le lit épais de Phoinix et que les Envoyés sortissent promptement de la tente. Mais le Télamônien Aias, semblable à un Dieu, parla ainsi :

— Divin Laertiade, très subtil Odysseus, allons-nous-en ! Ces discours n'auront point de fin, et ils nous faut rapporter promptement une réponse, bien que mauvaise, aux Danaens qui nous attendent. Akhilleus garde une colère orgueilleuse dans son cœur implacable. Dur, il se soucie peu de l'amitié de ses compagnons qui l'honorent entre tous auprès des nefs. Ô inexorable ! n'accepte-t-on point le prix du meurtre d'un frère ou d'un fils ? Et celui qui a tué reste au milieu de son peuple, dès qu'il a expié son crime, et son ennemi, satisfait, s'apaise. Les Dieux ont allumé dans ta poitrine une sombre et inextinguible colère, à cause d'une seule jeune fille,

quand nous t'en offrons sept très belles et un grand nombre
d'autres présents. C'est pourquoi, prends un esprit plus
doux, et respecte ta demeure, puisque nous sommes tes
hôtes domestiques envoyés par la foule des Danaens, et que
nous désirons être les plus chers de tes amis, entre tous les
Akhaiens.

Et Akhilleus aux pieds rapides lui répondit :

— Divin Aias Télamônien, prince des peuples, ce que tu
as dit est sage, mais mon cœur se gonfle de colère quand je
songe à l'Atréide qui m'a outragé au milieu des Danaens,
comme il eût fait d'un misérable. Allez donc, et rapportez
votre message. Je ne me soucierai plus de la guerre sanglante avant que le divin Hektôr, le fils du brave Priamos,
ne soit parvenu jusqu'aux tentes et aux nefs des Myrmidones, après avoir massacré les Argiens et incendié leurs nefs.
C'est devant ma tente et ma nef noire que je repousserai le
furieux Hektôr loin de la mêlée.

Il parla ainsi. Et chacun, ayant saisi une coupe profonde,
fit ses libations, et ils s'en retournèrent vers les nefs, et Odysseus les conduisait.

Et Patroklos commanda à ses compagnons et aux servantes de préparer promptement le lit épais de Phoinix. Et, lui
obéissant, elles préparèrent le lit, comme il l'avait
commandé. Et elles le firent de peaux de brebis, de couvertures et de fins tissus de lin. Et le vieillard se coucha, en
attendant la divine Eôs. Et Akhilleus se coucha dans le fond
de la tente bien construite, et, auprès de lui, se coucha une
femme qu'il avait amenée de Lesbos, la fille de Phorbas, Dio-
mèda aux belles joues. Et Patroklos se coucha dans une
autre partie de la tente, et, auprès de lui, se coucha la belle
Iphis que lui avait donnée le divin Akhilleus quand il prit la
haute Skyros, citadelle d'Enyeus.

Et, les Envoyés étant arrivés aux tentes de l'Atréide, les fils
des Akhaiens, leur offrant des coupes d'or, s'empressèrent
autour d'eux, et ils les interrogeaient. Et, le premier, le Roi
des hommes, Agamemnôn, les interrogea ainsi :

— Dis-moi, Odysseus, très digne de louanges, illustre
gloire des Akhaiens, veut-il défendre les nefs de la flamme
ardente, ou refuse-t-il, ayant gardé sa colère dans son cœur
orgueilleux ?

Et le patient et divin Odysseus lui répondit :

— Très illustre Atréide Agamemnôn, Roi des hommes, il
ne veut point éteindre sa colère, et il n'est que plus irrité. Il

refuse tes dons. Il te conseille de délibérer avec les autres
Argiens comment tu sauveras les nefs et l'armée des
Akhaiens. Il menace, dès les premières lueurs d'Eôs, de traîner à la mer ses nefs solides ; et il exhorte les autres Argiens
à retourner vers leur patrie, car il dit que vous ne verrez
jamais le dernier jour de la haute Ilios, et que Zeus qui tonne
puissamment la protège de ses mains et a rempli son peuple
d'une grande audace. Il a parlé ainsi, et ceux qui m'ont suivi,
Aias et les deux hérauts pleins de prudence peuvent l'affirmer. Et le vieillard Phoinix s'est couché sous sa tente, et il
l'emmènera demain sur ses nefs vers leur chère patrie, s'il le
désire, car il ne veut point le contraindre.

Il parla ainsi, et tous restèrent muets, accablés de ce discours et de ces dures paroles. Et les fils des Akhaiens restèrent longtemps muets et tristes. Enfin, Diomèdès hardi au
combat parla ainsi :

— Très illustre Roi des hommes, Atréide Agamemnôn,
plût aux Dieux que tu n'eusses point supplié l'irréprochable
Pèléide, en lui offrant des dons infinis ! Il avait un cœur
orgueilleux, et tu as enflé son orgueil. Laissons-le ; qu'il
parte ou qu'il reste. Il combattra de nouveau quand il lui
plaira et qu'un Dieu l'y poussera. Allons ! faites tous ce que
je vais dire. Reposons-nous, puisque nous avons ranimé
notre âme en buvant et en mangeant, ce qui donne la force
et le courage. Mais aussitôt que la belle Eôs aux doigts rosés
paraîtra, rangeons l'armée et les chars devant les nefs. Alors,
Atréide, exhorte les hommes au combat, et combats toi-
même aux premiers rangs.

Il parla ainsi, et tous les Rois applaudirent, admirant les
paroles de l'habile cavalier Diomèdès. Et après avoir fait des
libations, ils se retirèrent sous leurs tentes, où ils se couchèrent et s'endormirent.

RHAPSODIE X

Les chefs des Panakhaiens dormaient dans la nuit, auprès
des nefs, domptés par le sommeil ; mais le doux sommeil ne
saisissait point l'Atréide Agamemnôn, prince de peuples, et
il roulait beaucoup de pensées dans son esprit.

De même que l'époux de Hèrè lance la foudre, ce grand

bruit précurseur des batailles amères, ou de la pluie abondante, ou de la grêle pressée, ou de la neige qui blanchit les
campagnes ; de même Agamemnôn poussait de nombreux
soupirs du fond de sa poitrine, et tout son cœur tremblait
quand il contemplait le camp des Troiens et la multitude des
feux qui brûlaient devant Ilios, et qu'il entendait le son des
flûtes et la rumeur des hommes. Et il regardait ensuite l'armée des Akhaiens, et il arrachait ses cheveux qu'il vouait à
l'éternel Zeus, et il gémissait dans son cœur magnanime.

Et il vit que le mieux était de se rendre auprès du Nèlèiôn
Nestôr pour délibérer sur le moyen de sauver ses guerriers
et de trouver un remède aux maux qui accablaient tous les
Danaens. Et, s'étant levé, il revêtit une tunique, attacha de
belles sandales à ses pieds robustes, s'enveloppa de la peau
rude d'un lion grand et fauve, et saisit une lance.

Et voici que la même terreur envahissait Ménélaos. Le
sommeil n'avait point fermé ses paupières, et il tremblait en
songeant aux souffrances des Argiens qui, pour sa cause
ayant traversé la vaste mer, étaient venus devant Troiè,
pleins d'ardeur belliqueuse. Et il couvrit son large dos de la
peau tachetée d'un léopard, posa un casque d'airain sur sa
tête, saisit une lance de sa main robuste et sortit pour éveiller son frère qui commandait à tous les Argiens, et qu'ils
honoraient comme un Dieu. Et il le rencontra, revêtu de ses
belles armes, auprès de la poupe de sa nef ; et Agamemnôn
fut joyeux de le voir, et le brave Ménélaos parla ainsi le
premier :

— Pourquoi t'armes-tu, frère ? Veux-tu envoyer un de nos
compagnons épier les Troiens ? Je crains qu'aucun de ceux
qui te le promettront n'ose, seul dans la nuit divine, épier
les guerriers ennemis. Celui qui le fera, certes, sera plein
d'audace.

Et le roi Agamemnôn, lui répondant, parla ainsi :

— Il nous faut à tous deux un sage conseil, ô Ménélaos,
nourrisson de Zeus, qui nous aide à sauver les Argiens et les
nefs, puisque l'esprit de Zeus nous est contraire, et qu'il se
complaît aux sacrifices de Hektôr beaucoup plus qu'aux
nôtres ; car je n'ai jamais ni vu, ni entendu dire qu'un seul
homme ait accompli, en un jour, autant de rudes travaux
que Hektôr cher à Zeus contre les fils des Akhaiens, bien
qu'il ne soit né ni d'une Déesse ni d'un Dieu. Et je pense que
les Argiens se souviendront amèrement et longtemps de tous
les maux qu'il leur a faits. Mais, va ! Cours vers les nefs ;

appelle Aias et Idoméneus. Moi, je vais trouver le divin Nestôr, afin qu'il se lève et vienne vers la troupe sacrée des gardes, et qu'il leur commande. Ils l'écouteront avec plus de respect que d'autres, car son fils est à leur tête, avec Mèrionès, le compagnon d'Idoméneus. C'est à eux que nous avons donné le commandement des gardes.

Et le brave Ménélaos lui répondit :

— Comment faut-il obéir à ton ordre ? Resterai-je au milieu d'eux, en t'attendant, ou reviendrai-je promptement vers toi, après les avoir avertis ?

Et le Roi des hommes, Agamemnôn, lui répondit :

— Reste, afin que nous ne nous égarions point tous deux en venant au hasard au-devant l'un de l'autre, car le camp a de nombreuses routes. Parle à voix haute sur ton chemin et recommande la vigilance. Adjure chaque guerrier au nom de ses pères et de ses descendants ; donne des louanges à tous, et ne montre point un esprit orgueilleux. Il faut que nous agissions ainsi par nous-mêmes, car, dès le berceau, Zeus nous a infligé cette lourde tâche.

Ayant ainsi parlé, il congédia son frère, après lui avoir donné des sages avis, et il se rendit auprès de Nestôr, prince des peuples. Et il le trouva sous sa tente, non loin de sa nef noire, couché sur un lit épais. Et autour de lui étaient répandues ses armes aux reflets variés, le bouclier, les deux lances, et le casque étincelant, et le riche ceinturon que ceignait le vieillard quand il s'armait pour la guerre terrible, à la tête des siens ; car il ne se laissait point accabler par la triste vieillesse. Et, s'étant soulevé, la tête appuyée sur le bras, il parla ainsi à l'Atréide :

— Qui es-tu, qui viens seul vers les nefs, à travers le camp, au milieu de la nuit noire, quand tous les hommes mortels sont endormis ? Cherches-tu quelque garde ou quelqu'un de tes compagnons ? Parle, ne reste pas muet en m'approchant. Que te faut-il ?

Et le Roi des hommes, Agamemnôn, lui répondit :

— Ô Nestôr Nèlèide, illustre gloire des Akhaiens, reconnais l'Atréide Agamemnôn, celui que Zeus accable entre tous de travaux infinis, jusqu'à ce que le souffle manque à ma poitrine et que mes genoux cessent de se mouvoir. J'erre ainsi, parce que le doux sommeil n'abaisse point mes paupières, et que la guerre et la ruine des Akhaiens me rongent de soucis. Je tremble pour les Danaens, et je suis troublé, et mon cœur n'est plus ferme, et il bondit hors de mon sein, et mes membres illustres frémissent. Si tu sais ce qu'il faut entreprendre, et puisque tu ne dors pas, viens ; rendons-nous auprès des gardes, et sachons si, rompus de fatigue, ils dorment et oublient de veiller. Les guerriers ennemis ne sont pas éloignés, et nous ne savons s'ils ne méditent point de combattre cette nuit.

Et le cavalier Gérennien Nestôr lui répondit :

— Atréide Agamemnôn, très illustre Roi des hommes, le prudent Zeus n'accordera peut-être pas à Hektôr tout ce qu'il espère ; et je pense qu'il ressentira à son tour de cruelles douleurs si Akhilleus arrache de son cœur sa colère fatale. Mais je te suivrai volontiers, et nous appellerons les autres chefs : le Tydéide illustre par sa lance, et Odysseus, et l'agile Aias, et le robuste fils de Phyleus, et le divin Aias aussi, et le roi Idoméneus. Les nefs de ceux-ci sont très éloignées. Cependant, je blâme hautement Ménélaos, bien que je l'aime et le vénère, et même quand tu t'en irriterais contre moi. Pourquoi dort-il et te laisse-t-il agir seul ? Il devrait lui-même exciter tous les chefs, car une inexorable nécessité nous assiège.

Et le Roi des hommes, Agamemnôn, lui répondit :

— Ô vieillard, je t'ai parfois poussé à le blâmer, car il est souvent négligent et ne veut point agir, non qu'il manque d'intelligence ou d'activité, mais parce qu'il me regarde et attend que je lui donne l'exemple. Mais voici qu'il s'est levé avant moi et qu'il m'a rencontré. Et je l'ai envoyé appeler ceux que tu nommes. Allons ! nous les trouverons devant les portes, au milieu des gardes ; car c'est là que j'ai ordonné qu'ils se réunissent.

Et le cavalier Gérennien Nestôr lui répondit :

— Nul d'entre les Argiens ne s'irritera contre lui et ne résistera à ses exhortations et à ses ordres.

Ayant ainsi parlé, il se couvrit la poitrine d'une tunique, attacha de belles sandales à ses pieds robustes, agrafa un manteau fait d'une double laine pourprée, saisit une forte lance à pointe d'airain et s'avança vers les nefs des Akhaiens cuirassés. Et le cavalier Gérennien Nestôr, parlant à haute voix, éveilla Odysseus égal à Zeus en prudence ; et celui-ci, aussitôt qu'il eut entendu, sortit de sa tente et leur dit :

— Pourquoi errez-vous seuls auprès des nefs, à travers le camp, au milieu de la nuit divine ? Quelle nécessité si grande vous y oblige ?

Et le cavalier Gérennien Nestôr lui répondit :

— Laertiade, issu de Zeus, subtil Odysseus, ne t'irrite pas. Une profonde inquiétude trouble les Akhaiens. Suis-nous donc et éveillons chaque chef, afin de délibérer s'il faut fuir ou combattre.

Il parla ainsi, et le subtil Odysseus, étant rentré sous sa tente, jeta un bouclier éclatant sur ses épaules et revint à eux. Et ils se rendirent auprès du Tydéide Diomèdès, et ils le virent hors de sa tente avec ses armes. Et ses compagnons dormaient autour, le bouclier sous la tête. Leurs lances étaient plantées droites, et l'airain brillait comme l'éclair de Zeus. Et le héros dormait aussi, couché sur la peau d'un bœuf sauvage, un tapis splendide sous la tête. Et le cavalier Gérennien Nestôr, s'approchant, le poussa du pied et lui parla rudement :

— Lève-toi, fils de Tydeus ! Pourquoi dors-tu pendant cette nuit ? N'entends-tu pas les Troiens, dans leur camp, sur la hauteur, non loin des nefs ? Peu d'espace nous sépare d'eux.

Il parla ainsi, et Diomèdès, sortant aussitôt de son repos, lui répondit par ces paroles ailées :

— Tu ne te ménages pas assez, vieillard. Les jeunes fils des Akhaiens ne peuvent-ils aller de tous côtés dans le camp éveiller chacun des Rois ? Vieillard, tu es infatigable, en vérité.

Et le cavalier Gérennien Nestôr lui répondit :

— Certes, ami, tout ce que tu as dit est très sage. J'ai des guerriers nombreux et des fils irréprochables. Un d'entre eux aurait pu parcourir le camp. Mais une dure nécessité assiège les Akhaiens ; la vie ou la mort des Argiens est sur le tranchant de l'épée. Viens donc et, si tu me plains, car tu es plus jeune que moi, éveille l'agile Aias et le fils de Phyleus.

Il parla ainsi, et Diomèdès, se couvrant les épaules de la peau d'un grand lion fauve, prit une lance, courut éveiller les deux Rois et les amena. Et bientôt ils arrivèrent tous au milieu des gardes, dont les chefs ne dormaient point et veillaient en armes, avec vigilance. Comme des chiens qui gardent activement des brebis dans l'étable, et qui, entendant une bête féroce sortie des bois sur les montagnes, hurlent contre elle au milieu des cris des pâtres ; de même veillaient les gardes, et le doux sommeil n'abaissait point leurs paupières pendant cette triste nuit ; mais ils étaient tournés du côté de la plaine, écoutant si les Troiens s'avançaient. Et le vieillard Nestôr, les ayant vus, en fut réjoui ; et, les félicitant, il leur dit en paroles ailées :

— C'est ainsi, chers enfants, qu'il faut veiller. Que le sommeil ne saisisse aucun d'entre vous, de peur que nous ne soyons le jouet de l'ennemi.

Ayant ainsi parlé, il passa le fossé, et les rois Argiens convoqués au conseil le suivirent, et, avec eux, Mèrionès et l'illustre fils de Nestôr, appelés à délibérer aussi. Et, lorsqu'ils eurent passé le fossé, ils s'arrêtèrent en un lieu d'où l'on voyait le champ de bataille, là où le robuste Hektôr, ayant défait les Argiens, avait commencé sa retraite dès que la nuit eut répandu ses ténèbres. Et c'est là qu'ils délibéraient entre eux. Et le cavalier Gérennien Nestôr parla ainsi le premier :

— Ô amis, quelque guerrier, sûr de son cœur audacieux, veut-il aller au milieu des Troiens magnanimes ? Peut-être se saisirait-il d'un ennemi sorti de son camp, ou entendrait-il les Troiens qui délibèrent entre eux, soit qu'ils veuillent rester loin des nefs, soit qu'ils ne veuillent retourner dans leur ville, qu'ayant dompté les Akhaiens. Il apprendrait tout et reviendrait vers nous, sans blessure, et il aurait une grande gloire sous l'Ouranos, parmi les hommes, ainsi qu'une noble récompense. Les chefs qui commandent sur nos nefs, tous, tant qu'ils sont, lui donneraient, chacun, une brebis noire allaitant un agneau, et ce don serait sans égal ; et toujours il serait admis à nos repas et à nos fêtes.

Il parla ainsi, et tous restèrent muets ; mais le brave Diomèdès répondit :

— Nestôr, mon cœur et mon esprit courageux me poussent à entrer dans le camp prochain des guerriers ennemis ; mais, si quelque héros veut me suivre, mon espoir sera plus grand et ma confiance sera plus ferme. Quand deux hommes marchent ensemble, l'un conçoit avant l'autre ce qui est utile. Ce n'est pas qu'un seul ne le puisse, mais son esprit est plus lent et sa résolution est moindre.

Il parla ainsi, et beaucoup voulurent le suivre : les deux Aias, nourrissons d'Arès, et le fils de Nestôr, et Mèrionès, et l'Atréide Ménélaos illustre par sa lance. L'audacieux Odysseus voulut aussi pénétrer dans le camp des Troiens, et le Roi des hommes, Agamemnôn, parla ainsi au milieu d'eux :

— Tydéide Diomèdès, le plus cher à mon âme, choisis, dans le meilleur de ces héros, le compagnon que tu voudras, puisque tous s'offrent à toi ; mais ne néglige point, par respect, le plus robuste pour un plus faible, même s'il était un Roi puissant.

Il parla ainsi, et il craignait pour le blond Ménélaos ; mais le brave Diomèdès répondit :

— Puisque tu m'ordonnes de choisir moi-même un compagnon, comment pourrais-je oublier le divin Odysseus qui montre dans tous les travaux un cœur irréprochable et un esprit viril, et qui est aimé de Pallas Athènè ? S'il m'accompagne, nous reviendrons tous deux du milieu des flammes, car il est plein d'intelligence.

Et le patient et divin Odysseus lui répondit :

— Tydéide Diomèdès, ne me loue ni ne me blâme outre mesure. Tu parles au milieu des Argiens qui me connaissent. Allons ! la nuit passe ; déjà l'aube est proche ; les étoiles s'inclinent. Les deux premières parties de la nuit se sont écoulées, et la troisième seule nous reste.

Ayant ainsi parlé, ils se couvrirent de leurs lourdes armes. Thrasymèdès, ferme au combat, donna au Tydéide une épée à deux tranchants, car la sienne était restée sur les nefs, et un bouclier. Et Diomèdès mit sur sa tête un casque fait de peau de taureau, terne et sans crinière, tel qu'en portaient les plus jeunes guerriers. Et Mèrionès donna à Odysseus un arc, un carquois et une épée. Et le Laertiade mit sur sa tête un casque fait de peau, fortement lié, en dedans, de courroies, que les dents blanches d'un sanglier hérissaient de toutes parts au dehors, et couvert de poils au milieu. Autolykos avait autrefois enlevé ce casque dans Eléôn, quand il força la solide demeure d'Amyntôr Orménide ; et il le donna, dans Skandéia, au Kythérien Amphidamas ; et Amphidamas le donna à son hôte Molos, et Molos à son fils Mèrionès. Maintenant Odysseus le mit sur sa tête.

Et après avoir revêtu leurs armes, les deux guerriers partirent, quittant les autres chefs. Et Pallas Athènè envoya, au bord de la route, un héron propice, qu'ils ne virent point dans la nuit obscure, mais qu'ils entendirent crier. Et Odysseus, tout joyeux, pria Athènè :

— Entends-moi, fille de Zeus tempétueux, toi qui viens à mon aide dans tous mes travaux, et à qui je ne cache rien de tout ce que je fais. À cette heure, sois-moi favorable encore, Athènè ! Accorde-nous de revenir vers nos nefs illustres, ayant accompli une grande action qui soit amère aux Troiens.

Et le brave Diomèdès la pria aussi :

— Entends-moi, fille indomptée de Zeus ! Protège-moi maintenant, comme tu protégeas le divin Tydeus, mon père,

dans Thèbè, où il fut envoyé par les Akhaiens. Il laissa les
Akhaiens cuirassés sur les bords de l'Asôpos ; et il portait
une parole pacifique aux Kadméiones ; mais, au retour, il
accomplit des actions mémorables, avec ton aide, Déesse,
qui le protégeais. Maintenant, sois-moi favorable aussi, et je
te sacrifierai une génisse d'un an, au large front, indomptée,
car elle n'aura jamais été soumise au joug. Et je te la sacrifierai, en répandant de l'or sur ses cornes.

Ils parlèrent ainsi en priant, et Pallas Athènè les entendit.
Et après qu'ils eurent prié la fille du grand Zeus, ils s'avancèrent comme deux lions, à travers la nuit épaisse et le carnage
et les cadavres et les armes et le sang noir.

Mais Hektôr aussi n'avait point permis aux Troiens
magnanimes de dormir ; et il avait convoqué les plus illustres des chefs et des princes, et il délibérait prudemment
avec eux :

— Qui d'entre vous méritera une grande récompense, en
me promettant d'accomplir ce que je désire ? Cette récompense sera suffisante. Je lui donnerai un char et deux chevaux au beau col, les meilleurs entre tous ceux qui sont
auprès des nefs rapides des Akhaiens. Il remporterait une
grande gloire celui qui oserait approcher des nefs rapides,
et reconnaître si les Argiens veillent toujours devant les nefs,
ou si, domptés par nos mains, ils se préparent à fuir et ne
veulent plus même veiller pendant la nuit, accablés par la
fatigue.

Il parla ainsi, et tous restèrent muets. Et il y avait, parmi
les Troiens, Dolôn. fils d'Eumèdès, divin héraut, riche en or
et en airain. Dolôn n'était pas beau, mais il avait des pieds
agiles ; et c'était un fils unique avec cinq sœurs. Il se leva, et
il dit à Hektôr et aux Troiens :

— Hektôr, mon cœur et mon esprit courageux me poussent à aller vers les nefs rapides, à la découverte ; mais lève
ton sceptre et jure que tu me donneras les chevaux et le char
orné d'airain qui portent l'irréprochable Pèléiôn. Je ne te
serai point un espion inhabile et au-dessous de ton attente.
J'irai de tous côtés dans le camp, et je parviendrai jusqu'à la
nef d'Agamemnôn, où, sans doute, les premiers d'entre les
Rois délibèrent s'il faut fuir ou combattre.

Il parla ainsi, et le Priamide saisit son sceptre et fit ce
serment :

— Que l'époux de Hèrè, Zeus au grand bruit, le sache :

nul autre guerrier Troïen ne sera jamais traîné par ces chevaux, car ils n'illustreront que toi seul, selon ma promesse.

Il parla ainsi, jurant un vain serment, et il excita Dolôn.
Et celui-ci jeta aussitôt sur ses épaules un arc recourbé, se
couvrit de la peau d'un loup blanc, mit sur sa tête un casque
de peau de belette, et prit une lance aiguë. Et il s'avança vers
les nefs, hors du camp ; mais il ne devait point revenir des
nefs rendre compte à Hektôr de son message. Lorsqu'il eut
dépassé la foule des hommes et des chevaux, il courut rapidement. Et le divin Odysseus le vit arriver et dit à Diomèdès :

— Ô Diomèdès, cet homme vient du camp ennemi. Je ne
sais s'il veut espionner nos nefs, ou dépouiller quelque cadavre parmi les morts. Laissons-le nous dépasser un peu dans
la plaine, et nous le poursuivrons, et nous le prendrons aussitôt. S'il court plus rapidement que nous, pousse-le vers les
nefs, loin de son camp, en le menaçant de ta lance, afin qu'il
ne se réfugie point dans la Ville.

Ayant ainsi parlé, ils se cachèrent hors du chemin parmi
les cadavres, et le Troïen les dépassa promptement dans son
imprudence. Et il s'était à peine éloigné de la longueur d'un
sillon que tracent deux mules, qui valent mieux que les
bœufs pour tracer un sillon dans une terre dure, que les
deux guerriers le suivirent. Et il les entendit, et il s'arrêta
inquiet. Et il pensait dans son esprit que ses compagnons
accouraient pour le rappeler par l'ordre de Hektôr ; mais à
une portée de trait environ, il reconnut des guerriers ennemis, et agitant ses jambes rapides, il prit la fuite, et les deux
Argiens le poussaient avec autant de hâte.

Ainsi que deux bons chiens de chasse, aux dents aiguës,
poursuivent de près, dans un bois, un faon ou un lièvre qui
les devance en criant, ainsi le Tydéide et Odysseus, le destructeur de citadelles, poursuivaient ardemment le Troïen,
en le rejetant loin de son camp. Et, comme il allait bientôt
se mêler aux gardes en fuyant vers les nefs, Athènè donna
une plus grande force au Tydéide, afin qu'il ne frappât point
le second coup, et qu'un des Akhaiens cuirassés ne pût se
glorifier d'avoir fait la première blessure. Et le robuste Diomèdès, agitant sa lance, parla ainsi :

— Arrête, ou je te frapperai de ma lance, et je ne pense
pas que tu évites longtemps de recevoir la dure mort de ma
main.

Il parla ainsi et fit partir sa lance qui ne perça point le
Troïen ; mais la pointe du trait effleura seulement l'épaule

droite et s'enfonça en terre. Et Dolôn s'arrêta plein de
crainte, et ses dents claquaient. Et les deux guerriers, haletants, lui saisirent les mains, et il leur dit en pleurant :

— Prenez-moi vivant. Je me rachèterai. J'ai dans mes
demeures de l'or et du fer propre à être travaillé. Pour mon
affranchissement, mon père vous en donnera la plus grande
part, s'il apprend que je suis vivant sur les nefs des Akhaiens.

Et le subtil Odysseus lui répondit :

— Prends courage, et que la mort ne soit pas présente à
ton esprit ; mais dis-moi la vérité. Pourquoi viens-tu seul, de
ton camp, vers les nefs, par la nuit obscure, quand tous les
hommes mortels sont endormis ? Serait-ce pour dépouiller
les cadavres parmi les morts, ou Hektôr t'a-t-il envoyé observer ce qui se passe auprès des nefs creuses, ou viens-tu de
ton propre mouvement ?

Et Dolôn, dont les membres tremblaient, leur répondit :

— Hektôr, contre ma volonté, m'a poussé à ma ruine.
Ayant promis de me donner les chevaux aux sabots massifs
de l'illustre Pèléiôn et son char orné d'airain, il m'a ordonné
d'aller et de m'approcher, pendant la nuit obscure et rapide,
des guerriers ennemis, et de voir s'ils gardent toujours leurs
nefs rapides, ou si, domptés par nos mains, vous délibérez,
prêts à fuir, et ne pouvant même plus veiller, étant rompus
de fatigue.

Et le subtil Odysseus, en souriant, lui répondit :

— Certes, tu espérais, dant ton esprit, une grande récompense, en désirant les chevaux du brave Aiakide, car ils ne
peuvent être domptés et conduits par des guerriers mortels,
sauf par Akhilleus qu'une mère immortelle a enfanté. Mais
dis-moi la vérité. Où as-tu laissé Hektôr, prince des peuples ?
Où sont ses armes belliqueuses et ses chevaux ? Où sont les
sentinelles et les tentes des autres Troiens ? Dis-nous s'ils
délibèrent entre eux, soit qu'ils aient dessein de rester où ils
sont, loin des nefs, soit qu'ils désirent ne rentrer dans la ville
qu'après avoir dompté les Akhaiens.

Et Dolôn, fils d'Eumèdès, lui répondit :

— Je te dirai toute la vérité. Hektôr, dans le conseil, délibère auprès du tombeau du divin Ilos, loin du bruit. Il n'y a
point de gardes autour du camp, car tous les Troiens veillent
devant leurs feux, pressés par la nécessité et s'excitant les
uns les autres ; mais les Alliés, venus de diverses contrées,
dorment tous, se fiant à la vigilance des Troiens, et n'ayant
avec eux ni leurs enfants, ni leurs femmes.

Et le subtil Odysseus lui dit :

— Sont-ils mêlés aux braves Troiens, ou dorment-ils à l'écart ? Parle clairement, afin que je te comprenne.

Et Dolôn, fils d'Eumèdès, lui répondit :

— Je te dirai toute la vérité. Auprès de la mer sont les Kariens, les Paiones aux arcs recourbés, les Léléges, les Kaukônes et les divins Pélasges ; du côté de Thymbrè sont les Lykiens, les Mysiens orgueilleux, les cavaliers Phrygiens et les Maiones qui combattent sur des chars. Mais pourquoi me demandez-vous ces choses ? Si vous désirez entrer dans le camp des Troiens, les Thrèkiens récemment arrivés sont à l'écart, aux extrémités du camp, et leur Roi, Rhèsos Eionéide, est avec eux. J'ai vu ses grands et magnifiques chevaux. Ils sont plus blancs que la neige, et semblables aux vents quand ils courent. Et j'ai vu son char orné d'or et d'argent, et ses grandes armes d'or, admirables aux yeux, et qui conviennent moins à des hommes mortels qu'aux Dieux qui vivent toujours. Maintenant, conduisez-moi vers vos nefs rapides, ou, m'attachant avec des liens solides, laissez-moi ici jusqu'à votre retour, quand vous aurez reconnu si j'ai dit la vérité ou si j'ai menti.

Et le robuste Diomèdès, le regardant d'un œil sombre, lui répondit :

— Dolôn, ne pense pas m'échapper, puisque tu es tombé entre nos mains, bien que tes paroles soient bonnes. Si nous acceptons le prix de ton affranchissement, et si nous te renvoyons, certes, tu reviendras auprès des nefs rapides des Akhaiens, pour espionner ou combattre ; mais, si tu perds la vie, dompté par mes mains, tu ne nuiras jamais plus aux Argiens.

Il parla ainsi, et comme Dolôn le suppliait en lui touchant la barbe de la main, il le frappa brusquement de son épée au milieu de la gorge et trancha les deux muscles. Et le Troien parlait encore quand la tête tomba dans la poussière. Et ils arrachèrent le casque de peau de belette, et la peau de loup, et l'arc flexible et la longue lance. Et le divin Odysseus, les soulevant vers le ciel, les voua, en priant, à la dévastatrice Athènè :

— Réjouis-toi de ces armes, Déesse ! Nous t'invoquons, toi qui es la première entre tous les Olympiens immortels. Conduis-nous où sont les guerriers Thrèkiens, leurs chevaux et leurs tentes.

Il parla ainsi, et, levant les bras, il posa ces armes sur un tamaris qu'il marqua d'un signe en nouant les roseaux et les larges branches, afin de les reconnaître au retour, dans la nuit noire.

Et ils marchèrent ensuite à travers les armes et la plaine sanglante, et ils parvinrent bientôt aux tentes des guerriers Thrèkiens. Et ceux-ci dormaient, rompus de fatigue ; et leurs belles armes étaient couchées à terre auprès d'eux, sur trois rangs. Et, auprès de chaque homme, il y avait deux chevaux. Et, au milieu, dormait Rhèsos, et, auprès de lui, ses chevaux rapides étaient attachés avec des courroies derrière le char.

Et Odysseus le vit le premier, et il le montra à Diomèdès :

— Diomèdès, voici l'homme et les chevaux dont nous a parlé Dolôn, que nous avons tué. Allons ! use de ta force et sers-toi de tes armes. Détache ces chevaux, ou je le ferai moi-même si tu préfères.

Il parla ainsi, et Athènè aux yeux clairs donna une grande force à Diomèdès. Et il tuait çà et là ; et ceux qu'il frappait de l'épée gémissaient, et la terre ruisselait de sang. Comme un lion, tombant au milieu de troupeaux sans gardiens, se rue sur les chèvres et les brebis ; ainsi le fils de Tydeus se rua sur les Thrèkiens, jusqu'à ce qu'il en eut tué douze. Et dès que le Tydéide avait frappé, Odysseus, qui le suivait, traînait à l'écart le cadavre par les pieds, pensant dans son esprit que les chevaux aux belles crinières passeraient plus librement, et ne s'effaroucheraient point, n'étant pas accoutumés à marcher sur les morts. Et, lorsque le fils de Tydeus s'approcha du Roi, ce fut le treizième qu'il priva de sa chère âme. Et sur la tête de Rhèsos, qui râlait, un Songe fatal planait cette nuit-là, sous la forme de l'Oinéide, et par la volonté d'Athènè.

Cependant le patient Odysseus détacha les chevaux aux sabots massifs, et, les liant avec les courroies, il les conduisit hors du camp, les frappant de son arc, car il avait oublié de saisir le fouet étincelant resté sur le beau char. Et, alors, il siffla pour avertir le divin Diomèdès. Et celui-ci délibérait dans son esprit si, avec plus d'audace encore, il n'entraînerait point, par le timon, le char où étaient déposées les belles armes, ou s'il arracherait la vie à un plus grand nombre de Thrèkiens. Pendant qu'il délibérait ainsi dans son esprit, Athènè s'approcha et lui dit :

— Songe au retour, fils du magnanime Tydeus, de peur qu'un Dieu n'éveille les Troiens et que tu ne sois contraint de fuir vers les nefs creuses.

Elle parla ainsi, et il comprit les paroles de la Déesse, et il sauta sur les chevaux, et Odysseus les frappa de son arc, et ils volaient vers les nefs rapides des Akhaiens. Mais Apollôn à l'arc d'argent de ses yeux perçants vit Athènè auprès du fils de Tydeus. Irrité, il entra dans le camp des Troiens et réveilla le chef Thrèkien Hippokoôn, brave parent de Rhèsos. Et celui-là, se levant, vit déserte la place où étaient les chevaux rapides, et les hommes palpitant dans leur sang ; et il gémit, appelant son cher compagnon par son nom. Et une immense clameur s'éleva parmi les Troiens qui accouraient ; et ils s'étonnaient de cette action audacieuse, et que les hommes qui l'avaient accomplie fussent retournés sains et saufs vers les nefs creuses.

Et quand ceux-ci furent arrivés là où ils avaient tué l'espion de Hektôr, Odysseus, cher à Zeus, arrêta les chevaux rapides. Et le Tydéide, sautant à terre, remit aux mains d'Odysseus les dépouilles sanglantes, et remonta. Et ils excitèrent les chevaux qui volaient avec ardeur vers les nefs creuses. Et, le premier, Nestôr entendit leur bruit et dit :

— Ô amis, chefs et princes des Argiens, mentirai-je ou dirai-je vrai ? Mon cœur m'ordonne de parler. Le galop de chevaux rapides frappe mes oreilles. Plaise aux Dieux que, déjà, Odysseus et le robuste Diomèdès aient enlevé aux Troiens des chevaux aux sabots massifs ; mais je crains avec véhémence, dans mon esprit, que les plus braves des Argiens n'aient pu échapper à la foule des Troiens !

Il avait à peine parlé, et les deux Rois arrivèrent et descendirent. Et tous, pleins de joie, les saluèrent de la main, avec des paroles flatteuses. Et, le premier, le cavalier Gérennien Nestôr les interrogea :

— Dis-moi, Odysseus comblé de louanges, gloire des Akhaiens, comment avez-vous enlevé ces chevaux ? Est-ce en entrant dans le camp des Troiens, ou avez-vous rencontré un Dieu qui vous en ait fait don ? Ils sont semblables aux rayons de Hélios ! Je me mêle, certes, toujours aux Troiens, et je ne pense pas qu'on m'ait vu rester auprès des nefs, bien que je sois vieux ; mais je n'ai jamais vu de tels chevaux. Je soupçonne qu'un Dieu vous les a donnés, car Zeus qui amasse les nuées vous aime tous deux, et Athènè aux yeux clairs, fille de Zeus tempétueux, vous aime aussi.

Et le subtil Odysseus lui répondit :

— Ô Nestôr Nèlèiade, gloire des Akhaiens, sans doute un

Dieu, s'il l'eût voulu, nous eût donné des chevaux même au-
dessus de ceux-ci, car les Dieux peuvent tout ; mais ces chevaux, sur lequels tu m'interroges, ô vieillard, sont thrèkiens
et arrivés récemment. Le hardi Diomèdès a tué leur Roi et
douze des plus braves compagnons de celui-ci. Nous avons
tué, non loin des nefs, un treizième guerrier, un espion que
Hektôr et les illustres Troiens envoyaient dans notre camp.

Il parla ainsi, joyeux, et fit sauter le fossé aux chevaux. Et
les autres chefs Argiens, joyeux aussi, vinrent jusqu'à la
tente solide du Tydéide. Et ils attachèrent, avec de bonnes
courroies, les étalons thrèkiens à la crèche devant laquelle
les rapides chevaux de Diomèdès se tenaient, broyant le
doux froment. Et Odysseus posa les dépouilles sanglantes
de Dolôn sur la poupe de sa nef, pour qu'elles fussent vouées
à Athènè. Et tous deux, étant entrés dans la nef pour enlever
leur sueur, lavèrent leurs jambes, leurs cuisses et leurs épaules. Et après que l'eau de la mer eut enlevé leur sueur et
qu'ils se furent ranimés, ils entrèrent dans des baignoires
polies. Et, s'étant parfumés d'une huile épaisse, ils s'assirent
pour le repas du matin, puisant dans un plein kratèr, pour
faire, en honneur d'Athènè, des libations de vin doux.

RHAPSODIE XI

Eôs quitta le lit du brillant Tithôn, afin de porter la
lumière aux Immortels et aux vivants. Et Zeus envoya Eris
vers les nefs rapides des Akhaiens, portant dans ses mains
le signe terrible de la guerre. Et elle s'arrêta sur la nef large
et noire d'Odysseus, qui était au centre, pour que son cri fût
entendu de tous côtés, depuis les tentes du Télamônien Aias
jusqu'à celles d'Akhilleus ; car ceux-ci, confiants dans leur
courage et la force de leurs mains, avaient placé leurs nefs
égales aux deux extrémités du camp. De ce lieu, la Déesse
poussa un cri retentissant et horrible qui souffla au cœur
de chacun des Akhaiens un ardent désir de guerroyer et de
combattre sans relâche. Et, aussitôt, la guerre leur fut plus
douce que le retour, sur les nefs creuses, dans la terre bien-
aimée de la patrie.

Et l'Atréide, élevant la voix, ordonna aux Argiens de s'armer ; et lui-même se couvrit de l'airain éclatant. Et, d'abord,

il entoura ses jambes de belles knèmides retenues par des agrafes d'argent. Ensuite, il ceignit sa poitrine d'une cuirasse que lui avait autrefois donnée Kinyrès, son hôte. Kinyrès, ayant appris, dans Kypros, par la renommée, que les Akhaiens voguaient vers Ilios, sur leurs nefs, avait fait ce présent au Roi. Et cette cuirasse avait dix cannelures en émail noir, douze en or, vingt en étain. Et trois dragons azurés s'enroulaient jusqu'au col, semblables aux iris que le Kroniôn fixa dans la nuée pour être un signe aux vivants.

Il suspendit à ses épaules l'épée où étincelaient des clous d'or dans la gaine d'argent soutenue par des courroies d'or. Il s'abrita tout entier sous un beau bouclier aux dix cercles d'airain et aux vingt bosses d'étain blanc, au milieu desquelles il y en avait une d'émail noir où s'enroulait Gorgo à l'aspect effrayant et aux regards horribles. Auprès étaient la Crainte et la Terreur. Et ce bouclier était suspendu à une courroie d'argent où s'enroulait un dragon azuré dont le col se terminait en trois têtes. Et il mit un casque chevelu orné de quatre cônes et d'aigrettes de crin qui s'agitaient terriblement. Et il prit deux lances solides aux pointes d'airain qui brillaient jusqu'à l'Ouranos. Et Athènaiè et Hèrè éveillèrent un grand bruit pour honorer le Roi de la riche Mykènè.

Et les chefs ordonnèrent aux conducteurs des chars de retenir les chevaux auprès du fossé, tandis qu'ils se ruaient couverts de leurs armes. Et une immense clameur s'éleva avant le jour. Et les chars et les chevaux, rangés auprès du fossé, suivaient à peu de distance les guerriers ; ceux-ci les précédèrent, et le cruel Kronide excita un grand tumulte et fit pleuvoir du haut de l'Aithèr des rosées teintes de sang, en signe qu'il allait précipiter chez Aidès une foule de têtes illustres.

De leur côté, les Troiens se rangeaient sur la hauteur autour du grand Hektôr, de l'irréprochable Polydamas, d'Aînéias qui, dans Ilios, était honoré comme un dieu par les Troiens, des trois Antènorides, Polybos, le divin Agènôr et le jeune Akamas, semblable aux Immortels.

Et, entre les premiers combattants, Hektôr portait son bouclier poli. De même qu'une étoile désastreuse s'éveille, brillante, et s'avance à travers les nuées obscures, de même Hektôr apparaissait en tête des premiers combattants, ou au milieu d'eux, et leur commandant à tous ; et il resplendissait, couvert d'airain, pareil à l'éclair du Père Zeus tempétueux.

Et, comme deux troupes opposées de moissonneurs qui

tranchent les gerbes dans le champ d'un homme riche, les
Troiens et les Akhaiens s'entre-tuaient, se ruant les uns
contre les autres, oublieux de la fuite funeste, inébranlables
et tels que des loups.

Et la désastreuse Eris se réjouissait de les voir, car, seule
de tous les Dieux, elle assistait au combat. Et les autres
Immortels étaient absents, et chacun d'eux était assis, tranquille dans sa belle demeure, sur les sommets de l'Olympos.
Et ils blâmaient le Kroniôn qui amasse les noires nuées,
parce qu'il voulait donner une grande gloire aux Troiens.
Mais le Père Zeus, assis à l'écart, ne s'inquiétait point d'eux.
Et il siégeait, plein de gloire, regardant la ville des Troiens
et les nefs des Akhaiens, et l'éclat de l'airain, et ceux qui
reculaient, et ceux qui s'élançaient.

Tant que l'aube dura et que le jour sacré prit de la force,
les traits sifflèrent des deux côtés et les hommes moururent ;
mais, vers l'heure où le bûcheron prend son repas, dans les
gorges de la montagne, et que, les bras rompus d'avoir coupé
les grands arbres, et le cœur défaillant, il ressent le désir
d'une douce nourriture, les Danaens, s'exhortant les uns les
autres, rompirent les phalanges. Et Agamemnôn bondit le
premier et tua le guerrier Bianôr, prince des peuples, et son
compagnon Oileus qui conduisait les chevaux. Et celui-ci,
sautant du char, lui avait fait face. Et l'Atréide, comme il
sautait, le frappa au front de la lance aiguë, et le casque
épais ne résista point à l'airain qui y pénétra, brisa le crâne
et traversa la cervelle du guerrier qui s'élançait. Et le Roi
des hommes, Agamemnôn, les abandonna tous deux en ce
lieu, après avoir arraché leurs cuirasses étincelantes.

Puis, il s'avança pour tuer Isos et Antiphos, deux fils de
Priamos, l'un bâtard et l'autre légitime, montés sur le même
char. Et le bâtard tenait les rênes, et l'illustre Antiphos
combattait. Akhilleus les avait autrefois saisis et liés avec
des branches d'osier, sur les sommets de l'Ida, comme ils
paissaient leurs brebis ; et il avait accepté le prix de leur
affranchissement. Mais voici que l'Atréide Agamemnôn qui
commandait au loin perça Isos d'un coup de lance au-dessus
de la mamelle, et, frappant Antiphos de l'épée auprès de
l'oreille, le renversa du char. Et, comme il leur arrachait
leurs belles armes, il les reconnut, les ayant vus auprès des
nefs, quand Akhilleus aux pieds rapides les y avait amenés
des sommets de l'Ida.

Ainsi un lion brise aisément, dans son antre, les saisissant avec ses fortes dents, les faibles petits d'une biche légère, et arrache leur âme délicate. Et la biche accourt ; mais elle ne peut les secourir, car une profonde terreur la saisit ; et elle s'élance à travers les fourrés de chênes des bois, effarée et suant d'épouvante devant la fureur de la puissante bête féroce. De même nul ne put conjurer la perte des Priamides, et tous fuyaient devant les Argiens.

Et le roi Agamemnôn saisit sur le même char Peisandros et le brave Hippolokhos, fils tous deux du belliqueux Antimakhos. Et celui-ci, ayant accepté l'or et les présents splendides d'Alexandros, n'avait pas permis que Hélènè fût rendue au brave Ménélaos. Et comme l'Atréide se ruait sur eux, tel qu'un lion, ils furent troublés ; et, les souples rênes étant tombées de leurs mains, leurs chevaux rapides les emportaient. Et, prosternés sur le char, ils suppliaient Agamemnôn :

— Prends-nous vivants, fils d'Atreus, et reçois le prix de notre affranchissement. De nombreuses richesses sont amassées dans les demeures d'Antimakhos, l'or, l'airain et le fer propre à être travaillé. Notre père t'en donnera la plus grande partie pour notre affranchissement, s'il apprend que nous sommes vivants sur les nefs des Akhaiens.

En pleurant, ils adressaient au Roi ces douces paroles, mais ils entendirent une dure réponse :

— Si vous êtes les fils du brave Antimakhos qui, autrefois, dans l'Agora des Troiens, conseillait de tuer nos envoyés, Ménélaos et le divin Odysseus, et de ne point les laisser revenir vers les Akhaiens, maintenant vous allez payer l'injure de votre père.

Il parla ainsi, et, frappant de sa lance Peisandros à la poitrine, il le renversa dans la poussière, et, comme Hippolokhos sautait, il le tua à terre ; et, lui coupant les bras et le cou, il le fit rouler comme un tronc mort à travers la foule. Et il les abandonna pour se ruer sur les phalanges en désordre, suivi des Akhaiens aux belles knèmides. Et les piétons tuaient les piétons qui fuyaient, et les cavaliers tuaient les cavaliers. Et, sous leurs pieds, et sous les pieds sonores des chevaux, une grande poussière montait de la plaine dans l'air. Et le roi Agamemnôn allait, tuant toujours et excitant les Argiens.

Ainsi, quand la flamme désastreuse dévore une épaisse forêt, et quand le vent qui tourbillonne l'active de tous côtés, les arbres tombent sous l'impétuosité du feu. De même, sous

l'Atréide Agamemnôn, tombaient les têtes des Troiens en
fuite. Les chevaux entraînaient, effarés, la tête haute, les
chars vides à travers les rangs, et regrettaient leurs conducteurs irréprochables qui gisaient contre terre, plus agréables
aux oiseaux carnassiers qu'à leurs femmes.

Et Zeus conduisit Hektôr loin des lances, loin de la poussière, loin du carnage et du sang. Et l'Atréide, excitant les
Danaens, poursuivait ardemment l'ennemi. Et les Troiens,
auprès du tombeau de l'antique Dardanide Ilos, se précipitaient dans la plaine, désirant rentrer dans la Ville. Et ils
approchaient du figuier, et l'Atréide les poursuivait, baignant de leur sang ses mains rudes, et poussant des cris. Et,
lorsqu'ils furent parvenus au Hêtre et aux portes de Skaies,
ils s'arrêtèrent, s'attendant les uns les autres. Et la multitude
fuyait dispersée à travers la plaine, comme un troupeau de
vaches qu'un lion, brusquement survenu, épouvante au
milieu de la nuit ; mais une seule d'entre elles meurt chaque
fois. Le lion, l'ayant saisie de ses fortes dents, lui brise le
cou, boit son sang et dévore ses entrailles. Ainsi l'Atréide
Agamemnôn les poursuivait, tuant toujours le dernier ; et ils
fuyaient. Un grand nombre d'entre eux tombait, la tête la
première, ou se renversait du haut des chars sous les mains
de l'Atréide dont la lance était furieuse. Mais, quand on fut
parvenu à la Ville et à ses hautes murailles, le Père des hommes et des Dieux descendit de l'Ouranos sur les sommets de
l'Ida aux sources abondantes, avec la foudre aux mains, et
il appela la Messagère Iris aux ailes d'or :

— Va ! rapide Iris, et dis à Hektôr qu'il se tienne en repos
et qu'il ordonne au reste de l'armée de combattre l'ennemi
aussi longtemps qu'il verra le prince des peuples, Agamemnôn, se jeter furieux aux premiers rangs et rompre les lignes
des guerriers. Mais, dès que l'Atréide, frappé d'un coup de
lance ou blessé d'une flèche, remontera sur son char, je rendrai au Priamide la force de tuer ; et il tuera, étant parvenu
aux nefs bien construites, jusqu'à ce que Hélios tombe et
que la nuit sacrée s'élève.

Il parla ainsi, et la rapide Iris aux pieds prompts comme
le vent lui obéit. Et elle descendit des sommets de l'Ida vers
la sainte Ilios, et elle trouva le fils du belliqueux Priamos, le
divin Hektôr, debout sur son char solide. Et Iris aux pieds
rapides s'approcha et lui dit :

— Fils de Priamos, Hektôr, égal à Zeus en sagesse, le père
Zeus m'envoie te dire ceci : Tiens-toi en repos, et ordonne

au reste de l'armée de combattre l'ennemi, aussi longtemps que tu verras le prince des peuples, Agamemnôn, se jeter furieux aux premiers rangs des combattants et rompre les lignes des guerriers ; mais dès que l'Atréide, frappé d'un coup de lance ou blessé d'une flèche, remontera sur son char, Zeus te rendra la force de tuer, et tu tueras, étant parvenu aux nefs bien construites, jusqu'à ce que Hélios tombe et que la nuit sacrée s'élève.

Ayant ainsi parlé, Iris aux pieds rapides disparut. Et Hektôr, sautant du haut de son char, avec ses armes, et agitant ses lances aiguës, courut de tous côtés à travers l'armée, l'excitant au combat. Et les Troiens, se retournant, firent face aux Akhaiens. Et les Argiens s'arrêtèrent, serrant leurs phalanges pour soutenir le combat ; mais Agamemnôn se rua en avant, voulant combattre le premier.

Dites-moi maintenant, Muses qui habitez les demeures Ouraniennes, celui des Troiens ou des illustres Alliés qui s'avança le premier contre Agamemnôn. Ce fut Iphidamas Antènoride, grand et robuste, élevé dans la fertile Thrèkè, nourrice de brebis. Et son aïeul maternel, Kissès, qui engendra Théanô aux belles joues, l'éleva tout enfant dans ses demeures ; et quand il eut atteint la glorieuse puberté, il le retint en lui donnant sa fille pour femme. Et quand le jeune guerrier apprit l'arrivée des Akhaiens, il quitta sa demeure nuptiale et vint avec douze nefs aux poupes recourbées qu'il laissa à Perkôtè. Et il vint à pied jusque dans Ilios. Et ce fut lui qui s'avança contre Agamemnôn. Tous deux s'étant rencontrés, l'Atréide le manqua de sa lance qui se détourna du but. Et Iphidamas frappa au-dessous de la cuisse, sur le ceinturon ; et il poussa sa lance avec vigueur, sans la quitter ; mais il ne perça point le ceinturon habilement fait, et la pointe de l'arme, rencontrant une lame d'argent, se tordit comme du plomb. Et Agamemnôn, qui commandait au loin, rapide comme un lion, saisit sa lance, et, l'arrachant, frappa de son épée l'Antènoride au cou, et le tua. Ainsi ce malheureux, en secourant ses concitoyens, s'endormit d'un sommeil d'airain, loin de sa jeune femme dont il n'avait point vu le bonheur. Et il lui avait fait de nombreux présents, lui ayant d'abord donné cent bœufs, et lui ayant promis mille chèvres et brebis. Et voici que l'Atréide Agamemnôn le dépouilla, et rentra dans la foule des Akhaiens, emportant ses belles armes.

Et l'illustre guerrier Koôn, l'aîné des Antènorides, l'aperçut, et une amère douleur obscurcit ses yeux quand il vit son frère mort. En se cachant, il frappa le divin Agamemnôn d'un coup de lance au milieu du bras, sous le coude, et la pointe de l'arme brillante traversa le bras. Et le roi des hommes, Agamemnôn, frissonna ; mais, loin d'abandonner le combat, il se rua sur Koôn, armé de sa lance solide. Et celui-ci traînait par les pieds son frère Iphidamas, né du même père, et il appelait les plus braves à son aide. Mais, comme il l'entraînait, l'Atréide le frappa de sa lance d'airain sous son bouclier rond, et il le tua ; et il lui coupa la tête sur le corps même d'Iphidamas. Ainsi les deux fils d'Antènôr, sous la main du roi Atréide, accomplissant leurs destinées, descendirent aux demeures d'Aidès.

Et l'Atréide continua d'enfoncer les lignes des guerriers à coups de lance, d'épée ou de lourdes roches, aussi longtemps que le sang coula, chaud, de sa blessure ; mais dès que la plaie fut desséchée, que le sang s'arrêta, les douleurs aiguës domptèrent sa force, semblables à ces douleurs amères que les filles de Hèrè, les Eileithyies, envoient comme des traits acerbes à la femme qui enfante. Ainsi les douleurs aiguës domptèrent la force de l'Atréide. Il monta sur son char, ordonnant au conducteur des chevaux de les pousser vers les nefs creuses, car il défaillait dans son cœur. Et il dit aux Danaens, criant à haute voix pour être entendu :

— Ô amis, chefs et princes des Argiens, c'est à vous maintenant d'éloigner le combat désastreux des nefs qui traversent la mer, puisque le sage Zeus ne me permet pas de combattre les Troiens pendant toute la durée du jour.

Il parla ainsi, et le conducteur du char fouetta les chevaux aux beaux crins du côté des nefs creuses, et ils couraient avec ardeur, le poitrail écumant, soulevant la poussière et entraînant leur Roi blessé, loin du combat. Et dès que Hektôr s'aperçut de la retraite d'Agamemnôn, il excita à haute voix les Troiens et les Lykiens.

— Troiens, Lykiens et Dardaniens, hardis combattants, soyez des hommes ! Amis, souvenez-vous de votre courage intrépide. Ce guerrier si brave se retire, et Zeus Kronide veut me donner une grande gloire. Poussez droit vos chevaux aux durs sabots sur les robustes Danaens, afin de remporter une gloire sans égale.

Ayant ainsi parlé, il excita la force et le courage de chacun. De même qu'un chasseur excite les chiens aux blanches dents contre un sauvage sanglier ou contre un lion, de même le Priamide Hektôr, semblable au cruel Arès, excita les magnanimes Troiens contre les Akhaiens. Et lui-même, sûr de son courage, se rua des premiers dans la mêlée, semblable au tourbillon orageux qui tombe sur la haute mer et la bouleverse.

Et, maintenant, quel fut le premier, quel fut le dernier que tua le Priamide Hektôr, quand Zeus voulut le glorifier ? Asaios, d'abord, et Autonoos, et Opitès, et Dolops Klytide, et Opheltios, et Agélaos, et Aisymnos, Oros et le magnanime Hipponoos. Et il tua chacun de ces princes Danaens. Puis, il tomba sur la multitude, tel que Zéphyros qui agite les nuées, lorsqu'il flagelle les vapeurs tempétueuses amassées par le Notos furieux, qu'il déroule les flots énormes, et, de ses souffles épars, disperse l'écume dans les hauteurs de l'air. De même, Hektôr fit tomber une foule de têtes guerrières.

Alors, c'eût été le jour d'un désastre fatal et de maux incurables, et les Argiens, dans leur fuite, eussent succombé auprès des nefs, si Odysseus n'eût exhorté le Tydéide Diomèdès :

— Tydéide, avons-nous oublié notre courage intrépide ? Viens auprès de moi, très cher ; car ce nous serait un grand opprobre si Hektôr au casque mouvant s'emparait des nefs.

Et le robuste Diomèdès lui répondit :

— Me voici, certes, prêt à combattre. Mais notre joie sera brève, puisque Zeus qui amasse les nuées veut donner la victoire aux Troiens.

Il parla ainsi, et il renversa Thymbraios de son char, l'ayant frappé de sa lance à la mamelle gauche. Et Odysseus tua Moliôn, le divin compagnon de Thymbraios. Et ils abandonnèrent les deux guerriers ainsi éloignés du combat, et ils se jetèrent dans la mêlée. Et comme deux sangliers audacieux qui reviennent sur les chiens chasseurs, ils contraignirent les Troiens de reculer, et les Akhaiens, en proie au divin Hektôr, respirèrent un moment. Et les deux Rois prirent un char et deux guerriers très braves, fils du Perkôsien Mérops, habile divinateur, qui avait défendu à ses fils de partir pour la guerre fatale. Mais ils ne lui obéirent pas, et les Kères de la mort les entraînèrent. Et l'illustre Tydéide Diomèdès leur enleva l'âme et la vie, et les dépouilla de leurs belles armes, tandis qu'Odysseus tuait Hippodamos et Hypeirokhos. Alors, le Kroniôn, les regardant du haut de l'Ida, rétablit le combat, afin qu'ils se tuassent également des deux côtés.

Et le fils de Tydeus blessa de sa lance à la cuisse le héros Agastrophos Paionide. Et les chevaux du Paionide étaient trop éloignés pour l'aider à fuir ; et il gémissait dans son âme de ce que le conducteur du char l'eût retenu en arrière, tandis qu'il s'élançait à pied parmi les combattants, jusqu'à ce qu'il eût perdu la douce vie. Mais Hektôr, l'ayant vu aux premières lignes, se rua en poussant de grands cris, suivi des phalanges Troiennes. Et le hardi Diomèdès, à cette vue, frissonna et dit à Odysseus debout près de lui :

— C'est sur nous que le furieux Hektôr roule ce tourbillon sinistre ; mais restons inébranlables, et nous repousserons son attaque.

Il parla ainsi, et il lança sa longue pique qui ne se détourna pas du but, car le coup atteignit la tête du Priamide, au sommet du casque. La pointe d'airain ne pénétra point et fut repoussée, et le triple airain du casque que Phoibos Apollôn avait donné au Priamide le garantit ; mais il recula aussitôt, rentra dans la foule, et, tombant sur ses genoux, appuya contre terre sa main robuste, et la noire nuit couvrit ses yeux.

Et, pendant que Diomèdès, suivant de près le vol impétueux de sa lance, la relevait à l'endroit où elle était tombée, Hektôr, ranimé, monta sur son char, se perdit dans la foule et évita la noire mort. Et le robuste Diomèdès, le menaçant de sa lance, lui cria :

— Ô chien ! tu as de nouveau évité la mort qui a passé près de toi. Phoibos Apollôn t'a sauvé encore une fois, lui que tu supplies toujours au milieu du choc des lances. Mais, certes, je te tuerai si je te retrouve et qu'un des Dieux me vienne en aide. Maintenant, je vais attaquer tous ceux que je pourrai saisir.

Et, parlant ainsi, il tua l'illustre Paionide.

Mais Alexandros, l'époux de Hélénè à la belle chevelure, appuyé contre la colonne du tombeau de l'antique guerrier Dardanide Ilos, tendit son arc contre le Tydéide Diomèdès, prince des peuples. Et, comme celui-ci arrachait la cuirasse brillante, le bouclier et le casque épais du robuste Agastrophos, Alexandros tendit l'arc de corne et perça d'une flèche certaine le pied droit de Diomèdès ; et, à travers le pied, la flèche s'enfonça en terre. Et Alexandros, riant aux éclats, sortit de son abri, et dit en se retirant :

— Te voilà blessé ! ma flèche n'a pas été vaine. Plût aux Dieux qu'elle se fût enfoncée dans ton ventre et que je t'eusse tué ! Les Troiens, qui te redoutent, comme des chèvres en face d'un lion, respireraient plus à l'aise.

Et l'intrépide et robuste Diomèdès lui répondit :

— Misérable archer, aussi vain de tes cheveux que de ton arc, séducteur de vierges ! si tu combattais face à face contre moi, tes flèches te seraient d'un vain secours. Voici que tu te glorifies pour m'avoir percé le pied ! Je m'en soucie autant que si une femme ou un enfant m'avait atteint par imprudence. Le trait d'un lâche est aussi vil que lui. Mais celui que je touche seulement de ma lance expire aussitôt. Sa femme se déchire les joues, ses enfants sont orphelins, et il rougit la terre de son sang, et il se corrompt, et il y a autour de lui plus d'oiseaux carnassiers que de femmes en pleurs.

Il parla ainsi, et l'illustre Odysseus se plaça devant lui ; et, se baissant, il arracha la flèche de son pied ; mais aussitôt il ressentit dans tout le corps une amère douleur. Et, le cœur défaillant, il monta sur son char, ordonnant au conducteur de le ramener aux nefs creuses.

Et l'illustre Odysseus, resté seul, car tous les Argiens s'étaient enfuis, gémit et se dit dans son cœur magnanime :

— Hélas ! que vais-je devenir ? Ce serait une grande honte que de reculer devant cette multitude ; mais ne serait-il pas plus cruel de mourir seul ici, puisque le Kroniôn a mis tous les Danaens en fuite ? Mais pourquoi délibérer dans mon cœur ? Je sais que les lâches seuls reculent dans la mêlée. Le brave, au contraire, combat de pied ferme, soit qu'il frappe, soit qu'il soit frappé.

Pendant qu'il délibérait ainsi dans son esprit et dans son cœur, les phalanges des Troiens porteurs de boucliers survinrent et enfermèrent de tous côtés leur fléau. De même que les chiens vigoureux et les jeunes chasseurs entourent un sanglier, dans l'épaisseur d'un bois, et que celui-ci leur fait tête en aiguisant ses blanches défenses dans ses mâchoires torses, et que tous l'environnent malgré ses défenses furieuses et son aspect horrible ; de même les Troiens se pressaient autour d'Odysseus cher à Zeus. Mais le Laertiade blessa d'abord l'irréprochable Dèiopitès à l'épaule, de sa lance aiguë ; et il tua Thoôn et Ennomos. Et comme Khersidamas sautait de son char, il le perça sous le bouclier, au nombril ; et le Troien roula dans la poussière, saisissant la terre à pleines mains. Et le Laertiade les abandonna, et il blessa de sa lance Kharops Hippaside, frère de l'illustre

Sôkos. Et Sôkos, semblable à un Dieu, accourant au secours
de son frère, s'approcha et lui dit :

— Ô Odysseus, insatiable de ruses et de travaux, aujour-
d'hui tu triompheras des deux Hippasides, et, les ayant tués,
tu enlèveras leurs armes, ou, frappé de ma lance, tu perdras
la vie.

Ayant ainsi parlé, il frappa le bouclier arrondi, et la lance
solide perça le bouclier étincelant, et, à travers la cuirasse
habilement travaillée, déchira la peau au-dessus des pou-
mons ; mais Athènè ne permit pas qu'elle pénétrât jusqu'aux
entrailles. Et Odysseus, sentant que le coup n'était pas mortel, recula et dit à Sôkos :

— Malheureux ! voici que la mort accablante va te saisir.
Tu me contrains de ne plus combattre les Troiens, mais je
t'apporte aujourd'hui la noire mort ; et, dompté par ma
lance, tu vas me combler de gloire et rendre ton âme à Aidès
aux beaux chevaux.

Il parla ainsi, et, comme Sôkos fuyait, il le frappa de sa
lance dans le dos, entre les épaules, et lui traversa la poitrine. Il tomba avec bruit, et le divin Odysseus s'écria en se
glorifiant :

— Ô Sôkos, fils de l'habile cavalier Hippasos, la mort t'a
devancé et tu n'as pu lui échapper. Ah ! malheureux ! ton
père et ta mère vénérable ne fermeront point tes yeux, et les
seuls oiseaux carnassiers agiteront autour de toi leurs lourdes ailes. Mais quand je serai mort, les divins Akhaiens célé-
breront mes funérailles.

Ayant ainsi parlé, il arracha de son bouclier et de son
corps la lance solide du brave Sôkos, et aussitôt son sang
jaillit de la plaie, et son cœur se troubla. Et les magnanimes
Troiens, voyant le sang d'Odysseus, se ruèrent en foule sur
lui ; et il reculait, en appelant ses compagnons. Et il cria
trois fois aussi haut que le peut un homme, et le brave Ménélaos l'entendit trois fois et dit aussitôt au Télamônien Aias :

— Divin Aias Télamônien, prince des peuples, j'entends la
voix du patient Odysseus, semblable à celle d'un homme que
les Troiens auraient enveloppé dans la mêlée. Allons à travers la foule. Il faut le secourir. Je crains qu'il ait été abandonné au milieu des Troiens et que, malgré son courage, il
périsse, laissant d'amers regrets aux Danaens.

Ayant ainsi parlé, il s'élança, et le divin Aias le suivit, et
ils trouvèrent Odysseus au milieu des Troiens qui l'envelop-
paient.

Ainsi des loups affamés, sur les montagnes, hurlent autour d'un vieux cerf qu'un chasseur a blessé d'une flèche. Il a fui, tant que son sang a été tiède et que ses genoux ont pu se mouvoir ; mais dès qu'il est tombé sous le coup de la flèche rapide, les loups carnassiers le déchirent sur les montagnes, au fond des bois. Et voici qu'un lion survient qui enlève la proie, tandis que les loups s'enfuient épouvantés. Ainsi les robustes Troiens se pressaient autour du subtil et prudent Odysseus qui, se ruant à coups de lance, éloignait sa dernière heure. Et Aias, portant un bouclier semblable à une tour, parut à son côté, et les Troiens prirent la fuite çà et là. Et le brave Ménélaos, saisissant Odysseus par la main, le retira de la mêlée, tandis qu'un serviteur faisait approcher le char.

Et Aias, bondissant au milieu des Troiens, tua Doryklos, bâtard de Priamos, et Pandokos, et Lysandros, et Pyrasos, et Pylartès. De même qu'un fleuve, gonflé par les pluies de Zeus, descend, comme un torrent, des montagnes dans la plaine, emportant un grand nombre de chênes déracinés et de pins, et roule ses limons dans la mer ; de même l'illustre Aias, se ruant dans la mêlée, tuait les hommes et les chevaux.

Hektôr ignorait ceci, car il combattait vers la gauche, sur les rives du fleuve Skamandros, là où les têtes des hommes tombaient en plus grand nombre, et où de grandes clameurs s'élevaient autour du cavalier Nestôr et du brave Idoméneus. Hektôr les assiégeait de sa lance et de ses chevaux, et rompait les phalanges des guerriers ; mais les divins Akhaiens n'eussent point reculé, si Alexandros, l'époux de la belle Hélénè, n'eût blessé à l'épaule droite, d'une flèche à trois pointes, le brave Makhaôn, prince des peuples. Alors les vigoureux Akhaiens craignirent, s'ils reculaient, d'exposer la vie de ce guerrier.

Et, aussitôt, Idoméneus dit au divin Nestôr :

— Ô Nestôr Nèlèide, gloire des Akhaiens, hâte-toi, monte sur ton char avec Makhaôn, et pousse vers les nefs tes chevaux aux sabots massifs. Un médecin vaut plusieurs hommes, car il sait extraire les flèches et répandre les doux baumes dans les blessures.

Il parla ainsi, et le cavalier Gérennien Nestôr lui obéit. Et il monta sur son char avec Makhaôn, fils de l'irréprochable médecin Asklèpios. Et il flagellait les chevaux, et ceux-ci volaient ardemment vers les nefs creuses.

Cependant Kébrionès, assis auprès de Hektôr sur le même char, vit au loin le trouble des Troïens et dit au Priamide :

— Hektôr, tandis que nous combattons ici les Danaens, à l'extrémité de la mêlée, les autres Troïens fuient pêle-mêle avec leurs chars. C'est le Télamônien Aias qui les a rompus. Je le reconnais bien, car il porte un vaste bouclier sur ses épaules. C'est pourquoi il nous faut pousser nos chevaux et notre char de ce côté, là où les cavaliers et les piétons s'entre-tuent et où s'élève une immense clameur.

Il parla ainsi et frappa du fouet éclatant les chevaux aux belles crinières ; et, sous le fouet, ceux-ci entraînèrent rapidement le char entre les Troïens et les Akhaiens, écrasant les cadavres et les armes. Et les jantes et les moyeux des roues étaient aspergés du sang qui jaillissait sous les sabots des chevaux. Et le Priamide, plein du désir de pénétrer dans la mêlée et de rompre les phalanges, apportait le trouble et la mort aux Danaens, et il assiégeait leurs lignes ébranlées, en les attaquant à coups de lance, d'épée et de lourdes roches. Mais il évitait d'attaquer le Télamônien Aias.

Alors le Père Zeus saisit Aias d'une crainte soudaine. Et celui-ci, étonné, s'arrêta. Et rejetant sur son dos son bouclier aux sept peaux de bœufs, il recula, regardant toujours la foule. Semblable à une bête fauve, il reculait pas à pas, faisant face à l'ennemi. Comme un lion fauve que les chiens et les pâtres chassent loin de l'étable des bœufs, car ils veillaient avec vigilance, sans qu'il ait pu savourer les chairs grasses dont il était avide, bien qu'il se soit précipité avec fureur, et qui, accablé sous les torches et les traits que lui lancent des mains audacieuses, s'éloigne, au matin, plein de tristesse et frémissant de rage ; de même Aias reculait, le cœur troublé, devant les Troïens, craignant pour les nefs des Akhaiens.

De même un âne têtu entre dans un champ, malgré les efforts des enfants qui brisent leurs bâtons sur son dos. Il continue à paître la moisson, sans se soucier des faibles coups qui l'atteignent, et se retire à grand'peine quand il est rassasié. Ainsi les magnanimes Troïens et leurs alliés frappaient de leur lance Aias, le grand fils de Télamôn. Ils frappaient son bouclier, et le poursuivaient ; mais Aias, reprenant parfois ses forces impétueuses, se retournait et repoussait les phalanges des cavaliers Troïens ; puis, il reculait de nouveau, les empêchant ainsi de se précipiter tous à

la fois vers les nefs rapides. Or, il combattait seul dans l'in-
tervalle qui séparait les Troiens et les Akhaiens. Et les traits
hérissaient son grand bouclier, ou s'enfonçaient en terre
sans se rassasier de sa chair blanche dont ils étaient avides.

Et l'illustre fils d'Evaimôn, Eurypylos, l'aperçut ainsi
assiégé d'un nuage de traits. Et il accourut à ses côtés, et il
lança sa pique éclatante. Et il perça le Phausiade Apisaôn,
prince des peuples, dans le foie, sous le diaphragme, et il le
tua. Et Eurypylos, s'élançant, lui arracha ses armes. Mais
lorsque le divin Alexandros le vit emportant les armes d'Apisaôn, il tendit son arc contre lui et il le perça d'une flèche à
la cuisse droite. Le roseau se brisa, la cuisse s'engourdit, et
l'Evaimonide, rentrant dans la foule de ses compagnons,
afin d'éviter la mort, cria d'une voix haute afin d'être
entendu des Danaens :

— Ô amis, chefs et princes des Argiens, arrêtez et retour-
nez-vous. Éloignez la dernière heure d'Aias qui est accablé
de traits, et qui, je pense, ne sortira pas vivant de la mêlée
terrible. Serrez-vous donc autour d'Aias, le grand fils de
Télamôn !

Eurypylos, blessé, parla ainsi ; mais ses compagnons se
pressèrent autour de lui, le bouclier incliné et la lance en
arrêt. Et Aias, les ayant rejoints, fit avec eux face à l'ennemi.
Et ils combattirent de nouveau, tels que des flammes
ardentes.

Mais les cavales du Nèlèide emportaient loin du combat,
et couvertes d'écume, Nestôr, et Makhaôn, prince des peuples. Et le divin Akhilleus aux pieds rapides les reconnut. Et,
debout sur la poupe de sa vaste nef, il regardait le rude
combat et la défaite lamentable. Et il appela son compagnon
Patroklos. Celui-ci l'entendit et sortit de ses tentes, semblable à Arès. Et ce fut l'origine de son malheur. Et le brave fils
de Ménoitios dit le premier :

— Pourquoi m'appelles-tu, Akhilleus ? Que veux-tu de
moi ?

Et Akhilleus aux pieds rapides lui répondit :

— Divin Ménoitiade, très cher à mon âme, j'espère maintenant que les Akhaiens ne tarderont pas à tomber suppliants à mes genoux, car une intolérable nécessité les
assiège. Va donc, Patroklos cher à Zeus, et demande à Nestôr quel est le guerrier blessé qu'il ramène du combat. Il
ressemble à l'Asklèpiade Makhaôn, mais je n'ai point vu son
visage, et les chevaux l'ont emporté rapidement.

Il parla ainsi, et Patroklos obéit à son cher compagnon, et il s'élança vers les tentes et les nefs des Akhaiens.

Et quand Nestôr et Makhaôn furent arrivés aux tentes du Nèlèide, ils sautèrent du char sur la terre nourricière. Et le serviteur du vieillard, Eurymédôn, détela les chevaux. Et les deux Rois, ayant séché leur sueur au vent de la mer, entrèrent sous la tente et prirent des sièges, et Hékamèdè aux beaux cheveux leur prépara à boire. Et Nestôr l'avait amenée de Ténédos qu'Akhilleus venait de détruire ; et c'était la fille du magnanime Arsinoos, et les Akhaiens l'avaient donnée au Nèlèide parce qu'il les surpassait tous par sa prudence.

Elle posa devant eux une belle table aux pieds de métal azuré, et, sur cette table, un bassin d'airain poli avec des oignons pour exciter à boire, et du miel vierge et de la farine sacrée ; puis, une très belle coupe enrichie de clous d'or, que le vieillard avait apportée de ses demeures. Et cette coupe avait quatre anses et deux fonds, et, sur chaque anse, deux colombes d'or semblaient manger. Tout autre l'eût soulevée avec peine quand elle était remplie, mais le vieux Nestôr la soulevait facilement.

Et la jeune femme, semblable aux Déesses, prépara une boisson de vin de Pramnéios, et sur ce vin elle râpa, avec de l'airain, du fromage de chèvre, qu'elle aspergea de blanche farine. Et, après ces préparatifs, elle invita les deux Rois à boire ; et ceux-ci, ayant bu et étanché la soif brûlante, charmèrent leur repos en parlant tour à tour.

Et le divin Patroklos parut alors à l'entrée de la tente. Et le vieillard, l'ayant aperçu, se leva de son siège éclatant, le prit par la main et voulut le faire asseoir ; mais Patroklos recula et lui dit :

— Je ne puis me reposer, divin vieillard, et tu ne me persuaderas pas. Il est terrible et irritable celui qui m'envoie te demander quel est le guerrier blessé que tu as ramené. Mais je le vois et je reconnais Makhaôn, prince des peuples. Maintenant je retournerai vers Akhilleus pour lui donner cette nouvelle, car tu sais, divin vieillard, combien il est impatient et prompt à accuser, même un innocent.

Et le cavalier Gérennien Nestôr lui répondit :

— Pourquoi Akhilleus a-t-il ainsi pitié des fils des Akhaiens que les traits ont percés ? Ignore-t-il donc le deuil qui enveloppe l'armée ? Déjà les plus braves gisent sur leurs nefs, frappés ou blessés. Le robuste Tydéide Diomèdès est blessé, et Odysseus illustre par sa lance, et Agamemnôn. Une flèche a percé la cuisse d'Eurypylos, et c'est aussi une flèche qui a frappé Makhaôn que je viens de ramener du combat. Mais le brave Akhilleus n'a ni souci ni pitié des Danaens. Attend-il que les nefs rapides soient en proie aux flammes, malgré les Argiens, et que ceux-ci périssent jusqu'au dernier ? Je n'ai plus la force qui animait autrefois mes membres agiles. Plût aux Dieux que je fusse florissant de jeunesse et de vigueur, comme au temps où une dissension s'éleva entre nous et les Eléiens, à cause d'un enlèvement de bœufs, quand je tuai le robuste Hypéirokhide Itymoneus qui habitait Elis, et dont j'enlevai les bœufs par représailles. Et il les défendait, mais je le frappai d'un coup de lance, aux premiers rangs, et il tomba. Et ses tribus sauvages s'enfuirent en tumulte, et nous enlevâmes un grand butin : cinquante troupeaux de bœufs, autant de brebis, autant de porcs et autant de chèvres, cent cinquante cavales baies et leurs nombreux poulains. Et nous les conduisîmes, pendant la nuit, dans Pylos, la ville de Nèleus. Et Nèleus se réjouit dans son cœur, parce que j'avais fait toutes ces choses, ayant combattu pour la première fois. Et, au lever du jour, les hérauts convoquèrent ceux dont les troupeaux avaient été emmenés dans la fertile Elis ; et les chefs Pyliens, s'étant réunis, partagèrent le butin. Mais alors les Epéiens nous opprimaient, car nous étions peu nombreux et nous avions beaucoup souffert dans Pylos, depuis que Hèraklès nous avait accablés, il y avait quelques années, en tuant les premiers de la Ville. Et nous étions douze fils irréprochables de Nèleus, et j'étais resté le dernier, car tous les autres avaient péri ; et c'est pourquoi les orgueilleux Epéiens cuirassés nous accablaient d'injustes outrages. Le vieillard Nèleus reçut en partage un troupeau de bœufs et un troupeau de brebis, trois cents têtes de bétail et leurs bergers, car la divine Elis lui avait beaucoup enlevé de richesses. Le Roi des hommes, Augéias, avait retenu quatre de ses chevaux, avec leurs chars, qui se rendaient aux Jeux, et il n'avait renvoyé que le conducteur plein de tristesse de cette perte. Et le vieux Nèleus en fut très irrité ; et c'est pourquoi il reçut une grande part du butin ; mais il distribua le reste au peuple par portions égales. Et comme nous partagions le butin, en faisant des sacrifices, les Epéiens survinrent, le troisième jour, en grand nombre, avec leurs chevaux aux sabots massifs, et les deux Molionides, jeunes encore, et inhabiles malgré leur force et leur courage. Or, la ville de Thryoessa s'élevait sur une hauteur, non loin de l'Alphéios, aux confins de la sablonneuse Pylos. Et tous étaient pleins d'ardeur. Nèleus me défendit de m'armer, et il cacha mes chevaux, car il pensait que je n'étais pas assez fort pour combattre. Mais je partis à pied, et je m'illustrai au milieu des cavaliers, parce qu'Athènè me guidait au combat. Et tous, cavaliers et piétons Pyliens, nous attendîmes la divine Eôs auprès d'Arènè, là où le fleuve Minyèos tombe dans la mer. Vers midi, arrivés sur les bords sacrés de l'Alphéios, nous fîmes de grands sacrifices au puissant Zeus, offrant aussi un taureau à l'Alphéios, un autre taureau à Poseidaôn, et une génisse indomptée à Athènè aux yeux clairs. Puis, chacun de nous, ayant pris son repas dans les rangs, se coucha avec ses armes sur les rives du fleuve. Cependant les magnanimes Epéiens assiégeaient la Ville, désirant la détruire ; et voici que les durs travaux d'Arès leur apparurent. Quand Hélios resplendit sur la terre, nous courûmes au combat, en suppliant Zeus et Athènè. Et dès que les Pyliens et les Epéiens se furent attaqués, le premier je tuai un guerrier et je me saisis de ses chevaux aux sabots massifs. Et c'était le brave Moulios, gendre d'Augéias, car il avait épousé sa fille, la blonde Agamèdè, qui connaissait toutes les plantes médicinales qui poussent sur la vaste terre. Et je le perçai de ma lance d'airain, comme il s'élançait, et il tomba dans la poussière ; et je sautai sur son char, et je combattis aux premiers rangs ; et les magnanimes Epéiens s'enfuirent épouvantés, quand ils virent tomber ce guerrier, chef des cavaliers, le plus brave d'entre eux. Et je me jetai sur eux, semblable à une noire tempête. Je m'emparai de cinquante chars, et je tuai de ma lance deux guerriers sur chaque char. Sans doute j'eusse tué aussi les deux jeunes Aktorides, si leur aïeul Poseidaôn qui commande au loin ne les eût enlevés de la mêlée, en les enveloppant d'une nuée épaisse. Alors Zeus accorda aux Pyliens une grande victoire. Nous poursuivîmes au loin l'ennemi à travers la plaine, tuant les hommes et enlevant de belles armes, et poussant nos chevaux jusqu'à Bouprasion féconde en fruits, jusqu'à la pierreuse Olèniè et Aleision qu'on nomme maintenant Kolônè. Et Athènè rappela l'armée, et je tuai encore un guerrier ; et les Akhaiens, quittant Bouprasion, ramenèrent leurs chevaux rapides vers Pylos. Et tous rendaient grâces parmi les Dieux à Zeus, et parmi les guerriers à Nestôr. Tel je fus au milieu des braves ; mais Akhilleus n'use de sa force que pour lui seul, et je pense

qu'il ressentira un jour d'amers regrets, quand toute l'armée
Akhaienne aura péri. Ô ami, Ménoitios t'adressa de sages
paroles quand, loin de la Phthiè, il t'envoya vers Agamemnôn. Nous étions là, le divin Odysseus et moi, et nous enten-
dîmes facilement ce qu'il te dit dans ses demeures. Et nous
étions venus vers les riches demeures de Pèleus, parcourant
l'Akhaiè fertile, afin de rassembler les guerriers. Nous y trou-
vâmes le héros Ménoitios, et toi, et Akhilleus. Et le vieux
cavalier Pèleus brûlait, dans ses cours intérieures, les cuisses
grasses d'un bœuf en l'honneur de Zeus qui se réjouit de la
foudre. Et il tenait une coupe d'or, et il répandait des libations de vin noir sur les feux sacrés, et vous prépariez les
chairs du bœuf. Nous restions debout sous le vestibule ;
mais Akhilleus, surpris, se leva, nous conduisit par la main,
nous fit asseoir et posa devant nous la nourriture hospita-
lière qu'il est d'usage d'offrir aux étrangers. Et, après nous
être rassasiés de boire et de manger, je commençai à parler,
vous exhortant à nous suivre. Et vous y consentîtes volontiers, et les deux vieillards vous adressèrent de sages paroles.
D'abord, le vieux Pèleus recommanda à Akhilleus de surpas-
ser tous les autres guerriers en courage ; puis le fils d'Aktôr,
Ménoitios, te dit :

— Mon fils, Akhilleus t'est supérieur par la naissance,
mais tu es plus âgé que lui. Ses forces sont plus grandes que
les tiennes, mais parle-lui avec sagesse, avertis-le, guide-le
et il obéira aux excellents conseils.

Le vieillard te donna ces instructions, mais tu les as
oubliées. Parle donc au brave Akhilleus ; peut-être écoutera-
t-il tes paroles. Qui sait si, grâces à un Dieu, tu ne toucheras
point son cœur ? Le conseil d'un ami est bon à suivre. Mais
si, dans son esprit, il redoute quelque oracle ou un avertisse-
ment que lui a donné sa mère vénérable de la part de Zeus,
qu'il t'envoie combattre au moins, et que l'armée des Myrmidones te suive ; et peut-être sauveras-tu les Danaens. S'il te
confiait ses belles armes, peut-être les Troiens te pren-
draient-ils pour lui, et, s'enfuyant, laisseraient-ils respirer les
fils accablés des Akhaiens ; et le repos est de courte durée à
la guerre. Or, des troupes fraîches repousseraient aisément
vers la Ville, loin des nefs et des tentes, des hommes fatigués
par le combat.

Il parla ainsi, et il remua le cœur de Patroklos, et celui-ci
se hâta de retourner vers les nefs de l'Aikide Akhilleus. Mais,

lorsque, dans sa course, il fut arrivé aux nefs du divin Odysseus, là où était l'agora et le lieu de justice, et où l'on dressait les autels des Dieux, il rencontra le magnanime Evaimonide Eurypylos, qui revenait du combat, boitant et la cuisse percée d'une flèche. Et la sueur tombait de sa tête et de ses épaules, et un sang noir sortait de sa profonde blessure ; mais son cœur était toujours ferme. Et, en le voyant, le robuste fils de Ménoitios fut saisi de compassion, et il lui dit ces paroles ailées :

— Ah ! malheureux chefs et princes des Danaens, serez-vous donc, loin de vos amis, loin de la terre natale, la pâture des chiens qui se rassasieront de votre graisse blanche dans Ilios ? Mais dis-moi, divin héros Eurypylos, les Akhaiens soutiendront-ils l'effort du cruel Hektôr, ou périront-ils sous sa lance ?

Et le sage Eurypylos lui répondit :

— Divin Patroklos, il n'y a plus de salut pour les Akhaiens, et ils périront devant les nefs noires. Les plus robustes et les plus braves gisent dans leurs nefs, frappés ou blessés par les mains des Troiens dont les forces augmentent toujours. Mais sauve-moi en me ramenant dans ma nef noire. Arrache cette flèche de ma cuisse, baigne d'une eau tiède la plaie et le sang qui en coule, et verse dans ma blessure ces doux et excellents baumes que tu tiens d'Akhilleus qui les a reçus de Kheirôn, le plus juste des Centaures. Des deux médecins, Podaleirios et Makhaôn, l'un, je pense, est dans sa tente, blessé lui-même et manquant de médecins, et l'autre soutient dans la plaine le dur combat contre les Troiens.

Et le robuste fils de Ménoitios lui répondit :

— Héros Eurypylos, comment finiront ces choses, et que ferons-nous ? Je vais répéter à Akhilleus les paroles du cavalier Gérennien Nestôr, rempart des Akhaiens ; mais, cependant, je ne t'abandonnerai pas dans ta détresse.

Il parla ainsi, et, le soutenant contre sa poitrine, il conduisit le prince des peuples jusque dans sa tente. Et le serviteur d'Eurypylos, en le voyant, prépara un lit de peaux de bœuf ; et le héros s'y coucha ; et le Ménoitiade, à l'aide d'un couteau, retira de la cuisse le trait acerbe et aigu, lava le sang noir avec de l'eau tiède, et, de ses mains, exprima dans la plaie le suc d'une racine amère qui adoucissait et calmait. Et toutes les douleurs du héros disparurent, et la blessure se ferma, et le sang cessa de couler.

RHAPSODIE XII

Ainsi le robuste fils de Ménoitios prenait soin d'Eurypylos dans ses tentes. Et les Argiens et les Troiens combattaient avec fureur, et le fossé et la vaste muraille ne devaient pas longtemps protéger les Danaens. Quand ils l'avaient élevée pour sauvegarder les nefs rapides et le nombreux butin, ils n'avaient point offert de riches hécatombes aux Dieux, et cette muraille, ayant été construite malgré les Dieux, ne devait pas être de longue durée.

Tant que Hektôr fut vivant, et que Pèléide garda sa colère, et que la ville du roi Priamos fut épargnée, le grand mur des Akhaiens subsista ; mais, après que les plus illustres des Troiens furent morts, et que, parmi les Argiens, les uns eurent péri et les autres survécu, et que la ville de Priamos eut été renversée dans la dixième année, les Argiens s'en retournèrent dans leur chère patrie.

Alors, Poseidaôn et Apollôn se décidèrent à détruire cette muraille, en réunissant la violence des fleuves qui coulent à la mer des sommets de l'Ida : le Rhèsos, le Heptaporos, le Karèsos, le Rhodios, le Grènikos, l'Aisèpos, le divin Skamandros et le Simoïs, où tant de casques et de boucliers roulèrent dans la poussière avec la foule des guerriers demi-Dieux. Et Phoibos Apollôn les réunit tous, et, pendant neuf jours, dirigea leurs courants contre cette muraille. Et Zeus pleuvait continuellement, afin que les débris fussent submergés plus tôt par la mer. Et Poseidaôn lui-même, le trident en main, fit s'écrouler, sous l'effort des eaux, les poutres et les pierres et les fondements que les Akhaiens avaient péniblement construits. Et il mit la muraille au niveau du rapide Hellespontos ; et, sur ces débris, les sables s'étant amoncelés comme auparavant sur le vaste rivage, le Dieu fit retourner les fleuves dans les lits où ils avaient coutume de rouler leurs belles eaux.

Ainsi, dans l'avenir, devaient faire Poseidaôn et Apollôn ; mais, aujourd'hui, autour du mur solide, éclataient les clameurs de la guerre et le combat ; et les poutres des tours criaient sous les coups ; et les Argiens, sous le fouet de Zeus, étaient acculés contre les nefs creuses, redoutant le robuste

Hektôr, maître de la fuite. Et celui-ci combattait toujours, semblable à un tourbillon.

De même, quand un sanglier ou un lion, fier de sa vigueur, se retourne contre les chiens et les chasseurs, ceux-ci, se serrant, s'arrêtent en face et lui dardent un grand nombre de traits ; mais son cœur orgueilleux ne tremble ni ne s'épouvante, et son audace cause sa perte. Il tente souvent d'enfoncer les lignes des chasseurs, et là où il se rue, elles cèdent toujours. Ainsi, se ruant dans la mêlée, Hektôr exhortait ses compagnons à franchir le fossé ; mais ses chevaux rapides n'osaient eux-mêmes avancer, et, en hennissant, ils s'arrêtaient sur le bord, car le fossé creux les effrayait, ne pouvant être franchi ou traversé facilement. Des deux côtés se dressaient de hauts talus hérissés de pals aigus plantés par les fils des Akhaiens, épais, solides, et tournés contre les guerriers ennemis. Des chevaux traînant un char léger n'auraient pu y pénétrer aisément ; mais les hommes de pied désiraient tenter l'escalade. Et alors Polydamas s'approcha du brave Hektôr et lui dit :

— Hektôr, et vous, chefs des Troiens et des Alliés, nous poussons imprudemment à travers ce fossé nos chevaux rapides, car le passage en est difficile. Des pals aigus s'y dressent en effet, et derrière eux monte le mur des Akhaiens. On ne peut ici ni combattre sur les chars, ni en descendre. La voie est étroite, et je pense que nous y périrons. Puisse Zeus qui tonne dans les hauteurs accabler les Argiens de mille maux et venir en aide aux Troiens aussi sûrement que je voudrais voir à l'instant ceux-là périr tous, sans gloire, loin d'Argos. Mais, s'ils reviennent sur nous et nous repoussent des nefs, nous serons précipités dans le fossé creux ; et je ne pense pas qu'un seul d'entre nous, dans sa fuite, puisse regagner la Ville. Écoutez donc et obéissez à mes paroles. Que les conducteurs retiennent les chevaux au bord de ce fossé, et nous, à pied, couverts de nos armes, nous suivrons tous Hektôr, et les Akhaiens ne résisteront pas, si, en effet, leur ruine est proche.

Polydamas parla ainsi, et ce sage conseil plut à Hektôr, et, aussitôt, il sauta de son char avec ses armes ; et, comme le divin Hektôr, les autres Troiens sautèrent aussi de leurs chars, et ils ordonnèrent aux conducteurs de ranger les chevaux sur le bord du fossé ; et, se divisant en cinq corps, ils suivirent leurs chefs.

Avec Hektôr et l'irréprochable Polydamas marchaient les

plus nombreux et les plus braves, ceux qui désiraient avec le plus d'ardeur enfoncer la muraille ; et leur troisième chef était Kébrionès, car Hektôr avait laissé à la garde du char un moins brave guerrier. Et le deuxième corps était commandé par Pâris, Alkathoos et Agènôr. Et le troisième corps obéissait à Hélénos et au divin Dèiphobos, deux fils de Priamos, et au héros Asios Hyrtakide que ses chevaux au poil roux et de haute taille avaient amené d'Arisba et des bords du Sellèis. Et le chef du quatrième corps était le noble fils d'Ankhisès, Ainéias ; et avec lui commandaient les deux Antènorides, Arkhélokhos et Akamas, habiles au combat. Et Sarpèdôn, avec Glaukos et le magnanime Astéropaios, commandait les illustres Alliés. Et ces guerriers étaient les plus courageux après Hektôr, car il les surpassait tous.

Et s'étant couverts de leurs boucliers de cuir, ils allèrent droit aux Danaens, ne pensant pas que ceux-ci pussent résister, et certains d'envahir les nefs noires. Ainsi les Troiens et leurs alliés venus de loin obéissaient au sage conseil de l'irréprochable Polydamas ; mais le Hyrtakide Asios, prince des hommes, ne voulut point abandonner ses chevaux et leur conducteur, et il s'élança avec eux vers les nefs rapides. Insensé ! Il ne devait point, ayant évité la noire Kèr, fier de ses chevaux et de son char, revenir des nefs vers la haute Ilios ; et déjà la triste Moire l'enveloppait de la lance de l'illustre Deukalide Idoméneus.

Et il se rua sur la gauche des nefs, à l'endroit où les Akhaiens ramenaient dans le camp leurs chevaux et leurs chars. Il trouva les portes ouvertes, car ni les battants, ni les barrières n'étaient fermés, afin que les guerriers, dans leur fuite, pussent regagner les nefs. Plein d'orgueil, il poussa ses chevaux de ce côté, et ses compagnons le suivaient avec de perçantes clameurs, ne pensant pas que les Akhaiens pussent résister, et certains d'envahir les nefs noires.

Les insensés ! Ils rencontrèrent devant les portes deux braves guerriers, fils magnanimes des belliqueux Lapithes. Et l'un était le robuste Polypoitès, fils de Peirithoos, et l'autre, Léonteus, semblable au tueur d'hommes Arès. Et tous deux, devant les hautes portes, ils se tenaient comme deux chênes, sur les montagnes, bravant les tempêtes et la pluie, affermis par leurs larges racines. Ainsi, certains de leurs forces et de leur courage, ils attendaient le choc du grand Asios et ne reculaient point.

Et, droit au mur bien construit, avec de grandes clameurs,

se ruaient, le bouclier sur la tête, le prince Asios, Iaménos,
Orestès, Adamas Asiade, Thoôn et Oinomaos. Et, par leurs
cris, les deux Lapithes exhortaient les Akhaiens à venir
défendre les nefs. Mais, voyant les Troiens escalader la
muraille, les Danaens pleins de terreur poussaient de grands
cris. Alors, les deux Lapithes, se jetant devant les portes,
combattirent tels que deux sangliers sauvages qui, sur les
montagnes, forcés par les chasseurs et les chiens, se retournent impétueusement et brisent les arbustes dont ils arrachent les racines. Et ils grincent des dents jusqu'à ce qu'un
trait leur ait arraché la vie.

Ainsi l'airain éclatant résonnait sur la poitrine des deux
guerriers frappés par les traits ; et ils combattaient courageusement, confiants dans leurs forces et dans leurs compagnons.

Et ceux-ci lançaient des pierres du haut des tours bien
construites, pour se défendre, eux, leurs tentes et leurs nefs
rapides. Et de même que la lourde neige, que la violence du
vent qui agite les nuées noires verse, épaisse, sur la terre
nourricière, de même les traits pleuvaient des mains des
Akhaiens et des Troiens. Et les casques et les boucliers bombés sonnaient, heurtés par les pierres. Alors, gémissant, et
se frappant les cuisses, Asios Hyrtakide parla ainsi, indigné :

— Père Zeus ! certes, tu n'aimes qu'à mentir, car je ne
pensais pas que les héros Akhaiens pussent soutenir notre
vigueur et nos mains inévitables. Voici que, pareils aux guêpes au corsage mobile, ou aux abeilles qui bâtissent leurs
ruches dans un sentier ardu, et qui n'abandonnent point
leurs demeures creuses, mais défendent leur jeune famille
contre les chasseurs, voici que ces deux guerriers, seuls
devant les portes, ne reculent point, attendant d'être morts
ou vainqueurs.

Il parla ainsi, mais il ne fléchit point l'âme de Zeus qui,
dans son cœur, voulait glorifier Hektôr.

Et d'autres aussi combattaient autour des portes ; mais, à
qui n'est point dieu, il est difficile de tout raconter. Et çà et
là, autour du mur, roulait un feu dévorant de pierres. Et les
Argiens, en gémissant de cette nécessité, combattaient pour
leurs nefs. Et tous les Dieux étaient tristes, qui soutenaient
les Danaens dans les batailles.

Et, alors, le robuste fils de Peirithoos, Polypoitès, frappa
Damasos de sa lance, sur le casque d'airain ; mais le casque
ne résista point, et la pointe d'airain, rompant l'os, écrasa la

cervelle, et l'homme furieux fut dompté. Et Polypoitès tua ensuite Pylôn et Ormènos. Et le fils d'Antimakhos, Léonteus, nourrisson d'Arès, de sa lance perça Hippomakhos à la ceinture, à travers le baudrier. Puis, ayant tiré l'épée aiguë hors de la gaine, et se ruant dans la foule, il frappa Antiphatès, et celui-ci tomba à la renverse. Puis, Léonteus entassa Ménôn, Iaménos et Orestès sur la terre nourricière.

Et tandis que les deux Lapithes enlevaient leurs armes splendides, derrière Polydamas et Hektôr accouraient de jeunes guerriers, nombreux et très braves, pleins du désir de rompre la muraille et de brûler les nefs. Mais ils hésitèrent au bord du fossé. En effet, comme ils allaient le franchir, ils virent un signe augural. Un aigle, volant dans les hautes nuées, apparut à leur gauche, et il portait entre ses serres un grand dragon sanglant, mais qui vivait et palpitait encore, et combattait toujours, et mordait l'aigle à la poitrine et au cou. Et celui-ci, vaincu par la douleur, le laissa choir au milieu de la foule, et s'envola dans le vent en poussant des cris. Et les Troiens frémirent d'horreur en face du dragon aux couleurs variées qui gisait au milieu d'eux, signe de Zeus tempétueux. Et alors Polydamas parla ainsi au brave Hektôr :

— Hektôr, toujours, dans l'agora, tu repousses et tu blâmes mes conseils prudents, car tu veux qu'aucun guerrier ne dise autrement que toi, dans l'agora ou dans le combat ; et il faut que nous ne servions qu'à augmenter ton pouvoir. Mais je parlerai cependant, car mes paroles seront bonnes. N'allons point assiéger les nefs Akhaiennes, car ceci arrivera, si un vrai signe est apparu aux Troiens, prêts à franchir le fossé, cet aigle qui, volant dans les hautes nuées, portait entre ses serres ce grand dragon sanglant, mais vivant encore, et qu'il a laissé choir avant de le livrer en pâture à ses petits dans son aire. C'est pourquoi, même si nous rompions de force les portes et les murailles des Akhaiens, mêmes s'ils fuyaient, nous ne reviendrions point par les mêmes chemins et en bon ordre ; mais nous abandonnerions de nombreux Troiens que les Akhaiens auraient tués avec l'airain, en défendant leurs nefs. Ainsi doit parler tout augure savant dans les prodiges divins, et les peuples doivent lui obéir.

Et Hektôr au casque mouvant, le regardant d'un œil sombre, lui dit :

— Polydamas, certes, tes paroles ne me plaisent point, et,

sans doute, tu le sais, tes conseil auraient pu être meilleurs. Si tu as parlé sincèrement, c'est que les Dieux t'ont ravi l'intelligence, puisque tu nous ordonnes d'oublier la volonté de Zeus qui tonne dans les hauteurs, et les promesses qu'il m'a faites et confirmées par un signe de sa tête. Tu veux que nous obéissions à des oiseaux qui étendent leurs ailes ! Je ne m'en inquiète point, je n'en ai nul souci, soit qu'ils volent à ma droite, vers Eôs ou Hélios, soit qu'ils volent à ma gauche, vers le sombre couchant. Nous n'obéirons qu'à la volonté du grand Zeus qui commande aux hommes mortels et aux Immortels. Le meilleur des augures est de combattre pour sa patrie. Pourquoi crains-tu la guerre et le combat ? Même quand nous tomberions tous autour des nefs des Argiens, tu ne dois point craindre la mort, car ton cœur ne te pousse point à combattre courageusement. Mais si tu te retires de la mêlée, si tu pousses les guerriers à fuir, aussitôt, frappé de ma lance, tu rendras l'esprit.

Il parla ainsi et s'élança, et tous le suivirent avec une clameur immense. Et Zeus qui se réjouit de la foudre souleva, des cimes de l'Ida, un tourbillon de vent qui couvrit les nefs de poussière, amollit le courage des Akhaiens et assura la gloire à Hektôr et aux Troiens qui, confiants dans les signes de Zeus et dans leur vigueur, tentaient de rompre la grande muraille des Akhaiens.

Et ils arrachaient les créneaux, et ils démolissaient les parapets, et ils ébranlaient avec des leviers les piles que les Akhaiens avaient posées d'abord en terre pour soutenir les tours. Et ils les arrachaient, espérant détruire la muraille des Akhaiens. Mais les Danaens ne reculaient point, et, couvrant les parapets de leurs boucliers de peaux de bœuf, ils en repoussaient les ennemis qui assiégeaient la muraille.

Et les deux Aias couraient çà et là sur les tours, ranimant le courage des Akhaiens. Tantôt par des paroles flatteuses, tantôt par de rudes paroles, ils excitaient ceux qu'ils voyaient se retirer du combat :

— Amis ! vous, les plus vaillants des Argiens, ou les moins braves, car tous les guerriers ne sont pas égaux dans la mêlée, c'est maintenant, vous le voyez, qu'il faut combattre, tous tant que vous êtes. Que nul ne se retire vers les nefs devant les menaces de l'ennemi. En avant ! Exhortez-vous les uns les autres. Peut-être que l'Olympien foudroyant Zeus nous donnera de repousser les Troiens jusque dans la Ville.

Et c'est ainsi que d'une voix belliqueuse ils excitaient les Akhaiens.

De même que, par un jour d'hiver, tombent les flocons amoncelés de la neige, quand le sage Zeus, manifestant ses traits, les répand sur les hommes mortels, et que les vents se taisent, tandis que la neige couvre les cimes des grandes montagnes, et les hauts promontoires, et les campagnes herbues, et les vastes travaux des laboureurs, et qu'elle tombe aussi sur les rivages de la mer écumeuse où les flots la fondent, pendant que la pluie de Zeus enveloppe tout le reste ; de même une grêle de pierres volait des Akhaiens aux Troiens et des Troiens aux Akhaiens, et un retentissement s'élevait tout autour de la muraille.

Mais ni les Troiens ni l'illustre Hektôr n'auraient alors rompu les portes de la muraille ni la longue barrière, si le sage Zeus n'eût poussé son fils Sarpèdôn contre les Argiens, comme un lion contre des bœufs aux cornes recourbées.

Et il tenait devant lui un bouclier d'une rondeur égale, beau, revêtu de lames d'airain que l'ouvrier avait appliquées sur d'épaisses peaux de bœufs, et entouré de longs cercles d'or. Et, tenant ce bouclier et agitant deux lances, Sarpèdôn s'avançait, comme un lion nourri sur les montagnes, qui, depuis longtemps affamé, est excité par son cœur audacieux à enlever les brebis jusque dans l'enclos profond, et qui, bien qu'elles soient gardées par des chiens et des pasteurs armés de lances, ne recule point sans tenter le péril, mais d'un bond saisit sa proie, s'il n'est d'abord percé par un trait rapide. Ainsi le cœur du divin Sarpèdôn le poussait à enfoncer le rempart et à rompre les parapets. Et il dit à Glaukos, fils de Hippolokhos :

— Glaukos, pourquoi, dans la Lykiè, sommes-nous grandement honorés par les meilleures places, les viandes et les coupes pleines, et sommes-nous regardés comme des Dieux ? Pourquoi cultivons-nous un grand domaine florissant sur les rives du Xanthos, une terre plantée de vignes et de blé ? C'est afin que nous soyons debout, en tête des Lykiens, dans l'ardente bataille. C'est afin que chacun des Lykiens bien armés dise : — Nos rois, qui gouvernent la Lykiè, ne sont pas sans gloire. S'ils mangent les grasses brebis, s'ils boivent le vin excellent et doux, ils sont pleins de courage et de vigueur, et ils combattent en tête des Lykiens. — Ô ami, si en évitant la guerre nous pouvions rester jeunes et immortels, je ne combattrais pas au premier rang et je ne t'enverrais pas à la bataille glorieuse ; mais mille chances de mort nous enveloppent, et il n'est point permis à l'homme vivant de les éviter ni de les fuir. Allons ! donnons une grande gloire à l'ennemi ou à nous.

Il parla ainsi, et Glaukos ne recula point et lui obéit. Et ils allèrent, conduisant la foule des Lykiens. Et le fils de Pétéôs, Ménestheus, frémit en les voyant, car ils se ruaient à l'assaut de sa tour. Et il jeta les yeux sur la muraille des Akhaiens, cherchant quelque chef qui vînt défendre ses compagnons. Et il aperçut les deux Aias, insatiables de combats, et, auprès d'eux, Teukros qui sortait de sa tente. Mais ses clameurs ne pouvaient être entendues, tant était immense le retentissement qui montait dans l'Ouranos, fracas des boucliers heurtés, des casques aux crinières de chevaux, des portes assiégées et que les Troiens s'efforçaient de rompre. Et, alors, Ménestheus envoya vers Aias le héraut Thoôtès :

— Va ! divin Thoôtès, appelle Aias, ou même les deux à la fois, ce qui serait bien mieux, car c'est de ce côté que la ruine nous menace. Voici que les chefs Lykiens se ruent sur nous, impétueux comme ils le sont toujours dans les rudes batailles. Mais si le combat retient ailleurs les deux Aias, amène au moins le robuste Télamônien et l'excellent archer Teukros.

Il parla ainsi, et Thoôtès, l'ayant entendu, obéit, et, courant sur la muraille des Argiens cuirassés, s'arrêta devant les Aias et leur dit aussitôt :

— Aias, chefs des Argiens cuirassés, le fils bien-aimé du divin Pétéôs vous demande d'accourir à son aide, tous deux si vous le pouvez, ce qui serait bien mieux, car c'est de ce côté que la ruine nous menace. Voici que les chefs Lykiens se ruent sur nous, impétueux comme ils le sont toujours dans les rudes batailles. Mais si le combat vous retient tous deux, que le robuste Télamônien vienne au moins, et, avec lui, l'excellent archer Teukros.

Il parla ainsi, et, sans tarder, le grand Télamônien dit aussitôt à l'Oiliade :

— Aias, toi et le brave Lykomèdès, inébranlables, excitez les Danaens au combat. Moi, j'irai à l'aide de Ménestheus, et je reviendrai après l'avoir secouru.

Ayant ainsi parlé, le Télamônien Aias s'éloigna avec son frère Teukros né du même père que lui, et, avec eux, Pandiôn, qui portait l'arc de Teukros.

Et quand ils eurent atteint la tour du magnanime Ménes-theus, ils se placèrent derrière le mur à l'instant même du danger, car les illustres princes et chefs des Lykiens montaient à l'assaut de la muraille, semblables à un noir tourbillon. Et ils se rencontrèrent, et une horrible clameur s'éleva de leur choc.

Et Aias Télamônien, le premier, tua un compagnon de Sarpèdôn, le magnanime Epikleus. Et il le frappa d'un rude bloc de marbre qui gisait, énorme, en dedans du mur, au sommet du rempart, près des créneaux, et tel que, de ses deux mains, un jeune guerrier, de ceux qui vivent de nos jours, ne soulèverait point le pareil. Aias, de son bras tendu, l'enleva en l'air, brisa le casque aux quatres cônes et écrasa entièrement la tête du guerrier. Et celui-ci tomba du faîte de la tour, comme un plongeur, et son esprit abandonna ses ossements.

Et Teukros perça d'une flèche le bras du brave Glaukos, fils de Hippolokhos, à l'instant où celui-ci escaladait la haute muraille, et il l'éloigna du combat. Et Glaukos sauta du mur pour que nul des Akhaiens ne vît sa blessure et ne l'insultât.

Et Sarpèdôn, le voyant fuir, fut saisi de douleur ; mais, sans oublier de combattre, il frappa le Thestoride Alkmaôn de sa lance, et, la ramenant à lui, il entraîna l'homme la face contre terre, et les armes d'airain du Thestoride retentirent dans sa chute. Et Sarpèdôn saisit de ses mains vigoureuses un créneau du mur, et il l'arracha tout entier, et la muraille resta béante, livrant un chemin à la multitude.

Et Aias et Teukros firent face tous deux. Et Teukros frappa Sarpèdôn sur le baudrier splendide qui entourait la poitrine, mais Zeus détourna la flèche du corps de son fils, afin qu'il ne fût point tué devant les nefs. Et Aias, d'un bond, frappa le bouclier de Sarpèdôn, et la lance y pénétra, réprimant l'impétuosité du guerrier qui s'éloigna du mur, mais sans se retirer, car son cœur espérait la victoire. Et, se retournant, il exhorta ainsi les nobles Lykiens :

— Ô Lykiens, pourquoi laissez-vous de côté votre ardent courage ? Il m'est difficile, tout robuste que je suis, de renverser seul cette muraille et de frayer un chemin vers les nefs. Accourez donc. Toutes nos forces réunies réussiront mieux.

Il parla ainsi, et, touchés de ses reproches, ils se précipitèrent autour de leur Roi. Et les Argiens, de leur côté, derrière la muraille, renforçaient leurs phalanges, car une lourde

tâche leur était réservée. Et les illustres Lykiens, ayant
rompu la muraille, ne pouvaient cependant se frayer un chemin jusqu'aux nefs. Et les belliqueux Danaens, les ayant
arrêtés, ne pouvaient non plus les repousser loin de la
muraille.

De même que deux hommes, la mesure à la main, se que-
rellent sur le partage d'un champ commun et se disputent
la plus petite portion du terrain, de même, séparés par les
créneaux, les combattants heurtaient de toutes parts les
boucliers au grand orbe et les défenses plus légères. Et beaucoup étaient blessés par l'airain cruel ; et ceux qui, en
fuyant, découvraient leur dos, étaient percés, même à travers les boucliers. Et les tours et les créneaux étaient inon-
dés du sang des guerriers. Et les Troiens ne pouvaient
mettre en fuite les Akhaiens, mais ils se contenaient les uns
les autres. Telles sont les balances d'une ouvrière équitable.
Elle tient les poids d'un côté et la laine de l'autre, et elle les
pèse et les égalise, afin d'apporter à ses enfants un chétif
salaire. Ainsi le combat restait égal entre les deux partis,
jusqu'au moment où Zeus accorda une gloire éclatante au
Priamide Hektôr qui, le premier, franchit le mur des
Akhaiens. Et il cria d'une voix retentissante, afin d'être
entendu des Troiens :

— En avant, cavaliers Troiens ! Rompez la muraille des
Argiens, et allumez de vos mains une immense flamme
ardente.

Il parla ainsi, et tous l'entendirent, et ils se jetèrent sur la
muraille, escaladant les créneaux et dardant les lances
aiguës. Et Hektôr portait une pierre énorme, lourde, pointue, qui gisait devant les portes, telle que deux très robustes
hommes de nos jours n'en pourraient soulever la pareille de
terre, sur leur chariot. Mais, seul, il l'agitait facilement, car
le fils du subtil Kronos la lui rendait légère. De même qu'un
berger porte aisément dans sa main la toison d'un bélier, et
en trouve le poids léger, de même Hektôr portait la pierre
soulevée droit aux ais doubles qui défendaient les portes,
hautes, solides et à deux battants. Deux poutres les fermaient en dedans, traversées par une cheville.

Et, s'approchant, il se dressa sur ses pieds et frappa la
porte par le milieu, et le choc ne fut pas inutile. Il rompit
les deux gonds, et la pierre enfonça le tout et tomba lourde-
ment de l'autre côté. Et ni les poutres brisées, ni les battants

en éclats ne résistèrent au choc de la pierre. Et l'illustre Hektôr sauta dans le camp, semblable à une nuit rapide, tandis
que l'airain dont il était revêtu resplendissait. Et il brandissait deux lances dans ses mains, et nul, excepté un Dieu,
n'eût pu l'arrêter dans son élan. Et le feu luisait dans ses
yeux. Et il commanda à la multitude des Troiens de franchir
la muraille, et tous lui obéirent. Les uns escaladèrent la
muraille, les autres enfoncèrent les portes, et les Danaens
s'enfuirent jusqu'aux nefs creuses, et un immense tumulte
s'éleva.

RHAPSODIE XIII

Et dès que Zeus eut poussé Hektôr et les Troiens jusqu'aux
nefs, les y laissant soutenir seuls le rude combat, il tourna
ses yeux splendides sur la terre des cavaliers Thrèkiens, des
Mysiens, qui combattent de près, et des illustres Hippèmol-
ges qui se nourrissent de lait, pauvres, mais les plus justes
des hommes. Et Zeus ne jetait plus ses yeux splendides sur
Troiè, ne pensant point dans son esprit qu'aucun des
Immortels osât secourir ou les Troiens, ou les Danaens.

Mais Celui qui ébranle la terre ne veillait pas en vain, et il
regardait la guerre et le combat, assis sur le plus haut sommet de la Samothrékè feuillue, d'où apparaissaient tout l'Ida
et la ville de Priamos et les nefs des Akhaiens. Et là, assis
hors de la mer, il prenait pitié des Akhaiens domptés par les
Troiens, et s'irritait profondément contre Zeus. Et, aussitôt,
il descendit du sommet escarpé, et les hautes montagnes et
les forêts tremblaient sous les pieds immortels de Poseidaôn
qui marchait. Et il fit trois pas et, au quatrième, il atteignit
le terme de sa course, Aiga où, dans les gouffres de la mer,
étaient ses illustres demeures d'or, éclatantes et incorrup-
tibles.

Et là, il attacha au char ses chevaux rapides, dont les pieds
étaient d'airain et les crinières d'or. Et il se revêtit d'or lui-
même, saisit le fouet d'or habilement travaillé, et monta sur
son char. Et il allait sur les eaux, et, de toutes parts, les
cétacés, émergeant de l'abîme, bondissaient, joyeux, et
reconnaissaient leur Roi. Et la mer s'ouvrait avec allégresse,

et les chevaux volaient rapidement sans que l'écume mouillât l'essieu d'airain. Et les chevaux agiles le portèrent jusqu'aux nefs.

Et il y avait un antre large dans les gouffres de la mer profonde, entre Ténédos et l'âpre Imbros. Là, Poseidaôn qui ébranle la terre arrêta ses chevaux, les délia du char, leur offrit la nourriture divine et leur mit aux pieds des entraves d'or, solides et indissolubles, afin qu'ils attendissent en paix le retour de leur Roi. Et il s'avança vers l'armée des Akhaiens.

Et les Troiens amoncelés, semblables à la flamme, tels qu'une tempête, pleins de frémissements et de clameurs, se précipitaient, furieux, derrière le Priamide Hektôr. Et ils espéraient se saisir des nefs des Akhaiens et y tuer tous les Akhaiens. Mais Poseidaôn qui entoure la terre et qui la secoue, sorti de la mer profonde, excitait les Argiens, ayant revêtu le corps de Kalkhas et pris sa voix infatigable. Et il parla ainsi aux deux Aias, pleins d'ardeur eux-mêmes :

— Aias ! Vous sauverez les hommes d'Akhaiè, si vous vous souvenez de votre courage et non de la fuite désastreuse. Ailleurs, je ne crains pas les efforts des Troiens qui ont franchi notre grande muraille, car les braves Akhaiens soutiendront l'attaque ; mais c'est ici, je pense, que nous aurons à subir de plus grands maux, devant Hektôr, plein de rage, semblable à la flamme, et qui se vante d'être le fils du très puissant Zeus. Puisse un des Dieux vous inspirer de lui résister courageusement ! Et vous, exhortez vos compagnons, afin de rejeter le Priamide, malgré son audace, loin des nefs rapides, même quand l'Olympien l'exciterait.

Celui qui entoure la terre et qui l'ébranle parla ainsi, et, les frappant de son sceptre, il les remplit de force et de courage et rendit légers leurs pieds et leurs mains. Et lui-même s'éloigna aussitôt, comme le rapide épervier qui, s'élançant à tire-d'ailes du faîte d'un rocher escarpé, poursuit dans la plaine un oiseau d'une autre race. Ainsi, Poseidaôn qui ébranle la terre s'éloigna d'eux. Et aussitôt le premier des deux, le rapide Aias Oilèiade, dit au Télamôniade :

— Aias, sans doute un des Dieux Olympiens, ayant pris la forme du divinateur, vient de nous ordonner de combattre auprès des nefs. Car ce n'est point là le divinateur Kalkhas. J'ai facilement reconnu les pieds de celui qui s'éloigne. Les Dieux sont aisés à reconnaître. Je sens mon cœur, dans ma poitrine, plein d'ardeur pour la guerre et le combat, et mes mains et mes pieds sont plus légers.

Et le Télamônien Aias lui répondit :

— Et moi aussi, je sens mes mains rudes frémir autour de ma lance, et ma force me secouer et mes pieds m'emporter en avant. Et voici que je suis prêt à lutter seul contre le Priamide Hektôr qui ne se lasse jamais de combattre.

Et tandis qu'ils se parlaient ainsi, joyeux de l'ardeur guerrière que le Dieu avait mise dans leurs cœurs, celui-ci, loin d'eux, encourageait les Akhaiens qui reposaient leur âme auprès des nefs rapides, car leurs membres étaient rompus de fatigue, et une amère douleur les saisissait à la vue des Troiens qui avaient franchi la grande muraille. Et des larmes coulaient de leurs paupières, et ils n'espéraient plus fuir leur ruine. Mais Celui qui ébranle la terre ranima facilement leurs braves phalanges. Et il exhorta Teukros, Lèitos, Pènéléôs, Thoas, Dèipyros, Mèrionès et Antilokhos, habiles au combat. Et il leur dit en paroles ailées :

— Ô honte ! Jeunes guerriers Argiens, je me fiais en votre courage pour sauver nos nefs ; mais, si vous suspendez le combat, voici que le jour est venu d'être domptés par les Troiens. Ô douleur ! Je vois de mes yeux ce grand prodige terrible que je ne pensais point voir jamais, les Troiens sur nos nefs ! Eux qui, auparavant, étaient semblables aux cerfs fuyards, pâture des lynx, des léopards et des loups, errants par les forêts, sans force et inhabiles au combat ! Car les Troiens n'osaient, auparavant, braver en face la vigueur des Akhaiens ; et, maintenant, loin de la Ville, ils combattent auprès des nefs creuses, grâce à la lâcheté du chef et à la négligence des hommes qui refusent de défendre les nefs rapides, et s'y laissent tuer. Mais, s'il est vrai que l'Atréide Agamemnôn qui règne au loin soit coupable d'avoir outragé le Pèléiôn aux pieds rapides, nous est-il permis pour cela d'abandonner le combat ? Réparons ce mal. Les esprits justes se guérissent aisément de l'erreur. Vous ne pouvez sans honte oublier votre courage, étant parmi les plus braves. Je ne m'inquiéterais point d'un lâche qui fuirait le combat, mais, contre vous, je m'indigne dans mon cœur. Ô pleins de mollesse, bientôt vous aurez causé par votre inaction un mal irréparable. Que la honte et mes reproches entrent dans vos âmes, car voici qu'un grand combat s'engage et que le brave Hektôr, ayant rompu nos portes et nos barrières, combat auprès des nefs.

Et, parlant ainsi, Celui qui ébranle la terre excitait les
Akhaiens. Et autour des deux Aias se pressaient de solides
phalanges qu'auraient louées Arès et Athènaiè qui excite les
guerriers. Et les plus braves attendaient les Troiens et le
divin Hektôr, lance contre lance, bouclier contre bouclier,
casque contre casque, homme contre homme. Et les crinières, sur les cônes splendides, se mêlaient, tant les rangs
étaient épais ; et les lances s'agitaient entre les mains audacieuses, et tous marchaient, pleins du désir de combattre.

Mais sur eux se ruaient une foule de Troiens, derrière
Hektôr qui s'élançait. De même qu'une roche désastreuse
qu'un torrent, gonflé par une immense pluie, roule, déraci-
née, de la cime d'un mont, et qui se précipite à travers tous
les obstacles jusqu'à ce qu'elle arrive à la plaine où, bien
qu'arrêtée dans sa course, elle remue encore ; de même Hektôr menaçait d'arriver jusqu'à la mer, aux tentes et aux nefs
des Akhaiens ; mais il se heurta contre les masses épaisses
d'hommes, contraint de s'arrêter. Et les fils des Akhaiens le
repoussèrent en le frappant de leurs épées et de leurs lances
aiguës. Alors, reculant, il cria d'une voix haute aux Troiens :

— Troiens, Lykiens et Dardaniens belliqueux, restez fermes. Les Akhaiens ne me résisteront pas longtemps, bien
qu'ils se dressent maintenant comme une tour ; mais ils vont
fuir devant ma lance, si le plus grand des Dieux, l'Époux
tonnant de Hèrè, m'encourage.

Il parla ainsi, excitant la force et la vaillance de chacun.
Et le Priamide Dèiphobos, plein de fierté, marchait d'un
pied léger au milieu d'eux, couvert de son bouclier d'une
rondeur égale. Et Mèrionès lança contre lui sa pique étincelante, qui, ne s'égarant point, frappa le bouclier d'une rondeur égale et fait de peau de taureau ; mais la longue lance
y pénétra à peine et se brisa à son extrémité. Et Dèiphobos
éloigna de sa poitrine le bouclier de peau de taureau, craignant la lance du brave Mèrionès ; mais ce héros rentra dans
la foule de ses compagnons, indigné d'avoir manqué la victoire et rompu sa lance. Et il courut vers les nefs des
Akhaiens, afin d'y chercher une longue pique qu'il avait laissée dans sa tente. Mais d'autres combattaient, et une
immense clameur s'élevait de tous côtés.

Et Teukros Télamônien tua, le premier, le brave guerrier
Imbrios, fils de Mentôr et riche en chevaux. Et, avant l'arrivée des fils des Akhaiens, il habitait Pèdaios, avec Mèdési-
kastè, fille illégitime de Priamos ; mais, après l'arrivée des

nefs aux doubles avirons des Danaens, il vint à Ilios et s'illustra parmi les Troiens.

Et le fils de Télamôn, de sa longue lance, le perça sous l'oreille, et il tomba, comme un frêne qui, tranché par l'airain sur le sommet d'un mont élevé, couvre la terre de son feuillage délicat. Il tomba ainsi, et ses belles armes d'airain sonnèrent autour de lui. Et Teukros accourut pour le dépouiller ; mais Hektôr, comme il s'élançait, lança contre lui sa pique éclatante. Et le Télamônien la vit et l'évita, et la lance du Priamide frappa dans la poitrine Amphimakhos, fils de Ktéatos Aktoriônide, qui s'avançait. Et sa chute retentit et ses armes sonnèrent sur lui. Et Hektôr s'élança pour dépouiller du casque bien adapté aux tempes le magnanime Amphimakhos. Mais Aias se rua sur lui, armé d'une pique étincelante ; et, comme Hektôr était entièrement enveloppé de l'airain effrayant, Aias frappa seulement le bouclier bombé et le repoussa violemment loin des deux cadavres que les Akhaiens entraînèrent.

Et Stikhios et le divin Ménestheus, princes des Athènaiens, portèrent Amphimakhos dans les tentes des Akhaiens, et les Aias, avides du combat impétueux, se saisirent d'Imbrios. De même que deux lions, arrachant une chèvre aux dents aiguës des chiens, l'emportent à travers les taillis épais en la tenant loin de terre dans leurs mâchoires, de même les deux Aias enlevèrent Imbrios et le dépouillèrent de ses armes. Et Aias Oilèiade, furieux de la mort d'Amphimakhos, coupa la tête du Troien, et, la jetant comme une boule au travers de la multitude, l'envoya rouler dans la poussière, sous les pieds de Hektôr. Et alors, Poseidaôn, irrité de la mort de son petit-fils tué dans le combat, courut aux tentes et aux nefs des Akhaiens, afin d'exciter les Danaens et de préparer des calamités aux Troiens.

Et Idoméneus, illustre par sa lance, le rencontra. Et celui-ci quittait un de ses compagnons qui, dans le combat, avait été frappé au jarret par l'airain aigu et emporté par les siens. Et Idoméneus, l'ayant confié aux médecins, sortait de sa tente, plein du désir de retourner au combat. Et le Roi qui ébranle la terre lui parla ainsi, ayant pris la figure et la voix de l'Andraimonide Thoas, qui, dans tout Pleurôn et la haute Kalydôn, commandait aux Aitôliens, et que ceux-ci honoraient comme un Dieu :

— Idoméneus, prince des Krètois, où sont tes menaces et celles des Akhaiens aux Troiens ?

Et le prince des Krètois, Idoméneus, lui répondit :

— Ô Thoas, aucun guerrier n'est en faute, autant que j'en puis juger, car nous combattons tous ; aucun n'est retenu par la pâle crainte ; aucun, par indolence, ne refuse le combat dangereux ; mais cela plaît sans doute au très puissant Zeus que les Akhaiens périssent ici, sans gloire et loin d'Argos. Thoas, toi qui, toujours plein d'ardeur guerrière, as coutume d'encourager les faibles, ne cesse pas dans ce moment, et ranime la vaillance de chaque guerrier.

Et Poseidaôn qui ébranle la terre lui répondit :

— Idoméneus, ne puisse-t-il jamais revenir de la terre Troienne, puisse-t-il être la proie des chiens, le guerrier qui, en ce jour, cessera volontairement de combattre ! Va ! et reviens avec tes armes. Il faut nous concerter. Peut-être serons-nous tous deux de quelque utilité. L'union des guerriers est utile, même celle des plus timides ; et nous saurons combattre les héros.

Ayant ainsi parlé, le Dieu rentra dans la mêlée des hommes, et Idoméneus regagna ses tentes et revêtit ses belles armes. Il saisit deux lances et accourut, semblable au feu fulgurant que le Kroniôn, de sa main, précipite des cimes de l'Olympos enflammé, comme un signe rayonnant aux hommes vivants. Ainsi resplendissait l'airain sur la poitrine du Roi qui accourait. Et Mèrionès, son brave compagnon, le rencontra non loin de la tente. Et il venait chercher une lance d'airain. Et Idoméneus lui parla ainsi :

— Mèrionès aux pieds rapides, fils de Molos, le plus chers de mes compagnons, pourquoi quittes-tu la guerre et le combat ? Es-tu blessé, et la pointe du trait te tourmente-t-elle ? Viens-tu m'annoncer quelque chose ? Certes, pour moi, je n'ai pas le dessein de rester dans mes tentes, mais je désire le combat.

Et le sage Mèrionès lui répondit :

— Idoméneus, prince des Krètois cuirassés, je viens afin de prendre une lance, si, dans tes tentes, il en reste une ; car j'ai rompu la mienne sur le bouclier de l'orgueilleux Dèiphobos.

Et Idoméneus, prince des Krètois lui répondit :

— Si tu veux des lances, tu en trouveras une, tu en trouveras vingt, appuyées étincelantes contre les parois de ma tente. Ce sont des lances troiennes enlevées à ceux que j'ai tués, car je combats de près les guerriers ennemis ; et c'est pourquoi j'ai des lances, des boucliers bombés, des casques et des cuirasses éclatantes.

Et le sage Mèrionès lui répondit :

— Dans ma tente et dans ma nef noire abondent aussi les dépouilles troiennes ; mais elles sont trop éloignées. Je ne pense pas aussi avoir jamais oublié mon courage. Je combats au premier rang, parmi les guerriers illustres, à l'heure où la mêlée retentit. Quelques-uns des Akhaiens cuirassés peuvent ne m'avoir point vu, mais toi, tu me connais.

Et Idoméneus, prince des Krètois, lui répondit :

— Je sais quel est ton courage. Pourquoi me parler ainsi ? Si nous étions choisis parmi les plus braves pour une embuscade, car c'est là que le courage des guerriers éclate, là on distingue le brave du lâche ; car celui-ci change à tout instant de couleur, et son cœur n'est point assez ferme pour attendre tranquillement en place ; et il remue sans cesse, tantôt sur un pied, tantôt sur l'autre ; et son cœur tremble dans sa poitrine par crainte de la mort, et ses dents claquent ; tandis que le brave ne change point de couleur, et il ne redoute rien au premier rang des guerriers, dans l'embuscade, et il souhaite l'ardent combat ; certes, donc, aucun de nous ne blâmerait en cet instant ni ton courage ni ton bras ; et si tu étais blessé alors, ce ne serait point à l'épaule ou dans le dos que tu serais frappé d'un trait, mais en pleine poitrine ou dans le ventre, tandis que tu te précipiterais dans la mêlée des combattants. Va ! ne parlons plus, inactifs, comme des enfants, de peur que ceci nous soit reproché injurieusement. Va dans ma tente, et prends une lance solide.

Il parla ainsi, et Mèrionès, semblable au rapide Arès, saisit promptement dans la tente une lance d'airain, et il marcha avec Idoméneus, plein du désir de combattre. Ainsi marche le désastreux Arès avec la Terreur, sa fille bien-aimée, forte et indomptable, qui épouvante le plus brave. Ils descendent de la Thrèkè vers les Ephyriens ou les magnanimes Phlègyens, et ils n'exaucent point les deux peuples à la fois, mais ils accordent la gloire à l'un ou à l'autre. Ainsi Mèrionès et Idoméneus, princes des hommes, marchaient, armés de l'airain splendide.

Et Mèrionès, le premier, parla ainsi :

— Deukalide, de quel côté veux-tu entrer dans la mêlée ? À droite, au centre, ou à gauche ? C'est là que les Akhaiens chevelus faiblissent.

Et Idoméneus, prince des Krètois, lui répondit :

— D'autres sont au centre qui défendent les nefs, les deux Aias et Teukros, le plus habile archer d'entre les Akhaiens, et brave aussi de pied ferme. Ils suffiront à repousser le Priamide Hektôr. Quelque brave qu'il soit, et quelle que soit son ardeur à combattre, il ne réussira pas à dompter leur courage et leurs mains invincibles et à brûler les nefs, à moins que le Kroniôn lui-même ne jette l'ardente foudre sur les nefs rapides. Jamais le grand Télamônien Aias ne le cédera à aucun homme né mortel et nourri des dons de Dèmètèr, vulnérable par l'airain ou par de lourds rochers. Il ne reculerait même pas devant l'impétueux Akhilleus, s'il ne peut cependant lutter contre lui en agilité. Allons vers la gauche de l'armée, et voyons promptement si nous remporterons une grande gloire, ou si nous la donnerons à l'ennemi.

Il parla ainsi, et Mèrionès, semblable au rapide Arès, s'élança du côté où Idoméneus ordonnait d'aller. Et dès que les Troiens eurent vu Idoméneus, semblable à la flamme par son courage, avec son compagnon brillant sous ses armes, s'exhortant les uns les autres, ils se jetèrent sur lui. Et le combat fut égal entre eux tous devant les poupes des nefs.

De même que les vents tempétueux, en un jour de sécheresse, soulèvent par les chemins de grands tourbillons de poussière, de même tous se ruèrent dans une mêlée furieuse afin de s'entre-tuer de l'airain aigu. Et la multitude des guerriers se hérissa de longues lances qui perçaient la chair des combattants. Et la splendeur de l'airain, des casques étincelants, des cuirasses polies et des boucliers, éblouissait les yeux. Et il eût été impitoyable celui qui, loin de s'attrister de ce combat, s'en fût réjoui.

Et les deux fils puissants de Kronos, dans leur volonté contraire, accablaient ainsi les héros de lourdes calamités. Zeus voulait donner la victoire à Hektôr et aux Troiens, afin d'honorer Akhilleus aux pieds rapides ; et il ne voulait pas détruire les tribus Akhaiennes devant Ilios, mais honorer Thétis et son fils magnanime. Et Poseidaôn, sorti en secret de la blanche mer, encourageait les Akhaiens, et il gémissait de les voir domptés par les Troiens, et il s'irritait contre Zeus. Et tous deux avaient la même origine et le même père, mais Zeus était le plus âgé et savait plus de choses. Et c'est pourquoi Poseidaôn ne secourait point ouvertement les Argiens, mais, sous la forme d'un guerrier, parcourait l'armée en les encourageant.

Et tous deux avaient étendu également sur l'un et l'autre parti les chaînes du combat violent et de la guerre désastreuse, chaînes infrangibles, indissolubles, et qui rompaient les genoux d'un grand nombre de héros.

Et Idoméneus, bien qu'à demi blanc de vieillesse, exhortant les Danaens, bondit sur les Troiens qu'il fit reculer. Et il tua Othryoneus de Kabèsos qui, venu récemment, attiré par le bruit de la guerre, demandait Kassandrè, la plus belle des filles de Priamos. Et il n'offrait point de présents, mais il avait promis de repousser les fils des Akhaiens loin de Troiè. Et le vieillard Priamos avait juré de lui donner sa fille, et, sur cette promesse, il combattait bravement. Et, comme il s'avançait avec fierté, Idoméneus le frappa de sa lance étincelante, et la cuirasse d'airain ne résista point au coup qui pénétra au milieu du ventre. Et il tomba avec bruit, et Idoméneus s'écria en l'insultant :

— Othryoneus ! je te proclame le premier des hommes si tu tiens la parole donnée au Dardanide Priamos. Il t'a promis sa fille, et c'est nous qui accomplirons sa promesse. Et nous te donnerons la plus belle des filles d'Agamemnôn, venue d'Argos pour t'épouser, si tu veux avec nous détruire la ville bien peuplée d'Ilios. Mais suis-nous dans les nefs qui traversent la mer, afin de convenir de tes noces, car nous aussi, nous sommes d'excellents beaux-pères !

Et le héros Idoméneus parla ainsi, et il le traînait par un pied à travers la mêlée. Et, pour venger Othryoneus, Asios accourut, à pied devant son char, et ses chevaux, retenus par leur conducteur, soufflaient sur ses épaules. Et il désirait percer Idoméneus, mais celui-ci l'atteignit le premier, de sa lance, dans la gorge, sous le menton. Et la lance passa au travers du cou, et Asios tomba comme un chêne ou comme un peuplier, ou comme un pin élevé que des constructeurs de nefs, sur les montagnes, coupent de leurs haches récemment aiguisées. Ainsi le guerrier gisait étendu devant ses chevaux et son char, grinçant des dents et saisissant la poussière sanglante. Et le conducteur, éperdu, ne songeait pas à éviter l'ennemi en faisant retourner les chevaux. Et le brave Antilokhos le frappa de sa lance, et la cuirasse d'airain ne résista pas au coup qui pénétra au milieu du ventre. Et l'homme tomba, expirant, du char habilement fait, et le fils du magnanime Nestôr, Antilokhos, entraîna les chevaux du côté des Akhaiens aux belles knèmides.

Et Dèiphobos, triste de la mort d'Asios, s'approchant

d'Idoméneus, lui lança sa pique étincelante. Mais Idoméneus, l'ayant aperçue, évita la pique d'airain en se couvrant de son bouclier d'une rondeur égale fait de peaux de bœuf et d'airain brillant, et qu'il portait à l'aide de deux manches. Et il en était à moitié couvert, et l'airain vola par-dessus, effleurant le bouclier qui résonna. Mais la lance ne s'échappa point en vain d'une main vigoureuse, et, frappant Hypsènôr Hippaside, prince des peuples, elle s'enfonça dans son foie et rompit ses genoux. Et Dèiphobos cria en se glorifiant :

— Asios ne mourra pas non vengé, et, en allant aux portes solides d'Aidès, il se réjouira dans son brave cœur, car je lui ai donné un compagnon.

Il parla ainsi, et ses paroles orgueilleuses emplirent les Argiens de douleur, et surtout le brave Antilokhos. Mais, bien qu'attristé, il n'oublia point son compagnon, et, courant tout autour, il le couvrit de son bouclier. Et deux autres compagnons bien-aimés de Hypsènôr, Mèkisteus, fils d'Ekhios, et le divin Alastôr, l'emportèrent en gémissant dans les nefs creuses.

Et Idoméneus ne laissait point reposer son courage, et il désirait toujours envelopper quelque Troien de la nuit noire, ou tomber lui-même en sauvant les Akhaiens de leur ruine. Alors périt le fils bien-aimé d'Aisyétès nourri par Zeus, le héros Alkathoos, gendre d'Ankhisès. Et il avait épousé Hippodaméia, l'aînée des filles d'Ankhisès, très chère, dans leur demeure, à son père et à sa mère vénérable. Et elle l'emportait sur toutes ses compagnes par la beauté, l'habileté aux travaux et la prudence ; et c'est pourquoi un grand chef l'avait épousée dans la large Troiè. Et Poseidaôn dompta Alkathoos par les mains d'Idoméneus. Et il éteignit ses yeux étincelants, et il enchaîna ses beaux membres, de façon à ce qu'il ne pût ni fuir ni se détourner, mais que, tout droit comme une colonne ou un arbre élevé, il reçût au milieu de la poitrine la lance du héros Idoméneus. Et sa cuirasse d'airain, qui éloignait de lui la mort, résonna, rompue par la lance. Et sa chute retentit, et la pointe d'airain, dans son cœur qui palpitait, remua jusqu'à ce que le rude Arès eût épuisé la force de la lance. Et Idoméneus cria d'une voix terrible en se glorifiant :

— Dèiphobos ! je pense que les choses sont au moins égales. En voici trois de tués pour un, et tu te vantais en vain. Malheureux ! ose m'attendre, et tu verras ce que vaut la race de Zeus. Zeus engendra Minôs, gardien de la Krètè, et Minôs engendra un fils, l'irréprochable Deukaliôn, et Deukaliôn m'engendra pour être le chef de nombreux guerriers dans la grande Krètè, et mes nefs m'ont amené ici pour ton malheur, celui de ton père et celui des Troiens.

Il parla ainsi, et Dèiphobos délibéra s'il irait chercher pour soutien quelque autre des Troiens magnanimes, ou s'il combattrait seul. Et il vit qu'il valait mieux aller vers Ainéias. Et il le trouva debout aux derniers rangs, car il était irrité contre le divin Priamos qui ne l'honorait pas, bien qu'il fût brave entre tous les guerriers. Et Dèiphobos, s'approchant, lui dit en paroles ailées :

— Ainéias, prince des Troiens, si la gloire te touche, viens protéger ton beau-frère. Suis-moi, allons vers Alkathoos qui, époux de ta sœur, a autrefois nourri ton enfance dans ses demeures. Idoméneus, illustre par sa lance, l'a tué.

Il parla ainsi, et le cœur d'Ainéias fut ébranlé dans sa poitrine, et il marcha pour combattre Idoméneus. Mais celui-ci ne fut point saisi par la peur comme un enfant, et il attendit, de même qu'un sanglier des montagnes, certain de sa force, attend, dans un lieu désert, le tumulte des chasseurs qui s'approchent. Son dos se hérisse, ses yeux lancent du feu, et il aiguise ses défenses pour repousser aussitôt les chiens et les chasseurs. De même Idoméneus, illustre par sa lance, ne recula point devant Ainéias qui accourait au combat. Et il appela ses compagnons Askalaphos, Aphareus, Dèipyros, Mèrionès et Antilokhos. Et il leur dit en paroles ailées :

— Accourez, amis, car je suis seul, et je crains Ainéias aux pieds rapides qui vient sur moi. Il est très brave, et c'est un tueur d'hommes, et il est dans la fleur de la jeunesse, à l'âge où la force est la plus grande. Si nous étions du même âge, avec mon courage, une grande gloire nous serait donnée, à lui ou à moi.

Il parla ainsi, et tous, avec une même ardeur, ils l'entourèrent, le bouclier sur l'épaule. Et Ainéias, de son côté, appela aussi ses compagnons, Dèiphobos, Pâris et le divin Agènôr, comme lui princes des Troiens. Et leurs troupes les suivaient, telles que des troupeaux de brebis qui suivent le bélier hors du pâturage, pour aller boire. Et le berger se réjouit dans son âme. De même le cœur d'Ainéias fut joyeux dans sa poitrine, en voyant la foule des guerriers qui le suivaient.

Et, autour d'Alkathoos, tous dardèrent leurs longues lances, et, sur les poitrines, l'horrible airain retentissait, tandis
qu'ils se frappaient à l'envi. Et deux braves guerriers, Ainéias
et Idoméneus semblable à Arès, désiraient surtout se percer
de l'airain cruel. Et Ainéias, le premier, lança sa pique
contre Idoméneus ; mais celui-ci, l'ayant aperçu, évita la
pique d'airain qui s'enfonça en vibrant dans la terre, inutile,
bien que partie d'une main vigoureuse.

Et Idoméneus frappa Oinomaos au milieu du ventre, et la
cuirasse fut rompue, et l'airain s'enfonça dans les intestins,
et le guerrier tomba en saisissant la terre avec les mains.
Et Idoméneus arracha la lance du cadavre, mais il ne put
dépouiller les épaules de leurs belles armes, car il était accablé par les traits. Et il n'avait plus les pieds vigoureux avec
lesquels il s'élançait autrefois pour reprendre sa pique ou
pour éviter celle de l'ennemi. Il éloignait encore de pied
ferme son jour fatal, mais il ne pouvait plus fuir aisément.

Et Dèiphobos, comme il se retirait lentement, toujours
irrité contre lui, voulut le frapper de sa lance étincelante ;
mais il le manqua, et la lance perça Askalaphos, fils d'Arès.
Et la forte lance s'enfonça dans l'épaule, et le guerrier
tomba, saisissant la terre avec ses mains.

Et le terrible Arès plein de clameurs ignorait que son fils
fût tombé mort dans la mêlée violente. Et il était assis au
sommet de l'Olympos, sous les nuées d'or, retenu par la
volonté de Zeus, ainsi que les autres Dieux immortels, loin
du combat.

Et tous se ruèrent autour d'Askalaphos. Et comme Dèiphobos enlevait son casque brillant, Mèrionès, semblable au
rapide Arès, bondit, et, de sa lance, perça le bras du Troien
qui laissa échapper le casque sonore. Et Mèrionès bondit de
nouveau comme un vautour, et arracha du bras du blessé sa
forte lance, et rentra dans les rangs de ses compagnons. Et
Politès, frère de Dèiphobos, entourant celui-ci de ses bras,
l'entraîna hors de la mêlée, derrière les rangs, où se tenaient
ses chevaux rapides, et le char éclatant, et leur conducteur.
Et ils le portèrent dans la Ville, poussant des gémissements.
Et le sang coulait de sa blessure fraîche. Et les autres
combattaient toujours, et une immense clameur s'élevait.

Et Ainéias, se ruant sur Aphareus Kalètoride, le frappa à
la gorge de sa lance aiguë ; et la tête s'inclina et le bouclier
tomba, et le casque aussi, et la mort fatale l'enveloppa.

Et Antilokhos, apercevant le dos de Thoôn, le frappa

impétueusement, et il trancha la veine qui, courant le long
du dos, arrive au cou. Le Troien tomba à la renverse sur la
poussière, étendant les deux mains vers ses compagnons
bien-aimés. Et Antilokhos accourut, et, regardant autour de
lui, enleva ses belles armes de ses épaules. Et les Troiens,
l'entourant aussitôt, accablaient de traits son beau et large
bouclier ; mais ils ne purent déchirer avec l'airain cruel le
beau corps délicat d'Antilokhos, car Poseidaôn qui ébranle
la terre protégeait le Nestoride contre la multitude des traits.
Et celui-ci ne s'éloignait point de l'ennemi, mais il tournait
sur lui-même, agitant sans cesse sa lance et cherchant qui il
pourrait frapper de loin, ou de près.

Et Adamas Asiade, l'ayant aperçu dans la mêlée, le frappa
de l'airain aigu au milieu du bouclier ; mais Poseidaôn aux
cheveux bleus refusa au Troien la vie d'Antilokhos, et la moitié du trait resta dans le bouclier comme un pieu à demi
brûlé, et l'autre tomba sur la terre. Et comme Adamas fuyait
la mort dans les rangs de ses compagnons, Mèrionès, le
poursuivant, le perça entre les parties mâles et le nombril,
là où une plaie est mortelle pour les hommes lamentables.
C'est là qu'il enfonça sa lance, et Adamas tomba palpitant
sous le coup, comme un taureau, dompté par la force des
liens, que des bouviers ont mené sur les montagnes. Ainsi
Adamas blessé palpita, mais peu de temps, car le héros
Mèrionès arracha la lance de la plaie, et les ténèbres se
répandirent sur les yeux du Troien.

Et Hélénos, de sa grande épée de Thrèkè, frappa Dèipyros
à la tempe, et le casque roula sur la terre, et un des Akhaiens
le ramassa sous les pieds des combattants. Et la nuit noire
couvrit les yeux de Dèipyros.

Et la douleur saisit le brave Atréide Ménélaos qui s'avança
contre le prince Hélénos, en lançant sa longue pique. Et le
Troien bandait son arc, et tous deux dardèrent à la fois, l'un
sa lance aiguë, l'autre la flèche jaillissant du nerf. Et le Priamide frappa de sa flèche la cuirasse bombée, et le trait
acerbe y rebondit. De même que, dans l'aire spacieuse, les
fèves noires ou les pois, au souffle du vent et sous l'effort du
vanneur, rejaillissent du large van, de même la flèche acerbe
rebondit loin de la cuirasse de l'illustre Ménélaos.

Et le brave Atréide frappa la main qui tenait l'arc poli, et
la lance aiguë attacha la main à l'arc, et Hélénos rentra dans
la foule de ses compagnons, évitant la mort et traînant le

frêne de la lance suspendu à sa main. Et le magnanime Agènôr arracha le trait de la blessure qu'il entoura d'une fronde
en laine qu'un serviteur tenait à son côté.

Et Peisandros marcha contre l'illustre Ménélaos, et la
Moire fatale le conduisait au seuil de la mort, pour qu'il fût
dompté par toi, Ménélaos, dans le rude combat. Quand ils
se furent rencontrés, l'Atréide le manqua, et Peisandros
frappa le bouclier de l'illustre Ménélaos ; mais il ne put traverser l'airain, et le large bouclier repoussa la pique dont la
pointe se rompit. Et Peisandros se réjouissait dans son
esprit, espérant la victoire, et l'illustre Atréide, ayant tiré
l'épée aux clous d'argent, sauta sur lui ; mais le Troien saisit,
sous le bouclier, la belle hache à deux tranchants, au man-
che d'olivier, faite d'un airain excellent, et ils combattirent.

Peisandros frappa le cône du casque au sommet, près de
la crinière, et lui-même fut atteint au front, près du nez. Et
ses os crièrent, et ses yeux ensanglantés jaillirent à ses pieds,
dans la poussière ; et il se renversa et tomba. Et Ménélaos,
lui mettant le pied sur la poitrine, lui arracha ses armes et
dit en se glorifiant :

— Vous laisserez ainsi les nefs des cavaliers Danaens, ô
parjures, insatiables de la rude bataille ! Vous ne m'avez
épargné ni un outrage, ni un opprobre, mauvais chiens, qui
n'avez pas redouté la colère terrible de Zeus hospitalier qui
tonne fortement et qui détruira votre haute citadelle ; car
vous êtes venus sans cause, après avoir été reçus en amis,
m'enlever, avec toutes mes richesses, la femme que j'avais
épousée vierge. Et, maintenant, voici que vous tentez de
jeter la flamme désastreuse sur nos nefs qui traversent la
mer, et de tuer les héros Akhaiens ! Mais vous serez répri-
més, bien que remplis de fureur guerrière. Ô Père Zeus, on
dit que tu surpasses en sagesse tous les hommes et tous les
Dieux, et c'est de toi que viennent ces choses ! N'es-tu pas
favorable aux Troiens parjures, dont l'esprit est impie, et qui
ne peuvent être rassasiés par la guerre désastreuse ? Certes,
la satiété nous vient de tout, du sommeil, de l'amour, du
chant et de la danse charmante, qui, cependant, nous plaisent plus que la guerre ; mais les Troiens sont insatiables de
combats.

Ayant ainsi parlé, l'irréprochable Ménélaos arracha les
armes sanglantes du cadavre, et les remit à ses compagnons ; et il se mêla de nouveau à ceux qui combattaient en
avant. Et le fils du roi Pylaimènès, Harpaliôn, se jeta sur lui.

Et il avait suivi son père bien-aimé à la guerre de Troiè, et il ne devait point retourner dans la terre de la patrie. De sa pique il frappa le milieu du bouclier de l'Atréide, mais l'airain ne put le traverser, et Harpaliôn, évitant la mort, se réfugia dans la foule de ses compagnons, regardant de tous côtés pour ne pas être frappé de l'airain. Et, comme il fuyait, Mèrionès lui lança une flèche d'airain, et il le perça à la cuisse droite, et la flèche pénétra, sous l'os, jusque dans la vessie. Et il tomba entre les bras de ses chers compagnons, rendant l'âme. Il gisait comme un ver sur la terre, et son sang noir coulait, baignant la terre. Et les magnanimes Paphlagones, s'empressant et gémissant, le déposèrent sur son char pour être conduit à la sainte Ilios ; et son père, répandant des larmes, allait vers eux, nul n'ayant vengé son fils mort.

Et Pâris, irrité dans son âme de cette mort, car Harpaliôn était son hôte entre les nombreux Paphlagones, lança une flèche d'airain. Et il y avait un guerrier Akhaien, Eukènôr, fils du divinateur Polyéidos, riche et brave, et habitant Korinthos. Et il était monté sur sa nef, subissant sa destinée, car le bon Polyéidos lui avait dit souvent qu'il mourrait, dans ses demeures, d'un mal cruel, ou que les Troiens le tueraient parmi les nefs des Akhaiens. Et il avait voulu éviter à la fois la lourde amende des Akhaiens et la maladie cruelle qui l'aurait accablé de douleurs ; mais Pâris le perça au-dessous de l'oreille, et l'âme s'envola de ses membres, et une horrible nuée l'enveloppa.

Tandis qu'ils combattaient, pareils au feu ardent, Hektôr cher à Zeus ignorait qu'à la gauche des nefs ses peuples étaient défaits par les Argiens, tant Celui qui ébranle la terre animait les Danaens et les pénétrait de sa force. Et le Priamide se tenait là où il avait franchi les portes et où il enfonçait les épaisses lignes des Danaens porteurs de boucliers. Là, les nefs d'Aias et de Protésilaos avaient été tirées sur le rivage de la blanche mer, et le mur y était peu élevé. Là aussi étaient les plus furieux combattants, et les chevaux, les Boiôtiens, les Iaopes aux longs vêtements, les Lokriens, les Phthiotes et les illustres Epéiens, qui soutenaient l'assaut autour des nefs et ne pouvaient repousser le divin Hektôr semblable à la flamme. Et là étaient aussi les braves Athènaiens que conduisait Ménestheus, fils de Pétéôs, suivi de Pheidas, de Stikhios et du grand Bias. Et les chefs des Epéiens étaient Mégès Phyléide, Amphiôn et Drakios. Et les

chefs des Phthiotes étaient Médôn et le valeureux Podarkès.
Médôn était fils bâtard du divin Oileus, et frère d'Aias, et il
habitait Phylakè, loin de la terre de la patrie, ayant tué le
frère de sa belle-mère Eriôpis ; et Podarkès était fils d'Iphiklos Phylakide. Et ils combattaient tous deux en tête des
Phthiotes magnanimes, parmi les Boiôtiens, pour défendre
les nefs.

Et Aias, le fils agile d'Oileus, se tenait toujours auprès
d'Aias Télamônien. Comme deux bœufs noirs traînent
ensemble, d'un souffle égal, une lourde charrue dans une
terre nouvelle, tandis que la sueur coule de la racine de leurs
cornes, et que, liés à distance au même joug, ils vont dans
le sillon, ouvrant du soc la terre profonde, de même les deux
Aias allaient ensemble. Mais de nombreux et braves guerriers suivaient le Télamôniade et portaient son bouclier,
quand la fatigue et la sueur rompaient ses genoux. Et les
Lokriens ne suivaient pas le magnanime Oilèiade, car il ne
leur plaisait pas de combattre en ligne. Ils n'avaient ni casques d'airain hérissés de crins de cheval, ni boucliers bombés, ni lances de frêne ; et ils étaient venus devant Troiè avec
des arcs et des frondes de laine, et ils en accablaient et en
rompaient sans cesse les phalanges Troiennes. Et les premiers combattaient, couverts de leurs belles armes, contre
les Troiens et Hektôr armé d'airain, et les autres, cachés derrière ceux-là, lançaient sans cesse des flèches innombrables.

Alors, les Troiens se fussent enfuis misérablement, loin
des tentes et des nefs, vers la sainte Ilios, si Polydamas n'eût
dit au brave Hektôr :

— Hektôr, il est impossible que tu écoutes un conseil.
Parce qu'un Dieu t'a donné d'exceller dans la guerre, tu veux
aussi l'emporter dans la sagesse. Mais tu ne peux tout possé-
der. Les Dieux accordent aux uns du courage, aux autres
l'art de la danse, à d'autres la kithare et le chant. Le prévoyant Zeus mit un esprit sage en celui-ci, et les hommes en
profitent, et il sauvegarde les cités, et il recueille pour lui-
même le fruit de sa prudence. La couronne de la guerre
éclate de toutes parts autour de toi, et les Troiens magnanimes qui ont franchi la muraille fuient avec leurs armes, ou
combattent en petit nombre contre beaucoup, dispersés
autour des nefs. Retourne, et appelle ici tous les chefs, afin
que nous délibérions en conseil si nous devons nous ruer
sur les nefs, en espérant qu'un Dieu nous accorde la victoire,
ou s'il nous faut reculer avant d'être entamés. Je crains que

les Akhaiens ne vengent leur défaite d'hier, car il y a dans les nefs un homme insatiable de guerre, qui, je pense, ne s'abstiendra pas longtemps de combat.

Polydamas parla ainsi, et son conseil prudent persuada Hektôr, et il sauta de son char à terre avec ses armes, et il dit en paroles ailées :

— Polydamas, retiens ici tous les chefs. Moi, j'irai au milieu du combat et je reviendrai bientôt, les ayant convoqués.

Il parla ainsi, et se précipita, pareil à une montagne neigeuse, parmi les Troiens et les Alliés, avec de hautes clameurs. Et, ayant entendu la voix de Hektôr, ils accouraient tous auprès du Panthoïde Polydamas. Et le Priamide Hektôr allait, cherchant, parmi les combattants, Dèiphobos et le roi Hélénos, et l'Asiade Adamas et le Hyrtakide Asios. Et il les trouva tous, ou blessés, ou morts, autour des nefs et des poupes des Akhaiens, ayant rendu l'âme sous les mains des Argiens.

Et il vit, à la gauche de cette bataille meurtrière, le divin Alexandros, l'époux de Hélénè à la belle chevelure, animant ses compagnons au combat. Et, s'arrêtant devant lui, il lui dit ces paroles outrageantes :

— Misérable Pâris, doué d'une grande beauté, séducteur de femmes, où sont Dèiphobos, le roi Hélénos, et l'Asiade Adamas et le Hyrtakide Asios ? Où est Othryoneus ? Aujourd'hui la sainte Ilios croule de son faîte, et tu as évité seul cette ruine terrible.

Et le divin Alexandros lui répondit :

— Hektôr, tu te plais à m'accuser quand je ne suis point coupable. Parfois je me suis retiré du combat, mais ma mère ne m'a point enfanté lâche. Depuis que tu as excité la lutte de nos compagnons auprès des nefs, nous avons combattu sans cesse les Danaens. Ceux que tu demandes sont morts. Seuls, Dèiphobos et le roi Hélénos ont été tous deux blessés à la main par de longues lances ; mais le Kroniôn leur a épargné la mort. Conduis-nous donc où ton cœur et ton esprit t'ordonnent d'aller, et nous serons prompts à te suivre, et je ne pense pas que nous cessions le combat tant que nos forces le permettront. Il n'est permis à personne de combattre au delà de ses forces.

Ayant ainsi parlé, le héros fléchit l'âme de son frère, et ils coururent là où la mêlée était la plus furieuse, là où étaient Kébrionès et l'irréprochable Polydamas, Phalkès, Orthaios,

le divin Polyphètès, et Palmys, et Askanios et Morys, fils de
Hippotiôn. Et ceux-ci avaient succédé depuis la veille aux
autres guerriers de la fertile Askaniè, et déjà Zeus les poussait au combat.

Et tous allaient, semblables aux tourbillons de vent que le
Père Zeus envoie avec le tonnerre par les campagnes, et dont
le bruit se mêle au retentissement des grandes eaux bouil-
lonnantes et soulevées de la mer aux rumeurs sans nombre,
qui se gonflent, blanches d'écume, et roulent les unes sur les
autres.

Ainsi les Troiens se succédaient derrière leurs chefs éclatants d'airain. Et le Priamide Hektôr les menait, semblable
au terrible Arès, et il portait devant lui son bouclier égal
fait de peaux épaisses recouvertes d'airain. Et autour de ses
tempes resplendissait son casque mouvant, et, sous son bouclier, il marchait contre les phalanges, cherchant à les
enfoncer de tous côtés. Mais il n'ébranla point l'âme des
Akhaiens dans leurs poitrines, et Aias, le premier, s'avança
en le provoquant :

— Viens, malheureux ! Pourquoi tentes-tu d'effrayer les
Argiens ? Nous ne sommes pas inhabiles au combat. C'est le
fouet fatal de Zeus qui nous éprouve. Tu espères sans doute,
dans ton esprit, détruire nos nefs, mais nos mains te repous-
seront, et bientôt ta Ville bien peuplée sera prise et renversée
par nous. Et je te le dis, le temps viendra où, fuyant, tu sup-
plieras le Père Zeus et les autres Immortels pour que tes
chevaux soient plus rapides que l'épervier, tandis qu'ils t'em-
porteront vers la Ville à travers la poussière de la plaine.

Et, comme il parlait ainsi, un aigle vola à sa droite dans
les hauteurs, et les Akhaiens se réjouirent de cet augure. Et
l'illustre Hektôr lui répondit :

— Aias, orgueilleux et insensé, qu'as-tu dit ? Plût aux
Dieux que je fusse le fils de Zeus tempétueux, et que la vénérable Hèrè m'eût enfanté, aussi vrai que ce jour sera fatal
aux Argiens, et que tu tomberas toi-même, si tu oses attendre ma longue lance qui déchirera ton corps délicat, et que
tu rassasieras les chiens d'Ilios et les oiseaux carnassiers de
ta graisse et de ta chair, auprès des nefs des Akhaiens !

Ayant ainsi parlé, il se rua en avant, et ses compagnons le
suivirent avec une immense clameur que l'armée répéta par
derrière. Et les Argiens, se souvenant de leur vigueur, répon-
dirent par d'autres cris, et la clameur des deux peuples
monta jusque dans l'Aithèr, parmi les splendeurs de Zeus.

RHAPSODIE XIV

Tout en buvant, Nestôr entendit la clameur des hommes, et il dit à l'Asklèpiade ces paroles ailées :

— Divin Makhaôn, que deviendront ces choses ? Voici que la clameur des jeunes hommes grandit autour des nefs. Reste ici, et bois ce vin qui réchauffe, tandis que Hékamèdè aux beaux cheveux fait tiédir l'eau qui lavera le sang de ta plaie. Moi, j'irai sur la hauteur voir ce qui en est.

Ayant ainsi parlé, il saisit dans sa tente le bouclier de son fils, le brave Thrasymèdès qui, lui-même, avait pris le bouclier éclatant d'airain de son père. Et il saisit aussi une forte lance à pointe d'airain, et, sortant de la tente, il vit une chose lamentable : les Akhaiens bouleversés et les Troiens magnanimes les poursuivant, et le mur des Akhaiens renversé. De même, quand l'onde silencieuse de la grande mer devient toute noire, dans le pressentiment des vents impétueux, et reste immobile, ne sachant encore de quel côté ils souffleront ; de même, le vieillard, hésitant, ne savait s'il se mêlerait à la foule des cavaliers Danaens, ou s'il irait rejoindre Agamemnôn, le prince des peuples. Mais il jugea qu'il était plus utile de rejoindre l'Atréide.

Et Troiens et Danaens s'entre-tuaient dans la mêlée, et l'airain solide sonnait autour de leurs corps, tandis qu'ils se frappaient de leurs épées et de leurs lances à deux pointes.

Et Nestôr rencontra, venant des nefs, les Rois divins que l'airain avait blessés, le Tydéide, et Odysseus, et l'Atréide Agamemnôn. Leurs nefs étaient éloignées du champ de bataille, ayant été tirées les premières sur le sable de la blanche mer ; car celles qui vinrent les premières s'avançaient jusque dans la plaine, et le mur protégeait leurs poupes. Tout large qu'il était, le rivage ne pouvait contenir toutes les nefs sans resserrer le camp ; et les Akhaiens les avaient rangées par files, dans la gorge du rivage, entre les deux promontoires.

Et les Rois, l'âme attristée dans leur poitrine, venaient ensemble, appuyés sur leurs lances. Et leur esprit s'effraya quand ils virent le vieux Nestôr, et le roi Agamemnôn lui dit aussitôt :

— Ô Nestôr Nèlèiade, gloire des Akhaiens, pourquoi
reviens-tu de ce combat fatal ? Je crains que le brave Hektôr
n'accomplisse la menace qu'il a faite, dans l'agora des
Troiens, de ne rentrer dans Ilios qu'après avoir brûlé les nefs
et tué tous les Akhaiens. Il l'a dit et il le fait. Ah ! certes, les
Akhaiens aux belles knèmides ont contre moi la même
colère qu'Akhileus, et ils ne veulent plus combattre autour
des nefs.

Et le cavalier Gérennien Nestôr lui répondit :

— Certes, tu dis vrai, et Zeus qui tonne dans les hauteurs
n'y peut rien lui-même. Le mur est renversé que nous nous
flattions d'avoir élevé devant les nefs comme un rempart
inaccessible. Et voici que les Troiens combattent maintenant au milieu des nefs, et nous ne saurions reconnaître, en
regardant avec le plus d'attention, de quel côté les Akhaiens
roulent bouleversés. Mais ils tombent partout, et leurs clameurs montent dans l'Ouranos. Pour nous, délibérons sur
ces calamités, si toutefois une résolution peut être utile. Je
ne vous engage point à retourner dans la mêlée, car un
blessé ne peut combattre.

Et le Roi des hommes, Agamemnôn, lui répondit :

— Nestôr, puisque le combat est au milieu des nefs, et
que le mur et le fossé ont été inutiles qui ont coûté tant de
travaux aux Danaens, et qui devaient, pensions-nous, être
un rempart inaccessible, c'est qu'il plaît, sans doute, au très
puissant Zeus que les Akhaiens périssent tous, sans gloire,
loin d'Argos. Je reconnaissais autrefois qu'il secourrait les
Danaens, mais je sais maintenant qu'il honore les Troiens
comme des bienheureux, et qu'il enchaîne notre vigueur et
nos mains. Allons, obéissez à mes paroles. Traînons à la mer
les nefs qui en sont le plus rapprochées. Restons sur nos
ancres jusqu'à la nuit ; et, si les Troiens cessent le combat,
nous pourrons mettre à la mer divine le reste de nos nefs. Il
n'y a nulle honte à fuir notre ruine entière à l'aide de la nuit,
et mieux vaut fuir les maux que d'en être accablé.

Et le sage Odysseus, le regardant d'un œil sombre, lui dit :

— Atréide, quelle parole mauvaise a passé à travers tes
dents ? Tu devrais conduire une armée de lâches au lieu de
nous commander, nous à qui Zeus a donné de poursuivre
les guerres rudes, de la jeunesse à la vieillesse, et jusqu'à la
mort. Ainsi, tu veux renoncer à la grande Ville des Troiens
pour laquelle nous avons souffert tant de maux ? Tais-toi.

Que nul d'entre les Akhaiens n'entende cette parole que n'aurait dû prononcer aucun homme d'un esprit juste, un Roi à qui obéissent des peuples aussi nombreux que ceux auxquels tu commandes parmi les Akhaiens. Moi, je condamne cette parole que tu as dite, cet ordre de traîner à la mer les nefs bien construites, loin des clameurs du combat. Ne serait-ce pas combler les désirs des Troiens déjà victorieux ? Comment les Akhaiens soutiendraient-ils le combat, pendant qu'ils traîneraient les nefs à la mer ? Ils ne songeraient qu'aux nefs et négligeraient le combat. Ton conseil nous serait fatal, prince des peuples !

Et le Roi des hommes, Agamemnôn, lui répondit : — Ô Odysseus, tes rudes paroles ont pénétré dans mon cœur. Je ne veux point que les fils des Akhaiens traînent à la mer, contre leur gré, les nefs bien construites. Maintenant, si quelqu'un a un meilleur conseil à donner, jeune ou vieux, qu'il parle, et sa parole me remplira de joie.

Et le brave Diomèdès parla ainsi au milieu d'eux :

— Celui-là est près de vous, et nous ne chercherons pas longtemps, si vous voulez obéir. Et vous ne me blâmerez point de parler parce que je suis le plus jeune, car je suis né d'un père illustre et je descends d'une race glorieuse. Et mon père est Tydeus qui occupe un large sépulcre dans Thèbè. Portheus engendra trois fils irréprochables qui habitaient Pleurôn et la haute Kalydôn : Agrios, Mélas, et le troisième était le cavalier Oineus, le père de mon père, et le plus brave des trois. Et celui-ci demeura chez lui, mais mon père habita Argos. Ainsi le voulurent Zeus et les autres Dieux. Et mon père épousa une des filles d'Adrestos, et il habitait une maison pleine d'abondance, car il possédait beaucoup de champs fertiles entourés de grands vergers. Et ses brebis étaient nombreuses, et il était illustre par sa lance entre tous les Akhaiens. Vous savez que je dis la vérité, que ma race n'est point vile, et vous ne méprisez point mes paroles. Allons vers le champ de bataille, bien que blessés, loin des traits, afin que nous ne recevions pas blessure sur blessure ; mais animons et excitons les Akhaiens qui déjà se lassent et cessent de combattre courageusement.

Il parla ainsi, et ils l'écoutèrent volontiers et lui obéirent. Et le Roi des hommes, Agamemnôn, les précédait. Et l'illustre qui ébranle la terre les vit et vint à eux sous la forme d'un vieillard. Il prit la main droite de l'Atréide Agamemnôn, et lui dit :

— Atréide, maintenant le cœur féroce d'Akhilleus se réjouit dans sa poitrine, en voyant la fuite et le carnage des Akhaiens. Il a perdu l'esprit. Qu'un Dieu lui rende autant de honte ! Tous les Dieux heureux ne sont point irrités contre toi. Les princes et les chefs des Troiens empliront encore la plaine de poussière, et tu les verras fuir vers leur Ville, loin des nefs et des tentes.

Ayant ainsi parlé, il se précipita vers la plaine en poussant un grand cri, tel que celui que neuf ou dix mille hommes qui se ruent au combat pourraient pousser de leurs poitrines. Tel fut le cri du Roi qui ébranle la terre. Et il versa la force dans le cœur des Akhaiens, avec le désir de guerroyer et de combattre.

Hèrè regardait, assise sur un trône d'or, au sommet de l'Olympos, et elle reconnut aussitôt son frère qui s'agitait dans la glorieuse bataille, et elle se réjouit dans son cœur. Et elle vit Zeus assis au faîte de l'Ida où naissent les sources, et il lui était odieux. Aussitôt, la vénérable Hèrè aux yeux de bœuf songea au moyen de tromper Zeus tempétueux, et ceci lui sembla meilleur d'aller le trouver sur l'Ida, pour exciter en lui le désir amoureux de sa beauté, afin qu'un doux et profond sommeil fermât ses paupières et obscurcît ses pensées.

Et elle entra dans la chambre nuptiale que son fils bien-aimé Hèphaistos avait faite. Et il avait adapté aux portes solides un verrou secret, et aucun des Dieux n'aurait pu les ouvrir. Elle entra et ferma les portes resplendissantes. Et, d'abord, elle lava son beau corps avec de l'ambroisie ; puis elle se parfuma d'une huile divine dont l'arome se répandit dans la demeure de Zeus, sur la terre et dans l'Ouranos. Et son beau corps étant parfumé, elle peigna sa chevelure et tressa de ses mains ses cheveux éclatants, beaux et divins, qui flottaient de sa tête immortelle. Et elle revêtit une khlamyde divine qu'Athènè avait faite elle-même et ornée de mille merveilles, et elle la fixa sur sa poitrine avec des agrafes d'or. Et elle mit une ceinture à cent franges, et à ses oreilles bien percées des pendants travaillés avec soin et ornés de trois pierres précieuses.

Et la grâce l'enveloppait tout entière. Ensuite, la Déesse mit un beau voile blanc comme Hélios, et, à ses beaux pieds, de belles sandales. S'étant ainsi parée, elle sortit de sa chambre nuptiale, et, appelant Aphroditè loin des autres Dieux, elle lui dit :

— M'accorderas-tu, chère fille, ce que je vais te demander, ou me refuseras-tu, irritée de ce que je protège les
Danaens, et toi les Troiens ?

Et la fille de Zeus, Aphroditè, lui répondit :

— Vénérable Hèrè, fille du grand Kronos, dis ce que tu
désires. Mon cœur m'ordonne de te satisfaire, si je le puis,
et si c'est possible.

Et la vénérable Hèrè qui médite des ruses lui répondit :

— Donne-moi l'amour et le désir à l'aide desquels tu
domptes les Dieux immortels et les hommes mortels.

Je vais voir, aux limites de la terre, Okéanos, origine des
Dieux, et la maternelle Téthys, qui m'ont élevée et nourrie
dans leurs demeures, m'ayant reçue de Rhéiè quand Zeus
au large regard jeta Kronos sous la terre et sous la mer stérile. Je vais les voir, afin d'apaiser leurs dissensions amères.
Déjà, depuis longtemps, ils ne partagent plus le même lit,
parce que la colère est entrée dans leur cœur. Si je puis les
persuader par mes paroles, et si je les rends au même lit,
pour qu'ils puissent s'unir d'amour, ils m'appelleront leur
bien-aimée et vénérable.

Et Aphroditè qui aime les sourires lui répondit :

— Il n'est point permis de te rien refuser, à toi qui couche
dans les bras du grand Zeus.

Elle parla ainsi, et elle détacha de son sein la ceinture aux
couleurs variées où résident toutes les voluptés, et l'amour,
et le désir, et l'entretien amoureux, et l'éloquence persuasive
qui trouble l'esprit des sages. Et elle mit cette ceinture entre
les mains de Hèrè, et elle lui dit :

— Reçois cette ceinture aux couleurs variées, où résident
toutes les voluptés, et mets-la sur ton sein, et tu ne reviendras pas sans avoir fait ce que tu désires.

Elle parla ainsi, et la vénérable Hèrè aux yeux de bœuf rit,
et, en riant, elle mit la ceinture sur son sein. Et Aphroditè,
la fille de Zeus, rentra dans sa demeure, et Hèrè, joyeuse,
quitta le faîte de l'Olympos. Puis, traversant la Pièriè et la
riante Emathiè, elle gagna les montagnes neigeuses des
Thrèkiens, et ses pieds ne touchaient point la terre. Et, de
l'Athos, elle descendit vers la mer agitée et parvint à Lemnos,
la ville du divin Thoas, où elle rencontra Hypnos, frère de
Thanatos. Elle lui prit la main et lui dit ces paroles :

— Hypnos, roi de tous les Dieux et de tous les hommes,
si jamais tu m'as écoutée, obéis-moi aujourd'hui, et je ne
cesserai de te rendre grâces. Endors, sous leurs paupières,

les yeux splendides de Zeus, dès que je serai couchée dans ses bras, et je te donnerai un beau thrône incorruptible, tout en or, qu'a fait mon fils Hèphaistos qui boite des deux pieds ; et il y joindra un escabeau sur lequel tu appuyeras tes beaux pieds pendant le repas.

Et le doux Hypnos, lui répondant, parla ainsi :

— Hèrè, vénérable Déesse, fille du grand Kronos, j'assoupirai aisément tout autre des Dieux éternels, et même le fleuve Okéanos, cette source de toutes choses ; mais je n'approcherai point du Kroniôn Zeus et je ne l'endormirai point, à moins qu'il ne me l'ordonne. Déjà il m'a averti, grâce à toi, le jour où son fils magnanime naviguait loin d'Ilios, de la cité dévastée des Troiens. Et j'enveloppai doucement les membres de Zeus tempétueux, tandis que tu méditais des calamités, et que, répandant sur la mer le souffle des vents furieux, tu poussais Hèraklès vers Koôs bien peuplée, loin de tous ses amis. Et Zeus, s'éveillant indigné, dispersa tous les Dieux par l'Ouranos ; et il me cherchait pour me précipiter du haut de l'Aithèr dans la mer, si Nyx, qui dompte les Dieux et les hommes, et que je suppliais en fuyant, ne m'eût sauvé. Et Zeus, bien que très irrité, s'apaisa, craignant de déplaire à la rapide Nyx. Et maintenant tu m'ordonnes de courir le même danger !

Il parla ainsi, et la vénérable Hèrè aux yeux de bœuf lui répondit :

— Hypnos, pourquoi t'inquiéter ainsi ? Penses-tu que Zeus au large regard s'irrite pour les Troiens autant que pour son fils Hèraklès ? Viens, et je te donnerai pour épouse une des plus jeunes Kharites, Pasithéè, que tu désires sans cesse.

Elle parla ainsi, et Hypnos, plein de joie, lui répondit :

— Jure, par l'eau de Styx, un inviolable serment ; touche d'une main la terre et de l'autre la mer marbrée, et qu'ils soient témoins, les Dieux souterrains qui vivent autour de Kronos, que tu me donneras Pasithéè que je désire sans cesse.

Il parla ainsi, et la Déesse Hèrè aux bras blancs jura aussitôt comme il le désirait, et elle nomma tous les Dieux soustartaréens qu'on nomme Titans. Et, après ce serment, ils quittèrent tous deux Lemnos et Imbros, couverts d'une nuée et faisant rapidement leur chemin. Et, laissant la mer à Lektos, ils parvinrent à l'Ida qui abonde en bêtes fauves et en sources, et sous leurs pieds se mouvait la cime des bois. Là,

Hypnos resta en arrière, de peur que Zeus le vît, et il monta dans un grand pin né sur l'Ida, et qui s'élevait jusque dans l'Aithèr. Et il se blottit dans les épais rameaux du pin, semblable à l'oiseau bruyant que les hommes appellent Khalkis et les Dieux Kymindis.

Hèrè gravit rapidement le haut Gargaros, au faîte de l'Ida. Et Zeus qui amasse les nuées la vit, et aussitôt le désir s'empara de lui, comme autrefois, quand ils partagèrent le même lit, loin de leurs parents bien-aimés. Il s'approcha et lui dit :

— Hèrè, pourquoi as-tu quitté l'Olympos ? Tu n'as ni tes chevaux, ni ton char.

Et la vénérable Hèrè qui médite des ruses lui répondit :

— Je vais voir, aux limites de la terre, Okéanos, origine des Dieux, et la maternelle Tèthys, qui m'ont élevée et nourrie dans leurs demeures. Je vais les voir, afin d'apaiser leurs dissensions amères. Déjà, depuis longtemps, ils ne partagent plus le même lit, parce que la colère est entrée dans leur cœur. Mes chevaux, qui me portent sur la terre et sur la mer, sont aux pieds de l'Ida aux nombreuses sources, et c'est à cause de toi que j'ai quitté l'Olympos, craignant ta colère, si j'allais, en te le cachant, dans la demeure du profond Okéanos.

Et Zeus qui amasse les nuées lui dit :

— Hèrè, attends et tu partiras ensuite, mais couchons-nous pleins d'amour. Jamais le désir d'une Déesse ou d'une femme n'a dompté ainsi tout mon cœur. Jamais je n'ai tant aimé, ni l'épouse d'Ixion, qui enfanta Peirithoos semblable à un Dieu par la sagesse, ni la fille d'Akrisiôn, la belle Danaè qui enfanta Perseus, le plus illustre de tous les hommes, ni la fille du magnanime Phoinix, qui enfanta Minôs et Rhadamanthys, ni Sémélè qui enfanta Dionysos, la joie des hommes, ni Alkmènè qui enfanta aussi dans Thèbè mon robuste fils Hèraklès, ni la reine Dèmètèr aux beaux cheveux, ni l'illustre Lètô, ni toi-même ; car je n'ai jamais ressenti pour toi tant de désir et tant d'amour.

Et la vénérable Hèrè pleine de ruses lui répondit :

— Très redoutable Kronide, qu'as-tu dit ? Tu désires que nous nous unissions d'amour, maintenant, sur le faîte de l'Ida ouvert à tous les regards ! Si quelqu'un des Dieux qui vivent toujours nous voyait couchés et en avertissait tous les autres ! Je n'oserais plus rentrer dans tes demeures, en sortant de ton lit, car ce serait honteux. Mais, si tels sont ton

désir et ta volonté, la chambre nuptiale que ton fils Hèphaistos a faite a des portes solides. C'est là que nous irons dormir, puisqu'il te plaît que nous partagions le même lit.

Et Zeus qui amasse les nuées lui répondit :

— Ne crains pas qu'aucun Dieu te voie, ni aucun homme.
Je t'envelopperai d'une nuée d'or, telle que Hélios lui-même
ne la pénétrerait pas, bien que rien n'échappe à sa lumière.

Et le fils de Kronos prit l'Épouse dans ses bras. Et sous
eux la terre divine enfanta une herbe nouvelle, le lôtos brillant de rosée, et le safran, et l'hyacinthe épaisse et molle, qui
les soulevaient de terre. Et ils s'endormirent, et une belle
nuée d'or les enveloppait, et d'étincelantes rosées en tombaient.

Ainsi dormait, tranquille, le Père Zeus sur le haut Gargaros, dompté par le sommeil et par l'amour, en tenant
l'Épouse dans ses bras. Et le doux Hypnos courut aux nefs
des Akhaiens en porter la nouvelle à Celui qui ébranle la
terre, et lui dit en paroles ailées :

— Hâte-toi, Poseidaôn, de venir en aide aux Akhaiens, et
donne-leur la victoire au moins quelques instants, pendant
que Zeus dort, car je l'ai assoupi mollement, et Hèrè l'a
séduit par l'amour, afin qu'il s'endormît.

Il parla ainsi et retourna vers les illustres tribus des hommes ; mais il excita plus encore Poseidaôn à secourir les
Danaens, et Poseidaôn, s'élançant aux premiers rangs,
s'écria :

— Argiens ! laisserons-nous de nouveau la victoire au
Priamide Hektôr, afin qu'il prenne les nefs et se glorifie ? Il
triomphe, parce qu'Akhilleus reste, le cœur irrité, dans ses
nefs creuses ; mais nous n'aurons plus un si grand regret
d'Akhilleus, si nous savons nous défendre les uns les autres.
Allons ! obéissez-moi tous. Couverts de nos meilleurs et de
nos plus grands boucliers, les casques éclatants en tête et les
longues piques en main, allons ! Et je vous conduirai, et je
ne pense pas que le Priamide Hektôr nous attende, bien qu'il
soit plein d'audace. Que les plus braves cèdent leurs boucliers légers, s'ils en ont de tels, aux guerriers plus faibles,
et qu'ils s'abritent sous de plus grands !

Il parla ainsi, et chacun obéit. Et les Rois eux-mêmes,
quoique blessés, rangèrent les lignes. Le Tydéide, Odysseus
et l'Atréide Agamemnôn, parcourant les rangs, échangeaient
les armes, donnant les plus fortes aux plus robustes, et les

plus faibles aux moins vigoureux. Et tous s'avancèrent, revêtus de l'airain éclatant, et Celui qui ébranle la terre les précédait, tenant dans sa forte main une longue et terrible épée, semblable à l'éclair, telle qu'on ne peut l'affronter dans la mêlée lamentable, et qui pénètre les hommes de terreur.

Et l'illustre Hektôr, de son côté, rangeait les Troiens en bataille. Et tous deux préparaient une lutte horrible, Poseidaôn à la chevelure bleue et l'illustre Hektôr, celui-ci secourant les Troiens et celui-là les Akhaiens. Et la mer inondait la plage jusqu'aux tentes et aux nefs, et les deux peuples se heurtaient avec une grande clameur ; mais ni l'eau de la mer qui roule sur le rivage, poussée par le souffle furieux de Boréas, ni le crépitement d'un vaste incendie qui brûle une forêt, dans les gorges des montagnes, ni le vent qui rugit dans les grands chênes, ne sont aussi terribles que n'était immense la clameur des Akhaiens et des Troiens, se ruant les uns sur les autres.

Et, le premier, l'illustre Hektôr lança sa pique contre Aias qui s'était retourné sur lui, et il ne le manqua pas, car la pique frappa la poitrine là où les deux baudriers se croisent, celui du bouclier et celui de l'épée aux clous d'argent ; et ils préservèrent la chair délicate. Hektôr fut affligé qu'un trait rapide se fût vainement échappé de sa main ; et, fuyant la mort, il se retira dans la foule de ses compagnons. Mais, comme il se retirait, le grand Télamônien Aias saisit une des roches qui retenaient les câbles des nefs, et qui se rencontraient sous les pieds des combattants, et il en frappa Hektôr dans la poitrine, au-dessus du bouclier, près du cou, après l'avoir soulevée et l'avoir fait tourbillonner. De même qu'un chêne tombe, déraciné par l'éclair du grand Zeus, et que l'odeur du souffre s'en exhale, et que chacun s'en épouvante, tant est terrible la foudre du grand Zeus ; de même la force de Hektôr tomba dans la poussière. Et sa pique échappa de sa main, et son casque tomba, et son bouclier aussi, et toutes ses armes d'airain résonnèrent.

Et les fils des Akhaiens accoururent avec de grands cris, espérant l'entraîner, et ils lancèrent d'innombrables traits ; mais aucun ne put blesser le prince des peuples, car les plus braves le protégèrent aussitôt : Polydamas, Ainéias, et le divin Agènôr, et Sarpèdôn, le chef des Lykiens, et l'irréprochable Glaukos. Aucun ne négligea de le secourir, et tous tenaient devant lui leurs boucliers bombés. Et ses compagnons l'emportèrent dans leurs bras, loin de la mêlée, jusqu'à l'endroit où se tenaient ses chevaux rapides, et son char, et leur conducteur. Et ils l'emportèrent vers la Ville, poussant des gémissements. Et quand ils furent parvenus au gué du Xanthos tourbillonnant qu'engendra l'immortel Zeus, ils le déposèrent du char sur la terre, et ils le baignèrent, et, revenant à lui, il ouvrit les yeux. Mais, tombant à genoux, il vomit un sang noir, et, de nouveau, il se renversa contre terre, et une nuit noire l'enveloppa, tant le coup d'Aias l'avait dompté.

Les Argiens, voyant qu'on enlevait Hektôr, se ruèrent avec plus d'ardeur sur les Troiens et ne songèrent qu'à combattre. Le premier, le fils d'Oileus, le rapide Aias, de sa lance aiguë, en bondissant, blessa Satnios Enopide, que l'irréprochable nymphe Nèis enfanta d'Enops qui paissait ses troupeaux sur les rives du Satnioïs. Et l'illustre Oilèiade le blessa de sa lance dans le ventre, et il tomba à la renverse, et, autour de lui, les Troiens et les Danaens engagèrent une lutte terrible. Et le Panthoide Polydamas vint le venger, et il frappa Prothoènôr Arèilykide à l'épaule droite, et la forte lance entra dans l'épaule. Prothoènôr renversé saisit la poussière avec ses mains, et Polydamas s'écria insolemment :

— Je ne pense pas qu'un trait inutile soit parti de la main du magnanime Panthoide. Un Argien l'a reçu dans le corps, et il s'appuiera dessus pour descendre dans les demeures d'Aidès.

Il parla ainsi, et les Argiens furent remplis de douleur en l'entendant se glorifier ainsi. Et le belliqueux Télamônien Aias fut troublé, ayant vu Prothoènôr tomber auprès de lui. Et aussitôt il lança sa pique contre Polydamas qui se retirait ; mais celui-ci évita la mort en sautant de côté, et l'Antènoride Arkhélokhos reçut le coup, car les Dieux lui destinaient la mort. Et il fut frappé à la dernière vertèbre du cou, et les deux muscles furent tranchés, et sa tête, sa bouche et ses narines touchèrent la terre avant ses genoux.

Et Aias cria à l'irréprochable Polydamas :

— Vois, Polydamas, et dis la vérité. Ce guerrier mort ne suffit-il pas pour venger Prothoènôr ? Il ne me semble ni lâche, ni d'une race vile. C'est le frère du dompteur de chevaux Antènôr, ou son fils, car il a le visage de cette famille.

Et il parla ainsi, le connaissant bien. Et la douleur saisit les Troiens. Alors Akamas, debout devant son frère mort, blessa d'un coup de lance le Boiôtien Promakhos, comme celui-ci traînait le cadavre par les pieds. Et Akamas, triomphant, cria :

— Argiens destinés à la mort, et toujours prodigues de menaces, la lutte et le deuil ne seront pas pour nous seuls, et vous aussi vous mourrez ! Voyez ! votre Promakhos dort dompté par ma lance, et mon frère n'est pas resté longtemps sans vengeance ; aussi, tout homme souhaite de laisser dans ses demeures un frère qui le venge.

Il parla ainsi, et ses paroles insultantes remplirent les Argiens de douleur, et elles irritèrent surtout l'âme de Pènéléôs qui se rua sur Akamas. Mais celui-ci n'osa pas soutenir le choc du roi Pènéléôs qui blessa Ilioneus, fils de ce Phorbas, riche en troupeaux, que Hermès aimait entre tous les Troiens, et à qui il avait donné de grands biens. Et il le frappa sous le sourcil, au fond de l'œil, d'où la pupille fut arrachée. Et la lance, traversant l'œil, sortit derrière la tête, et Ilioneus, les mains étendues, tomba. Puis, Pènéléôs, tirant de la gaine son épée aiguë, coupa la tête qui roula sur la terre avec le casque, et la forte lance encore fixée dans l'œil. Et Pènéléôs la saisit, et, la montrant aux Troiens, il leur cria :

— Allez de ma part, Troiens, dire au père et à la mère de l'illustre Ilioneus qu'ils gémissent dans leurs demeures. Ah ! l'épouse de l'Alégènoride Promakhos ne se réjouira pas non plus au retour de son époux bien-aimé, quand les fils des Akhaiens, loin de Troiè, s'en retourneront sur leurs nefs !

Il parla ainsi, et la pâle terreur saisit les Troiens, et chacun d'eux regardait autour de lui, cherchant comment il éviterait la mort.

Dites-moi maintenant, Muses qui habitez les demeures Olympiennes, celui des Akhaiens qui enleva le premier des dépouilles sanglantes, quand l'Illustre qui ébranle la terre eut fait pencher la victoire ?

Le premier, Aias Télamônien frappa Hyrtios Gyrtiade, chef des braves Mysiens. Et Antilokhos tua Phalkès et Merméros, et Mèrionès tua Morys et Hippotiôn, et Teukros tua Prothoôn et Périphètès, et l'Atréide Ménélaos blessa au côté le prince des peuples Hypérènôr. Il lui déchira les intestins, et l'âme s'échappa par l'horrible blessure, et un brouillard couvrit ses yeux. Mais Aias, l'agile fils d'Oileus, en tua bien plus encore, car nul n'était son égal pour atteindre ceux que Zeus met en fuite.

RHAPSODIE XV

Les Troiens franchissaient, dans leur fuite, les pieux et le fossé, et beaucoup tombaient sous les mains des Danaens. Et ils s'arrêtèrent auprès de leurs chars, pâles de terreur.

Mais Zeus s'éveilla sur les sommets de l'Ida, auprès de Hèrè au trône d'or. Et, se levant, il regarda et vit les Troiens et les Akhaiens, et les premiers en pleine déroute, et les Argiens, ayant au milieu d'eux le roi Poseidaôn, les poussant avec fureur. Et il vit Hektôr gisant dans la plaine, entouré de ses compagnons, respirant à peine et vomissant le sang, car ce n'était pas le plus faible des Akhaiens qui l'avait blessé.

Et le Père des hommes et des Dieux fut rempli de pitié en le voyant, et, avec un regard sombre, il dit à Hèrè :

— Ô astucieuse ! ta ruse a éloigné le divin Hektôr du combat et mis tes troupes en fuite. Je ne sais si tu ne recueilleras pas la première le fruit de tes ruses, et si je ne t'accablerai point de coups. Ne te souvient-il plus du jour où tu étais suspendue dans l'air, avec une enclume à chaque pied, les mains liées d'une solide chaîne d'or, et où tu pendais ainsi de l'Aithèr et des nuées ? Tous les Dieux, par le grand Olympos, te regardaient avec douleur et ne pouvaient te secourir, car celui que j'aurais saisi, je l'aurais précipité de l'Ouranos, et il serait arrivé sur la terre, respirant à peine. Et cependant ma colère, à cause des souffrances du divin Hèraklès, n'était point assouvie. C'était toi qui, l'accablant de maux, avais appelé Boréas et les tempêtes sur la mer stérile, et qui l'avais rejeté vers Koôs bien peuplée. Mais je le délivrai et le ramenai dans Argos féconde en chevaux. Souviens-toi de ces choses et renonce à tes ruses, et sache qu'il ne te suffit pas, pour me tromper, de te donner à moi sur ce lit, loin des Dieux.

Il parla ainsi, et la vénérable Hèrè frissonna et lui répondit en paroles ailées :

— Que Gaia le sache, et le large Ouranos, et l'eau souterraine de Styx, ce qui est le plus grand serment des Dieux heureux, et ta tête sacrée, et notre lit nuptial que je n'attesterai jamais en vain ! Ce n'est point par mon conseil que Poseidaôn qui ébranle la terre a dompté les Troiens et Hektôr.

Son cœur seul l'a poussé, ayant compassion des Akhaiens désespérés autour de leurs nefs. Mais j'irai et je lui conseillerai, ô Zeus qui amasses les noires nuées, de se retirer où tu le voudras.

Elle parla ainsi, et le Père des Dieux et des hommes sourit, et lui répondit ces paroles ailées :

— Si tu penses comme moi, étant assise au milieu des Immortels, ô vénérable Hèrè aux yeux de bœuf, Poseidaôn lui-même, quoi qu'il veuille, se conformera aussitôt à notre volonté. Si tu as dit la vérité dans ton cœur, va dans l'assemblée des Dieux, appelle Iris et l'illustre Archer Apollôn, afin que l'une aille, vers l'armée des Akhaiens cuirassés, dire au roi Poseidaôn qu'il se retire de la mêlée, et qu'il rentre dans ses demeures ; et que Phoibos Apollôn ranime les forces de Hektôr et apaise les douleurs qui l'accablent, afin que le Priamide attaque de nouveau les Akhaiens et les mette en fuite. Et ils fuiront jusqu'aux nefs du Pèléide Akhilleus qui suscitera son compagnon Patroklos. Et l'illustre Hektôr tuera Patroklos devant Ilios, là où celui-ci aura dompté une multitude de guerriers, et, entre autres, mon fils le divin Sarpèdôn. Et le divin Akhilleus, furieux, tuera Hektôr. Et, désormais, je repousserai toujours les Troiens loin des nefs, jusqu'au jour où les Akhaiens prendront la haute Ilios par les conseils d'Athènè. Mais je ne déposerai point ma colère, et je ne permettrai à aucun des Immortels de secourir les Danaens, tant que ne seront point accomplis et le désir du Pèléide et la promesse que j'ai faite par un signe de ma tête, le jour où la Déesse Thétis, embrassant mes genoux, m'a supplié d'honorer Akhilleus, le dévastateur de citadelles.

Il parla ainsi, et la Déesse Hèrè aux bras blancs se hâta de monter des cimes de l'Ida dans le haut Olympos. Ainsi vole la pensée d'un homme qui, ayant parcouru de nombreuses contrées et se souvenant de ce qu'il a vu, se dit : J'étais là ! La vénérable Hèrè vola aussi promptement, et elle arriva dans l'assemblée des Dieux, sur le haut Olympos où sont les demeures de Zeus. Et tous se levèrent en la voyant, et lui offrirent la coupe qu'elle reçut de Thémis aux belles joues, car celle-ci était venue la première au-devant d'elle et lui avait dit en paroles ailées :

— Hèrè, pourquoi viens-tu toute troublée ? Est-ce le fils de Kronos, ton époux, qui t'a effrayée ?

Et la Déesse Hèrè aux bras blancs lui répondit :

— Divine Thémis, ne m'interroge point. Tu sais combien

son âme est orgueilleuse et dure. Préside le festin des Dieux dans ces demeures. Tu sauras avec tous les Immortels les desseins fatals de Zeus. Je ne pense pas que ni les hommes, ni les Dieux puissent se réjouir désormais dans leurs festins.

La vénérable Hèrè parla et s'assit. Et les Dieux s'attristèrent dans les demeures de Zeus ; mais la fille de Kronos sourit amèrement, tandis que son front était sombre au-dessus de ses sourcils bleus ; et elle dit indignée :

— Insensés que nous sommes ! nous nous irritons contre Zeus et nous voulons le dompter, soit par la flatterie, soit par la violence ; et, assis à l'écart, il ne s'en soucie ni ne s'en émeut, sachant qu'il l'emporte sur tous les Dieux immortels par la force et la puissance. Subissez donc les maux qu'il lui plaît d'envoyer à chacun de vous. Déjà le malheur atteint Arès ; son fils a péri dans la mêlée, Askalaphos, celui de tous les hommes qu'il aimait le mieux, et que le puissant Arès disait être son fils.

Elle parla ainsi, et Arès, frappant de ses deux mains ses cuisses vigoureuses, dit en gémissant :

— Ne vous irritez point, habitants des demeures Olympiennes, si je descends aux nefs des Akhaiens pour venger le meurtre de mon fils, quand même ma destinée serait de tomber parmi les morts, le sang et la poussière, frappé de l'éclair de Zeus !

Il parla ainsi, et il ordonna à la Crainte et à la Fuite d'atteler ses chevaux, et il se couvrit de ses armes splendides. Et, alors, une colère bien plus grande et bien plus terrible se fût soulevée dans l'âme de Zeus contre les Immortels, si Athènè, craignant pour tous les Dieux, n'eût sauté dans le parvis, hors du thrône où elle était assise. Et elle arracha le casque de la tête d'Arès, et le bouclier de ses épaules et la lance d'airain de sa main robuste, et elle réprimanda l'impétueux Arès :

— Insensé ! tu perds l'esprit et tu vas périr. As-tu des oreilles pour ne point entendre ? N'es-tu plus ni intelligence, ni pudeur ? N'as-tu point écouté les paroles de la Déesse Hèrè aux bras blancs que Zeus a envoyée dans l'Olympos ? Veux-tu, toi-même, frappé de mille maux, revenir, accablé et gémissant, après avoir attiré des calamités sur les autres Dieux ? Zeus laissera aussitôt les Troiens et les Akhaiens magnanimes, et il viendra nous précipiter de l'Olympos, innocents ou coupables. Je t'ordonne d'apaiser la colère du meurtre de ton fils. Déjà de plus braves et de plus vigoureux que lui sont morts, ou seront tués. Il est difficile de sauver de la mort les générations des hommes.

Ayant ainsi parlé, elle fit asseoir l'impétueux Arès sur son thrône. Puis, Hèrè appela, hors de l'Olympos, Apollôn et Iris, qui est la messagère de tous les Dieux immortels, et elle leur dit en paroles ailées :

— Zeus vous ordonne de venir promptement sur l'Ida, et, quand vous l'aurez vu, faites ce qu'il vous ordonnera.

Ayant ainsi parlé, la vénérable Hèrè rentra et s'assit sur son thrône. Et les deux Immortels s'envolèrent à la hâte, et ils arrivèrent sur l'Ida où naissent les sources et les bêtes fauves. Et ils virent Zeus au large regard assis sur le faîte du Gargaros, et il s'était enveloppé d'une nuée parfumée. Et ils s'arrêtèrent devant Zeus qui amasse les nuées. Et, satisfait, dans son esprit, qu'ils eussent obéi promptement aux ordres de l'Épouse bien-aimée, il dit d'abord en paroles ailées à Iris :

— Va ! rapide Iris, parle au Roi Poseidaôn, et sois une messagère fidèle. Dis-lui qu'il se retire de la mêlée, et qu'il reste, soit dans l'assemblée des Dieux, soit dans la mer divine. Mais s'il n'obéissait pas à mes ordres et s'il les méprisait, qu'il délibère et réfléchisse dans son esprit. Malgré sa vigueur, il ne pourra soutenir mon attaque, car mes forces surpassent de beaucoup les siennes, et je suis l'aîné. Qu'il craigne donc de se croire l'égal de Celui que tous les autres Dieux redoutent.

Il parla ainsi, et la rapide Iris aux pieds aériens descendit, du faîte des cimes Idaiennes, vers la sainte Ilios. Comme la neige vole du milieu des nuées, ou la grêle chassée par le souffle impétueux de Boréas, ainsi volait la rapide Iris ; et, s'arrêtant devant lui, elle dit à l'illustre qui ébranle la terre :

— Poseidaôn aux cheveux bleus, je suis envoyée par Zeus tempétueux. Il te recommande de te retirer de la mêlée et de rester, soit dans l'assemblée des Dieux, soit dans la mer divine. Si tu n'obéissais pas à ses ordres, et si tu les méprisais, il te menace de venir te combattre, et il te conseille d'éviter son bras, car ses forces sont de beaucoup supérieures aux tiennes, et il est l'aîné. Il t'avertit de ne point te croire l'égal de Celui que tous les Dieux redoutent.

Et l'illustre qui ébranle la terre, indigné, lui répondit :

— Ah ! certes, bien qu'il soit grand, il parle avec orgueil, s'il veut me réduire par la force, moi, son égal ! Nous sommes trois frères nés de Kronos, et qu'enfanta Rhéiè : Zeus,

moi et Aidès qui commande aux Ombres. On fit trois parts
du monde, et chacun de nous reçut la sienne. Et le sort
décida que j'habiterais toujours la blanche mer, et Aidès eut
les noires Ténèbres, et Zeus eut le large Ouranos, dans les
nuées et dans l'Aithèr. Mais le haut Olympos et la terre
furent communs à tous. C'est pourquoi je ne ferai point la
volonté de Zeus, bien qu'il soit puissant. Qu'il garde tranquillement sa part ; il ne m'épouvantera pas comme un
lâche. Qu'il menace à son gré les fils et les filles qu'il a engendrés, puisque la nécessité les contraints de lui obéir.

Et la rapide Iris aux pieds aériens lui répondit :

— Poseidaôn aux cheveux bleus, me faut-il rapporter à
Zeus cette parole dure et hautaine ? Ne changeras-tu point ?
L'esprit des sages n'est point inflexible, et tu sais que les
Erinnyes suivent les aînés.

Et Poseidaôn qui ébranle la terre lui répondit :

— Déesse Iris, tu as bien parlé. Il est bon qu'un messager
possède la prudence ; mais une amère douleur emplit mon
esprit et mon cœur, quand Zeus veut, par des paroles violentes, réduire son égal en honneurs et en droits. Je céderai,
quoique indigné ; mais je te le dis, et je le menacerai de ceci :
Si, malgré nous, moi, la dévastatrice Athènè, Hèrè, Hermès
et le roi Hèphaistos, il épargne la haute Ilios et refuse de la
détruire et de donner la victoire aux Argiens, qu'il sache que
notre haine sera inexorable.

Ayant ainsi parlé, il laissa le peuple des Akhaiens et rentra
dans la mer. Et les héros Akhaiens le regrettaient. Et alors
Zeus qui amasse les nuées dit à Apollôn :

— Va maintenant, cher Phoibos, vers Hektôr armé d'airain, car voici que Celui qui ébranle la terre est rentré dans
la mer, fuyant ma fureur. Certes, ils auraient entendu un
combat terrible les Dieux souterrains qui vivent autour de
Kronos ; mais il vaut mieux pour tous deux que, malgré sa
colère, il ait évité mes mains, car cette lutte aurait fait couler
de grandes sueurs. Mais toi, prends l'Aigide aux franges d'or,
afin d'épouvanter, en la secouant, les héros Akhaiens.
Archer, prends soin de l'illustre Hektôr et remplis-le d'une
grande force, pour qu'il chasse les Akhaiens jusqu'aux nefs
et jusqu'au Hellespontos ; et je songerai alors comment je
permettrai aux Akhaiens de respirer.

Il parla ainsi, et Apollôn se hâta d'obéir à son père. Et il
descendit du faîte de l'Ida, semblable à un épervier tueur de
colombes, et le plus impétueux des oiseaux. Et il trouva le

divin Hektôr, le fils du sage Priamos, non plus couché, mais assis, et se ranimant, et reconnaissant ses compagnons autour de lui. Et le râle et la sueur avaient disparu par la seule pensée de Zeus tempétueux. Et Apollôn s'approcha et lui dit :

— Hektôr, fils de Priamos, pourquoi rester assis, sans forces, loin des tiens ? Es-tu la proie de quelque douleur ?

Et Hektôr au casque mouvant lui répondit d'une voix faible :

— Qui es-tu, ô le meilleur des Dieux, qui m'interroges ainsi ? Ne sais-tu pas qu'auprès des nefs Akhaiennes, tandis que je tuais ses compagnons, le brave Aias m'a frappé d'un rocher dans la poitrine et a rompu mes forces et mon courage ? Certes, j'ai cru voir aujourd'hui les morts et la demeure d'Aidès, en rendant ma chère âme.

Et le royal Archer Apollôn lui répondit :

— Prends courage ! Du haut de l'Ida, le Kroniôn a envoyé pour te secourir Phoibos Apollôn à l'épée d'or. Toi et ta haute citadelle, je vous ai protégés et je vous protège toujours. Viens ! excite les cavaliers à pousser leurs chevaux rapides vers les nefs creuses, et j'irai devant toi, et j'aplanirai la voie aux chevaux, et je mettrai en fuite les héros Akhaiens.

Ayant ainsi parlé, il remplit le prince des peuples d'une grande force. Comme un étalon, longtemps retenu à la crèche et nourri d'orge abondante, qui rompt son lien, et qui court, frappant la terre de ses quatre pieds, se plonger dans le fleuve clair, et qui, la tête haute, secouant ses crins sur ses épaules, fier de sa beauté, bondit aisément jusqu'aux lieux accoutumés où paissent les cavales ; de même Hektôr, à la voix du Dieu, courait de ses pieds rapides, excitant les cavaliers. Comme des chiens et des campagnards qui poursuivent un cerf rameux, ou une chèvre sauvage qui se dérobe sous une roche creuse ou dans la forêt sombre, et qu'ils ne peuvent atteindre, quand un lion à longue barbe, survenant tout à coup à leurs cris, les disperse aussitôt malgré leur impétuosité ; de même les Danaens, poursuivant l'ennemi de leurs lances à deux pointes, s'épouvantèrent en voyant Hektôr parcourir les lignes Troiennes, et leur âme tomba à leurs pieds.

Et Thoas Andraimonide les excitait. Et c'était le meilleur guerrier Aitôlien, habile au combat de la lance et ferme dans la mêlée. Et peu d'Akhaiens l'emportaient sur lui dans l'agora. Et il s'écria :

— Ah ! certes, je vois de mes yeux un grand prodige. Voici le Priamide échappé à la mort. Chacun de nous espérait qu'il avait péri par les mains d'Aias Télamônien ; mais sans doute un Dieu l'a sauvé de nouveau, lui qui a rompu les genoux de tant de Danaens, et qui va en rompre encore, car ce n'est point sans l'aide de Zeus tonnant qu'il revient furieux au combat. Mais, allons ! et obéissez tous. Que la multitude retourne aux nefs, et tenons ferme, nous qui sommes les plus braves de l'armée. Tendons vers lui nos grandes lances, et je ne pense pas qu'il puisse, malgré ses forces, enfoncer les lignes des Danaens.

Il parla ainsi, et tous l'entendirent et obéirent. Et autour de lui étaient les Aias et le roi Idoméneus, et Teukros et Mèrionès, et Mégès semblable à Arès ; et ils se préparaient au combat, réunissant les plus braves, contre Hektôr et les Troiens. Et, derrière eux, la multitude retournait vers les nefs des Akhaiens.

Et les Troiens frappèrent les premiers. Hektôr les précédait, accompagné de Phoibos Apollôn, les épaules couvertes d'une nuée et tenant l'Aigide terrible, aux longues franges, que le forgeron Hèphaistos donna à Zeus pour épouvanter les hommes. Et, tenant l'Aigide en main, il menait les Troiens. Et les Argiens les attendaient de pied ferme, et une clameur s'éleva des deux côtés. Les flèches jaillissaient des nerfs et les lances des mains robustes ; et les unes pénétraient dans la chair des jeunes hommes, et les autres entraient en terre, avides de sang, mais sans avoir percé le beau corps des combattants.

Aussi longtemps que Phoibos Apollôn tint l'Aigide immobile en ses mains, les traits percèrent des deux côtés, et les guerriers tombèrent ; mais quand il la secoua devant la face des cavaliers Danaens, en poussant des cris terribles, leur cœur se troubla dans leurs poitrines, et ils oublièrent leur force et leur courage.

Comme un troupeau de bœufs, ou un grand troupeau de brebis, que deux bêtes féroces, au milieu de la nuit, bouleversant soudainement, en l'absence de leur gardien, de même les Akhaiens furent saisis de terreur, et Apollôn les mit en fuite et donna la victoire à Hektôr et aux Troiens. Alors, dans cette fuite, chaque homme tua un autre homme. Hektôr tua Stikhios et Arkésilaos, l'un chef des Boiôtiens aux tuniques d'airain, l'autre, fidèle compagnon du magnanime Ménestheus. Et Ainéias tua Médôn et Iasos. Et Médôn était bâtard du divin Oileus et frère d'Aias ; mais il habitait Phylakè, loin de sa patrie, ayant tué le frère de sa belle-mère Eriôpis, femme d'Oileus. Et Iasos était un chef Athènaien et fils de Sphèlos Boukolide.

Et Polydamas tua Mèkisteus, et Politès tua Ekhios qui combattait aux premiers rangs. Et le divin Agènôr tua Klonios, et Pâris frappa au sommet de l'épaule, par derrière, Dèiokhos qui fuyait, et l'airain le traversa.

Tandis que les vainqueurs dépouillaient les cadavres de leurs armes, les Akhaiens franchissaient les pieux, dans le fossé, et fuyaient çà et là, derrière la muraille, contraints par la nécessité. Mais Hektôr commanda à haute voix aux Troiens de se ruer sur les nefs et de laisser là les dépouilles sanglantes :

— Celui que je verrai loin des nefs, je lui donnerai la mort. Ni ses frères, ni ses sœurs ne mettront son corps sur le bûcher, et les chiens le déchireront devant notre Ville.

Ayant ainsi parlé, il poussa les chevaux du fouet, en entraînant les Troiens, et tous, avec des cris menaçants et une clameur immense, ils poussaient leurs chars en avant. Et Phoibos Apollôn jeta facilement du pied les bords du fossé dans le milieu, et, le comblant, le fit aussi large que l'espace parcouru par le trait que lance un guerrier vigoureux. Et tous s'y jetèrent en foule, et Apollôn, les précédant avec l'Aigide éclatante, renversa le mur des Akhaiens aussi aisément qu'un enfant renverse, auprès de la mer, les petits monceaux de sable qu'il a amassés et qu'il disperse en se jouant. Ainsi, Archer Apollôn, tu dispersas l'œuvre qui avait coûté tant de peines et de misères aux Argiens, et tu les mis en fuite.

Et il s'arrêtèrent auprès des nefs, s'exhortant les uns les autres ; et, les mains étendues vers les Dieux, ils les imploraient. Et le Gérennien Nestôr, rempart des Akhaiens, priait, les bras levés vers l'Ouranos étoilé :

— Père Zeus ! si jamais, dans la fertile Argos, brûlant pour toi les cuisses grasses des bœufs et des brebis, nous t'avons supplié de nous accorder le retour, et si tu l'as promis d'un signe de ta tête, souviens-toi, ô Olympien ! Éloigne notre jour suprême, et ne permets pas que les Akhaiens soient domptés par les Troiens.

Il parla ainsi en priant, et le sage Zeus entendit la prière du vieux Nèlèiade et tonna. Et, au bruit du tonnerre, les Troiens, croyant comprendre la pensée de Zeus tempétueux, se ruèrent plus furieux sur les Argiens. Comme les grandes

lames de la haute mer assiègent les flancs d'une nef, pous-
sées par la violence du vent, car c'est elle qui gonfle les eaux ;
de même les Troiens escaladaient le mur avec de grandes
clameurs ; et ils poussaient leurs chevaux et combattaient
devant les nefs à coups de lances aiguës ; et les Akhaiens, du
haut de leurs nefs noires, les repoussaient avec ces longs
pieux, couchés dans les nefs, et qui, cerclés d'airain, servent
dans le combat naval.

Tant que les Akhaiens et les Troiens combattirent au-delà
du mur, loin des nefs rapides, Patroklos, assis sous la tente
de l'irréprochable Eurypylos, le charma par ses paroles et
baigna sa blessure de baumes qui guérissent les douleurs
amères ; mais quand il vit que les Troiens avaient franchi le
mur, et que les Akhaiens fuyaient avec des cris, il gémit, et
frappa ses cuisses de ses mains, et il dit en pleurant :

— Eurypylos, je ne puis rester plus longtemps, bien que
tu souffres, car voici une mêlée suprême. Qu'un de tes
compagnons te soigne ; il faut que je retourne vers Akhilleus
et que je l'exhorte à combattre. Qui sait si, un Dieu m'aidant,
je ne toucherai point son âme ? Le conseil d'un ami est
excellent.

Ayant ainsi parlé, il s'éloigna.

Cependant les Akhaiens soutenaient l'assaut des Troiens.
Et ceux-ci ne pouvaient rompre les phalanges des Danaens
et envahir les tentes et les nefs, et ceux-là ne pouvaient
repousser l'ennemi loin des nefs. Comme le bois dont on
construit une nef est mis de niveau par un habile ouvrier à
qui Athènè a enseigné toute sa science, de même le combat
était partout égal autour des nefs.

Et Hektôr attaqua l'illustre Aias. Et tous deux soutenaient
le travail du combat autour des nefs, et l'un ne pouvait éloigner l'autre pour incendier les nefs, et l'autre ne pouvait
repousser le premier que soutenait un Dieu. Et l'illustre Aias
frappa de sa lance Kalètôr, fils de Klytios, comme celui-ci
portait le feu sur les nefs ; et Kalètôr tomba renversé, laissant échapper la torche de ses mains. Et quand Hektôr vit
son parent tomber dans la poussière devant la nef noire, il
cria aux Troiens et aux Lykiens :

— Troiens, Lykiens et Dardaniens belliqueux, n'abandonnez point le combat étroitement engagé, mais enlevez le fils
de Klytios, et que les Akhaiens ne le dépouillent point de ses
armes.

Il parla ainsi, et lança sa pique éclatante contre Aias ; mais il le manqua, et il atteignit Lykophrôn, fils de Mastôr, compagnon d'Aias, et qui habitait avec celui-ci, depuis qu'il avait tué un homme dans la divine Kythèrè. Et le Priamide le frappa de sa lance aiguë au-dessus de l'oreille, auprès d'Aias, et Lykophrôn tomba du haut de la poupe sur la poussière, et ses forces furent dissoutes. Et Aias, frémissant, appela son frère :

— Ami Teukros, notre fidèle compagnon le Mastoride est mort, lui qui, loin de Kythèrè, vivait auprès de nous et que nous honorions autant que nos parents bien-aimés. Le magnanime Hektôr l'a tué. Où sont tes flèches mortelles et l'arc que t'a donné Phoibos Apollôn ?

Il parla ainsi, et Teukros l'entendit, et il accourut, tenant en main son arc recourbé et le carquois plein de flèches. Et il lança ses flèches aux Troiens. Et il frappa Kléitos, fils de Peisènôr, compagnon de l'illustre Panthoide Polydamas, dont il conduisait le char et les chevaux à travers les phalanges bouleversées, afin de plaire à Hektôr et aux Troiens. Mais le malheur l'accabla sans que nul pût le secourir ; et la flèche fatale entra derrière le cou, et il tomba du char, et les chevaux reculèrent, secouant le char vide.

Et le prince Polydamas, l'ayant vu, accourut promptement aux chevaux et les confia à Astynoos, fils de Protiaôn, lui recommandant de les tenir près de lui. Et il se mêla de nouveau aux combattants.

Et Teukros lança une flèche contre Hektôr, et il l'eût retranché du combat, auprès des nefs des Akhaiens, s'il l'avait atteint, et lui eût arraché l'âme ; mais il ne put échapper au regard du sage Zeus qui veillait sur Hektôr. Et Zeus priva de cette gloire le Télamônien Teukros, car il rompit le nerf bien tendu, comme Teukros tendait l'arc excellent. Et la flèche à pointe d'airain s'égara, et l'arc tomba des mains de l'archer. Et Teukros frémit et dit à son frère :

— Ah ! certes, quelque Dieu nous traverse dans le combat. Il m'a arraché l'arc des mains et rompu le nerf tout neuf que j'y avais attaché moi-même ce matin, afin qu'il pût lancer beaucoup de flèches.

Et le grand Télamônien Aias lui répondit :

— Ô ami, laisse ton arc et tes flèches, puisqu'un Dieu jaloux des Danaens disperse tes traits. Prends une longue lance, mets un bouclier sur tes épaules et combats les Troiens en excitant les troupes. Que ce ne soit pas du moins

sans peine qu'il se rendent maîtres de nos nefs bien construites. Mais souvenons-nous de combattre.

Il parla ainsi, et Teukros, déposant son arc dans sa tente,
saisit une solide lance à pointe d'airain, mit un bouclier à
quatre lames sur ses épaules, un excellent casque à crinière
sur sa tête, et se hâta de revenir auprès d'Aias. Mais quand
Hektôr eut vu que les flèches de Teukros lui étaient devenues inutiles, il cria à haute voix aux Troiens et aux Lykiens :

— Troiens, Lykiens et belliqueux Dardaniens, soyez des
hommes, et souvenez-vous de votre force et de votre courage
auprès des nefs creuses ! Je vois de mes yeux les flèches d'un
brave archer brisées par Zeus. Il est facile de comprendre à
qui le puissant Kroniôn accorde ou refuse son aide, qui il
menace et qui il veut couvrir de gloire. Maintenant, il brise
les forces des Akhaiens et il nous protège. Combattez fermement autour des nefs. Si l'un de vous est blessé et meurt,
qu'il meure sans regrets, car il est glorieux de mourir pour
la patrie, car il sauvera sa femme, ses enfants et tout son
patrimoine, si les Akhaiens retournent, sur leurs nefs, dans
la chère terre de leurs aïeux.

Ayant ainsi parlé, il excita la force et le courage de chacun.
Et Aias, de son côté, exhortait ses compagnons :

— Ô honte ! c'est maintenant, Argiens, qu'il faut périr ou
sauver les nefs. Espérez-vous, si Hektôr au casque mouvant
se saisit de vos nefs, retourner à pied dans la patrie ? Ne
l'entendez-vous point exciter ses guerriers, ce Hektôr qui
veut brûler vos nefs ? Ce n'est point aux danses qu'il les
pousse, mais au combat. Le mieux est de leur opposer nos
bras et notre vigueur. Il faut mourir promptement ou vivre,
au lieu de nous consumer dans un combat sans fin contre
des hommes qui ne nous valent pas.

Ayant ainsi parlé, il ranima le courage de chacun. Alors
Hektôr tua Skhédios, fils de Périmèdès, chef des Phôkèens ;
et Aias tua Laodamas, chef des hommes de pied, fils illustre
d'Antènôr. Et Polydamas tua Otos le Kyllènien, compagnon
du Phyléide, chef des magnanimes Epéiens. Et Mégès,
l'ayant vu, s'élança sur Polydamas ; mais celui-ci, s'étant
courbé, échappa au coup de la pique, car Apollôn ne permit
pas que le Panthoide tombât parmi les combattants ; et la
pique de Mégès perça la poitrine de Kroismos qui tomba
avec bruit. Et comme le Phyléide lui arrachait ses armes, le
brave Dolops Lampétide se jeta sur lui, Dolops qu'engendra
le Laomédontiade Lampos, le meilleur des hommes mortels.

Et il perça de sa lance le milieu du bouclier de Mégès, mais son épaisse cuirasse préserva celui-ci. C'était la cuirasse que Phyleus apporta autrefois d'Ephyrè, des bords du fleuve Selléis. Et son hôte, le Roi des hommes, Euphètès, la lui avait donnée, pour la porter dans les mêlées comme un rempart contre l'ennemi. Et, maintenant, elle préserva son fils de la mort. Et Mégès frappa de son épée le cône du casque d'airain à crinière de cheval, et l'aigrette rompue tomba dans la poussière, ayant été teinte récemment d'une couleur de pourpre. Et tandis que Mégès combattait encore et espérait la victoire, le brave Ménélaos accourut à son aide, et, venant à la dérobée, frappa l'épaule du Troien. Et la pointe d'airain traversa la poitrine, et le guerrier tomba sur la face.

Et les deux Akhaiens s'élançaient pour le dépouiller de ses armes d'airain ; mais Hektôr excita les parents de Dolops, et surtout il réprimanda le Hikétaonide, le brave Ménalippos, qui paissait, avant la guerre, ses bœufs aux pieds flexibles dans Perkôtè, mais qui vint à Ilios quand les nefs Danaennes aux doubles avirons arrivèrent. Et il brillait parmi les Troiens, et il habitait auprès de Priamos qui l'honorait à l'égal de ses fils. Et Hektôr lui adressa ces paroles dures et sévères :

— Ainsi, Ménalippos, nous restons inertes. Ton parent mort ne touche-t-il point ton cœur ? Ne vois-tu pas qu'ils arrachent les armes de Dolops ? Suis-moi. Ce n'est plus de loin qu'il faut combattre les Argiens. Nous les tuerons, ou la haute Ilios sera prise et ils égorgeront ses citoyens.

En parlant ainsi, il s'élança, et Ménalippos le suivit, semblable à un Dieu. Et le grand Télamônien Aias exhortait les Akhaiens :

— Ô amis ! soyez des hommes. Ayez honte de fuir et faites face au combat. Les braves sont plutôt sauvés que tués, et les lâches seuls n'ont ni gloire, ni salut.

Il parla ainsi, et les Akhaiens retinrent ses paroles dans leur esprit, prêts à s'entr'aider ; et ils faisaient comme un mur d'airain autour des nefs ; et Zeus excitait les Troiens contre eux. Et le brave Ménélaos anima ainsi Antilokhos :

— Antilokhos, nul d'entre les Akhaiens n'est plus jeune que toi, ni plus rapide, ni plus brave au combat. Plût aux Dieux que tu pusses tuer quelque Troien !

Il parla ainsi, et il le laissa excité par ces paroles. Et Antilokhos se jeta parmi les combattants et lança sa pique éclatante, et les Troiens reculèrent ; mais la pique ne fut point

lancée en vain, car elle perça à la poitrine, près de la
mamelle, Ménalippos, l'orgueilleux fils de Hikétaôn. Et il
tomba et ses armes sonnèrent. Et le brave Antilokhos se jeta
sur lui, comme un chien sur un faon qu'un chasseur a percé
tandis qu'il bondissait hors du gîte. Ainsi, Ménalippos, le
belliqueux Antilokhos sauta sur toi pour t'arracher tes
armes ; mais le divin Hektôr, l'ayant vu, courut sur lui à travers la mêlée. Et Antilokhos ne l'attendit pas, quoique brave,
et il prit la fuite, comme une bête fauve qui, ayant tué un
chien, ou le bouvier au milieu des bœufs, fuit avant que la
foule des hommes la poursuive. Ainsi fuyait le Nestoride. Et
les Troiens et Hektôr, avec de grands cris, l'accablaient de
traits violents ; mais il leur fit face, arrivé auprès de ses
compagnons.

Et les Troiens, semblables à des lions mangeurs de chair
crue, se ruaient sur les nefs, accomplissant ainsi les ordres
de Zeus, car il leur inspirait la force et il troublait l'âme des
Argiens, voulant donner une grande gloire au Priamide Hektôr, et le laisser jeter la flamme ardente sur les nefs aux poupes recourbées, afin d'exaucer la fatale prière de Thétis. Et
le sage Zeus attendait qu'il eût vu le feu embraser une nef,
et alors il repousserait les Troiens loin des nefs et rendrait
la victoire aux Danaens. C'est pourquoi il entraînait vers les
nefs creuses le Priamide Hektôr déjà plein d'ardeur, furieux,
agitant sa lance comme Arès, ou pareil à un incendie terrible
qui gronde sur les montagnes, dans l'épaisseur d'une forêt
profonde. Et la bouche de Hektôr écumait, et ses yeux flambaient sous ses sourcils, et son casque s'agitait sur sa tête
guerrière.

Et Zeus lui venait en aide, l'honorant et le glorifiant parmi
les hommes, car sa vie devait être brève, et voici que Pallas
Athènè préparait le jour fatal où il tomberait sous la violence
du Pèléide.

Et il tentait de rompre les lignes des guerriers, se ruant là
où il voyait la mêlée plus pressée et les armes les plus belles.
Mais, malgré son désir, il ne pouvait rompre l'armée ennemie, car celle-ci résistait comme une tour, ou comme une
roche énorme et haute qui, se dressant près de la blanche
mer, soutient le souffle rugissant des vents et le choc des
grandes lames qui se brisent contre elle. Ainsi les Danaens
soutenaient fermement l'assaut des Troiens et ne fuyaient
point, tandis que Hektôr, éclatant comme le feu, bondissait
de tous côtés dans la mêlée.

Comme l'eau de la mer, enflée par les vents qui soufflent avec véhémence du milieu des nuées, assiège une nef rapide et la couvre tout entière d'écume, tandis que le vent frémit dans la voile et que les matelots sont épouvantés, parce que la mort est proche ; de même le cœur des Akhaiens se rompait dans leurs poitrines.

Ou, quand il arrive qu'un lion désastreux tombe au milieu de bœufs innombrables qui paissent dans un vaste marécage, de même que le bouvier, ne sachant point combattre les bêtes fauves pour le salut de ses bœufs noirs, va tantôt à un bout, tantôt à l'autre bout du troupeau, tandis que le lion bondit au milieu des génisses qui s'épouvantent et en dévore une ; de même les Akhaiens étaient bouleversés par Hektôr et par le Père Zeus.

Cependant, le Priamide n'avait tué que le seul Périphètès de Mykènè, fils bien-aimé de Kopreus, qui portait à la force Hèraklèenne les ordres du roi Eurystheus. Il était né fils excellent d'un père indigne, et, par toutes les vertus, par son courage et par sa sagesse, il était le premier des Mykènaiens. Et il donna une grande gloire à Hektôr, car, en se retournant, il heurta le bord du grand bouclier qui le couvrait tout entier et le préservait des traits ; et, les pieds embarrassés, il tomba en arrière et, dans sa chute, son casque résonna autour de ses tempes. Alors, Hektôr, l'ayant vu, accourut et lui perça la poitrine d'un coup de lance, au milieu de ses compagnons qui n'osèrent le secourir, tant ils redoutaient le divin Hektôr.

Et les Argiens qui, d'abord, étaient devant les nefs, se réfugiaient maintenant au milieu de celles qui, les premières, avaient été tirées sur le sable. Puis, cédant à la force, ils abandonnèrent aussi les intervalles de celles-ci. Mais, s'arrêtant devant les tentes, ils ne se dispersèrent point dans le camp, car la honte et la terreur les retenaient, et ils s'exhortaient les uns les autres.

Alors, le Gérennien Nestôr, rempart des Akhaiens, attestant leurs parents, adjura chaque guerrier :

— Ô amis, soyez des hommes ! Craignez la honte en face des autres hommes. Souvenez-vous de vos fils, de vos femmes, de vos domaines, de vos parents qui vivent encore ou qui sont morts. Je vous adjure en leur nom de tenir ferme et de ne pas fuir.

Il parla ainsi, et il ranima leur force et leur courage. Alors, Athènè dissipa la nuée épaisse qui couvrait leurs yeux, et la

lumière se fit de toutes parts, autant sur les nefs que sur le
champ de bataille. Et ceux qui fuyaient, comme ceux qui
luttaient, et ceux qui combattaient auprès des nefs rapides,
virent le brave Hektôr et ses compagnons.

Et il ne plut point à l'âme du magnanime Aias de rester
où étaient les autres fils des Akhaiens. Et il s'avança, traversant les poupes des nefs et agitant un grand pieu cerclé d'airain et long de vingt-deux coudées. Comme un habile
cavalier qui, ayant mis ensemble quatre chevaux très agiles,
les pousse vers une grande ville, sur le chemin public, et que
les hommes et les femmes admirent, tandis qu'il saute de
l'un à l'autre, et qu'ils courent toujours ; de même Aias marchait rapidement sur les poupes des nefs, et sa voix montait
dans l'Ouranos, tandis qu'il excitait par de grandes clameurs
les Danaens à sauver les tentes et les nefs.

Hektôr, de son côté, ne restait point dans la foule des
Troiens bien armés. Comme un aigle fauve qui tombe sur
une multitude d'oiseaux, paissant le long d'un fleuve, oies,
grues et cygnes aux longs cous ; de même Hektôr se précipita sur une nef à proue bleue. Et, de sa grande main, Zeus
le poussait par derrière, et tout son peuple avec lui. Et, de
nouveau, une violente mêlée s'engagea autour des nefs. On
eût dit des hommes infatigables et indomptés se ruant à un
premier combat, tant ils luttaient tous avec ardeur. Et les
Akhaiens, n'espérant pas échapper au carnage, se croyaient
destinés à la mort, et les Troiens espéraient, dans leur cœur,
brûler les nefs et tuer les héros Akhaiens. Et ils se ruaient,
avec ces pensées, les uns contre les autres.

Hektôr saisit la poupe de la nef belle et rapide qui avait
amené Prôtésilaos à Troiè et qui n'avait point dû le ramener
dans la terre de la patrie. Et les Akhaiens et les Troiens s'entre-tuaient pour cette nef. Et l'impétuosité des flèches et des
piques ne leur suffisant plus, ils se frappaient, dans une
même pensée, avec les doubles haches tranchantes, les grandes épées et les lances aiguës. Et beaucoup de beaux glaives
à poignée noire tombaient sur le sable des mains et des
épaules des hommes qui combattaient, et la terre était trempée d'un sang noir. Mais Hektôr saisissant de ses mains les
ornements de la poupe, et s'y attachant, cria aux Troiens :

— Apportez le feu, et poussez des clameurs en vous
ruant ! Zeus nous offre le jour de la vengeance en nous
livrant ces nefs qui, venues vers Ilios contre la volonté des
Dieux, nous ont apporté tant de calamités, par la lâcheté des

vieillards qui me retenaient et retenaient l'armée quand je voulais marcher et combattre ici. Mais si le prévoyant Zeus aveuglait alors notre esprit, maintenant c'est lui-même qui nous excite et nous pousse.

Il parla ainsi, et tous se jetèrent avec plus de fureur sur les Akhaiens. Et Aias ne put soutenir plus longtemps l'assaut, car il était accablé de traits ; et il recula, de peur de mourir, jusqu'au banc des rameurs, long de sept pieds, et il abandonna la poupe de la nef. Mais, du banc où il était, il éloignait à coups de lance chaque Troien qui apportait le feu infatigable. Et, avec d'horribles cris, il exhortait les Danaens :

— Ô amis, héros Danaens, serviteurs d'Arès, soyez des hommes ! Souvenez-vous de votre force et de votre courage. Pensez-vous trouver derrière vous d'autres défenseurs, ou une muraille plus inaccessible qui vous préserve de la mort ? Nous n'avons point ici de ville ceinte de tours d'où nous puissions repousser l'ennemi et assurer notre salut. Mais nous sommes ici dans les plaines des Troiens bien armés, acculés contre la mer, loin de la terre de la patrie, et notre salut est dans nos mains et non dans la lassitude du combat.

Il parla ainsi, et, furieux, il traversait de sa lance aiguë chaque Troien qui apportait le feu sur les nefs creuses afin de plaire à Hektôr et de lui obéir. Et, ceux-là, Aias les traversait de sa lance aiguë, et il en tua douze devant les nefs.

RHAPSODIE XVI

Et ils combattaient ainsi pour les nefs bien construites. Et Patroklos se tenait devant le prince des peuples, Akhilleus, versant de chaudes larmes, comme une source d'eau noire qui flue du haut d'un rocher. Et le divin Akhilleus en eut compassion, et il lui dit ces paroles ailées :

— Pourquoi pleures-tu, Patroklos, comme une petite fille qui court après sa mère, saisit sa robe et la regarde en pleurant jusqu'à ce que celle-ci la prenne dans ses bras ? Semblable à cette enfant, ô Patroklos, tu verses des larmes abondantes. Quel message as-tu pour les Myrmidones ou pour moi ? As-tu seul reçu des nouvelles de la Phthiè ? On dit cependant que le fils d'Aktôr, Ménoitios, et l'Aiakide

Pèleus vivent encore parmi les Myrmidones. Certes, nous serions accablés, s'ils étaient morts. Mais peut-être pleures-tu pour les Argiens qui périssent auprès des nefs creuses, par leur propre iniquité ? Parle, ne me cache rien, afin que nous sachions tous deux.

Et le cavalier Patroklos, avec un profond soupir, lui répondit :

— Ô Akhilleus, fils de Pèleus, le plus brave des Akhaiens, ne t'irrite point, car de grandes calamités accablent les Akhaiens. Déjà les plus braves d'entre eux gisent dans les nefs, frappés et blessés. Le robuste Tydéide Diomèdès est blessé, et Odysseus illustre par sa lance, et Agamemnôn. Eurypylos a la cuisse percée d'une flèche ; et les médecins les soignent et baignent leurs blessures avec des baumes. Mais toi, Akhilleus, tu es implacable ! Ô Pèléide, doué d'un courage inutile, qu'une colère telle que la tienne ne me saisisse jamais ! À qui viendras-tu désormais en aide, si tu ne sauves pas les Argiens de cette ruine terrible ? Ô inexorable ! Le cavalier Pèleus n'est point ton père, Thétis ne t'a point conçu. La mer bleue t'a enfanté et ton âme est dure comme les hauts rochers. Si tu fuis l'accomplissement d'un oracle, et si ta mère vénérable t'a averti de la part de Zeus, au moins envoie-moi promptement à la tête des Myrmidones, et que j'apporte une lueur de salut aux Danaens ! Laisse-moi couvrir mes épaules de tes armes. Les Troiens reculeront, me prenant pour toi, et les fils belliqueux des Akhaiens respireront, et nous chasserons facilement, nouveaux combattants, ces hommes écrasés de fatigue, loin des tentes et des nefs, vers leur Ville.

Il parla ainsi, suppliant, l'insensé ! cherchant la mort et la Kèr fatale. Et Akhilleus aux pieds rapides lui répondit en gémissant :

— Divin Patroklos, qu'as-tu dit ? Je ne m'inquiète d'aucun oracle, et ma mère vénérable ne m'a rien annoncé de la part de Zeus. Mais un noir chagrin est dans mon cœur et trouble mon esprit, depuis que cet homme, dont la puissance est la plus haute, m'a arraché ma récompense, à moi qui suis son égal ! Tel est le noir chagrin qui me ronge. Cette jeune femme que j'avais conquise par ma lance, après avoir renversé une ville aux fortes murailles, et que les fils des Akhaiens m'avaient donnée en récompense, le roi Atréide Agamemnôn me l'a arrachée des mains, comme à un vil vagabond ! Mais oublions le passé. Sans doute je ne puis nourrir dans mon cœur une colère éternelle. J'avais résolu de ne la déposer que le jour où les clameurs de la guerre parviendraient jusqu'à mes nefs. Couvre donc tes épaules de mes armes illustres, et mène les braves Myrmidones au combat, puisqu'une noire nuée de Troiens enveloppe les nefs. Voici que les Argiens sont acculés contre le rivage de la mer, dans un espace très étroit, et toute la Ville des Troiens s'est ruée sur eux avec audace, car ils ne voient point le front de mon casque resplendir. Certes, dans leur fuite, ils empliraient les fossés des champs de leurs cadavres, si le roi Agamemnôn ne m'avait point outragé ; et maintenant ils assiègent le camp. La lance furieuse du Tydéide Diomèdès ne s'agite plus dans ses mains pour sauver les Danaens de la mort, et je n'entends plus la voix de l'Atréide sortir de sa tête détestée, mais celle du tueur d'hommes Hektôr, qui excite les Troiens de toutes parts. Et la clameur de ceux-ci remplit toute la plaine, et ils bouleversent les Akhaiens. Va, Patroklos, rue-toi sur eux, et repousse cette ruine loin des nefs. Ne les laisse pas détruire les nefs par le feu ardent, et que le doux retour ne nous soit pas ravi. Mais garde mes paroles dans ton esprit, si tu veux que je sois honoré et glorifié par tous les Danaens, et qu'ils me rendent cette belle jeune femme et un grand nombre de présents splendides, par surcroît. Repousse les Troiens loin des nefs et reviens. Si l'Époux de Hèrè, qui tonne au loin, te donne la victoire, ne dompte pas sans moi les Troiens belliqueux ; car tu me couvrirais de honte, si, les ayant vaincus, et plein de l'orgueil et de l'ivresse du combat, tu menais l'armée à Ilios. Crains qu'un des Dieux éternels ne se rue sur toi du haut de l'Olympos, surtout l'Archer Apollôn qui protège les Troiens. Reviens après avoir sauvé les nefs, et laisse-les combattre dans la plaine. Qu'il vous plaise, ô Père Zeus, ô Athènè, ô Apollôn, que nul d'entre les Troiens et les Akhaiens n'évite la mort, et que, seuls, nous survivions tous deux et renversions les murailles sacrées d'Ilios !

Et ils se parlaient ainsi. Mais Aias ne suffisait plus au combat, tant il était accablé de traits. Et l'esprit de Zeus et les Troiens illustres l'emportaient sur lui ; et son casque splendide, dont les aigrettes étaient rompues par les coups, sonnait autour de ses tempes, et son épaule fatiguée ne pouvait plus soutenir le poids du bouclier. Et cependant, malgré la nuée des traits, ils ne pouvaient l'ébranler, bien que respirant à peine, inondé de la sueur de tous ses membres, et haletant sous des maux multipliés.

Et Hektôr frappa de sa grande épée la lance de frêne
d'Aias, et il la coupa là où la pointe se joignait au bois ; et
le Télamônien Aias n'agita plus dans sa main qu'une lance
mutilée, car la pointe d'airain, en tombant, sonna contre
terre. Et Aias, dans son cœur irréprochable, reconnut avec
horreur l'œuvre des Dieux, et vit que Zeus qui tonne dans
les hauteurs, domptant son courage, donnait la victoire aux
Troiens. Et il se retira loin des traits, et les Troiens jetèrent
le feu infatigable sur la nef rapide, et la flamme inextinguible enveloppa aussitôt la poupe, et Akhilleus, frappant ses
cuisses, dit à Patroklos :

— Hâte-toi, divin Patroklos ! Je vois le feu ardent sur les
nefs. Si elles brûlent, nous ne pourrons plus songer au
retour. Revêts promptement mes armes, et j'assemblerai
mon peuple.

Il parla ainsi, et Patroklos se couvrit de l'airain splendide.
Il attacha de belles knèmides à ses jambes avec des agrafes
d'argent ; il mit sur sa poitrine la cuirasse étincelante, aux
mille reflets, du rapide Akhilleus, et il suspendit à ses épaules l'épée d'airain aux clous d'argent. Puis, il prit le grand et
solide bouclier, et il posa sur sa noble tête le casque magnifique à la terrible aigrette de crins, et de ses mains il saisit de
fortes piques ; mais il laissa la lance lourde, immense et
solide, de l'irréprochable Aiakide, la lance Pèlienne que
Kheirôn avait apportée à son père bien-aimé des cimes du
Pèlion, afin d'être la mort des héros. Et Patroklos ordonna
à Automédon, qu'il honorait le plus après Akhilleus, et qui
lui était le plus fidèle dans le combat, d'atteler les chevaux
au char. Et c'est pourquoi Automédon soumit au joug les
chevaux rapides, Xanthos et Balios, qui, tous deux, volaient
comme le vent, et que la Harpye Podargè avait conçu de
Zéphyros, lorsqu'elle paissait dans une prairie aux bords du
fleuve Okéanos. Et Automédôn lia au delà du timon l'irréprochable Pèdasos qu'Akhilleus avait amené de la ville saccagée d'Étiôn. Et Pèdasos, bien que mortel, suivait les
chevaux immortels.

Et Akhilleus armait les Myrmidones sous leurs tentes. De
même que des loups mangeurs de chair crue et pleins d'une
grande force qui, dévorant un grand cerf rameux qu'ils ont
tué sur les montagnes, vont en troupe, la gueule rouge de
sang et vomissant le sang, lapper de leurs langues légères les
eaux de la source noire, tandis que leur ventre s'enfle et que
leur cœur est toujours intrépide ; de même les chefs des

Myrmidones se pressaient autour du brave compagnon du rapide Aiakide. Et, au milieu d'eux, le belliqueux Akhilleus excitait les porteurs de boucliers et les chevaux.

Et Akhilleus cher à Zeus avait conduit à Troiè cinquante nefs rapides, et cinquante guerriers étaient assis sur les bancs de rameurs de chacune, et cinq chefs les commandaient sous ses ordres.

Et le premier chef était Ménesthios à la cuirasse étincelante, aux mille reflets, fils du fleuve Sperkhéios qui tombait de Zeus. Et la belle Polydorè, fille de Pèleus, femme mortelle épouse d'un Dieu, l'avait conçu de l'infatigable Sperkhéios ; mais Bôros, fils de Périèrès, l'ayant épousée en la dotant richement, passait pour être le père de Ménesthios.

Et le deuxième chef était le brave Eudôros, conçu en secret, et qu'avait enfanté la belle Polymèlè, habile dans les danses, fille de Phylas. Et le tueur d'Argos l'aima, l'ayant vue dans un chœur de la tumultueuse Artémis à l'arc d'or. Et l'illustre Hermès, montant aussitôt dans les combles de la demeure, coucha secrètement avec elle, et elle lui donna un fils illustre, l'agile et brave Eudôros. Et après qu'Eiléithyia qui préside aux douloureux enfantements l'eut conduit à la lumière et qu'il eut vu la splendeur de Hélios, le robuste Aktoride Ekhékleus conduisit Polymèlè dans ses demeures et lui fit mille dons nuptiaux. Et le vieux Phylas éleva et nourrit avec soin Eudôros, comme s'il était son fils.

Et le troisième chef était le brave Peisandros Maimalide qui excellait au combat de la lance, parmi les Myrmidones, après Patroklos.

Et le quatrième chef était le vieux cavalier Phoinix, et le cinquième était l'irréprochable Alkimédôn, fils de Laerkès.

Et Akhilleus, les ayant tous rangés sous leurs chefs, leur dit en paroles sévères :

— Myrmidones, qu'aucun de vous n'oublie les menaces que, dans les nefs rapides, vous adressiez aux Troiens, durant les jours de ma colère, quand vous m'accusiez moi-même, disant : — Ô dur fils de Pèleus, sans doute une mère farouche t'a nourri de fiel, toi qui retiens de force tes compagnons sur leurs nefs ! Que nous retournions au moins dans nos demeures sur les nefs qui fendent la mer, puisqu'une colère inexorable est entrée dans ton cœur. — Souvent vous me parliez ainsi. Aujourd'hui, voici le grand combat dont vous étiez avides. Que chacun de vous, avec un cœur solide, lutte contre les Troiens.

Il parla ainsi, et il excita la force et le courage de chacun, et ils serrèrent leurs rangs. De même qu'un homme fortifie de pierres épaisses le mur d'une haute maison qui soutiendra l'effort des vents, de même les casques et les boucliers bombés se pressèrent, tous se soutenant les uns les autres, boucliers contre boucliers, casques à crinières étincelantes contre casques, homme contre homme. Et Patroklos et Automédôn, qui n'avaient qu'une âme, se mirent en tête des Myrmidones.

Mais Akhilleus entra sous sa tente et souleva le couvercle d'un coffre riche et bien fait, et plein de tuniques, de manteaux imperméables au vent et de tapis velus. Et là se trouvait une coupe d'un beau travail dans laquelle le vin ardent n'avait été versé que pour Akhilleus seul entre tous les hommes, et qui n'avait fait de libations qu'au Père Zeus seul entre tous les Dieux. Et, l'ayant retirée du coffre, il la purifia avec du soufre, puis il la lava avec de l'eau pure et claire, et il lava ses mains aussi ; et puisant le vin ardent, faisant des libations et regardant l'Ouranos, il pria debout au milieu de tous, et Zeus qui se réjouit de la foudre l'entendit et le vit :

— Zeus ! Roi Dôdônaien, Pélasgique, qui, habitant au loin, commandes sur Dôdônè enveloppée par l'hiver, au milieu de tes divinateurs, les Selles, qui ne se lavent point les pieds et dorment sur la terre, si tu as déjà exaucé ma prière, et si, pour m'honorer, tu as rudement châtié le peuple des Akhaiens, accomplis encore mon vœu ! Je reste dans l'enceinte de mes nefs, mais j'envoie mon compagnon combattre en tête de nombreux Mymidones. Ô Prévoyant Zeus ! donne-lui la victoire, affermis son cœur dans sa poitrine, et que Hektôr apprenne que mon compagnon sait combattre seul et que ses mains robustes n'attendent point pour agir que je me rue dans le carnage d'Arès. Mais, ayant repoussé la guerre et ses clameurs loin des nefs, qu'il revienne, sain et sauf, vers mes nefs rapides, avec mes armes et mes braves compagnons !

Il parla ainsi en priant, et le sage Zeus l'entendit, et il exauça une partie de sa prière, et il rejeta l'autre. Il voulut bien que Patroklos repoussât la guerre et le combat loin des nefs, mais il ne voulut pas qu'il revînt sain et sauf du combat. Après avoir fait des libations et supplié le Père Zeus, le Pèléide rentra sous sa tente et déposa la coupe dans le coffre ; et il sortit de nouveau pour regarder la rude mêlée des Troiens et des Akhaiens.

Et les Myrmidones, rangés sous le magnanime Patroklos, se ruèrent, pleins d'ardeur, contre les Troiens. Et ils se répandaient semblables à des guêpes, nichées sur le bord du chemin, et que des enfants se plaisent à irriter dans leurs nids. Et ces insensés préparent un grand mal pour beaucoup ; car, si un voyageur les excite involontairement au passage, les guêpes au cœur intrépide tourbillonnent et défendent leurs petits. Ainsi les braves Myrmidones se répandaient hors des nefs ; et une immense clameur s'éleva ; et Patroklos exhorta ainsi ses compagnons à voix haute :

— Myrmidones, compagnons du Pèléide Akhilleus, amis, soyez des hommes, et souvenez-vous de votre force et de votre courage, afin d'honorer le Pèléide, le plus brave des hommes, auprès des nefs des Argiens, et nous, ses belliqueux compagnons. Et que l'Atréide Agamemnôn qui commande au loin reconnaisse sa faute, lui qui a outragé le plus brave des Akhaiens.

Il parla ainsi, et il excita leur force et leur courage, et ils se ruèrent avec fureur sur les Troiens, et les nefs résonnèrent des hautes clameurs des Akhaiens. Et, alors, les Troiens virent le brave fils de Ménoitios et son compagnon, tous deux resplendissants sous leurs armes. Leurs cœurs en furent émus, et leurs phalanges se troublèrent ; et ils crurent que le Pèléide aux pieds rapides avait déposé sa colère auprès des nefs. Et chacun regardait de tous côtés comment il éviterait la mort.

Et Patroklos, le premier, lança sa pique éclatante au plus épais de la mêlée tumultueuse, autour de la poupe de la nef du magnanime Prôtésilaos. Et il frappa Pyraikhmès, qui avait amené les cavaliers Paiones d'Amydôn et des bords de l'Axios au large cours ; et il le frappa à l'épaule droite, et Pyraikhmès tomba dans la poussière en gémissant, et les Paiones prirent la fuite. Patroklos les dispersa tous ainsi, ayant tué leur chef qui excellait dans le combat. Et il arracha le feu de la nef, et il l'éteignit. Et les Troiens, dans un immense tumulte, s'enfuirent loin de la nef à demi brûlée, et les Danaens, sortant en foule des nefs creuses, se jetèrent sur eux, et une haute clameur s'éleva. De même que, le foudroyant Zeus ayant dissipé les nuées noires au faîte d'une grande montagne, tout apparaît soudainement, les cavernes, les cimes aiguës et les bois, et qu'une immense sérénité se répand dans l'Aithèr ; de même les Danaens respirèrent après avoir éloigné des nefs la flamme ennemie. Mais ce ne fut point la fin du combat. Les Troiens, repoussés des nefs noires par les Akhaiens belliqueux, ne fuyaient point bouleversés, mais ils résistaient encore, bien que cédant à la nécessité. Alors, dans la mêlée élargie, chaque chef Akhaien tua un guerrier.

Et, le premier de tous, le brave fils de Ménoitios perça de sa pique aiguë la cuisse d'Arèilykos qui fuyait. L'airain traversa la cuisse et brisa l'os, et l'homme tomba la face contre terre. Et le brave Ménélaos frappa Thoas à l'endroit de la poitrine que le bouclier ne couvrait pas, et il rompit ses forces. Et le Phyléide, voyant Amphiklos qui s'élançait, le prévint en le frappant au bas de la cuisse, là où les muscles sont très épais ; et la pointe d'airain déchira les nerfs, et l'obscurité couvrit les yeux d'Amphiklos. Et la lance aiguë du Nestoride blessa Atymnios, et l'airain traversa les entrailles, et le Troien tomba devant Antilokhos. Et Maris, irrité de la mort de son frère, et debout devant le cadavre, lança sa pique contre Antilokhos ; mais le divin Thrasymèdès le prévint, comme il allait frapper, et le perça près de l'épaule, et la pointe d'airain, tranchant tous les muscles, dépouilla l'os de toute sa chair. Et Maris tomba avec bruit, et un noir brouillard couvrit ses yeux. Ainsi descendirent dans l'Erébos deux frères, braves compagnons de Sarpèdôn, et tous deux fils d'Amisôdaros qui avait nourri l'indomptable Khimaira pour la destruction des hommes.

Aias Oiliade saisit vivant Kléoboulos embarrassé dans la mêlée, et il le tua en le frappant de son épée à la gorge, et toute l'épée y entra chaude de sang, et la mort pourprée et la Moire violente obscurcirent ses yeux. Pènéléôs et Lykôn, s'attaquant, se manquèrent de leurs lances et combattirent avec leurs épées. Lykôn frappa le cône du casque à aigrette de crins, et l'épée se rompit ; mais Pènéléôs le perça au cou, sous l'oreille, et l'épée y entra tout entière, et la tête fut suspendue à la peau, et Lykôn fut tué. Et Mèrionès, poursuivant avec rapidité Akamas qui montait sur son char, le frappa à l'épaule droite, et le Troien tomba du char, et une nuée obscurcit ses yeux.

Idoméneus frappa de sa pique Erymas dans la bouche, et la pique d'airain pénétra jusque dans la cervelle en brisant les os blancs ; et toutes les dents furent ébranlées, et les deux yeux s'emplirent de sang, et le sang jaillit de la bouche et des narines, et la nuée noire de la mort l'enveloppa.

Ainsi les chefs Danaens tuèrent chacun un guerrier. De

même que des loups féroces se jettent, dans les montagnes,
sur des agneaux ou des chevaux que les bergers imprudents
ont laissés, dispersés çà et là, et qui les emportent tout tremblants ; de même les Danaens bouleversaient les Troiens qui
fuyaient tumultueusement, oubliant leur force et leur
courage.

Et le grand Aias désirait surtout atteindre Hektôr armé
d'airain ; mais celui-ci, habile au combat, couvrant ses larges épaules de son bouclier de peau de taureau, observait le
bruit strident des flèches et le son des piques. Et il compre-
nait les chances du combat ; et toujours ferme, il protégeait
ses chers compagnons. De même qu'une nuée monte de
l'Olympos jusque dans l'Ouranos, quand Zeus excite la tempête dans la sérénité de l'Aithèr, de même la clameur et la
fuite s'élançaient des nefs. Et les Troiens ne repassèrent
point le fossé aisément. Les chevaux rapides de Hektôr l'emportèrent loin de son peuple que le fossé profond arrêtait.
Et une multitude de chevaux s'y précipitaient, brisant les
timons et abandonnant les chars des princes. Et Patroklos
les poursuivait avec fureur, exhortant les Danaens et méditant la ruine des Troiens. Et ceux-ci, pleins de clameurs,
emplissaient les chemins de leur fuite ; et une vaste poussière montait vers les nuées, et les chevaux aux sabots massifs couraient vers la Ville, loin des nefs et des tentes. Et
Patroklos poussait, avec des cris menaçants, cette armée
bouleversée. Et les hommes tombaient hors des chars sous
les essieux, et les chars bondissants retentissaient. Et les
chevaux immortels et rapides, illustres présents des Dieux à
Pèleus, franchirent le fossé profond, pleins du désir de la
course. Et le cœur de Patroklos le poussait vers Hektôr, afin
de le frapper de sa pique ; mais les chevaux rapides du Priamide l'avaient emporté.

Dans les jours de l'automne, quand la terre est accablée
sous de noirs tourbillons, et quand Zeus répand une pluie
abondante, irrité contre les hommes qui jugeaient avec iniquité dans l'agora et chassaient la justice, sans respect des
Dieux, de même qu'ils voient maintenant les torrents creuser
leurs campagnes et se précipiter dans la mer pourprée du
haut des rochers escarpés, détruisant de tous côtés les travaux des hommes ; de même on voyait les cavales troiennes
courir épouvantées. Et Patroklos, ayant rompu les premières
phalanges, les repoussa vers les nefs et ne leur permit pas
de regagner la Ville qu'elles désiraient atteindre. Et il les

massacrait, en les poursuivant, entre les nefs, le fleuve et les hautes murailles, et il tirait vengeance d'un grand nombre d'hommes. Et il frappa d'abord Pronoos, de sa pique éclatante, dans la poitrine découverte par le bouclier. Et les forces du Troien furent rompues, et il retentit en tombant. Et il attaqua Thestôr, fils d'Enops. Et Thestôr était affaissé sur le siège du char, l'esprit troublé ; et les rênes lui étaient tombées des mains. Patroklos le frappa de sa lance à la joue droite, et l'airain passa à travers les dents, et, comme il le ramenait, il arracha l'homme du char. Ainsi un homme, assis au faîte d'un haut rocher qui avance, à l'aide de l'hameçon brillant de la ligne, attire un grand poisson, hors de la mer. Ainsi Patroklos enleva du char, à l'aide de sa lance éclatante, Thestôr, la bouche béante ; et celui-ci, en tombant, rendit l'âme. Puis il frappa d'une pierre dans la tête Eryalos qui s'élançait, et dont la tête s'ouvrit en deux, sous le casque solide, et qui tomba et rendit l'âme, enveloppé par la mort. Puis, Patroklos coucha, domptés, sur la terre nourricière, Erymas, Amphotéros, Epaltès, Tlèpolémos Damastoride, Ekhios, Pyris, Ipheus, Evippos et l'Argéade Polymèlos. Mais Sarpèdôn, voyant ses compagnons tués et dépouillés de leurs armes par les mains du Ménoitiade Patroklos, exhorta les irréprochables Lykiens :

— Ô honte ! Pourquoi fuyez-vous, Lykiens ? Vous êtes maintenant bien rapides ! J'irai contre ce guerrier, et je saurai s'il me domptera, lui qui a accablé les Troiens de tant de maux et qui a rompu les genoux de tant de braves. •

Il parla ainsi, et il sauta avec ses armes, de son char, sur la terre. Et Patroklos le vit et sauta de son char. De même que deux vautours aux becs recourbés et aux serres aiguës sur une roche escarpée luttent avec de grands cris ; de même ils se ruèrent l'un sur l'autre avec des clameurs. Et le fils du subtil Kronos, les ayant vus, fut rempli de compassion, et il dit à Hèrè, sa sœur et son épouse :

— Hélas ! voici que la destinée de Sarpèdôn, qui m'est très cher parmi les hommes, est d'être tué par le Ménoitiade Patroklos, et mon cœur hésitant délibère dans ma poitrine si je le transporterai vivant du combat lamentable au milieu du riche peuple de Lykiè, ou si je le dompterai par les mains du Ménoitiade.

Et la vénérable Hèrè aux yeux de bœuf lui répondit :

— Redoutable Kronide, quelle parole as-tu dite ? Tu veux

affranchir de la triste mort un homme mortel depuis long-temps voué au destin ? Fais-le, mais nous tous, les Dieux, nous ne t'approuverons pas. Je te dirai ceci, et retiens-le dans ton esprit : Si tu envoies Sarpèdôn vivant dans ses demeures, songe que, désormais, chacun des Dieux voudra aussi sauver un fils bien-aimé de la rude mêlée. Il y a, en effet, beaucoup de fils des Dieux qui combattent autour de la grande ville de Priamos, de ces Dieux que tu auras irrités. Si Sarpèdôn t'est cher et que ton cœur le plaigne, laisse-le tomber dans la rude mêlée sous les mains du Ménoitiade Patroklos ; mais dès qu'il aura rendu l'âme et la vie, envoie Thanatos et le doux Hypnos afin qu'ils le transportent chez le peuple de la grande Lykiè. Ses parents et ses concitoyens l'enseveliront, et ils lui élèveront un tombeau et une colonne ; car c'est là l'honneur des morts.

Elle parla ainsi, et le Père des hommes et des Dieux consentit. Et il versa sur la terre une pluie de sang, afin d'honorer son fils bien-aimé que Patroklos devait tuer dans la fertile Troiè, loin de sa patrie.

Et les deux héros s'étant rencontrés, Patroklos frappa dans le ventre l'illustre Thrasymèdès qui conduisait le char du roi Sarpèdôn, et il le tua. Et Sarpèdôn s'élança ; mais sa pique éclatante, s'étant égarée, blessa à l'épaule le cheval Pèdasos qui hennit, tomba dans la poussière et rendit l'âme. Et ses compagnons se cabrèrent, et le joug cria, et les rênes furent entremêlées. Mais le brave Automédôn mit fin à ce trouble. Il se leva, et, tirant la longue épée qui pendait sur sa cuisse robuste, il trancha les traits qui étaient au delà du timon. Et les deux autres chevaux, se remettant au joug, obéirent aux rênes, et les deux guerriers continuèrent le combat lamentable.

Alors la pique éclatante de Sarpèdôn s'égara encore, car la pointe d'airain effleura l'épaule gauche de Patroklos sans le blesser. Et celui-ci se rua avec l'airain, et le trait ne s'échappa point vainement de sa main, car il frappa Sarpèdôn à cette cloison qui enferme le cœur vivant. Et il tomba comme tombe un chêne, ou un peuplier, ou un grand pin que les bûcherons, sur les montagnes, coupent de leurs haches tranchantes pour construire des nefs. Et il était étendu devant ses chevaux et son char, grinçant des dents et saisissant la poussière sanglante. De même qu'un taureau magnanime qu'un lion fauve a saisi parmi les bœufs aux pieds flexibles, et qui meurt en mugissant sous les dents du lion, de même le Roi des Lykiens porteurs de boucliers gémissait, dompté par Patroklos. Et il appela son cher compagnon :

— Ami Glaukos, brave entre les hommes, c'est maintenant qu'il te faut combattre intrépidement. Si la mêlée lamentable ne trouble point ton cœur, sois prompt. Les appelant de tous côtés, exhorte les chefs Lykiens à combattre pour Sarpèdôn, et combats toi-même pour moi. Je serais à jamais ton opprobre et ta honte si les Akhaiens me dépouillaient de mes armes dans le combat des nefs. Sois ferme, et exhorte tout mon peuple.

Il parla ainsi, et l'ombre de la mort couvrit ses yeux et ses narines. Et Patroklos, lui mettant le pied sur la poitrine, arracha sa lance, et les entrailles la suivirent, et le Ménoitiade arracha en même temps sa lance et l'âme de Sarpèdôn. Les Myrmidones saisirent les chevaux haletants et qui voulaient fuir depuis que le char de leurs maîtres était vide. Mais, en entendant la voix de Sarpèdôn, Glaukos ressentit une amère douleur, et son cœur fut déchiré de ne pouvoir le secourir. Pressant de sa main son bras cruellement blessé par la flèche que lui avait lancée Teukros, du haut de la muraille, en défendant ses compagnons, il supplia ainsi l'Archer Apollôn :

— Entends-moi, ô Roi ! soit de la riche Lykiè, soit de Troiè, car tu peux entendre de tout lieu les plaintes de l'homme qui gémit, et voici que la douleur me ronge. Je subis une blessure cruelle, et ma main est en proie à de grands maux, et mon sang coule sans cesse, et mon épaule est très lourde, et je ne puis ni saisir ma lance, ni combattre l'ennemi. Et voici que le plus illustre des hommes est mort, Sarpèdôn, fils de Zeus qui n'a point secouru son fils. Mais toi, ô Roi ! guéris cette blessure amère ; apaise mon mal, afin que j'excite les Lykiens à combattre et que je combatte moi-même pour ce cadavre.

Il parla ainsi en priant, et Phoibos Apollôn l'entendit et apaisa aussitôt sa douleur. Et le sang noir cessa de couler de sa blessure amère, et la force lui fut rendue. Glaukos connut dans son esprit que le grand Dieu avait exaucé sa prière, et il se réjouit. Et d'abord, courant de tous côtés, il excita les chefs Lykiens à combattre pour Sarpèdôn ; puis, marchant à grands pas vers les Troiens, il chercha Polydamas Panthoide, le divin Agènôr, Ainéias et Hektôr, armé d'airain, et leur dit ces paroles ailées :

— Hektôr, tu oublies tes alliés qui, pour toi, rendent l'âme loin de leurs amis et de la terre de la patrie, et tu refuses de les secourir. Le chef des Lykiens porteurs de boucliers est mort, Sarpèdôn, qui protégeait la Lykiè par sa justice et par sa vertu. Arès d'airain l'a tué par la lance de Patroklos. Venez, amis, et indignez-vous. Que les Myrmidones, irrités à cause de tant d'Akhaiens que nous avons tués de nos lances rapides auprès des nefs, n'enlèvent point les armes et n'insultent point le cadavre de Sarpèdôn.

Il parla ainsi, et une intolérable et irrésistible douleur saisit les Troiens, car Sarpèdôn, bien qu'étranger, était le rempart de leur Ville, et des peuples nombreux le suivaient, et lui-même excellait dans le combat. Et ils marchèrent avec ardeur droit aux Danaens, menés par Hektôr irrité à cause de Sarpèdôn. Mais le cœur solide de Patroklos Ménoitiade excitait aussi les Akhaiens, et il dit aux deux Aias prompts aux combats :

— Aias ! soyez aujourd'hui tels que vous avez toujours été parmi les plus braves et les meilleurs. Il est tombé l'homme qui, le premier, a franchi le mur des Akhaiens, Sarpèdôn. Insultons ce cadavre et arrachons ses armes de ses épaules, et tuons de l'airain tous ceux de ses compagnons qui voudraient le défendre.

Il parla ainsi, et les Aias se hâtèrent de lui venir en aide ; et de chaque côté, Troiens, Lykiens, Myrmidones et Akhaiens, serrant leurs phalanges, se ruaient avec d'horribles clameurs autour du cadavre, et les armes des hommes retentissaient. Et Zeus répandit sur la mêlée une obscurité affreuse, afin que le labeur du combat pour son fils bien-aimé fût plus terrible. Et d'abord les Troiens repoussèrent les Akhaiens aux sourcils arqués ; et un des meilleurs parmi les Myrmidones fut tué, le divin Epeigeus, fils du magnanime Agakleus. Et Epeigeus commandait autrefois dans Boudéion bien peuplée ; mais, ayant tué son brave beau-frère, il vint en suppliant auprès de Pèleus et de Thétis aux pieds d'argent, qui l'envoyèrent, avec le mâle Akhilleus, vers Ilios aux beaux chevaux, combattre les Troiens. Et comme il mettait la main sur le cadavre, l'illustre Hektôr le frappa à la tête, et la tête se fendit en deux, sous le casque solide ; et il tomba la face sur le cadavre. Puis, l'affreuse mort l'enveloppa lui-même, et Patroklos fut saisi de douleur, à cause de son compagnon tué.

Et il se rua à travers les combattants, semblable à un épervier rapide qui terrifie les geais et les étourneaux. Ainsi le
cavalier Patroklos se rua contre les Lykiens et les Troiens,
irrité dans son cœur à cause de son compagnon. Et il frappa
d'une pierre au cou Sthénélaos Ithaiménide, et les nerfs
furent rompus ; et les premiers rangs et l'illustre Hektôr
reculèrent d'autant d'espace qu'en parcourt une pique bien
lancée, dans le combat contre des hommes intrépides ou
dans les jeux. Autant reculèrent les Troiens et s'avancèrent
les Akhaiens.

Et, le premier, Glaukos, chef des Lykiens porteurs de boucliers, se retournant, tua le magnanime Bathykleus, fils
bien-aimé de Khalkôn, qui habitait Hellas et qui était illustre
parmi les Myrmidones par ses domaines et par ses richesses.
Et Bathykleus le poursuivant, Glaukos se retourna subite-
ment et le frappa de sa lance au milieu de la poitrine, et il
tomba avec bruit, et une lourde douleur saisit les Akhaiens
quand le guerrier tomba, et les Troiens se réjouirent ; mais
les Akhaiens infatigables, se souvenant de leur courage, se
jetèrent en foule autour du cadavre.

Alors Mèrionès tua un guerrier Troien, le brave Laogôn,
fils d'Onètôr, prêtre de Zeus Idaien, et que le peuple honorait comme un Dieu. Il le frappa sous la mâchoire et l'oreille,
et l'âme abandonna aussitôt ses membres, et l'affreux brouillard l'enveloppa. Et Ainéias lança sa pique d'airain contre
Mèrionès, et il espérait l'atteindre sous le bouclier, comme
il s'élançait ; mais celui-ci évita la pique d'airain en se courbant, et la longue pique s'enfonça en terre et vibra jusqu'à
ce que le robuste Arès eût épuisé sa force. Et la pique d'Ainéias vibrait ainsi parce qu'elle était partie d'un main vigoureuse. Et Ainéias, irrité, lui dit :

— Mèrionès, bien que tu sois un agile sauteur, ma pique
t'eût rendu immobile à jamais, si je t'avais atteint.

Et Mèrionès illustre par sa lance lui répondit :

— Ainéias, il te sera difficile, malgré ta vigueur, de rompre les forces de tous ceux qui te combattront. Si, moi aussi,
je t'atteignais de l'airain aigu, bien que tu sois robuste et
confiant dans tes forces, tu me donnerais la gloire et ton
âme à Aidès illustre par ses chevaux.

Il parla ainsi, et le robuste fils de Ménoitios le réprimanda :

— Mèrionès, pourquoi tant parler, étant brave ? Ô ami !

ce n'est point par des paroles outrageantes que tu repousse-
ras les Troïens loin de ce cadavre. La fin de la guerre est
dans nos mains. Les paroles conviennent à l'agora. Il ne
s'agit point ici de parler, mais de combattre.

Il parla ainsi, et marcha en avant, et le divin Mèrionès le
suivit. Et de même que les bûcherons font un grand tumulte
dans les gorges des montagnes, et que l'écho retentit au
loin ; de même la grande plaine frémissait sous les guerriers
qui frappaient, de leurs épées et de leurs lances, l'airain et
le cuir des solides boucliers ; et nul n'aurait plus reconnu le
divin Sarpèdôn, tant il était couvert de traits, de sang et de
poussière. Et tous se ruaient sans cesse autour de son cadavre, comme les mouches qui bourdonnent, au printemps,
dans l'étable, autour des vases remplis de lait. C'est ainsi
qu'ils se ruaient en foule autour de ce cadavre.

Et Zeus, ne détournant point ses yeux splendides de la
rude mêlée, délibérait dans son esprit sur la mort de Patroklos, hésitant si l'illustre Hektôr le tuerait de suite avec l'airain, dans la mêlée, sur le divin Sarpèdôn, et lui arracherait
ses armes des épaules, ou si la rude mêlée serait prolongée
pour la mort d'un plus grand nombre. Et il sembla meilleur
à Zeus que le brave compagnon du Pèléide Akhilleus repoussât, vers la Ville, Hektôr et les Troïens, et arrachât l'âme de
beaucoup de guerriers. Et c'est pourquoi il amollit le courage de Hektôr qui, montant sur son char, prit la fuite en
ordonnant aux Troïens de fuir aussi, car il avait reconnu les
balances sacrées de Zeus. Et les illustres Lykiens ne restèrent point, et ils prirent aussi la fuite en voyant leur Roi
couché, le cœur percé, au milieu des cadavres, car beaucoup
étaient tombés pendant que le Kroniôn excitait le combat.
Et les Akhaiens arrachèrent des épaules de Sarpèdôn ses belles armes resplendissantes, et le robuste fils de Ménoitios les
donna à ses compagnons pour être portées aux nefs creuses.
Et alors Zeus qui amasse les nuées dit à Apollôn :

— Va maintenant, cher Phoibos. Purifie Sarpèdôn, hors
de la mêlée, du sang noir qui le souille. Lave-le dans les eaux
du fleuve, et, l'ayant oint d'ambroisie, couvre-le de vêtements immortels. Puis, remets-le aux Jumeaux rapides,
Hypnos et Thanatos, pour qu'ils le portent chez le riche peuple de la grande Lykiè. Ses parents et ses amis l'enseveliront
et lui élèveront un tombeau et une colonne, car c'est là l'honneur des morts.

Il parla ainsi, et Apollôn, se hâtant d'obéir à son père, descendit des cimes Idaiennes dans la mêlée et enleva Sarpèdôn loin des traits. Et il le transporta pour le laver dans les eaux du fleuve, l'oignit d'ambroisie, le couvrit de vêtement immortels et le confia aux Jumeaux rapides, Hypnos et Thanatos, qui le transportèrent aussitôt chez le riche peuple de la grande Lykiè.

Et Patroklos, excitant Automédôn et ses chevaux, poursuivait les Lykiens et les Troiens, pour son malheur, l'insensé ! car s'il avait obéi à l'ordre du Pèléide, il aurait évité la Kèr mauvaise de la noire mort. Mais l'esprit de Zeus est plus puissant que celui des hommes. Il terrifie le brave que lui-même a poussé au combat, et il lui enlève la victoire.

Et, maintenant, quel fut le premier, quel fut le dernier que tu tuas, ô Patroklos, quand les Dieux préparèrent ta mort ? Adrèstos, Autonoos et Ekhéklos, Périmos Mégade et Epistôr, et Ménalippos ; puis, Elasos, Moulios et Pylartès. Il tua ceux-ci, et les autres échappèrent par la fuite. Et alors les fils des Akhaiens eussent pris la haute Ilios par les mains de Patroklos furieux, si Phoibos Apollôn, debout au faîte d'une tour solide, préparant la perte du Ménoitiade, ne fût venu en aide aux Troiens. Et trois fois Patroklos s'élança jusqu'au relief de la haute muraille, et trois fois Apollôn le repoussa de ses mains immortelles, en heurtant son bouclier éclatant. Et, quand il s'élança une quatrième fois, semblable à un Dieu, l'Archer Apollôn lui dit ces paroles menaçantes :

— Retire-toi, divin Patroklos. Il n'est pas dans ta destinée de renverser de ta lance la haute citadelle des magnanimes Troiens. Akhilleus lui-même ne le pourra point, bien qu'il te soit très supérieur.

Il parla ainsi, et Patroklos recula au loin pour éviter la colère de l'Archer Apollôn. Et Hektôr, retenant ses chevaux aux sabots solides près des Portes Skaies, hésitait s'il retournerait au combat, ou s'il ordonnerait aux troupes de se renfermer dans les murailles.

Et Phoibos Apollôn s'approcha de lui, semblable au jeune et brave guerrier Asios, fils de Dymas, frère de Hékabè et oncle du dompteur de chevaux Hektôr, et qui habitait la Phrygiè sur les bords du Sangarios. Et, semblable à Asios, Phoibos Apollôn dit à Hektôr :

— Hektôr, pourquoi t'éloignes-tu du combat ? Cela ne te convient pas. Plût aux Dieux que je te fusse supérieur autant que je te suis inférieur, il te serait fatal d'avoir quitté le combat. Allons, pousse tes chevaux aux sabots massifs contre Patroklos. Tu le tueras peut-être, et Apollôn te donnera la victoire.

Ayant ainsi parlé, le Dieu rentra dans la foule des guerriers. Et l'illustre Hektôr ordonna au brave Kébrionès d'exciter ses chevaux vers la mêlée. Et Apollôn, au milieu de la foule, répandit le trouble parmi les Argiens et accorda la victoire à Hektôr et aux Troiens. Et le Priamide, laissant tous les autres Danaens, poussait vers le seul Patroklos ses chevaux aux sabots massifs. Et Patroklos, de son côté, sauta de son char, tenant sa pique de la main gauche. Et il saisit de la droite un morceau de marbre, rude et anguleux, d'abord caché dans sa main, et qu'il lança avec effort. Et ce ne fut pas en vain, car cette pierre aiguë frappa au front le conducteur de chevaux Kébrionès, bâtard de l'illustre Priamos. Et la pierre coupa les deux sourcils, et l'os ne résista pas, et les yeux du Troien jaillirent à ses pieds dans la poussière. Et, semblable au plongeur, il tomba du char, et son âme abandonna ses membres. Et le cavalier Patroklos cria avec une raillerie amère :

— Ah ! certes, voici un homme agile ! Comme il plonge ! Vraiment, il rassasierait de coquillages toute une multitude, en sautant de sa nef dans la mer, même si elle était agitée, puisqu'il plonge aussi aisément du haut d'un char. Certes, il y a d'excellents plongeurs parmi les Troiens !

Ayant ainsi parlé, il s'élança sur le héros Kébrionès, comme un lion impétueux qui va dévaster une étable et recevoir une blessure en pleine poitrine, car il se perd par sa propre ardeur. Ainsi Patroklos, tu te ruas sur Kébrionès. Et le Priamide sauta de son char, et tous deux luttèrent pour le cadavre, comme deux lions pleins de faim combattent, sur les montagnes, pour une biche égorgée. Ainsi, sur le cadavre de Kébrionès, les deux habiles guerriers, Patroklos Ménoitiade et l'illustre Hektôr, désiraient se percer l'un l'autre de l'airain cruel. Et le Priamide tenait le cadavre par la tête et ne lâchait point prise, tandis que Patroklos le tenait par les pieds. Et les Troiens et les Danaens engagèrent alors un rude combat.

De même que l'Euros et le Notos, par leur rencontre furieuse, bouleversent, dans les gorges des montagnes, une haute forêt de hêtres, de frênes et de cornouillers à écorce épaisse, qui heurtent leurs vastes rameaux et se rompent avec bruit ; ainsi les Troiens et les Akhaiens, se ruant les uns

sur les autres, combattaient et ne fuyaient point honteusement. Et les lances aiguës, et les flèches ailées qui jaillissaient des nerfs s'enfonçaient autour de Kébrionès, et de
lourds rochers brisaient les boucliers. Et là, Kébrionès
gisait, grand, oublieux des chevaux et du char, et dans un
tourbillon de poussière. Aussi longtemps que Hélios tint le
milieu de l'Ouranos, les traits jaillirent des deux côtés, et les
deux peuples périssaient également ; mais lorsqu'il déclina,
les Akhaiens furent les plus forts et ils entraînèrent le héros
Kébrionès loin des traits et du tumulte des Troiens, et ils lui
arrachèrent ses armes des épaules.

Et Patroklos, méditant la perte des Troiens, se rua en avant.
Il se rua trois fois, tel que le rapide Arès, poussant des cris horribles, et il tua neuf guerriers. Mais quand il s'élança une quatrième fois, semblable à un Dieu, alors Patroklos, la fin de ta
vie approcha ! Phoibos, à travers la mêlée, vint à lui, terrible.
Et le Ménoitiade ne vit point le Dieu qui s'était enveloppé
d'une épaisse nuée. Et Phoibos se tint derrière lui et le frappa
de la main dans le dos, entre les larges épaules, et ses yeux
furent troublés par le vertige. Et Phoibos Apollôn lui arracha
de la tête son casque, qui roula sous les pieds des chevaux en
retentissant, et dont l'aigrette fut souillée de sang et de poussière. Et il n'était point arrivé à ce casque d'être souillé de
poussière quand il protégeait le beau front du divin Akhilleus ; mais Zeus voulait donner ce casque au Priamide Hektôr, afin qu'il le portât, car sa mort était proche.

Et la longue et lourde lance de Patroklos se brisa dans sa
main, et le Roi Apollôn, fils de Zeus, détacha sa cuirasse.
Son esprit fut saisi de stupeur, et ses membres furent inertes, et il s'arrêta stupéfait.

Alors le Dardanien Panthoide Euphorbos, excellent cavalier, et habile, entre les meilleurs, à lancer la pique, et qui
avait déjà précipité vingt guerriers de leurs chars, s'approcha du Ménoitiade par derrière et le blessa d'un coup de
lance aiguë. Et ce fut le premier qui te blessa, dompteur de
chevaux Patroklos ! Mais il ne t'abattit point, et, retirant sa
lance, il recula aussitôt dans la foule, redoutant Patroklos
désarmé. Et celui-ci, frappé par un Dieu et par la lance d'un
homme, recula aussi dans la foule de ses compagnons, pour
éviter la mort.

Et dès que Hektôr eut vu le magnanime Patroklos se retirer, blessé par l'airain aigu, il se jeta sur lui et le frappa dans
le côté d'un coup de lance qui le traversa. Et le Ménoitiade

tomba avec bruit, et la douleur saisit le peuple des Akhaiens. De même un lion dompte dans le combat un robuste sanglier, car ils combattaient ardemment sur le faîte des montagnes, pour un peu d'eau qu'ils voulaient boire tous deux ; mais le lion dompte avec violence le sanglier haletant. Ainsi le Priamide Hektôr arracha l'âme du brave fils de Ménoitios, et, plein d'orgueil, il l'insulta par ces paroles ailées :

— Patroklos, tu espérais sans doute renverser notre Ville et emmener, captives sur tes nefs, nos femmes, dans ta chère terre natale ? Ô insensé ! c'est pour les protéger que les rapides chevaux de Hektôr l'ont mené au combat, car je l'emporte par ma lance sur tous les Troiens belliqueux, et j'éloigne leur dernier jour. Mais toi, les oiseaux carnassiers te mangeront. Ah ! malheureux ! le brave Akhilleus ne t'a point sauvé, lui qui, t'envoyant combattre, tandis qu'il restait, te disait sans doute : — Ne reviens point, dompteur de chevaux Patroklos, dans les nefs creuses, avant d'avoir arraché de sa poitrine la cuirasse sanglante du tueur d'hommes Hektôr. Il t'a parlé ainsi sans doute, et il t'a persuadé dans ta démence !

Et le cavalier Patroklos, respirant à peine, lui répondit :

— Hektôr, maintenant tu te glorifies, car le Kronide et Apollôn t'ont donné la victoire. Ils m'ont aisément dompté, en m'enlevant mes armes des épaules ; mais, si vingt guerriers tels que toi m'avaient attaqué, ils seraient tous morts par ma lance. C'est la Moire violente et le fils de Lètô, et, parmi les hommes, Euphorbos, qui me tuent ; mais toi tu n'es venu que le dernier. Je te le dis, garde mes paroles dans ton esprit : Tu ne vivras point longtemps, et ta mort est proche. La Moire violente va te dompter par les mains de l'irréprochable Aiakide Akhilleus.

Il parla ainsi et mourut, et son âme abandonna son corps et descendit chez Aidès, en pleurant sa destinée, sa force et sa jeunesse.

Et l'illustre Hektôr répondit au cadavre du Ménoitiade :

— Patroklos, pourquoi m'annoncer la mort ? Qui sait si Akhilleus, le fils de Thétis aux beaux cheveux, ne rendra point l'esprit sous ma lance ?

Ayant ainsi parlé, il lui mit le pied sur le corps, et le repoussant, arracha de la plaie sa lance d'airain. Et aussitôt il courut sur Automédôn, le divin compagnon du rapide Aiakide, voulant l'abattre ; mais les chevaux immortels, présents splendides que les Dieux avaient faits à Pèleus, enlevèrent Automédôn.

RHAPSODIE XVII

Et le brave Ménélaos, fils d'Atreus, ayant vu que Patroklos avait été tué par les Troiens, courut aux premiers rangs, armé de l'airain splendide. Et il allait autour du cadavre, comme une vache gémissante, qui n'avait point encore connu l'enfantement, court autour du veau son premier-né. Ainsi le blond Ménélaos allait autour de Patroklos, et, le gardant de sa lance et de son bouclier égal, il se préparait à tuer celui qui approcherait. Et le Panthoide, habile à lancer la pique, n'oublia point l'irréprochable Patroklos qui gisait là, et il s'arrêta devant le cadavre, et il dit au brave Ménélaos :

— Atréide Ménélaos, illustre prince des peuples, recule, laisse ce cadavre, et livre-moi ces dépouilles sanglantes, car, le premier d'entre les Troiens et les Alliés, j'ai blessé Patroklos de ma lance dans la rude mêlée. Laisse-moi donc remporter cette gloire parmi les Troiens, ou je te frapperai et j'arracherai ta chère âme.

Et le blond Ménélaos, indigné, lui répondit :

— Père Zeus ! Quelle honte de se vanter au delà de ses forces ! Ni la rage du léopard, ni celle du lion, ni celle du sanglier féroce dont l'âme est toujours furieuse dans sa vaste poitrine, ne surpassent l'orgueil des fils de Panthoos. Le robuste cavalier Hypérènôr se glorifiait de sa jeunesse lorsqu'il m'insulta, disant que j'étais le plus lâche des Danaens ; et je pense que ses pieds rapides ne le porteront plus désormais vers l'épouse bien-aimée et les parents vénérables. Ainsi je romprai tes forces si tu me tiens tête ; et je t'avertis de rentrer dans la foule et de ne point me braver, avant que le malheur soit tombé sur toi. L'insensé seul ne reconnaît que ce qui est accompli.

Il parla ainsi, et il ne persuada point Euphorbos qui lui répondit :

— Divin Ménélaos, certes, maintenant tu vas payer le sang de mon frère que tu as tué. Tu t'en glorifies, et tu as rendu sa femme veuve dans la profonde chambre nuptiale, et tu as accablé ses parents d'une douleur amère. Et moi, je vengerai ces malheureux et je remettrai aux mains de Panthoos et de la divine Phrontis ta tête et tes armes. Mais ne retardons pas plus longtemps le combat qui amènera la victoire de l'un de nous.

Il parla ainsi, et il frappa le bouclier d'une rondeur égale ; mais il ne put le traverser, et la pointe d'airain se recourba sur le solide bouclier. Et l'Atréide Ménélaos, suppliant le Père Zeus, se rua avec l'airain ; et comme Euphorbos reculait, il le perça à la gorge, et la pointe, poussée par une main robuste, traversa le cou délicat. Et le Panthoïde tomba avec bruit, et ses armes retentirent sur lui. Et ses cheveux, qui avaient les reflets de l'or et de l'argent, et qui étaient semblables aux cheveux des Kharites, furent souillés de sang. De même qu'un jeune olivier qu'un homme a planté dans un lieu solitaire où l'eau jaillit abondante et nourrit sa verdeur, et que le souffle des vents mobiles balance, tandis qu'il se couvre de fleurs blanches, mais qu'un grand tourbillon enveloppe brusquement, arrache et renverse contre terre ; de même l'Atréide Ménélaos tua le brave Panthoïde Euphorbos, et le dépouilla de ses armes.

Quand un lion montagnard, sûr de sa force, enlève la meilleure vache d'un grand troupeau qui paît, lui brise le cou avec ses fortes dents, boit son sang et mange ses entrailles, les chiens et les bergers poussent, de loin, de grandes clameurs et n'approchent point, parce que la blême terreur les a saisis. De même nul d'entre les Troiens n'osait attaquer l'illustre Ménélaos ; et il eût aisément enlevé les belles armes du Panthoïde, si Phoibos Apollôn, par envie, n'eût excité contre lui Hektôr semblable au rapide Arès. Et, sous la forme de Mentès, chef des Kikones, il dit au Priamide ces paroles ailées :

— Hektôr, où cours-tu ainsi ? pourquoi poursuis-tu follement les chevaux du brave Akhilleus, qui ne peuvent être ni soumis, ni conduits par aucun homme mortel, autre qu'Akhilleus qu'une mère immortelle a enfanté ? Voici, pendant ce temps, que le brave Ménélaos, fils d'Atreus, pour défendre Patroklos, a tué le plus courageux des Troiens, le Panthoïde Euphorbos, et rompu sa vigueur impétueuse.

Le Dieu parla ainsi et rentra dans la foule des hommes. Et une amère douleur saisit le cœur sombre de Hektôr. Il regarda autour de lui dans la mêlée, et il vit Ménélaos enlevant les belles armes d'Euphorbos, et le Panthoïde gisant contre terre, et le sang qui coulait de la plaie ouverte. Avec de hautes clameurs, armé de l'airain éclatant et semblable au feu inextinguible de Hèphaistos, il s'élança aux premiers rangs. Et le fils d'Atreus l'entendit et le vit, et il gémit, disant dans son cœur magnanime :

— Hélas ! si j'abandonne ces belles armes et Patroklos qui est mort pour ma cause, les Danaens qui me verront seront indignés ; mais si je combats seul contre Hektôr et les Troiens, je crains que cette multitude m'enveloppe, car Hektôr au casque mouvant mène avec lui tous les Troiens. Mais pourquoi délibérer dans ma chère âme ? Quand un homme veut lutter contre un autre homme qu'un Dieu honore, aussitôt une lourde calamité est suspendue sur lui. C'est pourquoi aucun Danaen ne me blâmera de me retirer devant Hektôr, puisqu'il est poussé par un Dieu. Si j'entendais le brave Aias dans la mêlée, nous retournerions tous deux au combat, même contre un Dieu, et nous sauverions ce cadavre pour le Pèléide Akhilleus, et dans nos maux ceci serait pour le mieux.

Et tandis qu'il délibérait dans son esprit et dans son cœur, les phalanges Troiennes arrivaient conduites par Hektôr. Ménélaos recula et abandonna le cadavre, mais en se retournant, comme un lion à longue barbe que les chiens et les bergers chassent de l'étable avec des lances et des cris, et dont le cœur farouche est troublé, et qui ne s'éloigne qu'à regret de l'enclos. Ainsi le blond Ménélaos s'éloigna de Patroklos. Et il se retourna dès qu'il eut rejoint ses compagnons, et, cherchant partout des yeux le grand Aias Télamônien, il le vit à la gauche de la mêlée, exhortant ses compagnons et les excitant à combattre, car Phoibos Apollôn avait jeté une grande terreur en eux. Et Ménélaos courut à lui et lui dit aussitôt :

— Aias, viens, ami ! hâtons-nous pour Patroklos qui est mort, et rapportons au moins son cadavre à Akhilleus, car c'est Hektôr au casque mouvant qui a ses armes.

Il parla ainsi, et l'âme du brave Aias fut remuée, et il se jeta aux premiers rangs, avec le blond Ménélaos.

Et le Priamide, après avoir dépouillé Patroklos de ses armes illustres, l'entraînait pour lui couper la tête avec l'airain et livrer son cadavre aux chiens troiens ; mais Aias arriva, portant un bouclier semblable à une tour. Et Hektôr rentra dans la foule de ses compagnons ; et, montant sur son char, il donna les belles armes aux Troiens, pour être portées à Ilios et pour répandre le bruit de sa gloire.

Et Aias marchait autour du Ménoitiade, le couvrant de son bouclier, comme une lionne autour de ses petits. Elle les

menait à travers la forêt, quand les chasseurs surviennent.
Aussitôt, pleine de fureur, elle fronce les sourcils et en couvre ses yeux. Ainsi Aias marchait autour du héros Patroklos,
et le brave Atréide Ménélaos se tenait près de lui, avec un
grand deuil dans la poitrine.

Mais le fils de Hippolokhos, Glaukos, chef des hommes de
Lykiè, regardant Hektôr d'un œil sombre, lui dit ces dures
paroles :

— Hektôr, tu as l'aspect du plus brave des hommes, mais
tu n'es pas tel dans le combat, et tu ne mérites point ta
gloire, car tu ne sais que fuir. Songe maintenant à sauver ta
Ville et ta citadelle, seul avec les peuples nés dans Ilios.
Jamais plus les Lykiens ne lutteront contre les Danaens pour
Troiè, puisque tu n'en as point de reconnaissance, bien qu'ils
combattent éternellement. Lâche ! comment défendrais-tu
même un faible guerrier dans la mêlée, puisque tu as abandonné, en proie aux Akhaiens, Sarpèdôn, ton hôte et ton
compagnon, lui qui, vivant, fut d'un si grand secours à ta
Ville et à toi-même, et que maintenant tu abandonnes aux
chiens ! C'est pourquoi, si les Lykiens m'obéissent, nous
retournerons dans nos demeures, et la ruine d'Ilios sera proche. Si les Troiens avaient l'audace et la force de ceux qui
combattent pour la patrie, nous traînerions dans Ilios, dans
la grande ville de Priamos, le cadavre de Patroklos ; et, aussitôt, les Argiens nous rendraient les belles armes de Sarpèdôn
et Sarpèdôn lui-même ; car il a été tué, le compagnon de cet
homme qui est le plus formidable des Argiens auprès des
nefs et qui a les plus braves compagnons. Mais tu n'as pas
osé soutenir l'attaque du magnanime Aias, ni ses regards,
dans la mêlée ; et tu as redouté de combattre, car il l'emporte
de beaucoup sur toi !

Et, le regardant d'un œil sombre, Hektôr au casque mouvant lui répondit :

— Glaukos, pourquoi parles-tu si outrageusement ? Certes, ami, je te croyais supérieur en prudence à tous ceux qui
habitent la fertile Lykiè, et maintenant je te blâme d'avoir
parlé ainsi, disant que je n'ai pas osé attendre le grand Aias.
Jamais ni le bruit des chars, ni le retentissement de la mêlée
ne m'ont épouvanté ; mais l'esprit de Zeus tempétueux terrifie aisément le brave et lui enlève la victoire, bien qu'il l'ait
poussé au combat. Mais viens ! et tu verras en ce jour si je
suis un lâche, comme tu le dis, et si je saurai rompre la
vigueur des Danaens qui défendront le cadavre de Patroklos.

Il parla ainsi, et il exhorta les Troiens à voix haute :

— Troiens, Lykiens et braves Dardaniens, soyez des hommes, amis ! Souvenez-vous de votre force et de votre courage, tandis que je vais revêtir les armes de l'irréprochable Akhilleus, enlevées à Patroklos que j'ai tué.

Ayant ainsi parlé, Hektôr, s'éloignant de la mêlée, courut rapidement vers ses compagnons qui portaient à Ilios les armes illustres du Pèléide. Et, loin de la mêlée lamentable, il changea d'armes et donna les siennes pour être portées dans la sainte Ilios. Et il se couvrit des armes immortelles du Pèléide Akhilleus, que les Dieux Ouraniens avaient données à Pèleus. Et celui-ci, étant vieux, les avait données à son fils ; mais le fils ne devait point vieillir sous les armes paternelles.

Et quand Zeus qui amasse les nuées vit Hektôr couvert des armes du divin Pèléide, il secoua la tête et dit dans son esprit :

— Ô malheureux ! tu ne songes point à la mort qui est proche de toi, et tu revêts les armes immortelles du plus brave des hommes, devant qui tous les guerriers frémissent ; et tu as tué son compagnon si doux et si courageux, et tu as outrageusement arraché ses armes de sa tête et de ses épaules ! Mais je te donnerai une grande gloire en retour de ce qu'Andromakhé ne recevra point, après le combat, les armes illustres du Pèléide.

Zeus parla ainsi, et il scella sa promesse en abaissant ses sourcils bleus. Et il adapta les armes au corps du Priamide qui, hardi et furieux comme Arès, sentit couler dans tous ses membres la force et le courage. Et, poussant de hautes clameurs, il apparut aux illustres Alliés et aux Troiens, semblable à Akhilleus, car il resplendissait sous les armes du magnanime Pèléide. Et, allant de l'un à l'autre, il les exhortait tous : Mesthlès, Glaukos, Médôn, Thersilokhos, Astéropaios, Deisènôr, Hippothoos et Phorkys, et Khromios et le divinateur Ennomos. Et, les excitant par des paroles rapides, il leur parla ainsi :

— Entendez-moi, innombrables peuples alliés et voisins d'Ilios ! Je n'ai point appelé une multitude inactive quand je vous ai convoqués de vos villes, mais je vous ai demandé de défendre ardemment les femmes des Troiens et leurs petits enfants contre les Akhaiens belliqueux. Pour vous, j'ai épuisé mes peuples de vivres et de présents et j'ai nourri vos forces. Que chacun combatte donc, triomphe ou périsse, car c'est le sort de la guerre. Celui qui entraînera le corps de Patroklos vers les Troiens dompteurs de chevaux aura, pour sa part, la moitié des dépouilles, et j'aurai l'autre moitié, et sa gloire sera égale à la mienne.

Il parla ainsi, et tous, les lances tendues, se ruèrent sur les Danaens, espérant arracher au Télamônien Aias le cadavre de Patroklos. Les insensés ! Il devait plutôt arracher, sur ce cadavre, l'âme de beaucoup d'entre eux. Et il dit au brave Ménélaos :

— Divin Ménélaos, ô ami ! je n'espère pas que nous revenions de ce combat, et, certes, je crains moins pour le cadavre de Patroklos, que les chiens troiens et les oiseaux carnassiers vont bientôt dévorer, que pour ma tête et la tienne, car Hektôr couvre le champ de bataille comme une nuée, et la lourde ruine pend sur nous.

Hâte-toi, appelle les princes des Danaens, s'ils t'entendent.

Il parla ainsi, et le brave Ménélaos s'empressa d'appeler à grands cris les Danaens :

— Ô amis ! Princes et chefs des Argiens, vous qui mangez aux repas des Atréides Agamemnôn et Ménélaos, et qui commandez les phalanges, car tout honneur et toute gloire viennent de Zeus ; comme il m'est difficile de vous reconnaître dans le tourbillon de la mêlée, que chacun de vous accoure de lui-même, indigné que Patroklos soit livré en pâture aux chiens troiens.

Il parla ainsi, et le rapide Aias, fils d'Oileus, vint le premier, en courant à travers la mêlée, et, après lui, Idoméneus, et le compagnon d'Idoméneus, Mèrionès, semblable au tueur d'hommes Arès. Mais qui pourrait, dans son esprit, dire les noms de tous ceux qui vinrent rétablir le combat des Akhaiens ?

Et les Troiens avançaient, et Hektôr les menait. De même que le large courant d'un fleuve tombé de Zeus se précipite à la mer, et que la mer s'enfle hors de son lit, et que les rivages résonnent au loin ; de même retentissait la clameur des Troiens. Mais les Akhaiens se tenaient debout autour du Ménoitiade, n'ayant qu'une âme et couverts de leurs boucliers d'airain. Et Zeus répandait une nuée épaisse sur leurs casques éclatants ; car il n'avait point haï le Ménoitiade pendant que, vivant, il était le compagnon de l'Aiakide ; et il ne voulait pas qu'il fût livré en pâture aux chiens troiens ; et il anima ses compagnons à le défendre.

Et, d'abord, les Troiens repoussèrent les Akhaiens aux

sourcils arqués. Ceux-ci prirent la fuite, abandonnant le
cadavre ; et les Troiens ne les poursuivirent point, malgré
leur désir du meurtre ; mais ils entraînaient le cadavre. Et
les Akhaiens ne l'abandonnèrent pas longtemps ; et, les
ramenant aussitôt, Aias, le premier des Danaens par l'aspect
héroïque et les actions, après l'irréprochable Pèléide, se rua
aux premiers rangs, semblable par la fureur à un sanglier
qui, rebroussant à travers les taillis, disperse les chiens et
les jeunes hommes. Ainsi le grand Aias, fils de l'illustre Télamôn, dispersa aisément les phalanges Troiennes qui se pressaient autour de Patroklos, espérant l'entraîner dans Ilios et
remporter cette gloire.

Et Hippothoos, fils du Pélasge Lèthos, ayant lié le tendon
par une courroie, traînait Patroklos par un pied dans la
mêlée, afin de plaire à Hektôr et aux Troiens ; mais il lui en
arriva malheur, sans que nul pût le sauver, car le Télamônien, se ruant au milieu de la foule, le frappa sur son casque
d'airain, et le casque à crinière fut brisé par la grande lance
et la main vigoureuse d'Aias, et l'airain de la pointe traversa
la cervelle qui jaillit sanglante de la plaie, et ses forces furent
rompues. Il lâcha le pied du magnanime Patroklos et tomba
lui-même sur le cadavre, loin de Larissa ; et il ne rendit point
à ses parents bien-aimés les soins qu'ils lui avaient donnés,
et sa vie fut brève, ayant été ainsi dompté par le magnanime
Aias.

Hektôr lança contre Aias sa pique éclatante, mais celui-ci,
l'ayant aperçue, évita la pique d'airain qui frappa le magnanime Skhédios, fils d'Iphitos, et le plus brave des Phôkèens,
et qui habitait la grande Panopè, commandant à de nombreux peuples. La pique le perça au milieu de la gorge, et la
pointe d'airain sortit au sommet de l'épaule. Il tomba avec
bruit et ses armes retentirent sur lui. Et Aias perça au milieu
du ventre le brave Phorkys, fils de Phainops, qui défendait
le corps de Hippothoos. L'airain rompit le creux de la cuirasse et déchira les entrailles. Il tomba, saisissant la terre
avec ses mains, et les premiers rangs, ainsi que Hektôr, reculèrent. Et les Argiens, avec de grands cris, entraînèrent,
morts, Phorkys et Hippothoos, et enlevèrent leurs armes.

Alors, les Troiens eussent été mis en fuite par les braves
Akhaiens et fussent rentrés dans Ilios, domptés par leur propre lâcheté, et les Akhaiens eussent remporté la victoire,
malgré Zeus, par leur vigueur et leur courage, si Apollôn lui-
même n'eût excité Ainéias, sous la forme du héraut Périphas

Epytide qui avait vieilli, auprès de son vieux père, dans l'étude et la science de la sagesse. Semblable à Périphas, le fils de Zeus parla ainsi :

— Ainéias, comment sauveriez-vous la sainte Ilios, même malgré la volonté d'un Dieu ? En étant tels que des guerriers que j'ai vus, confiants dans leur propre courage, autant que dans la vigueur et le nombre de leur peuple. Zeus nous offre la victoire plutôt qu'aux Danaens, mais vous êtes des lâches qui ne savez pas combattre.

Il parla ainsi, et Ainéias reconnut l'Archer Apollôn, et il cria aussitôt à Hektôr :

— Hektôr, et vous, chefs des Troiens et des Alliés, c'est une honte de fuir vers Ilios, vaincus, à cause de notre lâcheté, par les braves Akhaiens. Voici qu'un des Dieux s'est approché de moi, et il m'a dit que le très puissant Zeus nous était propice dans le combat. C'est pourquoi, marchons aux Danaens, et qu'ils n'emportent pas sans peine, jusqu'aux nefs, Patroklos mort.

Il parla ainsi, et il s'élança parmi les premiers combattants, et les Troiens firent face aux Akhaiens. Et Ainéias blessa d'un coup de lance Leiôkritos, fils d'Arisbas, et brave compagnon de Lykomèdès. Et le brave Lykomèdès fut saisi de compassion en le voyant tomber. Il s'approcha, et, lançant sa pique brillante, il perça dans le foie le Hippaside Apisaôn, prince des peuples, et il rompit ses forces. Le Hippaside était venu de la fertile Paioniè, et il était le premier des Paiones, après Astéropaios. Et le brave Astéropaios fut saisi de compassion en le voyant tomber, et il se rua en avant pour combattre les Danaens, mais vainement, car les Akhaiens se tenaient tous, hérissés de lances, autour de Patroklos. Et Aias les exhortait ardemment, et il leur ordonnait de ne point s'écarter du cadavre en s'élançant hors des rangs, mais de rester autour de Patroklos et de tenir ferme. Le grand Aias commandait ainsi ; et la terre était baignée d'un sang pourpré, et tous tombaient les uns sur les autres, Troiens, Alliés et Danaens ; mais ceux-ci périssaient en plus petit nombre, car ils n'oubliaient point de s'entr'aider dans la mêlée. Et tous luttaient, pareils à un incendie ; et nul n'aurait pu dire si Hélios brillait, ou Sélènè, tant les braves qui s'agitaient autour du Ménoitiade étaient enveloppés d'un noir brouillard.

Ailleurs, d'autres Troiens et d'autres Akhaiens aux belles knèmides combattaient à l'aise sous un air serein ; et là se

répandait l'étincelante splendeur de Hélios, et il n'y avait de
nuées ni sur la terre, ni sur les montagnes. Et ils combattaient mollement, évitant les traits de part et d'autre, et séparés par un large espace. Mais, au centre, sous le noir
brouillard, les plus braves, se frappant de l'airain cruel,
subissaient tous les maux de la guerre. Et là, deux excellents
guerriers, Thrasymèdès et Antilokhos, ne savaient pas que
l'irréprochable Patroklos fût mort. Ils pensaient qu'il était
vivant et qu'il combattait les Troiens au fort de la mêlée,
tandis qu'eux-mêmes luttaient pour le salut de leurs compagnons, loin du Ménoitiade, comme Nestôr le leur avait
ordonné, quand il les envoya des nefs noires au combat.

Et, pendant tout le jour, le carnage continua autour de
Patroklos, du brave compagnon du rapide Aiakide, et tous
avaient les genoux, les pieds, les mains et les yeux souillés
de poussière et de sang. De même qu'un homme ordonne
à ses serviteurs de tendre une grande peau de bœuf toute
imprégnée de graisse liquide, et que ceux-ci la tendent en
cercle, et que, sous leurs efforts, la graisse pénètre dans la
peau ; de même, de tous les côtés, les combattants traînaient
çà et là le cadavre dans un étroit espace, les Troiens vers
Ilios et les Akhaiens vers les nefs creuses ; et un affreux
tumulte s'élevait, qui eût réjoui Athènè et Arès qui irrite le
combat. Ainsi Zeus heurta, tout le jour, la mêlée des hommes et des chevaux sur le cadavre de Patroklos.

Mais le divin Akhilleus ignorait la mort du Ménoitiade,
car les hommes combattaient, loin des nefs, sous les murailles de Troiè. Et il pensait que Patroklos reviendrait vivant,
après avoir poussé jusqu'aux portes de la Ville, sachant qu'il
ne devait point renverser Ilios sans lui, et même avec lui.
Souvent, en effet, il l'avait entendu dire à sa mère qui lui
révélait la pensée de Zeus ; mais sa mère ne lui avait pas
annoncé un si grand malheur, et il ne savait pas que son
plus cher compagnon périrait.

Et tous, autour du cadavre, combattaient, infatigables, de
leurs lances aiguës, et s'entre-tuaient. Et les Akhaiens cuirassés disaient :

— Ô amis ! il serait honteux de retourner vers les nefs
creuses ! Que la noire terre nous engloutisse ici, plutôt que
de laisser les braves Troiens entraîner ce cadavre vers leur
Ville et remporter cette gloire !

Et les Troiens magnanimes disaient :

— Ô amis ! si la Moire veut que nous tombions tous ici, soit ! mais que nul ne recule !

Chacun parlait ainsi et animait le courage de ses compagnons, et ils combattaient, et le retentissement de l'airain montait dans l'Ouranos, par les airs stériles. Et les chevaux de l'Aiakide pleuraient, hors de la mêlée, parce qu'ils avaient perdu leur conducteur couché sur la poussière par le tueur d'hommes Hektôr. Et vainement, Automédôn, le fils du brave Diôrès, les excitait du fouet ou leur adressait de flatteuses paroles, ils ne voulaient point aller vers le large Hellespontos, ni vers la mêlée des Akhaiens ; et, de même qu'une colonne qui reste debout sur la tombe d'un homme ou d'une femme, ils restaient immobiles devant le beau char, la tête courbée vers la terre. Et de chaudes larmes tombaient de leurs paupières, car ils regrettaient leur conducteur ; et leurs crinières florissantes pendaient, souillées, des deux côtés du joug. Et le Kroniôn fut saisi de compassion en les voyant, et, secouant la tête, il dit dans son esprit :

— Ah ! malheureux ! pourquoi vous avons-nous donnés au roi Pèleus qui est mortel, vous qui ne connaîtrez point la vieillesse et qui êtes immortels ? Était-ce pour que vous subissiez aussi les douleurs humaines ? Car l'homme est le plus malheureux de tous les êtres qui respirent, ou qui rampent sur la terre. Mais le Priamide Hektôr ne vous conduira jamais, ni vous, ni vos chars splendides. N'est-ce pas assez qu'il possède les armes et qu'il s'en glorifie ? Je remplirai vos genoux et votre âme de vigueur, afin que vous rameniez Automédôn de la mêlée, vers les nefs creuses ; car je donnerai la victoire aux Troiens, jusqu'à ce qu'ils touchent aux nefs bien construites, jusqu'à ce que Hélios tombe et que l'ombre sacrée arrive.

Ayant ainsi parlé, il inspira une grande force aux chevaux, et ceux-ci, secouant la poussière de leurs crins sur la terre, entraînèrent rapidement le char léger entre les Troiens et les Akhaiens. Et Automédôn, bien que pleurant son compagnon, excitait l'impétuosité des chevaux, tel qu'un vautour sur des oies. Et il s'éloignait ainsi de la foule des Troiens, et il revenait se ruer dans la mêlée ; mais il poursuivait les guerriers sans les tuer, ne pouvant à la fois, seul sur le char sacré, combattre de la lance et diriger les chevaux rapides. Enfin, un de ses compagnons, Alkimédôn, fils de Laerkès Haimonide, le vit de ses yeux, et, s'arrêtant auprès du char, dit à Automédôn :

— Automédôn, quel Dieu t'ayant mis dans l'âme un dessein insensé, t'a ravi l'esprit ? Tu veux combattre seul aux
premiers rangs, contre les Troiens, et ton compagnon est
mort, et Hektôr se glorifie de porter sur ses épaules les
armes de l'Aiakide !

Et le fils de Diorès, Automédôn, lui répondit :

— Alkimédôn, nul des Akhaiens ne pourrait dompter les
chevaux immortels, si ce n'est toi. Patroklos, vivant, seul le
pouvait, étant semblable aux Dieux par sa prudence. Maintenant, la mort et la Moire l'ont saisi. Prends le fouet et les
rênes splendides, et je descendrai pour combattre.

Il parla ainsi, et Alkimédôn monta sur le char et prit le
fouet et les rênes, et Automédôn descendit ; mais l'illustre
Hektôr, l'ayant vu, dit aussitôt à Ainéias :

— Ainéias, prince des Troiens cuirassés, je vois les deux
chevaux du rapide Aiakide qui courent dans la mêlée avec
des conducteurs vils, et j'espère les saisir, si tu veux m'aider,
car, sans doute, ces hommes n'oseront point nous tenir tête.

Il parla ainsi, et l'irréprochable fils d'Ankhisès consentit,
et ils marchèrent, abritant leurs épaules des cuirs secs et
solides que recouvrait l'airain. Et avec eux marchaient Khromios et Arètos semblable à un Dieu. Et les insensés espéraient tuer les deux Akhaiens et se saisir des chevaux au
large cou ; mais ils ne devaient point revenir sans avoir
répandu leur sang sous les mains d'Automédôn. Et celui-ci
supplia le Père Zeus, et plein de force et de courage dans
son cœur sombre, il dit à son compagnon fidèle, Alkimédôn :

— Alkimédon, ne retiens point les chevaux loin de moi,
mais qu'ils soufflent sur mon dos, car je ne pense pas que la
fureur du Priamide Hektôr s'apaise, avant qu'il nous ait tués
et qu'il ait saisi les chevaux aux belles crinières d'Akhilleus,
ou qu'il soit tombé lui-même sous nos mains.

Ayant ainsi parlé, il appela les Aias et Ménélaos :

— Aias et Ménélaos, chefs des Argiens, remettez ce cadavre aux plus braves, et qu'ils le défendent, et qu'ils repoussent la foule des hommes ; mais éloignez notre dernier jour,
à nous qui sommes vivants, car voici que Hektôr et Ainéias,
les plus terribles des Troiens, se ruent sur nous à travers la
mêlée lamentable. Mais la destinée est sur les genoux des
Dieux ! Je lance ma pique, me confiant en Zeus.

Il parla, et il lança sa longue pique, et il frappa le bouclier
égal d'Arètos. Et le bouclier n'arrêta point l'airain qui le traversa et entra dans le ventre à travers le baudrier. De même,

quand un jeune homme, armé d'une hache tranchante, frappe entre les deux cornes d'un bœuf sauvage, il coupe le nerf, et l'animal bondit et tombe. De même Arètos bondit, et tomba à la renverse, et la pique, à travers les entrailles, rompit ses forces. Et Hektôr lança sa pique éclatante contre Automédôn ; mais celui-ci, l'ayant vu, évita en se baissant la pique d'airain qui, par-dessus lui, plongea en terre et vibra jusqu'à ce qu'Arès eût épuisé sa vigueur. Et tous deux se jetaient l'un sur l'autre avec leurs épées, quand les rapides Aias, à la voix de leur compagnon, se ruèrent à travers la mêlée. Et Hektôr, Ainéias et Khromios pareil à un Dieu reculèrent, laissant Arètos couché, le ventre ouvert. Et Automédôn, pareil au rapide Arès, le dépouillant de ses armes, dit en se glorifiant :

— Du moins, j'ai un peu soulagé ma douleur de la mort du Ménoitiade, bien que je n'aie tué qu'un homme très inférieur à lui.

Et il mit sur le char les dépouilles sanglantes, et il y monta, les pieds et les mains sanglants, comme un lion qui vient de manger un taureau.

Et, de nouveau, la mêlée affreuse et lamentable recommença sur Patroklos. Et Athènè, descendant de l'Ouranos, anima le combat, car Zeus au large regard l'avait envoyée afin d'encourager les Danaens, son esprit étant changé. De même que l'Ouranien Zeus envoie aux vivants une Iris pourprée, signe de guerre ou de froides tempêtes, qui interrompt les travaux des hommes et nuit aux troupeaux ; de même Athènè, s'enveloppant d'une nuée pourprée, se mêla à la foule des Akhaiens. Et, d'abord, elle excita le fils d'Atreus, parlant ainsi au brave Ménélaos, sous la forme de Phoinix à la voix mâle :

— Quelle honte et quelle douleur pour toi, Ménélaos, si les chiens rapides des Troiens mangeaient, sous leus murailles, le cher compagnon de l'illustre Akhilleus ! Mais sois ferme, et encourage tout ton peuple.

Et le brave Ménélaos lui répondit :

— Phoinix, mon père, vieillard vénérable, plût aux Dieux qu'Athènè me donnât la force et repoussât loin de moi les traits. J'irais et je défendrais Patroklos, car, en mourant, il a violemment déchiré mon cœur. Mais la vigueur de Hektôr est comme celle du feu, et il ne cesse de tuer avec l'airain, et Zeus lui donne la victoire.

Il parla ainsi, et Athènè aux yeux clairs se réjouissait parce qu'il l'avait implorée avant tous les Dieux. Et elle répandit la vigueur dans ses épaules et dans ses genoux, et elle mit dans sa poitrine l'audace de la mouche qui, toujours et vainement chassée, se plaît à mordre, car le sang de l'homme lui est doux. Et elle mit cette audace dans son cœur sombre ; et, retournant vers Patroklos, il lança sa pique brillante. Et parmi les Troiens se trouvait Podès, fils d'Étion, riche, brave, et très honoré par Hektôr entre tous les autres, parce qu'il était son plus cher convive. Le blond Ménélaos le frappa sur le baudrier, comme il fuyait ; et l'airain le traversa, et il tomba avec bruit, et l'Atréide Ménélaos entraîna son cadavre du côté des Akhaiens. Et Apollôn excita Hektôr, sous la forme de Phainops Asiade qui habitait Abydos, et qui était le plus cher des hôtes du Priamide. Et l'Archer Apollôn dit à celui-ci, sous la forme de Phainops :

— Hektôr, qui d'entre les Akhaiens te redoutera désormais, si tu crains Ménélaos qui n'est qu'un faible guerrier, et qui enlève seul ce cadavre, après avoir tué ton compagnon fidèle, brave entre les hommes, Podès, fils d'Étion ?

Il parla ainsi, et la noire nuée de la douleur enveloppa Hektôr, et il se rua aux premiers rangs, armé de l'airain splendide. Et alors le Kroniôn saisit l'Aigide aux franges éclatantes, et il couvrit l'Ida de nuées, et, fulgurant, il tonna fortement, secouant l'Aigide, donnant la victoire aux Troiens et mettant les Akhaiens en fuite.

Et, le premier, le Boiôtien Pènéléôs prit la fuite, blessé par Polydamas d'un coup de lance qui lui avait traversé le haut de l'épaule jusqu'à l'os. Et Hektôr blessa à la main Lèitos, fils du magnanime Alektryôn ; et il le mit en fuite, épouvanté et regardant de tous côtés, car il n'espérait plus pouvoir tenir une lance pour le combat.

Et comme Hektôr se jetait sur Lèitos, Idoméneus le frappa à la cuirasse, au-dessous de la mamelle, mais la longue pique se rompit là où la pointe s'unit au bois, et les Troiens poussèrent des clameurs ; et, contre Idoméneus Deukalide debout sur son char, Hektôr lança sa pique qui s'égara et perça le conducteur de Mèrionès, Koiranos, qui l'avait suivi de la populeuse Lyktos. Idoméneus, étant venu à pied des nefs aux doubles avirons, eût donné une grande gloire aux Troiens, si Koiranos n'eût amené aussitôt les chevaux rapides. Et il fut le salut d'Idoméneus, et il lui conserva la lumière ; mais lui-même rendit l'âme sous le tueur d'hommes Hektôr qui le perça entre la mâchoire et l'oreille. La pique ébranla les dents et trancha la moitié de la langue. Koiranos tomba du char, laissant traîner les rênes. Et Mèrionès, les saisissant à terre, dit à Idoméneus :

— Fouette maintenant les rapides chevaux jusqu'aux nefs : tu vois comme moi que la victoire échappe aux Akhaiens.

Il parla ainsi, et Idoméneus fouetta les chevaux aux belles crinières, jusqu'aux nefs creuses, car la crainte avait envahi son cœur. Et le magnanime Aias et Ménélaos reconnurent aussi que la victoire échappait aux Akhaiens et que Zeus la donnait aux Troiens. Et le grand Télamônien Aias dit le premier :

— Ô Dieux ! le plus insensé comprendrait maintenant que le Père Zeus donne la victoire aux Troiens. Tous leurs traits portent, que ce soit la main d'un lâche qui les envoie ou d'un brave ; Zeus les dirige, et les nôtres tombent, vains et impuissants, sur la terre. Allons, songeons au moins au meilleur moyen d'entraîner le cadavre de Patroklos, et nous réjouirons ensuite nos compagnons par notre retour. Ils s'attristent en nous regardant, car ils pensent que nous n'échapperons pas aux mains inévitables et à la vigueur du tueur d'hommes Hektôr, mais que nous serons rejetés vers les nefs noires. Plût aux Dieux qu'un de nous annonçât promptement ce malheur au Pèléide ! Je ne pense pas qu'il sache que son cher compagnon est mort. Mais je ne sais qui nous pourrions envoyer parmi les Akhaiens. Un brouillard noir nous enveloppe tous, les hommes et les chevaux. Père Zeus, délivre de cette obscurité les fils des Akhaiens ; rends-nous la clarté ; que nos yeux puissent voir ; et si tu veux nous perdre dans ta colère, que ce soit du moins à la lumière !

Il parla ainsi, et le Père Zeus eut compassion de ses larmes, et il dispersa aussitôt le brouillard et dissipa la nuée ; Hélios brilla, et toute l'armée apparut. Et Aias dit au brave Ménélaos :

— Divin Ménélaos, cherche maintenant Antilokhos, le magnanime fils de Nestôr, si toutefois il est encore vivant, et qu'il se hâte d'aller dire au belliqueux Akhilleus que le plus cher de ses compagnons est mort.

Il parla ainsi, et le brave Ménélaos se hâta d'obéir, et il s'éloigna, comme un lion qui, fatigué d'avoir lutté contre les chiens et les hommes, s'éloigne de l'enclos ; car, toute la nuit, par leur vigilance, ils ne lui ont point permis d'enlever les bœufs gras. Il s'est rué sur eux, plein du désir des chairs

fraîches ; mais la foule des traits a volé de leurs mains audacieuses, ainsi que les torches ardentes qu'il redoute malgré
sa fureur ; et, vers le matin, il s'éloigne, le cœur attristé. De
même le brave Ménélaos s'éloignait contre son gré du corps
de Patroklos, car il craignait que les Akhaiens terrifiés ne
l'abandonnassent en proie à l'ennemi. Et il exhorta Mèrionès
et les Aias :

— Aias, chefs des Argiens, et toi, Mèrionès, souvenez-vous
de la douceur du malheureux Patroklos ! Pendant sa vie, il
était plein de douceur pour tous ; et, maintenant, la mort et
la Moire l'ont saisi !

Ayant ainsi parlé, le blond Ménélaos s'éloigna, regardant
de tous les côtés, comme l'aigle qui, dit-on, est, de tous les
oiseaux de l'Ouranos, celui dont la vue est la plus perçante,
car, des hauteurs où il vit, il aperçoit le lièvre qui gîte sous
un arbuste feuillu ; et il tombe aussitôt sur lui, le saisit et
lui arrache l'âme. De même, divin Ménélaos, tes yeux clairs
regardaient de tous côtés, dans la foule des Akhaiens, s'ils
voyaient, vivant, le fils de Nestôr. Et Ménélaos le reconnut,
à la gauche de la mêlée, excitant ses compagnons au
combat. Et, s'approchant, le blond Ménélaos lui dit :

— Viens, divin Antilokhos ! apprends une triste nouvelle.
Plût aux Dieux que ceci ne fût jamais arrivé ! Sans doute tu
sais qu'un Dieu accable les Akhaiens et donne la victoire aux
Troiens. Le meilleur des Akhaiens a été tué, Patroklos, qui
laisse de grands regrets aux Danaens. Mais toi, cours aux
nefs des Akhaiens, et annonce ce malheur au Pèléide. Qu'il
vienne promptement sauver son cadavre nu, car Hektôr au
casque mouvant possède ses armes.

Il parla ainsi, et Antilokhos, accablé par ces paroles, resta
longtemps muet, et ses yeux s'emplirent de larmes, et la voix
lui manqua ; mais il obéit à l'ordre de Ménélaos. Et il remit
ses armes à l'irréprochable Laodokos, son ami, qui conduisait ses chevaux aux sabots massifs, et il s'éloigna en courant. Et ses pieds l'emportaient, pleurant, afin d'annoncer
au Pèléide Akhilleus la triste nouvelle.

Et tu ne voulus point, divin Ménélaos, venir en aide aux
compagnons attristés d'Antilokhos, aux Pyliens qui le regrettaient, et il leur laissa le divin Thrasymèdès, et il retourna
auprès du héros Patroklos, et, parvenu jusqu'aux Aias, il leur
dit :

— J'ai envoyé Antilokhos vers les nefs, afin de parler au
Pèléion aux pieds rapides ; mais je ne pense pas que le

Pèléide vienne maintenant, bien que très irrité contre le divin Hektôr, car il ne peut combattre sans armes. Songeons, pour le mieux, de quelle façon nous entraînerons ce cadavre, et comment nous éviterons nous-mêmes la mort et la Moire à travers le tumulte des Troiens.

Et le grand Aias Télamônien lui répondit :

— Tu as bien dit, ô illustre Ménélaos. Toi et Mèrionès, enlevez promptement le cadavre et emportez-le hors de la mêlée ; et, derrière vous, nous repousserons les Troiens et le divin Hektôr, nous qui avons la même âme et le même nom, et qui savons affronter tous deux le combat terrible.

Il parla ainsi, et, dans leurs bras, ils enlevèrent le cadavre. Et les Troiens poussèrent des cris horribles en voyant les Akhaiens enlever Patroklos. Et ils se ruèrent, semblables à des chiens qui, devançant les chasseurs, s'amassent sur un sanglier blessé qu'ils veulent déchirer. Mais s'il se retourne, confiant dans sa force, ils s'arrêtent et s'enfuient çà et là. Ainsi les Troiens se ruaient en foule, frappant de l'épée et de la lance ; mais, quand les Aias se retournaient et leur tenaient tête, ils changeaient de couleur, et aucun n'osait les combattre pour leur disputer ce cadavre.

Et ils emportaient ainsi avec ardeur le cadavre, hors de la mêlée, vers les nefs creuses. Et le combat les suivait, acharné et terrible, comme un incendie qui éclate brusquement dans une ville ; et les maisons croulent dans une vaste flamme que tourmente la violence du vent. Ainsi le tumulte sans trêve des chevaux et des hommes poursuivait les Akhaiens. Comme des mulets vigoureux, se hâtant, malgré le travail et la sueur, traînent par l'âpre chemin d'une montagne, soit une poutre, soit un mât ; ainsi Ménélaos et Mèrionès emportaient à la hâte le cadavre. Et derrière eux, les Aias repoussaient les Troiens, comme une colline boisée, qui s'étend par la plaine, repousse les courants furieux des fleuves rapides qui ne peuvent la rompre et qu'elle rejette toujours vers la plaine. Ainsi les Aias repoussaient la foule des Troiens qui les poursuivaient, conduits par Ainéias Ankhisiade et par l'illustre Hektôr. Comme une troupe d'étourneaux et de geais vole en poussant des cris aigus, à l'approche de l'épervier qui tue les petits oiseaux, de même les fils des Akhaiens couraient avec des clameurs perçantes, devant Ainéias et Hektôr, et oublieux du combat. Et les belles armes des Danaens en fuite emplissaient les bords du fossé et le fossé lui-même ; mais le carnage ne cessait point.

RHAPSODIE XVIII

Et ils combattaient ainsi, comme le feu ardent. Et Antilokhos vint à Akhilleus aux pieds rapides, et il le trouva devant
ses nefs aux antennes dressées, songeant dans son esprit aux
choses accomplies déjà ; et, gémissant, il disait dans son
cœur magnanime :

— Ô Dieux ! pourquoi les Akhaiens chevelus, dispersés
par la plaine, sont-ils repoussés tumultueusement vers les
nefs ? Que les Dieux m'épargnent ces cruelles douleurs
qu'autrefois ma mère m'annonça, quand elle me disait que
le meilleur des Myrmidones, moi vivant, perdrait la lumière
de Hélios sous les mains des Troiens. Sans doute il est déjà
mort, le brave fils de Ménoitios, le malheureux ! Certes,
j'avais ordonné, qu'ayant repoussé le feu ennemi, il revînt
aux nefs sans combattre Hektôr.

Tandis qu'il roulait ceci dans son esprit et dans son cœur,
le fils de l'illustre Nestôr s'approcha de lui, et, versant de
chaudes larmes, dit la triste nouvelle :

— Hélas ! fils du belliqueux Pèleus, certes, tu vas entendre
une triste nouvelle ; et plût aux Dieux que ceci ne fût point
arrivé ! Patroklos gît mort, et tous combattent pour son
cadavre nu, car Hektôr possède ses armes.

Il parla ainsi, et la noire nuée de la douleur enveloppa
Akhilleus, et il saisit de ses deux mains la poussière du foyer
et la répandit sur sa tête, et il en souilla sa belle face ; et la
noire poussière souilla sa tunique nektaréenne ; et, lui-
même, étendu tout entier dans la poussière, gisait, et des
deux mains arracha sa chevelure. Et les femmes, que lui et
Patroklos avaient prises, hurlaient violemment, affligées
dans leur cœur ; et toutes, hors des tentes, entouraient le
belliqueux Akhilleus, et elles se frappaient la poitrine, et
leurs genoux étaient rompus. Antilokhos aussi gémissait,
répandant des larmes, et tenait les mains d'Akhilleus qui
sanglotait dans son noble cœur. Et le Nestoride craignait
qu'il se tranchât la gorge avec l'airain.

Akhilleus poussait des sanglots terribles, et sa mère vénérable l'entendit, assise dans les gouffres de la mer, auprès de
son vieux père. Et elle se lamenta aussitôt. Et autour de la

Déesse étaient rassemblées toutes les Nèrèides qui sont au fond de la mer : Glaukè, et Thaléia, et Kymodokè, et Nèsaié, et Spéiô, et Thoè, et Haliè aux yeux de bœuf, et Kymothoè, et Aktaiè, et Limnôréia, et Mélitè, et Iaira, et Amphithoè, et Agavè, et Lôtô, et Prôtô, et Phérousa, et Dynaménè, et Dexaménè, et Amphinomè, et Kallianéira, et Dôris, et Panopè, et l'illustre Galatéia, et Nèmertès, et Abseudès, et Kallianassa, et Klyménè, et Ianéira, et Ianassa, et Maira, et Oriéthyia, et Amathéia aux beaux cheveux, et les autres Nèrèides qui sont dans la profonde mer. Et elles emplissaient la grotte d'argent, et elles se frappaient la poitrine, et Thétis se lamentait ainsi :

— Écoutez-moi, sœurs Nèrèides, afin que vous sachiez les douleurs qui déchirent mon âme, hélas ! à moi, malheureuse, qui ai enfanté un homme illustre, un fils irréprochable et brave, le plus courageux des héros, et qui a grandi comme un arbre. Je l'ai élevé comme une plante dans une terre fertile, et je l'ai envoyé vers Ilios, sur ses nefs aux poupes recourbées, combattre les Troiens. Et je ne le verrai point revenir dans mes demeures, dans la maison Pèléienne. Voici qu'il est vivant, et qu'il voit la lumière de Hélios, et qu'il souffre, et je ne puis le secourir. Mais j'irai vers mon fils bien-aimé, et je saurai de lui-même quelle douleur l'accable loin du combat.

Ayant ainsi parlé, elle quitta la grotte, et toutes la suivaient, pleurantes ; et l'eau de la mer s'ouvrait devant elles. Puis, elles parvinrent à la riche Troiè, et elles abordèrent là où les Myrmidones, autour d'Akhilleus aux pieds rapides, avaient tiré leurs nombreuses nefs sur le rivage. Et sa mère vénérable le trouva poussant de profonds soupirs ; et elle prit, en pleurant, la tête de son fils, et elle lui dit en gémissant ces paroles ailées :

— Mon enfant, pourquoi pleures-tu ? Quelle douleur envahit ton âme ? Parle, ne me cache rien, afin que nous sachions tous deux. Zeus, ainsi que je l'on avais supplié de mes mains étendues, a rejeté tous les fils des Akhaiens auprès des nefs, et ils souffrent de grands maux, parce que tu leur manques.

Et Akhilleus aux pieds rapides, avec de profonds soupirs, lui répondit :

— Ma mère, l'Olympien m'a exaucé ; mais qu'en ai-je retiré, puisque mon cher compagnon Patroklos est mort, lui que j'honorais entre tous autant que moi-même ? Je l'ai perdu. Hektôr, l'ayant tué, lui a arraché mes belles, grandes et admirables armes, présents splendides des Dieux à Pèleus, le jour où ils te firent partager le lit d'un homme mortel. Plût aux Dieux que tu fusses restée avec les Déesses de la mer, et que Pèleus eût épousé plutôt une femme mortelle ! Maintenant, une douleur éternelle emplira ton âme, à cause de la mort de ton fils que tu ne verras plus revenir dans tes demeures ; car je ne veux plus vivre, ni m'inquiéter des hommes, à moins que Hektôr, percé par ma lance, ne rende l'âme, et que Patroklos Ménoitiade, livré en pâture aux chiens, ne soit vengé.

Et Thétis, versant des larmes, lui répondit :

— Mon enfant, dois-tu donc bientôt mourir, comme tu le dis ? C'est ta mort qui doit suivre celle de Hektôr !

Et Akhilleus aux pieds rapides, en gémissant, lui répondit :

— Je mourrai donc, puisque je n'ai pu secourir mon compagnon, pendant qu'on le tuait. Il est mort loin de la patrie, et il m'a conjuré de le venger. Je mourrai maintenant, puisque je ne retournerai point dans la patrie, et que je n'ai sauvé ni Patroklos, ni ceux de mes compagnons qui sont tombés en foule sous le divin Hektôr, tandis que j'étais assis sur mes nefs, inutile fardeau de la terre, moi qui l'emporte sur tous les Akhaiens dans le combat ; car d'autres sont meilleurs dans l'agora. Ah ! que la dissension périsse parmi les Dieux ! et, parmi les hommes, périsse la colère qui trouble le plus sage, et qui, plus douce que le miel liquide, se gonfle, comme la fumée, dans la poitrine des hommes ! C'est ainsi que le Roi des hommes, Agamemnôn, a provoqué ma colère. Mais oublions le passé, malgré nos douleurs, et, dans notre poitrine, ployons notre âme à la nécessité. Je chercherai Hektôr qui m'a enlevé cette chère tête, et je recevrai la mort quand il plaira à Zeus et aux autres Dieux immortels. La Force Hèraklèenne n'évita point la mort, lui qui était très cher au Roi Zeus Kroniôn ; mais l'inévitable colère de Hèrè et la Moire le domptèrent. Si une Moire semblable m'attend, on me couchera mort sur le bûcher, mais, auparavant, je remporterai une grande gloire. Et que la Troadienne, ou la Dardanienne, essuie de ses deux mains ses joues délicates couvertes de larmes, car je la contraindrai de gémir misérablement ; et ils comprendront que je me suis longtemps éloigné du combat. Ne me retiens donc pas, malgré ta tendresse, car tu ne me persuaderais point.

Et la Déesse Thétis aux pieds d'argent lui répondit :

— Certes, mon fils, tu as bien dit : il est beau de venger la ruine cruelle de ses compagnons. Mais tes armes d'airain, belles et splendides, sont parmi les Troiens. Hektôr au casque mouvant se glorifie d'en avoir couvert ses épaules ; mais je ne pense pas qu'il s'en réjouisse longtemps, car le meurtre est auprès de lui. N'entre point dans la mêlée d'Arès avant que tu m'aies revue de tes yeux. Je reviendrai demain, comme Hélios se lèvera, avec de belles armes venant du Roi Hèphaistos.

Ayant ainsi parlé, elle quitta son fils et dit à ses sœurs de la mer :

— Rentrez à la hâte dans le large sein de la mer, et retournez dans les demeures de notre vieux père, et dites-lui tout ceci. Moi, je vais dans le vaste Olympos, auprès de l'illustre ouvrier Hèphaistos, afin de lui demander de belles armes splendides pour mon fils.

Elle parla ainsi, et les Nèrèides disparurent aussitôt sous l'eau de la mer, et la Déesse Thétis aux pieds d'argent monta de nouveau dans l'Olympos, afin d'en rapporter de belles et illustres armes pour son fils.

Et, tandis que ses pieds la portaient dans l'Olympos, les Akhaiens, avec un grand tumulte, vers les nefs et le Hellespontos, fuyaient devant le tueur d'hommes Hektôr.

Et les Akhaiens aux belles knèmides n'avaient pu enlever hors des traits le cadavre de Patroklos, du compagnon d'Akhilleus ; et tout le peuple de Troiè, et les chevaux, et le Priamide Hektôr, semblable à la flamme par sa fureur, poursuivaient toujours Patroklos. Et, trois fois, l'illustre Hektôr le saisit par les pieds, désirant l'entraîner, et excitant les Troiens, et, trois fois, les Aias, revêtus d'une force impétueuse, le repoussèrent loin du cadavre ; et lui, certain de son courage, tantôt se ruait dans la mêlée, tantôt s'arrêtait avec de grands cris, mais jamais ne reculait. De même que les bergers campagnards ne peuvent chasser loin de sa proie un lion fauve et affamé, de même les deux Aias ne pouvaient repousser le Priamide Hektôr loin du cadavre ; et il l'eût entraîné, et il eût remporté une grande gloire, si la rapide Iris aux pieds aériens vers le Pèléide ne fût venue à la hâte de l'Olympos, afin qu'il se montrât. Hèrè l'avait envoyée, Zeus et les autres Dieux l'ignorant. Et, debout auprès de lui, elle dit en paroles ailées :

— Lève-toi, Pèléide, le plus effrayant des hommes, et

secours Patroklos pour qui on combat avec fureur devant les nefs. C'est là que tous s'entre-tuent, les Akhaiens pour le défendre, et les Troiens pour l'entraîner vers Ilios battue des vents. Et l'illustre Hektôr espère surtout l'entraîner, et il veut mettre, après l'avoir coupée, la tête de Patroklos au bout d'un pieu. Lève-toi ; ne reste pas plus longtemps inerte, et que la honte te saisisse en songeant à Patroklos devenu le jouet des chiens troiens. Ce serait un opprobre pour toi, si son cadavre était souillé.

Et le divin et rapide Akhilleus lui dit :

— Déesse Iris, qui d'entre les Dieux t'a envoyée vers moi ?

Et la rapide Iris aux pieds aériens lui répondit :

— Hèrè, la glorieuse épouse de Zeus, m'a envoyée ; et le sublime Kronide et tous les Immortels qui habitent l'Olympos neigeux l'ignorent.

Et Akhilleus aux pieds rapides, lui répondant, parla ainsi :

— Comment irais-je au combat, puisqu'ils ont mes armes ? Ma mère bien-aimée me le défend, avant que je l'aie vue, de mes yeux, reparaître avec de belles armes venant de Hèphaistos. Je ne puis revêtir celles d'aucun autre guerrier, sauf le bouclier d'Aias Télamôniade ; mais il combat sans doute aux premiers rangs, tuant les ennemis, de sa lance, autour du cadavre de Patroklos.

Et la rapide Iris aux pieds aériens lui répondit :

— Certes, nous savons que tes belles armes te sont enlevées ; mais, tel que te voilà, apparais aux Troiens sur le bord du fossé ; et ils reculeront épouvantés, et les braves fils des Akhaiens respireront. Il ne s'agit que de respirer un moment.

Ayant ainsi parlé, la rapide Iris disparut. Et Akhilleus cher à Zeus se leva ; et, sur ses robustes épaules, Athènè mit l'Aigide frangée ; et la grande Déesse ceignit la tête du héros d'une nuée d'or sur laquelle elle alluma une flamme resplendissante. De même, dans une île lointaine, la fumée monte vers l'Aithèr, du milieu d'une ville assiégée. Tout le jour, les citoyens ont combattu avec fureur hors de la ville ; mais, au déclin de Hélios, ils allument des feux ardents dont la splendeur monte dans l'air, et sera peut-être vue des peuples voisins qui viendront sur leurs nefs les délivrer d'Arès. Ainsi, une haute clarté montait de la tête d'Akhilleus jusque dans l'Aithèr. Et il s'arrêta sur le bord du fossé, sans se mêler aux Akhaiens, car il obéissait à l'ordre prudent de sa mère. Là, debout, il poussa un cri, et Pallas Athènè cria aussi, et un immense tumulte s'éleva parmi les Troiens. Et l'illustre voix de l'Aiakide était semblable au son strident de la trompette, autour d'une ville assiégée par des ennemis acharnés.

Et, dès que les Troiens eurent entendu la voix d'airain de l'Aiakide, ils frémirent tous ; et les chevaux aux belles crinières tournèrent les chars, car ils pressentaient des malheurs, et leurs conducteurs furent épouvantés quand ils virent cette flamme infatigable et horrible qui brûlait sur la tête du magnanime Pèléiôn et que nourissait la Déesse aux yeux clairs Athènè. Et, trois fois, sur le bord du fossé, le divin Akhilleus cria, et, trois fois, les Troiens furent bouleversés, et les illustres Alliés ; et douze des plus braves périrent au milieu de leurs chars et de leurs lances.

Mais les Akhaiens, emportant avec ardeur Patroklos hors des traits, le déposèrent sur un lit. Et ses chers compagnons pleuraient autour, et, avec eux, marchait Akhilleus aux pieds rapides. Et il versait de chaudes larmes, voyant son cher compagnon couché dans le cercueil, percé par l'airain aigu, lui qu'il avait envoyé au combat avec ses chevaux et son char, et qu'il ne devait point revoir vivant.

Et la vénérable Hèrè aux yeux de bœuf commanda à l'infatigable Hélios de retourner aux sources d'Okéanos, et Hélios disparut à regret ; et les divins Akhaiens mirent fin à la mêlée violente et à la guerre lamentable. Et les Troiens, abandonnant aussi le rude combat, délièrent les chevaux rapides, et ils s'assemblèrent pour l'agora, avant le repas. Et l'agora les vit debout, aucun ne voulant s'asseoir, car la terreur les tenait depuis qu'Akhilleus avait reparu, lui qui, depuis longtemps, ne se mêlait plus au combat. Et le sage Polydamas Panthoide commença de parler. Et seul il voyait le passé et l'avenir. Et c'était le compagnon de Hektôr, étant né la même nuit ; mais il le surpassait en sagesse, autant que Hektôr l'emportait en courage. Plein de prudence, il leur dit dans l'agora :

— Amis, délibérez mûrement. Je conseille de marcher vers la Ville, et de ne point attendre la divine Eôs auprès des nefs, car nous sommes loin des murs. Aussi longtemps que cet homme a été irrité contre le divin Agamemnôn, il était plus aisé de dompter les Akhaiens. Et je me réjouissais de coucher auprès des nefs rapides, espérant saisir les nefs aux deux rangs d'avirons ; mais je redoute maintenant le rapide Pèléiôn ; car, dans son cœur indomptable, il ne voudra point rester dans la plaine où les Troiens et les Akhaiens déploient la force d'Arès, mais il combattra pour s'emparer de notre

Ville et de nos femmes. Allons vers Ilios ; obéissez-moi et
faites ainsi. Maintenant, la nuit contraire retient le rapide
Pèléiôn ; mais s'il nous attaque demain avec fureur, celui qui
le sentira, alors, fuira volontiers vers la sainte Ilios, s'il lui
échappe. Et les chiens et les oiseaux carnassiers mangeront
une foule de Troiens. Plaise aux Dieux qu'on ne me le dise
jamais ! Si vous obéissez à mes paroles, bien qu'à regret,
nous reprendrons des forces cette nuit ; et ses tours, ses hautes portes et leurs barrières longues et solides protégeront la
Ville. Demain, armés dès le matin, nous serons debout sur
nos tours ; et le travail lui sera lourd, s'il vient de ses nefs
assiéger nos murailles. Et il s'en retournera vers les nefs,
ayant épuisé ses chevaux au grand cou à courir sous les
murs de la Ville. Et il ne pourra point pénétrer dans Ilios, et
il ne la détruira jamais, et, auparavant, les chiens rapides le
mangeront.

Et Hektôr au casque mouvant, avec un sombre regard, lui
répondit :

— Polydamas, il me déplaît que tu nous ordonnes de nous
renfermer encore dans la Ville. N'êtes-vous donc point las
d'être enfermés dans nos tours ? Autrefois, tous les hommes
qui parlent des langues diverses vantaient la Ville de Priamos, abondante en or, riche en airain. Aujourd'hui, les trésors qui étaient dans nos demeures sont dissipés. Depuis
que le grand Zeus est irrité, la plupart de nos biens ont été
transportés en Phrygiè et dans la belle Maioniè. Et maintenant que le fils du subtil Kronos m'a donné la victoire
auprès des nefs et m'a permis d'acculer les Akhaiens à la
mer, ô insensé, ne répands point de telles pensées dans le
peuple. Aucun des Troiens ne t'obéira, et je ne le permettrai
point. Allons ! faites ce que je vais dire. Prenez le repas dans
les rangs. N'oubliez point de veiller, chacun à son tour. Si
quelque Troien craint pour ses richesses, qu'il les donne au
peuple afin que tous en profitent, et cela vaudra mieux que
d'en faire jouir les Akhaiens. Demain, dès le matin, nous
recommencerons le rude combat auprès des nefs creuses. Et
si le divin Akhilleus se lève auprès des nefs, la rencontre lui
sera rude ; car je ne le fuirai pas dans le combat violent,
mais je lui tiendrai courageusement tête. Ou il remportera
une grande gloire, ou je triompherai. Arès est commun à
tous, et, souvent, il tue celui qui voulait tuer.

Hektôr parla ainsi, et les Troiens applaudirent, les insensés ! car Pallas Athènè leur avait ravi l'esprit. Et ils applaudirent les paroles funestes de Hektôr, et ils n'écoutèrent point

le sage conseil de Polydamas ; et ils prirent leur repas dans les rangs.

Mais les Akhaiens, pendant toute la nuit, pleurèrent autour de Patroklos. Et le Pèléide menait le deuil lamentable, posant ses mains tueuses d'hommes sur la poitrine de son compagnon, et gémissant, comme une lionne à longue barbe dont un chasseur a enlevé les petits dans une épaisse forêt. Elle arrive trop tard, et elle gémit, cherchant par toutes les vallées les traces de l'homme ; et une violente colère la saisit. Ainsi Akhilleus, avec de profonds soupirs, dit aux Myrmidones :

— Ô Dieux ! Certes, j'ai prononcé une parole vaine, le jour où, consolant le héros Ménoitios dans ses demeures, je lui disais que je ramènerais son fils illustre, après qu'il aurait renversé Ilios et pris sa part des dépouilles. Mais Zeus n'accomplit pas tous les désirs des hommes. Nous rougirons tous deux la terre devant Troiè, et le vieux cavalier Pèleus ne me reverra plus dans ses demeures, ni ma mère Thétis, car cette terre me gardera. Ô Patroklos, puisque je subirai la tombe le dernier, je ne t'ensevelirai point avant de t'avoir apporté les armes et la tête de Hektôr, ton magnanime meurtrier. Et je tuerai devant ton bûcher douze illustres fils des Troiens, car je suis irrité de ta mort. Et, pendant ce temps, tu resteras couché sur mes nefs aux poupes recourbées ; et, autour de toi, les Troiennes et les Dardaniennes au large sein que nous avons conquises tous deux par notre force et nos lances, après avoir renversé beaucoup de riches cités d'hommes aux diverses langues, gémiront nuit et jour en versant des larmes.

Le divin Akhilleus parla ainsi, et il ordonna à ses compagnons de mettre un grand trépied sur le feu, afin de laver promptement les souillures sanglantes de Patroklos. Et ils mirent sur le feu ardent le trépied des ablutions, et ils y versèrent l'eau ; et, au-dessous, ils allumèrent le bois. Et la flamme enveloppa le ventre du trépied, et l'eau chauffa. Et quand l'eau fut chaude dans le trépied brillant, ils lavèrent Patroklos ; et, l'ayant oint d'une huile grasse, ils emplirent ses plaies d'un baume de neuf ans ; et, le déposant sur le lit, ils le couvrirent d'un lin léger, de la tête aux pieds, et, par-dessus, d'un vêtement blanc. Ensuite, pendant toute la nuit, les Myrmidones gémirent, pleurant Patroklos. Mais Zeus dit à Hèrè sa sœur et son épouse :

— Tu as enfin réussi, vénérable Hèrè aux yeux de bœuf !

Voici qu'Akhilleus aux pieds rapides s'est levé. Les Akhaiens chevelus ne seraient-ils point nés de toi ?

Et la vénérable Hèrè aux yeux de bœuf lui répondit :

— Très dur Kronide, quelle parole as-tu dite ? Un homme, bien que mortel, et doué de peu d'intelligence, peut se venger d'un autre homme ; et moi, qui suis la plus puissante des Déesses, et par ma naissance, et parce que je suis ton épouse à toi qui règnes sur les Immortels, je ne pourrais méditer la perte des Troiens !

Et ils parlaient ainsi. Et Thétis aux pieds d'argent parvint à la demeure de Hèphaistos, incorruptible, étoilée, admirable aux Immortels eux-mêmes ; faite d'airain, et que le Boiteux avait construite de ses mains.

Et elle le trouva suant, et se remuant autour des soufflets, et haletant. Et il forgeait vingt trépieds pour être placés autour de sa demeure solide. Et il les avait posés sur des roues d'or afin qu'ils se rendissent d'eux-mêmes à l'assemblée divine, et qu'ils en revinssent de même. Il ne leur manquait, pour être finis, que des anses aux formes variées. Hèphaistos les préparait et en forgeait les attaches. Et tandis qu'il travaillait à ces œuvres habiles, la Déesse Thétis aux pieds d'argent s'approcha. Et Kharis aux belles bandelettes, qu'avait épousée l'illustre Boiteux des deux pieds, l'ayant vue, lui prit la main et lui dit :

— Ô Thétis au large péplos, vénérable et chère, pourquoi viens-tu dans notre demeure, où nous te voyons si rarement ? Mais suis-moi, et je t'offrirai les mets hospitaliers.

Ayant ainsi parlé, la très noble Déesse la conduisit. Et, l'ayant fait asseoir sur un trône aux clous d'argent, beau et ingénieusement fait, elle plaça un escabeau sous ses pieds et appela l'illustre ouvrier Hèphaistos :

— Viens, Hèphaistos ! Thétis a besoin de toi.

Et l'illustre Boiteux des deux pieds lui répondit :

— Certes, elle est toute-puissante sur moi, la Déesse vénérable qui est entrée ici. C'est elle qui me sauva, quand je fus précipité d'en haut par ma mère impitoyable qui voulait me cacher aux Dieux parce que j'étais boiteux. Que de douleurs j'eusse endurées alors, si Thétis, et Eurynomè, la fille d'Okéanos au reflux rapide, ne m'avaient reçu dans leur sein ! Pour elles, dans leur grotte profonde, pendant neuf ans, je forgeai mille ornements, des agrafes, des nœuds, des colliers et des bracelets. Et l'immense Fleuve Okéanos murmurait autour de la grotte. Et elle n'était connue ni des

Dieux, ni des hommes, mais seulement de Thétis et d'Eurynomè qui m'avaient sauvé. Et, maintenant, puisque Thétis
aux beaux cheveux vient dans ma demeure, je lui rendrai
grâce de m'avoir sauvé. Mais toi, offre-lui les mets hospitaliers, tandis que je déposerai mes soufflets et tous mes instruments.

Il parla ainsi. Et le corps monstrueux du Dieu se redressa
de l'enclume ; et il boitait, chancelant sur ses jambes grêles
et torses. Et il éloigna les soufflets du feu, et il déposa dans
un coffre d'argent tous ses instruments familiers. Puis, une
éponge essuya sa face, ses deux mains, son cou robuste et
sa poitrine velue. Il mit une tunique, prit un sceptre énorme
et sortit de la forge en boitant. Et deux servantes soutenaient
les pas du Roi. Elles étaient d'or, semblables aux vierges
vivantes qui pensent et parlent, et que les Dieux ont instrui-
tes. Soutenu par elles et marchant à pas lourds, il vint s'asseoir auprès de Thétis, sur un trône brillant. Et il prit les
mains de la Déesse et lui dit :

— Thétis au long péplos, vénérable et chère, pourquoi es-
tu venue dans ma demeure où nous te voyons si rarement ?
Parle. Mon cœur m'ordonne d'accomplir ton désir, si je le
puis, et si c'est possible.

Et Thétis, versant des larmes, lui répondit :

— Hèphaistos ! parmi toutes les Déesses qui sont dans
l'Olympos, en est-il une qui ait subi des maux aussi cruels
que ceux dont m'accable le Kronide Zeus ? Seule, entre les
Déesses de la mer, il m'a soumise à un homme, à l'Aiakide
Pèleus ; et j'ai subi à regret la couche d'un homme ! Et maintenant, accablé par la triste vieillesse, il gît dans sa demeure.
Mais voici que j'ai d'autres douleurs. Un fils est né de moi,
le plus illustre des héros, et il a grandi comme un arbre, et
je l'ai nourri comme une plante dans une terre fertile. Et je
l'ai envoyé vers Ilios sur ses nefs aux poupes recourbées,
pour combattre les Troiens, et je ne le verrai plus revenir
dans ma demeure, dans la maison Pèléienne. Pendant qu'il
est vivant et qu'il voit la lumière de Hélios, il est triste, et je
ne puis le secourir. Les fils des Akhaiens lui avaient donné
pour récompense une vierge que le Roi Agamemnôn lui a
enlevée des mains, et il en gémissait dans son cœur. Mais
voici que les Troiens ont repoussé les Akhaiens jusqu'aux
nefs et les y ont renfermés. Les princes des Argiens ont supplié mon fils et lui ont offert de nombreux et illustres présents. Il a refusé de détourner lui-même leur ruine, mais il

a envoyé Patroklos au combat, couvert de ses armes et avec tout son peuple. Et, ce jour-là, sans doute, ils eussent renversé la Ville, si Apollôn n'eût tué aux premiers rangs le brave fils de Ménoitios qui accablait les Troiens, et n'eût donné la victoire à Hektôr. Et, maintenant, j'embrasse tes genoux ! Donne à mon fils, qui doit bientôt mourir, un bouclier, un casque, de belles knèmides avec leurs agrafes et une cuirasse, car son cher compagnon, tué par les Troiens, a perdu ses armes, et il gémit, couché sur la terre !

Et l'illustre Boiteux des deux pieds lui répondit :

— Rassure-toi, et n'aie plus d'inquiétudes dans ton esprit. Plût aux Dieux que je pusse le sauver de la mort lamentable quand le lourd destin le saisira, aussi aisément que je vais lui donner de belles armes qui empliront d'admiration la multitude des hommes.

Ayant ainsi parlé, il la quitta, et, retournant à ses soufflets, il les approcha du feu et leur ordonna de travailler. Et ils répandirent leur souffle dans vingt fourneaux, tantôt violemment, tantôt plus lentement, selon la volonté de Hèphaistos, pour l'accomplissement de son œuvre.

Et il jeta dans le feu le dur airain et l'étain, et l'or précieux et l'argent. Il posa sur un tronc une vaste enclume, et il saisit d'une main le lourd marteau et de l'autre la tenaille. Et il fit d'abord un bouclier grand et solide, aux ornements variés, avec un contour triple et resplendissant et une attache d'argent. Et il mit cinq bandes au bouclier, et il y traça, dans son intelligence, une multitude d'images. Il y représenta la terre et l'Ouranos, et la mer, et l'infatigable Hélios, et l'orbe entier de Sélènè, et tous les astres dont l'Ouranos est couronné : les Plèiades, les Hyades, la force d'Oriôn, et l'Ourse, qu'on nomme aussi le Chariot, qui se tourne sans cesse vers Oriôn, et qui, seule, ne tombe point dans les eaux de l'Okéanos.

Et il fit deux belles cités des hommes. Dans l'une on voyait des noces et des festins solennels. Et les épouses, hors des chambres nuptiales, étaient conduites par la ville, et de toutes parts montait le chant d'hyménée, et les jeunes hommes dansaient en rond, et les flûtes et les kithares sonnaient, et les femmes, debout sous les portiques, admiraient ces choses.

Et les peuples étaient assemblés dans l'agora, une querelle s'étant élevée. Deux hommes se disputaient pour l'amende d'un meurtre. L'un affirmait au peuple qu'il avait payé cette

amende, et l'autre niait l'avoir reçue. Et tous deux voulaient
qu'un arbitre finît leur querelle, et les citoyens les applaudissaient l'un et l'autre. Les hérauts apaisaient le peuple, et les
vieillards étaient assis sur des pierres polies, en un cercle
sacré. Les hérauts portaient des sceptres en main ; et les
plaideurs, prenant le sceptre, se défendaient tour à tour.
Deux talents d'or étaient déposés au milieu du cercle pour
celui qui parlerait selon la justice.

Puis, deux armées, éclatantes d'airain, entouraient l'autre
cité. Et les ennemis offraient aux citoyens, ou de détruire la
ville, ou de la partager, elle et tout ce qu'elle renfermait. Et
ceux-ci n'y consentaient pas, et ils s'armaient secrètement
pour une embuscade, et, sur les murailles, veillaient les femmes, les enfants et les vieillards. Mais les hommes marchaient, conduits par Arès et Athènè, tous deux en or, vêtus
d'or, beaux et grands sous leurs armes, comme il était convenable pour des Dieux ; car les hommes étaient plus petits.
Et, parvenus au lieu commode pour l'embuscade, sur les
bords du fleuve où boivent les troupeaux, ils s'y cachaient,
couverts de l'airain brillant.

Deux sentinelles, placées plus loin, guettaient les brebis et
les bœufs aux cornes recourbées. Et les animaux s'avançaient, suivis de deux bergers qui se charmaient en jouant
de la flûte, sans se douter de l'embûche.

Et les hommes cachés accouraient ; et ils tuaient les bœufs
et les beaux troupeaux de blanches brebis, et les bergers eux-
mêmes. Puis, ceux qui veillaient devant les tentes, entendant
ce tumulte parmi les bœufs, et montant sur leurs chars rapides, arrivaient aussitôt et combattaient sur les bords du
fleuve. Et ils se frappaient avec les lances d'airain, parmi la
discorde et le tumulte et la Kèr fatale. Et celle-ci blessait un
guerrier, ou saisissait cet autre sans blessure, ou traînait
celui-là par les pieds, à travers le carnage, et ses vêtements
dégouttaient de sang. Et tous semblaient des hommes
vivants qui combattaient et qui entraînaient de part et d'autre les cadavres.

Puis, Hèphaistos représenta une terre grasse et molle et
trois fois labourée. Et les laboureurs menaient dans ce
champ les attelages qui retournaient la terre. Parvenus au
bout, un homme leur offrait à chacun une coupe de vin
doux ; et ils revenaient, désirant achever les nouveaux sillons
qu'ils creusaient. Et la terre était d'or, et semblait noire derrière eux, et comme déjà labourée. Tel était ce miracle de
Hèphaistos.

Puis, il représenta un champ de hauts épis que des moissonneurs coupaient avec des faux tranchantes. Les épis tombaient, épais, sur les bords du sillon, et d'autres étaient liés
en gerbes. Trois hommes liaient les gerbes, et, derrière eux,
des enfants prenaient dans leurs bras les épis et les leur
offraient sans cesse. Le roi, en silence, le sceptre en main et
le cœur joyeux, était debout auprès des sillons. Des hérauts,
plus loin, sous un chêne, préparaient, pour le repas, un
grand bœuf qu'ils avaient tué, et les femmes saupoudraient
les viandes avec de la farine blanche, pour le repas des moissonneurs.

Puis, Hèphaïstos représenta une belle vigne d'or chargée
de raisins, avec des rameaux d'or sombre et des pieds d'argent. Autour d'elle un fossé bleu, et, au-dessus, une haie
d'étain. Et la vigne n'avait qu'un sentier où marchaient les
vendageurs. Les jeunes filles et les jeunes hommes qui
aiment la gaîté portaient le doux fruit dans des paniers
d'osier. Un enfant, au milieu d'eux, jouait harmonieusement
d'une kithare sonore, et sa voix fraîche s'unissait aux sons
des cordes. Et ils le suivaient, chantant, dansant avec
ardeur, et frappant tous ensemble la terre.

Puis, Hèphaistos représenta un troupeau de bœufs aux
grandes cornes. Et ils étaient faits d'or et d'étain, et, hors de
l'étable, en mugissant, ils allaient au pâturage, le long du
fleuve sonore qui abondait en roseaux. Et quatre bergers
d'or conduisaient les bœufs, et neuf chiens rapides les suivaient. Et voici que deux lions horribles saisissaient, en tête
des vaches, un taureau beuglant, et il était entraîné, poussant de longs mugissements. Les chiens et les bergers les
poursuivaient ; mais les lions déchiraient la peau du grand
bœuf, et buvaient ses entrailles et son sang noir. Et les bergers excitaient en vain les chiens rapides qui refusaient de
mordre les lions, et n'aboyaient de près que pour fuir aussitôt.

Puis, l'illustre Boiteux des deux pieds représenta un grand
pacage de brebis blanches, dans une grande vallée ; et des
étables, des enclos et des bergeries couvertes.

Puis, l'illustre Boiteux des deux pieds représenta un chœur
de danses, semblable à celui que, dans la grande Knôssos,
Daidalos fit autrefois pour Ariadnè aux beaux cheveux ; et
les adolescents et les belles vierges dansaient avec ardeur en
se tenant par la main. Et celles-ci portaient des robes légères, et ceux-là des tuniques finement tissées qui brillaient

comme de l'huile. Elles portaient de belles couronnes, et ils avaient des épées d'or suspendues à des baudriers d'argent. Et, habilement, ils dansaient en rond avec rapidité, comme la roue que le potier, assis au travail, sent courir sous sa main. Et ils tournaient ainsi en s'enlaçant par dessins variés ; et la foule charmée se pressait autour. Et deux sauteurs qui chantaient, bondissaient eux-mêmes au milieu du chœur.

Puis, Hèphaistos, tout autour du bouclier admirablement travaillé, représenta la grande force du Fleuve Okéanos.

Et, après le bouclier grand et solide, il fit la cuirasse plus éclatante que la splendeur du feu. Et il fit le casque épais, beau, orné, et adapté aux tempes du Pèléide, et il le surmonta d'une aigrette d'or. Puis il fit les knèmides d'étain flexible.

Et, quand l'illustre Boiteux des deux pieds eut achevé ces armes, il les déposa devant la mère d'Akhilleus, et celle-ci, comme l'épervier, sauta du faîte de l'Olympos neigeux, emportant les armes resplendissantes que Hèphaistos avait faites.

RHAPSODIE XIX

Eôs au péplos couleur de safran sortait des flots d'Okéanos pour porter la lumière aux Immortels et aux hommes. Et Thétis parvint aux nefs avec les présents du Dieu. Et elle trouva son fils bien-aimé entourant de ses bras Patroklos et pleurant amèrement. Et, autour de lui, ses compagnons gémissaient. Mais la Déesse parut au milieu d'eux, prit la main d'Akhilleus et lui dit :

— Mon enfant, malgré notre douleur, laissons-le, puisqu'il est mort par la volonté des Dieux. Reçois de Hèphaistos ces armes illustres et belles, telles que jamais aucun homme n'en a porté sur ses épaules.

Ayant ainsi parlé, la Déesse les déposa devant Akhilleus, et les armes merveilleuses résonnèrent. La terreur saisit les Myrmidones, et nul d'entre eux ne put en soutenir l'éclat, et ils tremblèrent ; mais Akhilleus, dès qu'il les vit, se sentit plus furieux, et, sous ses paupières, ses yeux brûlaient, terribles, et tels que la flamme. Il se réjouissait de tenir dans ses mains les présents splendides du Dieu ; et, après avoir admiré, plein de joie, ce travail merveilleux, aussitôt il dit à sa mère ces paroles ailées :

— Ma mère, certes, un Dieu t'a donné ces armes qui ne peuvent être que l'œuvre des Immortels, et qu'un homme ne pourrait faire. Je vais m'armer à l'instant. Mais je crains que les mouches pénètrent dans les blessures du brave fils de Ménoitios, y engendrent des vers, et, souillant ce corps où la vie est éteinte, corrompent tout le cadavre.

Et la Déesse Thétis aux pieds d'argent lui répondit :

— Mon enfant, que ces inquiétudes ne soient point dans ton esprit. Loin de Patroklos j'écarterai moi-même les essaims impurs des mouches qui mangent les guerriers tués dans le combat. Ce cadavre resterait couché ici toute une année, qu'il serait encore sain, et plus frais même. Mais toi, appelle les héros Akhaiens à l'agora, et, renonçant à ta colère contre le prince des peuples Agamemnôn, hâte-toi de t'armer et revêts-toi de ton courage.

Ayant ainsi parlé, elle le remplit de vigueur et d'audace ; et elle versa dans les narines de Patroklos l'ambroisie et le nektar rouge, afin que le corps fût incorruptible.

Et le divin Akhilleus courait sur le rivage de la mer, poussant des cris horribles, et excitant les héros Akhaiens. Et ceux qui, auparavant, restaient dans les nefs, et les pilotes qui tenaient les gouvernails, et ceux mêmes qui distribuaient les vivres auprès des nefs, tous allaient à l'agora où Akhilleus reparaissait, après s'être éloigné longtemps du combat. Et les deux serviteurs d'Arès, le belliqueux Tydéide et le divin Odysseus, boitant et appuyés sur leurs lances, car ils souffraient encore de leurs blessures, vinrent s'asseoir aux premiers rangs. Et le Roi des hommes, Agamemnôn, vint le dernier, étant blessé aussi, Koôn Antènoride l'ayant frappé de sa lance d'airain, dans la rude mêlée. Et quand tous les Akhaiens furent assemblés, Akhilleus aux pieds rapides, se levant au milieu d'eux, parla ainsi :

— Atréide, n'eût-il pas mieux valu nous entendre, quand, pleins de colère, nous avons consumé notre cœur pour cette jeune femme ? Plût aux Dieux que la flèche d'Artémis l'eût tuée sur les nefs, le jour où je la pris dans Lyrnèssos bien peuplée ! Tant d'Akhaiens n'auraient pas mordu la vaste terre sous des mains ennemies, à cause de ma colère. Ceci n'a servi qu'à Hektôr et aux Troiens ; et je pense que les Akhaiens se souviendront longtemps de notre querelle. Mais oublions le passé, malgré notre douleur ; et, dans notre poitrine, soumettons notre âme à la nécessité. Aujourd'hui, je dépose ma colère. Il ne convient pas que je sois toujours irrité. Mais toi, appelle promptement au combat les Akhaiens chevelus, afin que je marche aux Troiens et que je voie s'ils veulent dormir auprès des nefs. Il courbera volontiers les genoux, celui qui aura échappé à nos lances dans le combat.

Il parla ainsi, et les Akhaiens aux belles knèmides se réjouirent que le magnanime Pèléiôn renonçât à sa colère. Et le Roi des hommes, Agamemnôn, parla de son siège, ne se levant point au milieu d'eux :

— Ô chers héros Danaens, serviteurs d'Arès, il est juste d'écouter celui qui parle, et il ne convient point de l'interrompre, car cela est pénible, même pour le plus habile. Qui pourrait écouter et entendre au milieu du tumulte des hommes ? La voix sonore du meilleur agorète est vaine. Je parlerai au Pèléide. Vous, Argiens, écoutez mes paroles, et que chacun connaisse ma pensée. Souvent les Akhaiens m'ont accusé, mais je n'ai point causé leurs maux. Zeus, la Moire, Erinnys qui erre dans les ténèbres, ont jeté la fureur dans mon âme, au milieu de l'agora, le jour où j'ai enlevé la récompense d'Akhilleus. Mais qu'aurais-je fait ? Une Déesse accomplit tout, la vénérable fille de Zeus, la fatale Atè qui égare les hommes. Ses pieds aériens ne touchent point la terre, mais elle passe sur la tête des hommes qu'elle blesse, et elle n'enchaîne pas qu'eux. Autrefois, en effet, elle a égaré Zeus qui l'emporte sur les hommes et les Dieux. Hèrè trompa le Kronide par ses ruses, le jour où Alkmènè allait enfanter la force Hèraklèenne, dans Thèbè aux fortes murailles. Et, plein de joie, Zeus dit au milieu de tous les Dieux :

— Écoutez-moi, Dieux et Déesses, afin que je dise ce que mon esprit m'inspire. Aujourd'hui, Eiléithyia, qui préside aux douloureux enfantements, appellera à la lumière un homme, de ceux qui sont de ma race et de mon sang, et qui commandera sur tous ses voisins.

Et la vénérable Hèrè qui médite des ruses parla ainsi :

— Tu mens, et tu n'accompliras point tes paroles. Allons, Olympien ! jure, par un inviolable serment, qu'il commandera sur tous ses voisins, l'homme de ton sang et de ta race qui, aujourd'hui, tombera d'entre les genoux d'une femme.

Elle parla ainsi, et Zeus ne comprit point sa ruse, et il jura

un grand serment dont il devait souffrir dans la suite. Et,
quittant à la hâte le faîte de l'Olympos, Hèrè parvint dans
Argos Akhaienne où elle savait que l'illustre épouse de Sthénélos Persèiade portait un fils dans son sein. Et elle retarda
les douleurs de l'enfantement et les couches d'Alkmènè.
Puis, l'annonçant au Kroniôn Zeus, elle lui dit :

— Père Zeus qui tiens la foudre éclatante, je t'annoncerai
ceci : l'homme illustre est né qui commandera sur les
Argiens. C'est Eurystheus, fils de Sthénélos Persèiade, Il est
de ta race, et il n'est pas indigne de commander sur les
Argiens.

Elle parla ainsi, et une douleur aiguë et profonde blessa
le cœur de Zeus. Et, saisissant Atè par ses tresses brillantes,
il jura, par un inviolable serment, qu'elle ne reviendrait plus
jamais dans l'Olympos et dans l'Ouranos étoilé, Atè qui
égare tous les esprits. Il parla ainsi, et, la faisant tournoyer,
il la jeta, de l'Ouranos étoilé, au milieu des hommes. Et c'est
par elle qu'il gémissait, quand il voyait son fils bien-aimé
accablé de travaux sous le joug violent d'Eurystheus.

Et il en est ainsi de moi. Quand le grand Hektôr au casque
mouvant accablait les Argiens auprès des poupes des nefs,
je ne pouvais oublier cette fureur qui m'avait égaré. Mais,
puisque je t'ai offensé et que Zeus m'a ravi l'esprit, je veux
t'apaiser et te faire des présents infinis. Va donc au combat
et encourage les troupes ; et je préparerai les présents que le
divin Odysseus, hier, sous tes tentes, t'a promis. Ou, si tu le
désires, attends, malgré ton ardeur à combattre. Des hérauts
vont t'apporter ces présents, de ma nef, et tu verras ce que
je veux te donner pour t'apaiser.

Et Akhilleus aux pieds rapides lui répondit :

— Très illustre Atréide Agamemnôn, Roi des hommes, si
tu veux me faire ces présents, comme cela est juste, ou les
garder, tu le peux. Ne songeons maintenant qu'à combattre.
Il ne s'agit ni d'éviter le combat, ni de perdre le temps, mais
d'accomplir un grand travail. Il faut qu'on revoie Akhilleus
aux premiers rangs, enfonçant de sa lance d'airain les phalanges troiennes, et que chacun de vous se souvienne de
combattre un ennemi.

Et le sage Odysseus, lui répondant, parla ainsi :

— Bien que tu sois brave, ô Akhilleus semblable à un
Dieu, ne pousse point vers Ilios, contre les Troiens, les fils
des Akhaiens qui n'ont point mangé ; car la mêlée sera longue, dès que les phalanges des guerriers se seront heurtées,

et qu'un Dieu leur aura inspiré à tous la vigueur. Ordonne
que les Akhaiens se nourrissent de pain et de vin dans les
nefs rapides. Cela seul donne la force et le courage. Un guerrier ne peut, sans manger, combattre tout un jour, jusqu'à
la chute de Hélios. Quelle que soit son ardeur, ses membres
sont lourds, la soif et la faim le tourmentent, et ses genoux
sont rompus. Mais celui qui a bu et mangé combat tout un
jour contre l'ennemi, plein de courage, et ses membres ne
sont las que lorsque tous se retirent de la mêlée. Renvoie
l'armée et ordonne-lui de préparer le repas. Et le Roi des
hommes, Agamemnôn, fera porter ses présents au milieu de
l'agora, afin que tous les Akhaiens les voient de leurs yeux ;
et tu te réjouiras dans ton cœur. Et Agamemnôn jurera,
debout, au milieu des Argiens, qu'il n'est jamais entré dans
le lit de Brisèis, et qu'il ne l'a point possédée, comme c'est
la coutume, ô Roi, des hommes et des femmes. Et toi, Akhilleus, apaise ton cœur dans ta poitrine. Ensuite, Agamemnôn
t'offrira un festin sous sa tente, afin que rien ne manque à
ce qui t'est dû. Et toi, Atréide, sois plus équitable désormais.
Il est convenable qu'un Roi apaise celui qu'il a offensé le
premier.

Et le Roi des hommes, Agamemnôn, lui répondit :

— Laertiade, je me réjouis de ce que tu as dit. Tu n'as rien
oublié, et tu as tout expliqué convenablement. Certes, je
veux faire ce serment, car mon cœur me l'ordonne et je ne
me parjurerai point devant les Dieux. Qu'Akhilleus attende,
malgré son désir de combattre, et que tous attendent réunis,
jusqu'à ce que les présents soient apportés de mes tentes et
que nous ayons consacré notre alliance. Et toi, Odysseus, je
te le commande et te l'ordonne, prends les plus illustres des
jeunes fils des Akhaiens, et qu'ils apportent de mes nefs tout
ce que tu as promis hier au Pèléide ; et amène aussi les femmes. Et Talthybios préparera promptement, dans le vaste
camp des Akhaiens, le sanglier qui sera tué, en offrande à
Zeus et à Hélios.

Et Akhilleus aux pieds rapides, lui répondant, parla ainsi :

— Atréide Agamemnôn, très illustre Roi des hommes, tu
t'inquiéteras de ceci quand la guerre aura pris fin et quand
ma fureur sera moins grande dans ma poitrine. Ils gisent
encore sans sépulture ceux qu'à tués le Priamide Hektôr,
tandis que Zeus lui donnait la victoire, et vous songez à
manger ! J'ordonnerai plutôt aux fils des Akhaiens de
combattre maintenant, sans avoir mangé, et de ne préparer

un grand repas qu'au coucher de Hélios, après avoir vengé notre injure. Pour moi, rien n'entrera auparavant dans ma bouche, ni pain, ni vin. Mon compagnon est mort.; il est couché sous ma tente, percé de l'airain aigu, les pieds du côté de l'entrée, et mes autres compagnons pleurent autour de lui. Et je n'ai plus d'autre désir dans le cœur que le carnage, le sang et le gémissement des guerriers.

Et le sage Odysseus, lui répondant, parla ainsi :

— Ô Akhilleus Pèléide, le plus brave des Akhaiens, tu l'emportes de beaucoup sur moi, et tu vaux beaucoup mieux que moi par ta lance, mais ma sagesse est supérieure à la tienne, car je suis ton aîné, et je sais plus de choses. C'est pourquoi, cède à mes paroles. Le combat accable bientôt des hommes qui ont faim. L'airain couche d'abord sur la terre une moisson épaisse, mais elle diminue quand Zeus, qui est le juge du combat des hommes, incline ses balances. Ce n'est point par leur ventre vide que les Akhaiens doivent pleurer les morts. Les nôtres tombent en grand nombre tous les jours ; quand donc pourrions-nous respirer ? Il faut, avec un esprit patient, ensevelir nos morts, et pleurer ce jour-là ; mais ceux que la guerre haïssable a épargnés, qu'ils mangent et boivent, afin que, vêtus de l'airain indompté, ils puissent mieux combattre l'ennemi, et sans relâche. Qu'aucun de vous n'attende un meilleur conseil, car tout autre serait fatal à qui resterait auprès des nefs des Argiens. Mais, bientôt, marchons tous ensemble contre les Troiens dompteurs de chevaux, et soulevons une rude mêlée.

Il parla ainsi, et il choisit pour le suivre les fils de l'illustre Nestôr, et Mégès Phyléide, et Thoas, et Mèrionès, et le Kréiontiade Lykomèdès, et Mélanippos. Et ils arrivèrent aux tentes de l'Atréide Agamemnôn, et aussitôt Odysseus parla, et le travail s'acheva. Et ils emportèrent de la tente les sept trépieds qu'il avait promis, et vingt splendides coupes. Et ils emmenèrent douze chevaux et sept belles femmes habiles aux travaux, et la huitième fut Brisèis aux belles joues. Et Odysseus marchait devant avec dix talents d'or qu'il avait pesés ; et les jeunes hommes d'Akhaiè portaient ensemble les autres présents, et ils les déposèrent au milieu de l'agora.

Alors Agamemnôn se leva. Talthybios, semblable à un Dieu par la voix, debout auprès du prince des peuples, tenait un sanglier dans ses mains. Et l'Atréide saisit le couteau toujours suspendu auprès de la grande gaine de son épée, et coupant les soies du sanglier, les mains levées vers Zeus, il

les lui voua. Et les Argiens, assis en silence, écoutaient le
Roi respectueusement. Et, suppliant, il dit, regardant le
large Ouranos :

— Qu'ils le sachent tous, Zeus, le plus haut et le très puissant, et Gaia, et Hélios, et les Erinnyes qui, sous la terre,
punissent les hommes parjures : je n'ai jamais porté la main
sur la vierge Brisèis, ni partagé son lit, et je ne l'ai soumise
à aucun travail ; mais elle est restée intacte dans mes tentes.
Et si je ne jure point la vérité, que les Dieux m'envoient tous
les maux dont ils accablent celui qui les outrage en se par-
jurant.

Il parla ainsi, et, de l'airain cruel, il coupa la gorge du
sanglier. Et Talthybios jeta, en tournant, la victime dans les
grands flots de la blanche mer, pour être mangée par les
poissons. Et, se levant au milieu des belliqueux Argiens,
Akhilleus dit :

— Père Zeus ! certes, tu causes de grands maux aux hommes. L'Atréide n'eût jamais excité la colère dans ma poitrine,
et il ne m'eût jamais enlevé cette jeune femme contre ma
volonté, dans un mauvais dessein, si Zeus n'eût voulu donner la mort à une foule d'Akhaiens. Maintenant, allez manger, afin que nous combattions.

Il parla ainsi, et il rompit aussitôt l'agora, et tous se dispersèrent, chacun vers sa nef. Et les magnanimes. Myrmidones emportèrent les présents vers la nef du divin Akhilleus,
et ils les déposèrent dans les tentes, faisant asseoir les femmes et liant les chevaux auprès des chevaux.

Et dès que Brisèis, semblable à Aphroditè d'or, eut vu
Patroklos percé de l'airain aigu, elle se lamenta en l'entourant de ses bras, et elle déchira de ses mains sa poitrine, son
cou délicat et son beau visage. Et la jeune femme, semblable
aux Déesses, dit en pleurant :

— Ô Patroklos, si doux pour moi, malheureuse ! Je t'ai
laissé vivant quand je quittai cette tente, et voici que je te
retrouve mort, prince des peuples ! Pour moi le mal suit le
mal. L'homme à qui mon père et ma mère vénérable
m'avaient donnée, je l'ai vu, devant sa ville, percé de l'airain
aigu. Et mes trois frères, que ma mère avait enfantés, et que
j'aimais, trouvèrent aussi leur jour fatal. Et tu ne me permet-
tais point de pleurer, quand le rapide Akhilleus eut tué mon
époux et renversé la ville du divin Mynès, et tu me disais
que tu ferais de moi la jeune épouse du divin Akhilleus, et
que tu me conduirais sur tes nefs dans la Phthiè, pour y faire

le festin nuptial au milieu des Myrmidones. Aussi, toi qui étais si doux, je pleurerai toujours ta mort.

Elle parla ainsi, en pleurant. Et les autres jeunes femmes gémissaient, semblant pleurer sur Patroklos, et déplorant leurs propres misères.

Et les princes vénérables des Akhaiens, réunis autour d'Akhilleus, le suppliaient de manger, mais il ne le voulait pas :

— Je vous conjure, si mes chers compagnons veulent m'écouter, de ne point m'ordonner de boire et de manger, car je suis en proie à une amère douleur. Je puis attendre jusqu'au coucher de Hélios.

Il parla ainsi et renvoya les autres Rois, sauf les deux Atréides, le divin Odysseus, Nestôr, Idoméneus et le vieux cavalier Phoinix, qui restèrent pour charmer sa tristesse. Mais rien ne devait le consoler, avant qu'il se fût jeté dans la mêlée sanglante. Et le souvenir renouvelait ses gémissements, et il disait :

— Certes, autrefois, ô malheureux, le plus cher de mes compagnons, tu m'apprêtais toi-même, avec soin, un excellent repas, quand les Akhaiens portaient la guerre lamentable aux Troiens dompteurs de chevaux. Et, maintenant, tu gîs, percé par l'airain, et mon cœur, plein du regret de ta mort, se refuse à toute nourriture. Je ne pourrais subir une douleur plus amère, même si j'apprenais la mort de mon père qui, peut-être, dans la Phthiè, verse en ce moment des larmes, privé du secours de son fils, tandis que, sur une terre étrangère, je combats les Troiens dompteurs de chevaux pour la cause de l'exécrable Hélénè ; ou même, si je regrettais mon fils bien-aimé, qu'on élève à Skyros, Néoptolémos semblable à un Dieu, s'il vit encore. Autrefois, j'espérais dans mon cœur que je mourrais seul devant Troiè, loin d'Argos féconde en chevaux, et que tu conduirais mon fils, de Skyros vers la Phthiè, sur ta nef rapide ; et que tu lui remettrais mes domaines, mes serviteurs et ma haute et grande demeure. Car je pense que Pèleus n'existe plus, ou que, s'il traîne un reste de vie, il attend, accablé par l'affreuse vieillesse, qu'on lui porte la triste nouvelle de ma mort.

Il parla ainsi en pleurant, et les princes vénérables gémirent, chacun se souvenant de ce qu'il avait laissé dans ses demeures. Et le Kroniôn, les voyant pleurer, fut saisi de compassion, et il dit à Athènè ces paroles ailées :

— Ma fille, délaisses-tu déjà ce héros ? Akhilleus n'est-il plus rien dans ton esprit ? Devant ses nefs aux antennes dressées, il est assis, gémissant sur son cher compagnon. Les autres mangent, et lui reste sans nourriture. Va ! verse dans sa poitrine le nektar et la douce ambroisie, pour que la faim ne l'accable point.

Et, parlant ainsi, il excita Athènè déjà pleine d'ardeur. Et, semblable à l'aigle marin aux cris perçants, elle sauta de l'Ouranos dans l'Aithèr ; et tandis que les Akhaiens s'armaient sous les tentes, elle versa dans la poitrine d'Akhilleus le nektar et l'ambroisie désirable, pour que la faim mauvaise ne rompît pas ses genoux. Puis, elle retourna dans la solide demeure de son père très puissant, et les Akhaiens se répandirent hors des nefs rapides.

De même que les neiges épaisses volent dans l'air, refroidies par le souffle impétueux de l'aithèréen Boréas, de même, hors des nefs, se répandaient les casques solides et resplendissants, et les boucliers bombés, et les cuirasses épaisses, et les lances de frêne. Et la splendeur en montait dans l'Ouranos, et toute la terre, au loin, riait de l'éclat de l'airain, et retentissait du trépignement des pieds des guerriers. Et, au milieu d'eux, s'armait le divin Akhilleus ; et ses dents grinçaient, et ses yeux flambaient comme le feu, et une affreuse douleur emplissait son cœur ; et, furieux contre les Troiens, il se couvrit des armes que le Dieu Hèphaistos lui avait faites. Et. d'abord, il attacha autour de ses jambes, par des agrafes d'argent, les belles knèmides. Puis, il couvrit sa poitrine de la cuirasse. Il suspendit l'épée d'airain aux clous d'argent à ses épaules, et il saisit le bouclier immense et solide d'où sortait une longue clarté, comme de Sélènè. De même que la splendeur d'un ardent incendie apparaît de loin, sur la mer, aux matelots, et brûle, dans un enclos solitaire, au faîte des montagnes, tandis que les rapides tempêtes, sur la mer poissonneuse, les emportent loin de leurs amis ; de même l'éclat du beau et solide bouclier d'Akhilleus montait dans l'air. Et il mit sur sa tête le casque lourd. Et le casque à crinière luisait comme un astre, et les crins d'or que Hèphaistos avait posés autour se mouvaient par masses. Et le divin Akhilleus essaya ses armes, présents illustres, afin de voir si elles convenaient à ses membres. Et elles étaient comme des ailes qui enlevaient le prince des peuples. Et il retira de l'étui la lance paternelle, lourde, immense et solide, que ne pouvait soulever aucun des Akhaiens, et que, seul, Akhilleus savait manier : la lance Pèlienne que, du faîte du Pèlion, Khirôn avait apportée à Pèleus, pour le meurtre des héros.

Et Automédôn et Alkimos lièrent les chevaux au joug avec
de belles courroies ; ils leur mirent les freins dans la bouche,
et ils roidirent les rênes vers le siège du char. Et Automédôn
y monta, saisissant d'une main habile le fouet brillant, et
Akhilleus y monta aussi, tout resplendissant sous ses armes,
comme le matinal Hypérionide, et il dit rudement aux chevaux de son père :

— Xanthos et Balios, illustres enfants de Podargè, rame-
nez cette fois votre conducteur parmi les Danaens, quand
nous serons rassasiés du combat, et ne l'abandonnez point
mort comme Patroklos.

Et le cheval aux pieds rapides, Xanthos, lui parla sous le
joug ; et il inclina la tête, et toute sa crinière, flottant autour
du timon, tombait jusqu'à terre. Et la Déesse Hèrè aux bras
blancs lui permit de parler :

— Certes, nous te sauverons aujourd'hui, très brave Akhilleus ; cependant, ton dernier jour approche. Ne nous en
accuse point, mais le grand Zeus et la Moire puissante. Ce
n'est ni par notre lenteur, ni par notre lâcheté que les
Troiens ont arraché tes armes des épaules de Patroklos.
C'est le Dieu excellent que Lètô aux beaux cheveux a
enfanté, qui, ayant tué le Ménoitiade au premier rang, a
donné la victoire à Hektôr. Quand notre course serait telle
que le souffle de Zéphyros, le plus rapide des vents, tu n'en
tomberais pas moins sous les coups d'un Dieu et d'un
homme.

Et comme il parlait, les Erinnyes arrêtèrent sa voix, et
Akhilleus aux pieds rapides lui répondit, furieux :

— Xanthos, pourquoi m'annoncer la mort ? Que t'impor-
te ? Je sais que ma destinée est de mourir ici, loin de mon
père et de ma mère, mais je ne m'arrêterai qu'après avoir
assouvi les Troiens de combats.

Il parla ainsi, et, avec de grands cris, il poussa aux premiers rangs les chevaux aux sabots massifs.

RHAPSODIE XX

Auprès des nefs aux poupes recourbées, et autour de toi,
fils de Pèleus, les Akhaiens insatiables de combats s'armaient ainsi, et les Troiens, de leur côté, se rangeaient sur
la hauteur de la plaine.

Et Zeus ordonna à Thémis de convoquer les Dieux à l'agora, de toutes les cimes de l'Olympos. Et celle- ci, volant çà et là, leur commanda de se rendre à la demeure de Zeus. Et aucun des fleuves n'y manqua, sauf Okéanos ; ni aucune des Nymphes qui habitent les belles forêts, et les sources des fleuves et les prairies herbues. Et tous les Dieux vinrent s'asseoir, dans la demeure de Zeus qui amasse les nuées, sous les portiques brillants que Hèphaistos avait habilement construits pour le Père Zeus. Et ils vinrent tous ; et Poseidaôn, ayant entendu la Déesse, vint aussi de la mer ; et il s'assit au milieu d'eux, et il interrogea la pensée de Zeus :

— Pourquoi, ô Foudroyant, convoques-tu de nouveau les Dieux à l'agora ? Serait-ce pour délibérer sur les Troiens et les Akhaiens ? Bientôt, en effet, ils vont engager la bataille ardente.

Et Zeus qui amasse les nuées, lui répondant, parla ainsi :

— Tu as dit, Poseidaôn, dans quel dessein je vous ai tous réunis, car ces peuples périssables m'occupent en effet. Assis au faîte de l'Olympos, je me réjouirai en les regardant combattre, mais vous, allez tous vers les Troiens et les Akhaiens. Secourez les uns ou les autres, selon que votre cœur vous y poussera ; car si Akhilleus combat seul et librement les Troiens, jamais ils ne soutiendront la rencontre du rapide Pèléiôn. Déjà, son aspect seul les a épouvantés ; et, maintenant qu'il est plein de fureur à cause de son compagnon, je crains qu'il renverse les murailles d'Ilios, malgré le destin.

Le Kroniôn parla, suscitant une guerre inéluctable. Et tous les Dieux, opposés les uns aux autres, se préparèrent au combat. Et, du côté des nefs, se rangèrent Hèrè, et Pallas Athènè, et Poseidaôn qui entoure la terre, et Hermès utile et plein de sagesse, et Hèphaistos, boiteux et frémissant dans sa force. Et, du côté des Troiens, se rangèrent Arès aux armes mouvantes, et Phoibos aux longs cheveux, et Artémis joyeuse de ses flèches, et Lètô, et Xanthos, et Aphroditè qui aime les sourires.

Tant que les Dieux ne se mêlèrent point aux guerriers, les Akhaiens furent pleins de confiance et d'orgueil, parce qu'Akhilleus avait reparu, après s'être éloigné longtemps du combat. Et la terreur rompit les genoux des Troiens quand ils virent le Pèléiôn aux pieds rapides, resplendissant sous ses armes et pareil au terrible Arès. Mais quand les Dieux se furent mêlés aux guerriers, la violente Eris excita les deux

peuples. Et Athènè poussa des cris, tantôt auprès du fossé
creux, hors des murs, tantôt le long des rivages retentissants.
Et Arès, semblable à une noire tempête, criait aussi, soit au
faîte d'Ilios, en excitant les Troiens, soit le long des belles
collines du Simoïs. Ainsi les Dieux heureux engagèrent la
mêlée violente entre les deux peuples.

Et le Père des hommes et des Dieux tonna longuement
dans les hauteurs ; et Poseidaôn ébranla la terre immense et
les cimes des montagnes ; et les racines de l'Ida aux nombreuses sources tremblèrent, et la ville des Troiens et les nefs
des Akhaiens. Et le souterrain Aidôneus, le Roi des morts,
trembla, et il sauta, épouvanté, de son thrône ; et il cria, craignant que Poseidaôn qui ébranle la terre l'entr'ouvrît, et que
les Demeures affreuses et infectes, en horreur aux Dieux
eux-mêmes, fussent vues des mortels et des Immortels : tant
fut terrible le retentissement du choc des Dieux.

Et Phoibos Apollôn, avec ses flèches empennées, marchait
contre le roi Poseidaôn ; et la Déesse Athènè aux yeux clairs
contre Arès ; et Artémis, sœur de l'Archer Apollôn, joyeuse
de porter les sonores flèches dorées, contre Hèrè ; et, contre
Lètô, le sage et utile Hermès ; et, contre Hèphaistos, le grand
fleuve aux profonds tourbillons, que les Dieux nomment
Xanthos, et les hommes Skamandros. Ainsi les Dieux marchaient contre les Dieux.

Mais Akhilleus ne désirait rencontrer que le Priamide
Hektôr dans la mêlée, et il ne songeait qu'à boire le sang du
brave Priamide. Et Apollôn qui soulève les peuples excita
Ainéias contre le Pèléide, et il le remplit d'une grande force,
et semblable par la voix à Lykaôn, fils de Priamos, le fils de
Zeus dit à Ainéias :

— Ainéias, prince des Troiens, où est la promesse que tu
faisais aux Rois d'Ilios de combattre le Pèléide Akhilleus ?

Et Ainéias, lui répondant, parla ainsi :

— Priamide, pourquoi me pousses-tu à combattre l'orgueilleux Pèléiôn ? Je ne tiendrais pas tête pour la première
fois au rapide Akhilleus. Déjà, autrefois, de sa lance, il m'a
chassé de l'Ida, quand, ravissant nos bœufs, il détruisit Lyrnèssos et Pèdasos ; mais Zeus me sauva, en donnant la force
et la rapidité à mes genoux. Certes, je serais tombé sous les
mains d'Akhilleus et d'Athènè qui marchait devant lui et l'excitait à tuer les Léléges et les Troiens, à l'aide de sa lance
d'airain. Aucun guerrier ne peut lutter contre Akhilleus. Un
des Dieux est toujours auprès de lui qui le préserve. Ses

traits vont droit au but, et ne s'arrêtent qu'après s'être enfon-
cés dans le corps de l'homme. Si un Dieu rendait le combat
égal entre nous, il ne me dompterait pas aisément, bien qu'il
se vante d'être tout entier d'airain.

Et le Roi Apollôn, fils de Zeus, lui répondit :

— Héros, il t'appartient aussi d'invoquer les Dieux éternels. On dit aussi, en effet, qu'Aphrodite, fille de Zeus, t'a
enfanté, et lui est né d'une Déesse inférieure. Ta mère est
fille de Zeus, et la sienne est fille du Vieillard de la mer.
Pousse droit à lui l'airain indomptable, et que ses paroles
injurieuses et ses menaces ne t'arrêtent pas.

Ayant ainsi parlé, il inspira une grande force au prince
des peuples, qui courut en avant, armé de l'airain splendide.
Mais le fils d'Ankhisès, courant au Pèléide à travers la mêlée
des hommes, fut aperçu par Hèrè aux bras blancs, et celle-
ci, réunissant les Dieux, leur dit :

— Poseidaôn et Athènè, songez à ceci dans votre esprit :
Ainéias, armé de l'airain splendide, court au Pèléide, et Phoibos Apollôn l'y excite. Allons, écartons ce Dieu, et qu'un de
nous assiste Akhilleus et lui donne la force et l'intrépidité.
Qu'il sache que les plus puissants des Immortels l'aiment, et
que ce sont les plus faibles qui viennent en aide aux Troiens
dans le combat. Tous, nous sommes descendus de l'Ouranos
dans la mêlée, afin de le préserver des Troiens, en ce jour ;
et il subira ensuite ce que la destinée lui a filé avec le lin,
depuis que sa mère l'a enfanté. Si Akhilleus, dans ce combat,
ne ressent pas l'inspiration des Dieux, il redoutera la rencontre d'un Immortel, car l'apparition des Dieux épouvante les
hommes.

Et Poseidaôn qui ébranle la terre lui répondit :

— Hèrè, ne t'irrite point hors de raison, car cela ne te
convient pas. Je ne veux point que nous combattions les
autres Dieux, étant de beaucoup plus forts qu'eux. Asseyons-
nous hors de la mêlée, sur la colline, et laissons aux hommes
le souci de la guerre. Si Arès commence le combat, ou Phoibos Apollôn, et s'ils arrêtent Akhilleus et l'empêchent d'agir,
alors une lutte terrible s'engagera entre eux et nous, et je
pense que, promptement vaincus, ils retourneront dans
l'Ouranos, vers l'assemblée des Immortels, rudement domptés par nos mains irrésistibles.

Ayant ainsi parlé, Poseidaôn aux cheveux bleus les précéda vers la muraille haute du divin Hèraklès. Athènè et les
Troiens avaient autrefois élevé cette enceinte pour le mettre

à l'abri de la Baleine, quand ce monstre le poursuivait du
rivage dans la plaine. Là, Poseidaôn et les autres Dieux s'assirent, s'étant enveloppés d'une épaisse nuée. Et, de leur
côté, les Immortels, défenseurs d'Ilios, s'assirent sur les collines du Simoïs, autour de toi, Archer Apollôn, et de toi,
Arès, destructeur de citadelles ! Ainsi tous les Dieux étaient
assis, et ils méditaient, retardant le terrible combat, bien que
Zeus, tranquille dans les hauteurs, les y eût excités.

Et toute la plaine était emplie et resplendissait de l'airain
des chevaux et des hommes, et la terre retentissait sous les
pieds des deux armées. Et, au milieu de tous, s'avançaient,
prêts à combattre, Ainéias Ankhisiade et le divin Akhilleus.
Et Ainéias marchait menaçant, secouant son casque solide
et portant devant sa poitrine son bouclier terrible, et brandissant sa lance d'airain. Et le Pèléide se ruait sur lui,
comme un lion dangereux que toute une foule désire tuer.
Et il avance, méprisant ses ennemis ; mais, dès qu'un des
jeunes hommes l'a blessé, il ouvre la gueule, et l'écume jaillit
à travers ses dents, et son cœur rugit dans sa poitrine, et il
se bat les deux flancs et les reins de sa queue, s'animant au
combat. Puis, les yeux flambants, il bondit avec force droit
sur les hommes, afin de les déchirer ou d'en être tué lui-
même. Ainsi sa force et son orgueil poussaient Akhilleus
contre le magnanime Ainéias. Et, quand ils se furent rencontrés, le premier, le divin Akhilleus aux pieds rapides parla
ainsi :

— Ainéias, pourquoi sors-tu de la foule des guerriers ?
Désires-tu me combattre dans l'espoir de commander aux
Troiens dompteurs de chevaux, avec la puissance de Priamos ? Mais si tu me tuais, Priamos ne te donnerait point
cette récompense, car il a des fils, et lui-même n'est pas
insensé. Les Troiens, si tu me tuais, t'auraient-ils promis un
domaine excellent où tu jouirais de tes vignes et de tes moissons ? Mais je pense que tu le mériteras peu aisément, car
déjà je t'ai vu fuir devant ma lance. Ne te souviens-tu pas
que je t'ai précipité déjà des cimes Idaiennes, loin de tes
bœufs, et que, sans te retourner dans ta fuite, tu te réfugias
à Lyrnèssos ? Mais, l'ayant renversée, avec l'aide de Zeus et
d'Athènè, j'en emmenai toutes les femmes qui pleuraient
leur liberté. Zeus et les autres Dieux te sauvèrent. Cependant, je ne pense pas qu'ils te sauvent aujourd'hui comme
tu l'espères. Je te conseille donc de ne pas me tenir tête, et

de rentrer dans la foule avant qu'il te soit arrivé malheur.
L'insensé ne connaît son mal qu'après l'avoir subi.

Et Ainéias lui répondit :

— N'espère point, par des paroles, m'épouvanter comme
un enfant, car moi aussi je pourrais me répandre en outrages. L'un et l'autre nous connaissons notre race et nos
parents, sachant tous deux la tradition des anciens hommes,
bien que tu n'aies jamais vu mes parents, ni moi les tiens.
On dit que tu es le fils de l'illustre Pèleus et que ta mère est
la Nymphe marine Thétis aux beaux cheveux. Moi, je me
glorifie d'être le fils du magnanime Ankhisès, et ma mère est
Aphroditè. Les uns ou les autres, aujourd'hui, pleureront
leur fils bien-aimé, car je ne pense point que des paroles
enfantines nous éloignent du combat. Veux-tu bien connaître ma race, célèbre parmi la multitude des hommes ? Zeus
qui amasse les nuées engendra d'abord Dardanos, et celui-
ci bâtit Dardaniè. Et la sainte Ilios, citadelle des hommes,
ne s'élevait point encore dans la plaine, et les peuples habitaient aux pieds de l'Ida où abondent les sources. Et Dardanos engendra le roi Erikhthonios, qui fut le plus riche des
hommes. Dans ses marécages paissaient trois mille juments
fières de leurs poulains. Et Boréas, sous la forme d'un cheval
aux crins bleus, les aima et les couvrit comme elles paissaient, et elles firent douze poulines qui bondissaient dans
les champs fertiles, courant sur la cime des épis sans les
courber. Et quand elles bondissaient sur le large dos de la
mer, elles couraient sur la cime des écumes blanches. Et
Erikhthonios engendra le roi des Troiens, Trôs. Et Trôs
engendra trois fils irréprochables, Ilos, Assarakos et le divin
Ganymèdès, qui fut le plus beau des hommes mortels, et
que les Dieux enlevèrent à cause de sa beauté, afin qu'il fût
l'échanson de Zeus et qu'il habitât parmi les Immortels. Et
Ilos engendra l'illustre Laomédôn, et Laomédôn engendra
Tithônos, Priamos, Lampos, Klytios, et Hikétaôn, nourrisson d'Arès. Mais Assarakos engendra Kapys, qui engendra
Ankhisès, et Ankhisès m'a engendré, comme Priamos a
engendré le divin Hektôr. Je me glorifie de ce sang et de
cette race. Zeus, comme il le veut, augmente ou diminue la
vertu des hommes, étant le plus puissant. Mais, debout dans
la mêlée, ne parlons point plus longtemps comme de petits
enfants. Nous pourrions aisément amasser plus d'injures
que n'en porterait une nef à cent avirons. La langue des
hommes est rapide et abonde en discours qui se multiplient

de part et d'autre, et tout ce que tu diras, tu pourras l'entendre. Faut-il que nous luttions d'injures et d'outrages, comme des femmes furieuses qui combattent sur une place publique à coups de mensonges et de vérités, car la colère les mène ? Les paroles ne me feront pas reculer avant que tu n'aies combattu. Agis donc promptement, et goûtons tous deux de nos lances d'airain.

Il parla ainsi, et il poussa violemment la lance d'airain contre le terrible bouclier, dont l'orbe résonna sous le coup. Et le Pèléide, de sa main vigoureuse, tendit le bouclier loin de son corps, craignant que la longue lance du magnanime Ainéias passât au travers. L'insensé ne songeait pas que les présents glorieux des Dieux résistent aisément aux forces des hommes.

La forte lance du belliqueux Ainéias ne traversa point le bouclier, car l'or, présent d'un Dieu, arrêta le coup, qui perça deux larmes. Et il y en avait encore trois que le Boiteux avait disposées ainsi : deux larmes d'airain par-dessus, deux larmes d'étain au-dessous, et, au milieu, une larme d'or qui arrêta la pique d'airain. Alors Akhilleus jeta sa longue lance, qui frappa le bord du bouclier égal d'Ainéias, là où l'airain et le cuir étaient le moins épais. Et la lance Pèlienne traversa le bouclier qui retentit. Et Ainéias le tendit loin de son corps, en se courbant, plein de crainte. Et la lance, par-dessus son dos, s'enfonça en terre, ayant rompu les deux larmes du bouclier qui abritait le Troien. Et celui-ci resta épouvanté, et la douleur troubla ses yeux, quand il vit la grande lance enfoncée auprès de lui.

Et Akhilleus, arrachant de la gaine son épée aiguë, se rua avec un cri terrible. Et Ainéias saisit un lourd rocher, tel que deux hommes de maintenant ne pourraient le porter ; mais il le remuait aisément. Alors, Ainéias eût frappé Akhilleus, qui se ruait, soit au casque, soit au bouclier qui le préservait de la mort, et le Pèléide, avec l'épée, lui eût arraché l'âme, si Poseidaôn qui ébranle la terre ne s'en fût aperçu. Et aussitôt, il dit, au milieu des Dieux immortels :

— Hélas ! je gémis sur le magnanime Ainéias, qui va descendre chez Aidès, dompté par le Pèléide. L'Archer Apollôn a persuadé l'insensé et ne le sauvera point. Mais, innocent qu'il est, pourquoi subirait-il les maux mérités par d'autres ? N'a-t-il point toujours offert des présents agréables aux Dieux qui habitent le large Ouranos ? Allons ! sauvons-le de la mort, de peur que le Kronide ne s'irrite si Akhilleus le tue.

Sa destinée est de survivre, afin que la race de Dardanos ne périsse point, lui que le Kronide a le plus aimé parmi tous les enfants que lui ont donnés les femmes mortelles. Le Kroniôn est plein de haine pour la race de Priamos. La force d'Ainéias commandera sur les Troiens, et les fils de ses fils régneront, et ceux qui naîtront dans les temps à venir.

Et la vénérable Hèrè aux yeux de bœuf lui répondit :

— Poseidaôn, vois s'il te convient, dans ton esprit, de sauver Ainéias ou de laisser le Pèléide Akhilleus le tuer ; car nous avons souvent juré, moi et Pallas Athènè, au milieu des Dieux, que jamais nous n'éloignerions le jour fatal d'un Troien, même quand Troiè brûlerait tout entière dans le feu allumé par les fils des Akhaiens.

Et, dès que Poseidaôn qui ébranle la terre eut entendu ces paroles, il se jeta dans la mêlée, à travers le retentissement des lances, jusqu'au lieu où se trouvaient Ainéias et Akhilleus. Et il couvrit d'un brouillard les yeux du Pèléide ; et, arrachant du bouclier du magnanime Ainéias la lance à pointe d'airain, il la posa aux pieds d'Akhilleus. Puis, il enleva de terre Ainéias ; et celui-ci franchit les épaisses masses de guerriers et de chevaux, poussé par la main du Dieu. Et quand il fut arrivé aux dernières lignes de la bataille, là où les Kaukônes s'armaient pour le combat, Poseidaôn qui ébranle la terre, s'approchant, lui dit ces paroles ailées :

— Ainéias, qui d'entre les Dieux t'a persuadé, insensé, de combattre Akhilleus, qui est plus fort que toi et plus cher aux Immortels ? Recule quand tu le rencontreras, de peur que, malgré la Moire, tu descendes chez Aidès. Mais, quand Akhilleus aura subi la destinée et la mort, ose combattre aux premiers rangs, car aucun autre des Akhaiens ne te tuera.

Ayant ainsi parlé, il le quitta. Puis, il dispersa l'épais brouillard qui couvrait les yeux d'Akhilleus, et celui-ci vit tout clairement de ses yeux, et, plein de colère, il dit dans son esprit :

— Ô Dieux ! Certes, voici un grand prodige. Ma lance gît sur la terre, devant moi, et je ne vois plus le guerrier contre qui je l'ai jetée et que je voulais tuer ! Certes, Ainéias est cher aux Dieux immortels. Je pensais qu'il s'en vantait faussement. Qu'il vive ! Il n'aura plus le désir de me braver, maintenant qu'il a évité la mort. Mais, allons ! j'exhorterai les Danaens belliqueux et j'éprouverai la force des autres Troiens.

Il parla ainsi, et il courut à travers les rangs, commandant à chaque guerrier :

— Ne restez pas plus longtemps loin de l'ennemi, divins Akhaiens ! Marchez, homme contre homme, et prêts au combat. Il m'est difficile, malgré ma force, de poursuivre et d'attaquer seul tant de guerriers ; ni Arès, bien qu'il soit un Dieu immortel, ni Athènè, n'y suffiraient. Je vous aiderai de mes mains, de mes pieds, de toute ma vigueur, sans jamais faiblir ; et je serai partout, au travers de la mêlée ; et je ne pense pas qu'aucun Troien se réjouisse de rencontrer ma lance.

Il parla ainsi, et, de son côté, l'illustre Hektôr animait les Troiens, leur promettant qu'il combattrait Akhilleus :

— Troiens magnanimes, ne craignez point Akhilleus. Moi aussi, avec des paroles, je combattrais jusqu'aux Immortels ; mais, avec la lance, ce serait impossible, car ils sont les plus forts. Akhilleus ne réussira point dans tout ce qu'il dit. S'il accomplit une de ses menaces, il n'accomplira point l'autre. Je vais marcher contre lui, quand même il serait tel que le feu par ses mains. Oui ! quand même il serait tel que le feu par ses mains, quand il serait par sa vigueur tel que le fer ardent.

Il parla ainsi, et aussitôt les Troiens tendirent leurs lances, et ils se serrèrent, et une grande clameur s'éleva. Mais Phoibos Apollôn s'approcha de Hektôr et lui dit :

— Hektôr, ne sors point des rangs contre Akhilleus. Reste dans le tumulte de la mêlée, de peur qu'il te perce de la lance ou de l'épée, de loin ou de près.

Il parla ainsi, et le Priamide rentra dans la foule des guerriers, plein de crainte, dès qu'il eut entendu la voix du Dieu.

Et Akhilleus, vêtu de courage et de force, se jeta sur les Troiens en poussant des cris horribles. Et il tua d'abord le brave Iphitiôn Otryntéide, chef de nombreux guerriers, et que la Nymphe Nèis avait conçu du destructeur de citadelles Otrynteus, sous le neigeux Tmôlos, dans la fertile Hydè. Comme il se ruait en avant, le divin Akhilleus le frappa au milieu de la tête, et celle-ci se fendit en deux, et Iphitiôn tomba avec bruit, et le divin Akhilleus se glorifia ainsi :

— Te voilà couché sur la terre, Otryntéide, le plus effrayant des hommes ! Tu es mort ici, toi qui est né non loin du lac de Gygaiè où est ton champ paternel, sur les bords poissonneux du Hyllos et du Hermos tourbillonnant.

Il parla ainsi, triomphant, et le brouillard couvrit les yeux de Iphitiôn, que les chars des Akhaiens déchirèrent de leurs roues aux premiers rangs. Et, après lui, Akhilleus tua Dèmoléôn, brave fils d'Antènôr. Et il lui rompit la tempe à travers le casque d'airain, et le casque d'airain n'arrêta point le coup, et la pointe irrésistible brisa l'os en écrasant toute la cervelle. Et c'est ainsi qu'Akhilleus tua Dèmoléôn qui se ruait sur lui.

Et comme Hippodamas, sautant de son char, fuyait, Akhilleus le perça dans le dos d'un coup de lance. Et le Troien rendit l'âme en mugissant comme un taureau que des jeunes hommes entraînent à l'autel du Dieu de Hélikè, de Poseidaôn qui se réjouit du sacrifice. Et c'est ainsi qu'il mugissait et que son âme abandonna ses ossements.

Puis Akhilleus poursuivit de sa lance le divin Polydôros Priamide, à qui son père ne permettait point de combattre, étant le dernier-né de ses enfants et le plus aimé de tous. Et il surpassait tous les hommes à la course. Et il courait, dans une ardeur de jeunesse, fier de son agilité, parmi les premiers combattants ; mais le divin Akhilleus, plus rapide que lui, le frappa dans le dos, là où les agrafes d'or attachaient le baudrier sur la double cuirasse. Et la pointe de la lance le traversa jusqu'au nombril, et il tomba, hurlant, sur les genoux ; et une nuée noire l'enveloppa, tandis que, courbé sur la terre, il retenait ses entrailles à pleines mains.

Hektôr, voyant son frère Polydôros renversé et retenant ses entrailles avec ses mains, sentit un brouillard sur ses yeux, et il ne put se résoudre à combattre plus longtemps de loin, et il vint à Akhilleus, secouant sa lance aiguë et semblable à la flamme. Et Akhilleus le vit, et bondit en avant, et dit en triomphant :

— Voici donc l'homme qui m'a déchiré le cœur et qui a tué mon irréprochable compagnon ! Ne nous évitons pas plus longtemps dans les détours de la mêlée.

Il parla ainsi, et, regardant le divin Hektôr d'un œil sombre, il dit :

— Viens ! approche, afin de mourir plus vite !

Et Hektôr au casque mouvant lui répondit sans crainte :

— Pèléide, n'espère point m'épouvanter par des paroles comme un petit enfant. Moi aussi je pourrais parler injurieusement et avec orgueil. Je sais que tu es brave et que je ne te vaux pas ; mais nos destinées sont sur les genoux des Dieux. Bien que je sois moins fort que toi, je t'arracherai

peut-être l'âme d'un coup de ma lance. Elle aussi, elle a une
pointe perçante.

Il parla ainsi, et, secouant sa lance, il la jeta ; mais Athènè,
d'un souffle, l'écarta de l'illustre Akhilleus, et la repoussa
vers le divin Hektôr, et la fit tomber à ses pieds. Et Akhilleus,
furieux, se rua pour le tuer, en jetant des cris horribles ;
mais Apollôn enleva aisément le Priamide, comme le peut
un Dieu ; et il l'enveloppa d'une épaisse nuée. Et trois fois le
divin Akhilleus aux pieds rapides, se précipitant, perça cette
nuée épaisse de sa lance d'airain. Et, une quatrième fois,
semblable à un Daimôn, il se rua en avant, et il cria ces
paroles outrageantes :

— Chien ! de nouveau tu échappes à la mort. Elle t'a
approché de près, mais Phoibos Apollôn t'a sauvé, lui à qui
tu fais des vœux quand tu marches à travers le retentissement des lances. Je te tuerai, si je te rencontre encore, et si
quelque Dieu me vient en aide. Maintenant, je poursuivrai
les autres Troiens.

Ayant ainsi parlé, il perça Dryops au milieu de la gorge,
et l'homme tomba à ses pieds, et il l'abandonna. Puis, il
frappa de sa lance, au genou, le large et grand Dèmoukhos
Phylétoride ; puis, avec sa forte épée, il lui arracha l'âme. Et,
courant sur Laogonos et Dardanos, fils de Bias, il les renversa tous deux de leur char, l'un d'un coup de lance, l'autre
d'un coup d'épée.

Et Trôs Alastoride, pensant qu'Akhilleus l'épargnerait, ne
le tuerait point et le prendrait vivant, ayant pitié de sa jeunesse, vint embrasser ses genoux. Et l'insensé ne savait pas
que le Pèléide était inexorable, et qu'il n'était ni doux, ni
tendre, mais féroce. Et comme le Troien embrassait ses
genoux en le suppliant, Akhilleus lui perça le foie d'un coup
d'épée et le lui arracha. Un sang noir jaillit du corps de Trôs,
et le brouillard de la mort enveloppa ses yeux.

Et Akhilleus perça Moulios d'un coup de lance, de l'une à
l'autre oreille. Et de son épée à lourde poignée il fendit par
le milieu la tête de l'Agènoride Ekhéklos ; et l'épée fuma ruis-
selante de sang, et la noire mort et la Moire violente couvrirent ses yeux.

Et il frappa Deukaliôn là où se réunissent les nerfs du
coude. La pointe d'airain lui engourdit le bras, et il resta
immobile, voyant la mort devant lui. Et Akhilleus, d'un coup
d'épée, lui enleva la tête, qui tomba avec le casque. La moelle
jaillit des vertèbres, et il resta étendu contre terre.

Puis, Akhilleus se jeta sur le brave Rhigmos, fils de Pei-
réôs, qui était venu de la fertile Thrèkè. Et il le perça de sa
lance dans le ventre, et l'homme tomba de son char. Et
comme Arèithoos, compagnon de Rhigmos, faisait retourner les chevaux, Akhilleus, le perçant dans le dos d'un coup
de lance, le renversa du char ; et les chevaux s'enfuirent
épouvantés.

De même qu'un vaste incendie gronde dans les gorges profondes d'une montagne aride, tandis que l'épaisse forêt brûle
et que le vent secoue et roule la flamme ; de même Akhilleus
courait, tel qu'un Daimôn, tuant tous ceux qu'il poursuivait,
et la terre noire ruisselait de sang.

De même que deux bœufs au large front foulent, accou-
plés, l'orge blanche dans une aire arrondie, et que les tiges
frêles laissent échapper les graines sous les pieds des bœufs
qui mugissent ; de même, sous le magnanime Akhilleus, les
chevaux aux sabots massifs foulaient les cadavres et les
boucliers. Et tout l'essieu était inondé de sang, et toutes les
parois du char ruisselaient des gouttes de sang qui jaillissaient des roues et des sabots des chevaux. Et le Pèléide était
avide de gloire, et le sang souillait ses mains inévitables.

RHAPSODIE XXI

Et quand les Troiens furent arrivés au gué du fleuve au
beau cours, du Xanthos tourbillonnant qu'engendra l'immortel Zeus, le Pèléide, partageant leurs phalanges, les
rejeta dans la plaine, vers la Ville, là où les Akhaiens,
fuyaient la veille, bouleversés par la fureur de l'illustre
Hektôr.

Et les uns se précipitaient çà et là dans leur fuite, et, pour
les arrêter, Hèrè répandit devant eux une nuée épaisse ; et
les autres roulaient dans le fleuve profond aux tourbillons
d'argent. Ils y tombaient avec un grand bruit, et les eaux et
les rives retentissaient, tandis qu'ils nageaient çà et là, en
poussant des cris, au milieu des tourbillons.

De même que des sauterelles volent vers un fleuve, chas-
sées par l'incendie, et que le feu infatigable éclate brusquement avec plus de violence, et qu'elles se jettent,
épouvantées, dans l'eau ; de même, devant Akhilleus, le

cours retentissant du Xanthos aux profonds tourbillons s'emplissait confusément de chevaux et d'hommes.

Et le divin Akhilleus, laissant sa lance sur le bord, appuyée contre un tamaris, et ne gardant que son épée, sauta lui-même dans le fleuve, semblable à un Daimôn, et méditant une œuvre terrible. Et il frappait tout autour de lui ; et il excitait de l'épée les gémissements des blessés, et le sang rougissait l'eau.

De même que les poissons qui fuient un grand dauphin emplissent, épouvantés, les retraites secrètes des baies tranquilles, tandis qu'il dévore tous ceux qu'il saisit ; de même les Troiens, à travers le courant impétueux du fleuve, se cachaient sous les rochers. Et quand Akhilleus fut las de tuer, il tira du fleuve douze jeunes hommes vivants qui devaient mourir, en offrande à Patroklos Ménoitiade. Et les retirant du fleuve, tremblants comme des faons, il leur lia les mains derrière le dos avec les belles courroies qui retenaient leurs tuniques retroussées, et il les remit à ses compagnons pour être conduits aux nefs creuses. Puis, il se rua en avant pour tuer encore.

Et il aperçut un fils du Dardanide Priamos, Lykaôn, qui sortait du fleuve. Et il l'avait autrefois enlevé, dans une marche de nuit, loin du verger de son père. Et Lykaôn taillait avec l'airain tranchant les jeunes branches d'un figuier pour en faire les deux hémicycles d'un char. Et le divin Akhilleus survint brusquement pour son malheur, et, l'emmenant sur ses nefs, il le vendit à Lemnos bien bâtie, et le fils de Ièsôn l'acheta. Et Étiôn d'Imbros, son hôte, l'ayant racheté à grand prix, l'envoya dans la divine Arisbè, d'où il revint en secret dans la demeure paternelle. Et, depuis onze jours, il se réjouissait avec ses amis, étant revenu de Lemnos, et, le douzième, un Dieu le rejeta aux mains d'Akhilleus, qui devait l'envoyer violemment chez Aidès. Et dès que le divin Akhilleus aux pieds rapides l'eut reconnu qui sortait nu du fleuve, sans casque, sans bouclier et sans lance, car il avait jeté ses armes, étant rompu de fatigue et couvert de sueur, aussitôt le Pèléide irrité se dit dans son esprit magnanime :

— Ô Dieux ! certes, voici un grand prodige. Sans doute aussi les Troiens magnanimes que j'ai tués se relèveront des ténèbres noires, puisque celui-ci, que j'avais vendu dans la sainte Lemnos, reparaît, ayant évité la mort. La profondeur de la blanche mer qui engloutit tant de vivants ne l'a point arrêté. Allons ! il sentira la pointe de ma lance, et je verrai

et je saurai s'il s'évadera de même, et si la terre féconde le
retiendra, elle qui dompte le brave.

Il pensait ainsi, immobile. Et Lykaôn vint à lui, tremblant
et désirant embrasser ses genoux, car il voulait éviter la mort
mauvaise et la Kèr noire. Et le divin Akhilleus leva sa longue
lance pour le frapper ; mais Lykaôn saisit ses genoux en se
courbant, et la lance, avide de mordre la chair, par-dessus
son dos s'enfonça en terre. Et tenant d'une main la lance
aiguë qu'il ne lâchait point, et de l'autre bras entourant les
genoux d'Akhilleus, il le supplia par ces paroles ailées :

— J'embrasse tes genoux, Akhilleus ! honore-moi, aie
pitié de moi ! Je suis ton suppliant, ô race divine ! J'ai goûté
sous ton toit les dons de Dèmètèr, depuis le jour où tu m'en-
levas de nos beaux vergers pour me vendre, loin de mon père
et de mes amis, dans la sainte Lemnos, où je te valus le prix
de cent bœufs. Et je fus racheté pour trois fois autant. Voici
le douzième jour, après tant de maux soufferts, que je suis
rentré dans Ilios, et de nouveau la Moire fatale me remet
dans tes mains ! Je dois être odieux au Père Zeus, qui me
livre à toi de nouveau. Sans doute elle m'a enfanté pour peu
de jours ma mère Laothoè, fille du vieux Altès qui
commande aux belliqueux Léléges, et qui habite la haute
Pèdasos sur les bords du fleuve Satnioïs. Et Priamos pos-
séda Laothoè parmi toutes ses femmes, et elle eut deux fils,
et tu les auras tués tous deux. En tête des hommes de pied
tu as dompté Polydôros égal à un Dieu, en le perçant de ta
lance aiguë. Et voici que le malheur est maintenant sur moi,
car je n'éviterai pas tes mains, puisqu'un Dieu m'y a jeté.
Mais je te le dis, et que mes paroles soient dans ton esprit :
ne me tue point, puisque je ne suis pas le frère utérin de
Hektôr, qui a tué ton compagnon doux et brave.

Et l'illustre fils de Priamos parla ainsi, suppliant ; mais il
entendit une voix inexorable :

— Insensé ! ne parle plus jamais du prix de ton affranchissement. Avant le jour suprême de Patroklos, il me plaisait d'épargner les Troiens. J'en ai pris un grand nombre
vivants et je les ai vendus. Maintenant, aucun des Troiens
qu'un Dieu me jettera dans les mains n'évitera la mort, surtout les fils de Priamos. Ami, meurs. Pourquoi gémir en
vain ? Patroklos est bien mort, qui valait beaucoup mieux
que toi. Regarde ! Je suis beau et grand, je suis né d'un noble
père ; une Déesse m'a enfanté ; et cependant la mort et la
Moire violente me saisiront, le matin, le soir ou à midi, et

quelqu'un m'arrachera l'âme, soit d'un coup de lance, soit d'une flèche.

Il parla ainsi, et les genoux et le cœur manquèrent au Priamide. Et, lâchant la lance, il s'assit, les mains étendues. Et Akhilleus, tirant son épée aiguë, le frappa au cou, près de la clavicule, et l'airain entra tout entier. Lykaôn tomba sur la face ; un sang noir jaillit et ruissela par terre. Et Akhilleus, le saisissant par les pieds, le jeta dans le fleuve, et il l'insulta en paroles rapides :

— Va ! reste avec les poissons, qui boiront tranquillement le sang de ta blessure. Ta mère ne te déposera point sur le lit funèbre, mais le Skamandros tourbillonnant t'emportera dans la vaste mer, et quelque poisson, sautant sur l'eau, dévorera la chair blanche de Lykaôn dans la noire horreur de l'abîme. Périssez tous, jusqu'à ce que nous renversions la sainte Ilios ! Fuyez, et moi je vous tuerai en vous poursuivant. Il ne vous sauvera point, le fleuve au beau cours, aux tourbillons d'argent, à qui vous sacrifiez tant de taureaux et tant de chevaux vivants que vous jetez dans ses tourbillons ; mais vous périrez tous d'une mort violente, jusqu'à ce que vous ayez expié le meurtre de Patroklos et le carnage des Akhaiens que vous avez tués, moi absent, auprès des nefs rapides.

Il parla ainsi, et le fleuve irrité délibérait dans son esprit comment il réprimerait la fureur du divin Akhilleus et repousserait cette calamité loin des Troiens.

Et le fils de Pèleus, avec sa longue lance, sauta sur Astéropaios, fils de Pèlégôn, afin de le tuer. Et le large Axios engendra Pèlégôn, et il avait été conçu par l'aînée des filles d'Akessaménos, Périboia, qui s'était mise à ce fleuve aux profonds tourbillons. Et Akhilleus courait sur Astéropaios qui, hors du fleuve, l'attendait, deux lances aux mains ; car le Xanthos, irrité à cause des jeunes hommes qu'Akhilleus avait égorgés dans ses eaux, avait inspiré la force et le courage au Pèlégonide. Et quand ils se furent rencontrés, le divin Pèléide aux pieds rapides lui parla ainsi :

— Qui es-tu parmi les hommes, toi qui oses m'attendre ? Ce sont les fils des malheureux qui s'opposent à mon courage.

Et l'illustre fils de Pèlégôn lui répondit :

— Magnanime Pèléide, pourquoi demander quelle est ma race ? Je viens de la Paioniè fertile et lointaine, et je commande les Paiones aux longues lances. Il y a onze jours

que je suis arrivé dans Ilios. Je descends du large fleuve
Axios qui répand ses eaux limpides sur la terre, et qui engen-
dra l'illustre Pèlégôn ; et on dit que Pèlégôn est mon père.
Maintenant, divin Akhilleus, combattons !

Il parla ainsi, menaçant. Et le divin Akhilleus leva la lance
Pèlienne, et le héros Astéropaios, de ses deux mains à la fois,
jeta ses deux lances ; et l'une, frappant le bouclier, ne put le
rompre, arrêtée par la lame d'or, présent d'un Dieu ; et l'autre effleura le coude du bras droit. Le sang noir jaillit, et
l'arme, avide de mordre la chair, s'enfonça en terre. Alors
Akhilleus lança sa pique rapide contre Astéropaios, voulant
le tuer ; mais il le manqua, et la pique de frêne, en frémissant, s'enfonça presque en entier dans le tertre du bord. Et
le Pèléide, tirant son épée aiguë, se jeta sur Astéropaios qui
s'efforçait d'arracher du rivage la lance d'Akhilleus. Et, trois
fois, il l'ébranla pour l'arracher, et comme il allait, une quatrième fois, tenter de rompre la lance de frêne de l'Aiakide,
celui-ci lui arracha l'âme, l'ayant frappé dans le ventre, au
nombril. Et toutes les entrailles s'échappèrent de la plaie, et
la nuit couvrit ses yeux. Et Akhilleus, se jetant sur lui, le
dépouilla de ses armes, et dit, triomphant :

— Reste là, couché. Il n'était pas aisé pour toi de combattre les enfants du tout-puissant Kroniôn, bien que tu sois né
d'un fleuve au large cours, et moi je me glorifie d'être de
la race du grand Zeus. Pèleus Aiakide qui commande aux
nombreux Myrmidones m'a engendré, et Zeus a engendré
Aiakos. Autant Zeus est supérieur aux fleuves qui se jettent
impétueusement dans la mer, autant la race de Zeus est
supérieure à celle des fleuves. Voici un grand fleuve auprès
de toi ; qu'il te sauve, s'il peut. Mais il n'est point permis de
lutter contre Zeus Kroniôn. Le roi Akhélôios lui-même ne
se compare point à Zeus, ni la grande violence du profond
Okéanos d'où sont issus toute la mer, tous les fleuves, toutes
les fontaines et toutes les sources. Mais lui-même redoute la
foudre du grand Zeus, l'horrible tonnerre qui prolonge son
retentissement dans l'Ouranos.

Il parla ainsi, et arrachant du rivage sa lance d'airain, il le
laissa mort sur le sable, et baigné par l'eau noire. Et les
anguilles et les poissons l'environnaient, mangeant la graisse
de ses reins. Et Akhilleus se jeta sur les cavaliers Paiones qui
s'enfuirent le long du fleuve tourbillonnant, quand ils virent
leur brave chef, dans le rude combat, tué d'un coup d'épée
par les mains d'Akhilleus.

Et il tua Thersilokhos, et Mydôn, et Astypylos, et Mnèsos, et Thrasios, et Ainios, et Ophélestès. Et le rapide Akhilleus eût tué beaucoup d'autres Paiones, si le fleuve aux profonds tourbillons, irrité, et semblable à un homme, ne lui eût dit du fond d'un tourbillon :

— Ô Akhilleus, certes, tu es très brave ; mais tu égorges affreusement les hommes, et les Dieux eux-mêmes te viennent en aide. Si le fils de Kronos te livre tous les Troiens pour que tu les détruises, du moins, les chassant hors de mon lit, tue-les dans la plaine. Mes belles eaux sont pleines de cadavres, et je ne puis mener à la mer mon cours divin entravé par les morts, et tu ne cesses de tuer. Arrête, car l'horreur me saisit, ô prince des peuples !

Et Akhilleus aux pieds rapides lui répondit :

— Je ferai ce que tu veux, divin Skamandros ; mais je ne cesserai point d'égorger les Troiens insolents avant de les avoir enfermés dans leur Ville, et d'avoir trouvé Hektôr face à face, afin qu'il me tue, ou que je le tue.

Il parla ainsi et se jeta comme un Daimôn sur les Troiens. Et le fleuve aux profonds tourbillons dit à Apollôn :

— Hélas ! fils de Zeus, toi qui portes l'arc d'argent, tu n'obéis pas au Kroniôn qui t'avait commandé de venir en aide aux Troiens, et de les protéger jusqu'au moment où le crépuscule du soir couvrira de son ombre la terre féconde.

Il parla ainsi ; mais Akhilleus sauta du rivage au milieu de l'eau, et le fleuve se gonfla en bouillonnant, et, furieux, il roula ses eaux bouleversées, soulevant tous les cadavres dont il était plein, et qu'avait faits Akhilleus, et les rejetant sur ses bords en mugissant comme un taureau. Mais il sauvait ceux qui vivaient encore, en les cachant parmi ses belles eaux, dans ses tourbillons profonds.

Et l'eau tumultueuse et terrible montait autour d'Akhilleus en heurtant son bouclier avec fureur, et il chancelait sur ses pieds. Et, alors, il saisit des deux mains un grand orme qui, tombant déraciné, en déchirant toute la berge, amassa ses branches épaisses en travers du courant, et, couché tout entier, fit un pont sur le fleuve. Et Akhilleus, sautant de là hors du gouffre, s'élança, épouvanté, dans la plaine. Mais le grand fleuve ne s'arrêta point, et il assombrit la cime de ses flots, afin d'éloigner le divin Akhilleus du combat, et de reculer la chute d'Ilios.

Et le Pèléide fuyait par bonds d'un jet de lance, avec l'impétuosité de l'aigle noir, de l'aigle chasseur, le plus fort et le plus rapide des oiseaux. C'est ainsi qu'il fuyait. Et l'airain retentissait horriblement sur sa poitrine ; et il se dérobait en courant, mais le fleuve le poursuivait toujours à grand bruit.

Quand un fontainier a mené, d'une source profonde, un cours d'eau à travers les plantations et les jardins, et qu'il a écarté avec sa houe tous les obstacles à l'écoulement, les cailloux roulent avec le flot qui murmure, et court sur la pente, et devance le fontainier lui-même. C'est ainsi que le fleuve pressait toujours Akhilleus, malgré sa rapidité, car les Dieux sont plus puissants que les hommes. Et toutes les fois que le divin et rapide Akhilleus tentait de s'arrêter, afin de voir si tous les Immortels qui habitent le large Ouranos voulaient l'épouvanter, autant de fois l'eau du fleuve divin se déroulait par-dessus ses épaules. Et, triste dans son cœur, il bondissait vers les hauteurs ; mais le Xanthos furieux heurtait obliquement ses genoux et dérobait le fond sous ses pieds. Et le Pèléide hurla vers le large Ouranos :

— Père Zeus ! aucun des Dieux ne veut-il me délivrer de ce fleuve, moi, misérable ! Je subirai ensuite ma destinée. Certes, nul d'entre les Ouraniens n'est plus coupable que ma mère bien-aimée qui m'a menti, disant que je devais périr par les flèches rapides d'Apollôn sous les murs des Troiens cuirassés. Plût aux Dieux que Hektôr, le plus brave des hommes nouris ici, m'eût tué ! Un brave au moins eût tué un brave. Et, maintenant, voici que ma destinée est de subir une mort honteuse, étouffé dans ce grand fleuve, comme un petit porcher qu'un courant a noyé, tandis qu'il le traversait par un mauvais temps !

Il parla ainsi, et aussitôt Poseidaôn et Athènè s'approchèrent de lui sous des formes humaines ; et, prenant sa main entre leurs mains, ils le rassurèrent. Et Poseidaôn qui ébranle la terre lui dit :

— Pèléide, rassure-toi, et cesse de craindre. Nous te venons en aide, Athènè et moi, et Zeus nous approuve. Ta destinée n'est point de mourir dans ce fleuve, et tu le verras bientôt s'apaiser. Mais nous te conseillerons sagement, si tu nous obéis. Ne cesse point d'agir de tes mains dans la rude mêlée, que tu n'aies renfermé les Troiens dans les illustres murailles d'Ilios, ceux du moins qui t'auront échappé. Puis, ayant arraché l'âme à Hektôr, retourne vers les nefs. Nous te réservons une grande gloire.

Ayant ainsi parlé, ils rejoignirent les Immortels. Et Akhilleus, excité par les paroles des Dieux, s'élança dans la plaine

où l'eau débordait de tous côtés, soulevant les belles armes
des guerriers morts, et les cadavres aussi. Et ses genoux le
soutinrent contre le courant impétueux, et le large fleuve ne
put le retenir, car Athènè lui avait donné une grande
vigueur. Mais le Skamandros n'apaisa point sa fureur, et il
s'irrita encore plus contre le Pèléide, et soulevant toute son
onde, il appela le Simoïs à grands cris :

— Cher frère, brisons tous deux la vigueur de cet homme
qui renversera bientôt la grande Ville du roi Priamos, car les
Troiens ne combattent plus. Viens très promptement à mon
aide. Emplis-toi de toute l'eau des sources, enfle tous les torrents, et hausse une grande houle pleine de bruit, de troncs
d'arbres et de rochers, afin que nous arrêtions cet homme
féroce qui triomphe, et ose tout ce qu'osent les Dieux. Je jure
ceci : à quoi lui serviront sa force, sa beauté et ses belles
armes, quand tout sera couché au fond de mon lit, sous la
boue ? Et, lui-même, je l'envelopperai de sables et de limons,
et les Akhaiens ne pourront recueillir ses os, tant je les
enfouirai sous la boue. Et la boue sera son sépulcre, et
quand les Akhaiens voudront l'ensevelir, il n'aura plus
besoin de tombeau !

Il parla ainsi, et sur Akhilleus il se rua tout bouillonnant
de fureur, plein de bruit, d'écume, de sang et de cadavres.
Et l'onde pourprée du fleuve tombé de Zeus se dressa, saisissant le Pèléide. Et, alors, Hèrè poussa un cri, craignant que
le grand fleuve tourbillonnant engloutît Akhilleus, et elle dit
aussitôt à son fils bien-aimé Hèphaistos :

— Va, Hèphaistos, mon fils ! combats le Xanthos tourbillonnant que nous t'avons donné pour adversaire. Va ! allume
promptement tes flammes innombrables. Moi, j'exciterai,
du sein de la mer, la violence de Zéphyros et du tempétueux
Notos, afin que l'incendie dévore les têtes et les armes des
Troiens. Et toi, brûle tous les arbres sur les rives du Xanthos, embrase-le lui-même, et n'écoute ni ses flatteries, ni
ses menaces ; mais déploie toute ta violence, jusqu'à ce que
je t'avertisse ; et, alors, éteins l'incendie infatigable.

Elle parla ainsi, et Hèphaistos alluma le vaste feu qui,
d'abord, consuma dans la plaine les nombreux cadavres
qu'avait faits Akhilleus. Et toute la plaine fut desséchée, et
l'eau divine fut réprimée. De même que Boréas, aux jours
d'automne, sèche les jardins récemment arrosés et réjouit
le jardinier, de même le feu dessécha la plaine et brûla les
cadavres. Puis, Hèphaistos tourna contre le fleuve sa

flamme resplendissante ; et les ormes brûlaient, et le glaïeul,
et le cyprès, qui abondaient tous autour du fleuve aux belles
eaux. Et les anguilles et les poissons nageaient çà et là, ou
plongeaient dans les tourbillons, poursuivis par le souffle du
sage Hèphaistos. Et la force même du fleuve fut consumée,
et il cria ainsi :

— Hèphaistos ! aucun des Dieux ne peut lutter contre toi.
Je ne combattrai point tes feux brûlants. Cesse donc. Le
divin Akhilleus peut chasser tous les Troiens de leur Ville.
Pourquoi les secourir et que me fait leur querelle ?

Il parla ainsi, brûlant, et ses eaux limpides bouillonnaient.
De même qu'un vase bout sur un grand feu qui fond la
graisse d'un sanglier gras, tandis que la flamme du bois sec
l'enveloppe ; de même le beau cours du Xanthos brûlait, et
l'eau bouillonnait, ne pouvant plus couler dans son lit, tant
le souffle ardent du sage Hèphaistos la dévorait. Alors, le
Xanthos implora Hèrè en paroles rapides :

— Hèrè ! pourquoi ton fils me tourmente-t-il ainsi ? Je ne
suis point, certes, aussi coupable que les autres Dieux qui
secourent les Troiens. Je m'arrêterai moi-même, si tu ordonnes à ton fils de cesser. Et je jure aussi de ne plus retarder
le dernier jour des Troiens, quand même Troiè périrait par
le feu, quand même les fils belliqueux des Akhaiens la
consumeraient tout entière !

Et la Déesse Hèrè aux bras blancs, l'ayant entendu, dit
aussitôt à son fils bien-aimé Hèphaistos :

— Hèphaistos, arrête, mon illustre fils ! Il ne convient pas
qu'un Dieu soit tourmenté à cause d'un homme.

Elle parla ainsi, et Hèphaistos éteignit le vaste incendie,
et l'eau reprit son beau cours ; et la force du Xanthos étant
domptée, ils cessèrent le combat ; et, bien qu'irritée, Hèrè
les apaisa tous deux.

Mais, alors, une querelle terrible s'éleva parmi les autres
Dieux, et leur esprit leur inspira des pensées ennemies. Et
ils coururent les uns sur les autres ; et la terre large rendit
un son immense ; et, au-dessus, le grand Ouranos retentit.
Et Zeus, assis sur l'Olympos, se mit à rire ; et la joie emplit
son cœur quand il vit la dissension des Dieux. Et ils ne retar-
dèrent point le combat. Arès, qui rompt les boucliers, attaqua, le premier, Athènè. Et il lui dit cette parole outrageante,
en brandissant sa lance d'airain :

— Mouche à chien ! pourquoi pousses-tu les Dieux au
combat ? Tu as une audace insatiable et un esprit toujours

violent. Ne te souvient-il plus que tu as excité le Tydéide
Diomèdès contre moi, et que tu as conduit sa lance et
déchiré mon beau corps ? Je pense que tu vas expier tous
les maux que tu m'as causés.

Il parla ainsi, et il frappa l'horrible Aigide à franges d'or
qui ne craint même point la foudre de Zeus. C'est là que le
sanglant Arès frappa de sa longue lance la Déesse. Et celle-
ci, reculant, saisit, de sa main puissante, un rocher noir,
âpre, immense, qui gisait dans la plaine, et dont les anciens
hommes avaient fait la borne d'un champ. Elle en frappa le
terrible Arès à la gorge et rompit ses forces. Et il tomba,
couvrant de son corps sept arpents ; et ses cheveux furent
souillés de poussière, et ses armes retentirent sur lui. Et Pallas Athènè rit et l'insulta orgueilleusement en paroles ailées :

— Insensé, qui luttes contre moi, ne sais-tu pas que je me
glorifie d'être beaucoup plus puissante que toi ? C'est ainsi
que les Erinnyes vengent ta mère qui te punit, dans sa
colère, d'avoir abandonné les Akhaiens pour secourir les
Troiens insolents.

Ayant ainsi parlé, elle détourna ses yeux splendides. Et
voici qu'Aphroditè, la fille de Zeus, conduisait par la main,
hors de la mêlée, Arès respirant à peine et recueillant ses
esprits. Et la Déesse Hèrè aux bras blancs, l'ayant vue, dit à
Athènè ces paroles ailées :

— Athènè, fille de Zeus tempétueux, vois-tu cette mouche
à chien qui emmène, hors de la mêlée, Arès, le fléau des
vivants ? Poursuis-la.

Elle parla ainsi, et Athènè, pleine de joie, se jeta sur
Aphroditè, et, la frappant de sa forte main sur la poitrine,
elle fit fléchir ses genoux et son cœur.

Arès et Aphroditè restèrent ainsi, étendus tous deux sur la
terre féconde ; et Athènè les insulta par ces paroles ailées :

— Que ne sont-ils ainsi, tous les alliés des Troiens qui
combattent les Akhaiens cuirassés ! Que n'ont-ils tous l'audace d'Aphroditè qui, bravant ma force, a secouru Arès !
Bientôt nous cesserions de combattre, après avoir saccagé
la haute citadelle d'Ilios !

Elle parla ainsi, et la Déesse Hèrè aux bras blancs rit. Et
le Puissant qui ébranle la terre dit à Apollôn :

— Phoibos, pourquoi restons-nous éloignés l'un de l'autre ? Il ne convient pas, quand les autres Dieux sont aux
mains, que nous retournions, sans combat, dans l'Ouranos,
dans la demeure d'airain de Zeus. Commence, car tu es le

plus jeune, et il serait honteux à moi de t'attaquer, puisque
je suis l'aîné et que je sais plus de choses. Insensé ! as-tu
donc un cœur tellement oublieux, et ne te souvient-il plus
des maux que nous avons subis à Ilios, quand, seuls d'entre
les Dieux, exilés par Zeus, il fallut servir l'insolent Laomédôn
pendant une année ? Une récompense nous fut promise, et
il nous commandait. Et j'entourai d'une haute et belle
muraille la ville des Troiens, afin qu'elle fût inexpugnable ;
et toi, Phoibos, tu menais paître, sur les nombreuses cimes
de l'Ida couvert de forêts, les bœufs aux pieds tors et aux
cornes recourbées. Mais quand les Heures charmantes amenèrent le jour de la récompense, le parjure Laomédôn nous
la refusa, nous chassant avec outrage. Même, il te menaça
de te lier les mains et les pieds, et de te vendre dans les îles
lointaines. Et il jura aussi de nous couper les oreilles avec
l'airain. Et nous partîmes, irrités dans l'âme, à cause de la
récompense promise qu'il nous refusait. Est-ce de cela que
tu es reconnaissant à son peuple ? Et ne devrais-tu pas te
joindre à nous pour exterminer ces Troiens parjures, eux,
leurs enfants et leurs femmes ?

Et le royal Archer Apollôn lui répondit :

— Poseidaôn qui ébranles la terre, tu me nommerais
insensé, si je combattais contre toi pour les hommes misérables qui verdissent un jour semblables aux feuilles, et qui
mangent les fruits de la terre, et qui se flétrissent et meurent
bientôt. Ne combattons point, et laissons-les lutter entre
eux.

— Il parla ainsi et s'éloigna, ne voulant point, par respect,
combattre le frère de son père. Et la vénérable Artémis, sa
sœur, chasseresse de bêtes fauves, lui adressa ces paroles
injurieuses :

— Tu fuis, ô Archer ! et tu laisses la victoire à Poseidaôn ?
Lâche, pourquoi portes-tu un arc inutile ? Je ne t'entendrai
plus désormais, dans les demeures paternelles, te vanter
comme auparavant, au milieu des Dieux immortels, de
combattre Poseidaôn à forces égales !

Elle parla ainsi, et l'Archer Apollôn ne lui répondit pas ;
mais la vénérable épouse de Zeus, pleine de colère, insulta
de ces paroles injurieuses Artémis qui se réjouit de ses
flèches :

— Chienne hargneuse, comment oses-tu me tenir tête ? Il
te sera difficile de me résister, bien que tu lances des flèches
et que tu sois comme une lionne pour les femmes que Zeus

te permet de tuer à ton gré. Il est plus aisé de percer, sur les montagnes, les bêtes fauves et les biches sauvages que de lutter contre plus puissant que soi. Mais si tu veux tenter le combat, viens ! et tu sauras combien ma force est supérieure à la tienne, bien que tu oses me tenir tête !

Elle parla ainsi, et saisissant d'une main les deux mains d'Artémis, de l'autre elle lui arracha le carquois des épaules, et elle l'en souffleta en riant. Et comme Artémis s'agitait çà et là, les flèches rapides se répandirent de tous côtés. Et Artémis s'envola, pleurante, comme une colombe qui, loin d'un épervier, se réfugie sous une roche creuse, car sa destinée n'est point de périr. Ainsi, pleurante, elle s'enfuit, abandonnant son arc.

Alors, le Messager, tueur d'Argos, dit à Lètô :

— Lètô, je ne combattrai point contre toi. Il est dangereux d'en venir aux mains avec les épouses de Zeus qui amasse les nuées. Hâte-toi, et va te vanter parmi les Dieux immortels de m'avoir dompté par ta force.

Il parla ainsi ; et Lètô, ramassant l'arc et les flèches éparses dans la poussière, et les emportant, suivit sa fille. Et celle-ci parvint à l'Olympos, à la demeure d'airain de Zeus. Et, pleurante, elle s'assit sur les genoux de son père, et son péplos ambroisien frémissait. Et le Père Kronide lui demanda, en souriant doucement :

— Chère fille, qui d'entre les Dieux t'a maltraitée ainsi témérairement, comme si tu avais commis une faute devant tous ?

Et Artémis à la belle couronne lui répondit :

— Père, c'est ton épouse, Hèrè aux bras blancs, qui m'a frappée, elle qui répand sans cesse la dissension parmi les Immortels.

Et tandis qu'ils parlaient ainsi, Phoibos Apollôn descendit dans la sainte Ilios, car il craignait que les Danaens ne renversassent ses hautes murailles avant le jour fatal. Et les autres Dieux éternels retournèrent dans l'Olympos, les uns irrités et les autres triomphants ; et ils s'assirent auprès du Père qui amasse les nuées.

Mais Akhilleus bouleversait les Troiens et leurs chevaux aux sabots massifs. De même que la fumée monte, d'une ville qui brûle, jusque dans le large Ouranos ; car la colère des Dieux est sur elle et accable de maux tous ses habitants ; de même Akhilleus accablait les Troiens.

Et le vieux Priamos, debout sur une haute tour, reconnut

le féroce Akhilleus bouleversant et chassant devant lui les
phalanges Troiennes qui ne lui résistaient plus. Et il descendit de la tour en se lamentant, et il dit aux gardes illustres
des portes :

— Tenez les portes ouvertes, tant que les peuples mis en
fuite accourront vers la Ville. Certes, voici qu'Akhilleus les a
bouleversés et qu'il approche ; mais dès que les phalanges
respireront derrière les murailles, refermez les battants massifs, car je crains que cet homme désastreux se rue dans nos
murs.

Il parla ainsi, et ils ouvrirent les portes en retirant les barrières, et ils offrirent le salut aux phalanges. Et Apollôn
s'élança au-devant des Troiens pour les secourir. Et ceux-ci,
vers les hautes murailles et la Ville, dévorés de soif et couverts de poussière, fuyaient. Et, furieux, Akhilleus les poursuivait de sa lance, le cœur toujours plein de rage et du désir
de la gloire.

Alors, sans doute, les fils des Akhaiens eussent pris Troiè
aux portes élevées, si Phoibos Apollôn n'eût excité le divin
Agènôr, brave et irréprochable fils d'Antènôr. Et il lui versa
l'audace dans le cœur, et pour le sauver des lourdes mains
de la mort, il se tint auprès, appuyé contre un hêtre et enveloppé d'un épais brouillard.

Mais dès qu'Agènôr eut reconnu le destructeur de citadelles Akhilleus, il s'arrêta, roulant mille pensées dans son
esprit, et il se dit dans son brave cœur, en gémissant :

— Hélas ! fuirai-je devant le brave Akhilleus, comme tous
ceux-ci dans leur épouvante ? Il me saisira et me tuera
comme un lâche que je serai. Mais si, les laissant se disper-
ser devant le Pèléide Akhilleus, je fuyais à travers la plaine
d'Ilios jusqu'aux cimes de l'Ida, je m'y cacherais au milieu
des taillis épais ; et, le soir, après avoir lavé mes sueurs au
fleuve, je reviendrais à Ilios. Mais pourquoi mon esprit déli-
bère-t-il ainsi ? Il me verra quand je fuirai à travers la plaine,
et, me poursuivant de ses pieds rapides, il me saisira. Et
alors je n'éviterai plus la mort et les Kères, car il est bien
plus fort que tous les autres hommes. Pourquoi n'irais-je pas
à sa rencontre devant la Ville ? Sans doute son corps est
vulnérable à l'airain aigu, quoique le Kronide Zeus lui donne
la victoire.

Ayant ainsi parlé, et son brave cœur l'excitant à combattre, il attendit Akhilleus. De même qu'une panthère qui, du
fond d'une épaisse forêt, bondit au-devant du chasseur, et

que les aboiements des chiens ne troublent ni n'épouvantent ; et qui, blessée d'un trait ou de l'épée, ou même percée
de la lance, ne recule point avant qu'elle ait déchiré son
ennemi ou qu'il l'ait tuée ; de même le fils de l'illustre Antènôr, le divin Agènôr, ne voulait point reculer avant de
combattre Akhilleus. Et, tendant son bouclier devant lui, et
brandissant sa lance, il s'écria :

— Certes, tu as espéré trop tôt, illustre Akhilleus, que tu
renverserais aujourd'hui la Ville des braves Troiens. Insensé ! Tu subiras encore bien des maux pour cela. Nous sommes, dans Ilios, un grand nombre d'hommes courageux qui
saurons défendre nos parents bien-aimés, nos femmes et
nos enfants ; et c'est ici que tu subiras ta destinée, bien que
tu sois un guerrier terrible et plein d'audace.

Il parla ainsi, et lança sa pique aiguë d'une main vigoureuse. Et il frappa la jambe d'Akhilleus, au-dessous du
genou. Et l'airain résonna contre l'étain récemment forgé de
la knèmide qui repoussa le coup, car elle était le présent
d'un Dieu. Et le Pèlèide se jeta sur le divin Agènôr. Mais
Apollôn lui refusa la victoire, car il lui enleva l'Antènoride
en le couvrant d'un brouillard épais, et il le retira sain et
sauf du combat. Puis il détourna par une ruse le Pèlèide des
Troiens, en se tenant devant lui, sous la forme d'Agènôr. Et
il le fuyait, se laissant poursuivre à travers la plaine fertile
et le long du Skamandros tourbillonnant, et le devançant à
peine pour l'égarer. Et, pendant ce temps, les Troiens épouvantés rentraient en foule dans Ilios qui s'en emplissait. Et
ils ne s'arrêtaient point hors de la Ville et des murs, pour
savoir qui avait péri ou qui fuyait ; mais ils s'engloutissaient
ardemment dans Ilios, tous ceux que leurs pieds et leurs
genoux avaient sauvés.

RHAPSODIE XXII

Ainsi les Troiens, chassés comme des faons, rentraient
dans la Ville. Et ils séchaient leur sueur, et ils buvaient, apai-
sant leur soif. Et les Akhaiens approchaient des murs, en
lignes serrées et le bouclier aux épaules. Mais la Moire fatale
fit que Hektôr resta devant Ilios et les portes Skaies. Et Phoibos Apollôn dit au Pèlèide :

— Pèléide aux pieds rapides, toi qui n'es qu'un mortel, pourquoi poursuis-tu un Dieu immortel ? Ne vois-tu pas que je suis un Dieu ? Mais ta fureur n'a point de fin. Ne songes-tu donc plus aux Troiens que tu poursuivais, et qui se sont enfermés dans leur Ville, tandis que tu t'écartais de ce côté ? Cependant tu ne me tueras point, car je ne suis pas mortel.

Et Akhilleus aux pieds rapides lui répondit, plein de colère :

— Ô Apollôn, le plus funeste de tous les Dieux, tu m'as aveuglé en m'écartant des murailles ! Sans doute, de nombreux Troiens auraient encore mordu la terre avant de rentrer dans Ilios, et tu m'as enlevé une grande gloire. Tu les as sauvés aisément, ne redoutant point ma vengeance. Mais, certes, je me vengerais de toi, si je le pouvais !

Ayant ainsi parlé, il s'élança vers la Ville, en méditant de grandes actions, tel qu'un cheval victorieux qui emporte aisément un char dans la plaine. Ainsi Akhilleus agitait rapidement ses pieds et ses genoux. Et le vieux Priamos l'aperçut le premier, se ruant à travers la plaine, et resplendissant comme l'étoile caniculaire dont les rayons éclatent parmi les astres innombrables de la nuit, et qu'on nomme le Chien d'Oriôn. Et c'est la plus éclatante des étoiles, mais c'est aussi un signe funeste qui présage une fièvre ardente aux misérables hommes mortels. Et l'airain resplendissait ainsi autour de la poitrine d'Akhilleus qui accourait.

Et le vieillard se lamentait en se frappant la tête, et il levait ses mains, et il pleurait, poussant des cris et suppliant son fils bien-aimé. Et celui-ci était debout devant les portes, plein du désir de combattre Akhilleus. Et le vieillard, les mains étendues, lui dit d'une voix lamentable :

— Hektôr, mon fils bien-aimé, n'attends point cet homme, étant seul et loin des tiens, de peur que, tué par le Pèléide, tu ne subisses ta destinée, car il est bien plus fort que toi. Ah ! le misérable, que n'est-il aussi cher aux Dieux qu'à moi ! Bientôt les chiens et les oiseaux le dévoreraient étendu contre terre, et ma douleur affreuse serait apaisée. De combien de braves enfants ne m'a-t-il point privé, en les tuant, ou en les vendant aux îles lointaines ! Et je ne vois point, au milieu des Troiens rentrés dans Ilios, mes deux fils Lykaôn et Polydôros, qu'a enfantés Laothoè, la plus noble des femmes. S'ils sont vivants sous les tentes, certes, nous les rachèterons avec de l'or et de l'airain, car j'en ai beaucoup, et le vieux et illustre Altès en a beaucoup donné à sa fille ; mais s'ils sont morts, leur mère et moi qui les avons engendrés, nous les pleurerons jusque dans les demeures d'Aidès ! Mais la douleur de nos peuples sera bien moindre si tu n'es pas dompté par Akhilleus. Mon fils, rentre à la hâte dans nos murs, pour le salut des Troiens et des Troiennes. Ne donne pas une telle gloire au Pèléide, et ne te prive pas de la douce vie. Aie pitié de moi, malheureux, qui vis encore, et à qui le Père Zeus réserve une affreuse destinée aux limites de la vieillesse, ayant vu tous les maux m'accabler : mes fils tués, mes filles enlevées, mes foyers renversés, mes petits enfants écrasés contre terre et les femmes de mes fils entraînées par les mains inexorables des Akhaiens ! Et moi-même, le dernier, les chiens mangeurs de chair crue me déchireront sous mes portiques, après que j'aurai été frappé de l'airain, ou qu'une lance m'aura arraché l'âme. Et ces chiens, gardiens de mon seuil et nourris de ma table dans mes demeures, furieux, et ayant bu tout mon sang, se coucheront sous mes portiques ! On peut regarder un jeune homme percé de l'airain aigu et couché mort dans la mêlée, car il est toujours beau, bien qu'il soit nu ; mais une barbe blanche et les choses de la pudeur déchirées par les chiens, c'est la plus misérable des destinées pour les misérables mortels !

Le vieillard parla ainsi et il arrachait ses cheveux blancs ; mais il ne fléchissait point l'âme de Hektôr. Et voici que sa mère gémissait et pleurait, et que, découvrant son sein et soulevant d'une main sa mamelle, elle dit ces paroles lamentables :

— Hektôr, mon fils, respecte ce sein et prends pitié de moi ! Si jamais je t'ai donné cette mamelle qui apaisait tes vagissements d'enfant, souviens-t'en, mon cher fils ! Fuis cet homme, rentre dans nos murs, ne t'arrête point pour le combattre. Car s'il te tuait, ni moi qui t'ai enfanté, ni ta femme richement dotée, nous ne te pleurerons sur ton lit funèbre ; mais, loin de nous, auprès des nefs des Argiens, les chiens rapides te mangeront !

Et ils gémissaient ainsi, conjurant leur fils bien-aimé ; mais ils ne fléchissaient point l'âme de Hektôr, qui attendait le grand Akhilleus. De même qu'un dragon montagnard nourri d'herbes vénéneuses, et plein de rage, se tord devant son repaire avec des yeux horribles, en attendant un homme qui approche ; de même Hektôr, plein d'un ferme courage, ne reculait point. Et, le bouclier appuyé contre le relief de la tour, il se disait dans son grand cœur :

— Malheur à moi si je rentre dans les murailles ! Polydamas m'accablera de reproches, lui qui me conseillait de
ramener les Troiens dans la Ville, cette nuit fatale où le divin
Akhilleus s'est levé. Je ne l'ai point écouté, et, certes, son
conseil était le meilleur. Et voici que j'ai perdu mon peuple
par ma folie. Je crains maintenant les Troiens et les Troiennes aux longs péplos. Le plus lâche pourra dire : Hektôr,
trop confiant dans ses forces, a perdu son peuple ! Ils parleront ainsi. Mieux vaut ne rentrer qu'après avoir tué Akhilleus, ou bien mourir glorieusement pour Ilios. Si, déposant
mon bouclier bombé et mon casque solide, et appuyant ma
lance au mur, j'allais au-devant du brave Akhilleus ? Si je
lui promettais de rendre aux Atréides Hélénè et toutes les
richesses qu'Alexandros a portées à Troiè sur ses nefs creuses ? Car c'est là l'origine de mes querelles. Si j'offrais aux
Akhaiens de partager tout ce que la Ville renferme, ayant
fait jurer par serment aux Troiens de ne rien cacher et de
partager tous les trésors que contient la riche Ilios ? Mais à
quoi songe mon esprit ? Je ne supplierai point Akhilleus, car
il n'aurait ni respect ni pitié pour moi, et, désarmé que je
serais, il me tuerait comme une femme. Non ! Il ne s'agit
point maintenant de causer du chêne ou du rocher, comme
le jeune homme et la jeune fille qui parlent entre eux ; mais
il s'agit de combattre et de voir à qui l'Olympien donnera la
victoire.

Et il songeait ainsi, attendant Akhilleus. Et le Pèléide
approchait semblable à l'impétueux guerrier Arès et brandissant de la main droite la terrible lance Pèlienne. Et l'airain resplendissait, semblable à l'éclair, ou au feu ardent, ou
à Hélios qui se lève. Mais dès que Hektôr l'eut vu, la terreur
le saisit et il ne put l'attendre ; et, laissant les portes derrière
lui, il s'enfuit épouvanté. Et le Pèléide s'élança de ses pieds
rapides.

De même que, sur les montagnes, un épervier, le plus
rapide des oiseaux, poursuit une colombe tremblante qui
fuit d'un vol oblique et qu'il presse avec des cris aigus, désirant l'atteindre et la saisir ; de même Akhilleus se précipitait,
et Hektôr, tremblant, fuyait devant lui sous les murs des
Troiens en agitant ses genoux rapides. Et ils passèrent
auprès de la colline et du haut figuier, à travers le chemin
et le long des murailles. Et ils parvinrent près du fleuve au
beau cours, là où jaillissent les deux fontaines du Skamandros tourbillonnant. Et l'une coule, tiède, et une fumée s'en

exhale comme d'un grand feu ; et l'autre filtre, pendant l'été,
froide comme la grêle, ou la neige, ou le dur cristal de l'eau.

Et auprès des fontaines, il y avait deux larges et belles
cuves de pierre où les femmes des Troiens et leurs filles
charmantes lavaient leur robes splendides, au temps de la
paix, avant l'arrivée des Akhaiens. Et c'est là qu'ils couraient
tous deux, l'un fuyant, et l'autre le poursuivant. Et c'était un
brave qui fuyait, et un plus brave qui le poursuivait avec
ardeur. Et ils ne se disputaient point une victime, ni le dos
d'un bœuf, prix de la course parmi les hommes ; mais ils
couraient pour la vie de Hektôr, dompteur de chevaux.

De même que deux chevaux rapidement élancés, dans les
jeux funéraires d'un guerrier, pour atteindre la bonne et
remporter un prix magnifique, soit un trépied, soit une femme ; de même ils tournèrent trois fois, de leurs pieds rapides, autour de la Ville de Priamos. Et tous les Dieux les
regardaient. Et voici que le Père des Dieux et des hommes
parla ainsi :

— Ô malheur ! Certes, je vois un homme qui m'est cher
fuir autour des murailles. Mon cœur s'attriste sur Hektôr,
qui a souvent brûlé pour moi de nombreuses cuisses de
bœuf, sur les cimes du grand Ida ou dans la citadelle d'Ilios.
Le divin Akhilleus le poursuit ardemment, de ses pieds rapides, autour de la Ville de Priamos. Allons, délibérez, ô Dieux
immortels. L'arracherons-nous à la mort, ou dompterons-
nous son courage par les mains du Pèléide Akhilleus ?

Et la Déesse Athènè aux yeux clairs lui répondit :

— Ô Père foudroyant qui amasses les nuées, qu'as-tu dit ?
Tu veux arracher à la mort lugubre cet homme mortel que
la destinée a marqué pour mourir ! Fais-le ; mais jamais,
nous, les Dieux, nous ne t'approuverons.

Et Zeus qui amasse les nuées, lui répondant, parla ainsi :

— Rassure-toi, Tritogénéia, chère fille. Je n'ai point parlé
dans une volonté arrêtée, et je veux te complaire. Va, et agis
comme tu le voudras.

Il parla ainsi, excitant Athènè déjà pleine d'ardeur ; et elle
s'élança du faîte de l'Olympos.

Et, cependant, le rapide Akhilleus pressait sans relâche
Hektôr, de même qu'un chien presse, sur les montagnes, le
faon d'une biche. Il le poursuit à travers les taillis et les vallées des bois ; et quand il se cache tremblant sous un buis-
son, le chien flaire sa trace et le découvre aussitôt. De même
Hektôr ne pouvait se dérober au rapide Pèléide. Autant de

fois il voulait regagner les portes Dardaniennes et l'abri des
tours hautes et solides d'où les Troiens pouvaient le secourir
de leurs flèches, autant de fois Akhilleus le poursuivait en le
chassant vers la plaine ; mais Hektôr revenait toujours vers
Ilios. De même que, dans un songe, on poursuit un homme
qui fuit, sans qu'on puisse l'atteindre et qu'il puisse échapper, de même l'un ne pouvait saisir son ennemi, ni celui-ci
lui échapper. Mais comment Hektôr eût-il évité plus longtemps les Kères de la mort, si Apollôn, venant à son aide
pour la dernière fois, n'eût versé la vigueur dans ses genoux
rapides ?

Et le divin Akhilleus ordonnait à ses peuples, par un signe
de tête, de ne point lancer contre Hektôr de flèches mortelles, de peur que quelqu'un le tuât et remportât cette gloire
avant lui. Mais, comme ils revenaient pour la quatrième fois
aux fontaines du Skamandros, le Père Zeus déploya ses
balances d'or, et il y mit deux Kères de la mort violente, l'une
pour Akhilleus et l'autre pour Hektôr dompteur de chevaux.
Et il les éleva en les tenant par le milieu, et le jour fatal
de Hektôr descendit vers les demeures d'Aidès et Phoibos
Apollôn l'abandonna, et la Déesse Athènè aux yeux clairs,
s'approchant du Pèléide, lui dit ces paroles ailées :

— J'espère enfin, illustre Akhilleus cher à Zeus, que nous
allons remporter une grande gloire auprès des nefs Akhaïen-
nes, en tuant Hektôr insatiable de combats. Il ne peut plus
nous échapper, même quand l'Archer Apollôn, faisant mille
efforts pour le sauver, se prosternerait devant le Père Zeus
tempétueux. Arrête-toi, et respire. Je vais persuader le Priamide de venir à toi et de te combattre.

Athènè parla ainsi, et Akhilleus, plein de joie, s'arrêta,
appuyé sur sa lance d'airain. Et Athènè, le quittant, s'approcha du divin Hektôr, étant semblable à Dèiphobos par le
corps et par la voix. Et, debout auprès de lui, elle lui dit ces
paroles ailées :

— Ô mon frère, voici que le rapide Akhilleus te presse en
te poursuivant autour de la Ville de Priamos. Tenons ferme
et faisons tête tous deux à l'ennemi.

Et le grand Hektôr au casque mouvant lui répondit :

— Dèiphobos, certes, tu étais déjà le plus cher de mes frères, de tous ceux que Hékabè et Priamos ont engendrés ;
mais je dois t'honorer bien plus dans mon cœur, aujourd'hui
que, pour me secourir, tu es sorti de nos murailles, où tous
les autres restent enfermés.

Et la Déesse Athènè aux yeux clairs lui répondit :

— Ô mon frère, notre père et notre mère vénérable m'ont
supplié à genoux, et tous mes compagnons aussi, de rester
dans les murs, car tous sont épouvantés ; mais mon âme
était en proie à une amère douleur. Maintenant, combattons
bravement, et ne laissons point nos lances en repos, et
voyons si Akhilleus, nous ayant tués, emportera nos dépouilles sanglantes vers les nefs creuses, ou s'il sera dompté par
ta lance.

Athènè parla ainsi avec ruse et elle le précéda. Et dès qu'ils
se furent rencontrés, le grand Hektôr au casque mouvant
parla ainsi le premier :

— Je ne te fuirai pas plus longtemps, fils de Pèleus. Je t'ai
fui trois fois autour de la grande Ville de Priamos et je n'ai
point osé attendre ton attaque ; mais voici que mon cœur
me pousse à te tenir tête. Je tuerai ou je serai tué. Mais attes-
tons les Dieux, et qu'ils soient les fidèles témoins et les gardiens de nos pactes. Je ne t'outragerai point cruellement,
si Zeus me donne la victoire et si je t'arrache l'âme ; mais,
Akhilleus, après t'avoir dépouillé de tes belles armes, je rendrai ton cadavre aux Akhaiens. Fais de même, et promets-
le.

Et Akhilleus aux pieds rapides, le regardant d'un œil sombre, lui répondit :

— Hektôr, le plus exécrable des hommes, ne me parle
point de pactes. De même qu'il n'y a point d'alliances entre
les lions et les hommes, et que les loups et les agneaux, loin
de s'accorder, se haïssent toujours ; de même il m'est impossible de ne pas te haïr, et il n'y aura point de pactes entre
nous avant qu'un des deux ne tombe, rassasiant de son sang
le terrible guerrier Arès. Rappelle tout ton courage. C'est
maintenant que tu vas avoir besoin de toute ton adresse et
de toute ta vigueur, car tu n'as plus de refuge, et voici que
Pallas Athènè va te dompter par ma lance, et que tu expieras
en une fois les maux de mes compagnons que tu as tués
dans ta fureur !

Il parla ainsi, et, brandissant sa longue pique, il la lança ;
mais l'illustre Hektôr la vit et l'évita ; et la pique d'airain,
passant au-dessus de lui, s'enfonça en terre. Et Pallas
Athènè, l'ayant arrachée, la rendit à Akhilleus, sans que le
prince des peuples, Hektôr, s'en aperçût. Et le Priamide dit
au brave Pèléide :

— Tu m'as manqué, ô Akhilleus semblable aux Dieux !

Zeus ne t'avait point enseigné ma destinée, comme tu le disais ; mais ce n'étaient que des paroles vaines et rusées, afin de m'effrayer et de me faire oublier ma force et mon courage. Ce ne sera point dans le dos que tu me perceras de ta lance, car je cours droit à toi. Frappe donc ma poitrine, si un Dieu te l'accorde, et tente maintenant d'éviter ma lance d'airain. Plût aux Dieux que tu la reçusses tout entière dans le corps ! La guerre serait plus facile aux Troiens si je te tuais, car tu es leur pire fléau.

Il parla ainsi en brandissant sa longue pique, et il la lança ; et elle frappa, sans dévier, le milieu du bouclier du Pèléide ; mais le bouclier la repoussa au loin. Et Hektôr, irrité qu'un trait inutile se fût échappé de sa main, resta plein de trouble, car il n'avait que cette lance. Et il appela à grands cris Dèiphobos au bouclier brillant, et il lui demanda une autre lance ; mais, Dèiphobos ayant disparu, Hektôr, dans son esprit, connut sa destinée, et il dit :

— Malheur à moi ! voici que les Dieux m'appellent à la mort. Je croyais que le héros Dèiphobos était auprès de moi ; mais il est dans nos murs. C'est Athènè qui m'a trompé. La mauvaise mort est proche ; la voilà, plus de refuge. Ceci plaisait dès longtemps à Zeus et au fils de Zeus, Apollôn, qui tous deux cependant m'étaient bienveillants. Et voici que la Moire va me saisir ! Mais, certes, je ne mourrai ni lâchement, ni sans gloire, et j'accomplirai une grande action qu'apprendront les hommes futurs.

Il parla ainsi, et, tirant l'épée aiguë qui pendait, grande et lourde, sur son flanc, il se jeta sur Akhilleus, semblable à l'aigle qui, planant dans les hauteurs, descend dans la plaine à travers les nuées obscures, afin d'enlever la faible brebis ou le lièvre timide. Ainsi se ruait Hektôr, en brandissant l'épée aiguë. Et Akhilleus, emplissant son cœur d'une rage féroce, se rua aussi sur le Priamide. Et il portait son beau bouclier devant sa poitrine, et il secouait son casque éclatant, aux quatre cônes et aux splendides crinières d'or mouvantes que Hèphaistos avait fixées au sommet. Comme Hespéros, la plus belle des étoiles Ouraniennes, se lève au milieu des astres de la nuit, ainsi resplendissait l'éclair de la pointe d'airain que le Pèléide brandissait, pour la perte de Hektôr, cherchant sur son beau corps la place où il frapperait. Les belles armes d'airain que le Priamide avait arrachées au cadavre de Patroklos le couvraient en entier, sauf à la jointure du cou et de l'épaule, là où la fuite de l'âme est la plus prompte. C'est là que le divin Akhilleus enfonça sa lance, dont la pointe traversa le cou de Hektôr ; mais la lourde lance d'airain ne trancha point le gosier, et il pouvait encore parler. Il tomba dans la poussière, et le divin Akhilleus se glorifia ainsi :

— Hektôr, tu pensais peut-être, après avoir tué Patroklos, n'avoir plus rien à craindre ? Tu ne songeais point à moi qui étais absent. Insensé ! un vengeur plus fort lui restait sur les nefs creuses, et c'était moi qui ai rompu tes genoux ! Va ! les chiens et les oiseaux te déchireront honteusement, et les Akhaiens enseveliront Patroklos !

Et Hektôr au casque mouvant lui répondit, parlant à peine :

— Je te supplie par ton âme, par tes genoux, par tes parents, ne laisse pas les chiens me déchirer auprès des nefs Akhaiennes. Accepte l'or et l'airain que te donneront mon père et ma mère vénérable. Renvoie mon corps dans mes demeures, afin que les Troiens et les Troiennes me déposent avec honneur sur le bûcher.

Et Akhilleus aux pieds rapides, le regardant d'un œil sombre, lui dit :

— Chien ! ne me supplie ni par mes genoux, ni par mes parents. Plût aux Dieux que j'eusse la force de manger ta chair crue, pour le mal que tu m'as fait ! Rien ne sauvera ta tête des chiens, quand même on m'apporterait dix et vingt fois ton prix, et mille autres présents ; quand même le Dardanide Priamos voudrait te racheter ton poids d'or ! Jamais la mère vénérable qui t'a enfanté ne te pleurera couché sur un lit funèbre. Les chiens et les oiseaux te déchireront tout entier !

Et Hektôr au casque mouvant lui répondit en mourant :

— Certes, je prévoyais, te connaissant bien, que je ne te fléchirais point, car ton cœur est de fer. Souviens-toi que les Dieux me vengeront le jour où Pâris et Phoibos Apollôn te tueront, malgré ton courage, devant les portes Skaies.

Et la mort l'ayant interrompu, son âme s'envola de son corps chez Aidès, pleurant sa destinée mauvaise, sa vigueur et sa jeunesse.

Et Akhilleus dit à son cadavre :

— Meurs ! Je subirai ma destinée quand Zeus et les autres Dieux le voudront.

Ayant ainsi parlé, il arracha sa lance d'airain du cadavre, et, la posant à l'écart, il dépouilla les épaules du Priamide de ses armes sanglantes. Et les fils des Akhaiens accoururent, et ils admiraient la grandeur et la beauté de Hektôr ; et chacun le blessait de nouveau, et ils disaient en se regardant :

— Certes, Hektôr est maintenant plus aisé à manier que le jour où il incendiait les nefs.

Ils parlaient ainsi, et chacun le frappait. Mais aussitôt que le divin Akhilleus aux pieds rapides eut dépouillé le Priamide de ses armes, debout au milieu des Akhaiens, il leur dit ces paroles ailées :

— Ô amis, princes et chefs des Argiens, puisque les Dieux m'ont donné de tuer ce guerrier qui nous a accablés de plus de maux que tous les autres à la fois, allons assiéger la Ville, et sachons quelle est la pensée des Troiens : s'ils veulent, le Priamide étant mort, abandonner la citadelle, ou y rester, bien qu'ils aient perdu Hektôr. Mais à quoi songe mon esprit ? Il gît auprès des nefs, mort, non pleuré, non enseveli, Patroklos, que je n'oublierai jamais tant que je vivrai, et que mes genoux remueront ! Même quand les morts oublieraient chez Aidès, moi je me souviendrai de mon cher compagnon. Et maintenant, ô fils des Akhaiens, chantez les Paians et retournons aux nefs en entraînant ce cadavre. Nous avons remporté une grande gloire, nous avons tué le divin Hektôr, à qui les Troiens adressaient des vœux, dans leur Ville, comme à un Dieu.

Il parla ainsi, et il outragea indignement le divin Hektôr. Il lui perça les tendons des deux pieds, entre le talon et la cheville, et il y passa des courroies. Et il l'attacha derrière le char, laissant traîner la tête. Puis, déposant les armes illustres dans le char, il y monta lui-même, et il fouetta les chevaux, qui s'élancèrent avec ardeur. Et le Priamide Hektôr était ainsi traîné dans un tourbillon de poussière, et ses cheveux noirs en étaient souillés, et sa tête était ensevelie dans la poussière, cette tête autrefois si belle que Zeus livrait maintenant à l'ennemi, pour être outragée sur la terre de la patrie.

Ainsi toute la tête de Hektôr était souillée de poussière. Et sa mère, arrachant ses cheveux et déchirant son beau voile, gémissait en voyant de loin son fils. Et son père pleurait misérablement, et les peuples aussi hurlaient et pleuraient par la Ville. On eût dit que la haute Ilios croulait tout entière dans le feu. Et les peuples retenaient à grand'peine le vieux Priamos désespéré qui voulait sortir des portes Dardaniennes. Et, se prosternant devant eux, il les suppliait, les nommant par leurs noms :

— Mes amis, laissez-moi sortir seul de la Ville, afin que j'aille aux nefs des Akhaiens. Je supplierai cet homme impie qui accomplit d'horribles actions. Il respectera peut-être mon âge, il aura peut-être pitié de ma vieillesse ; car son père aussi est vieux, Pèleus, qui l'a engendré et nourri pour la ruine des Troiens, et surtout pour m'accabler de maux. Que de fils florissants il m'a tués ! Et je gémis moins sur eux tous ensemble que sur le seul Hektôr, dont le regret doulou-reux me fera descendre aux demeures d'Aidès. Plût aux Dieux qu'il fût mort dans nos bras ! Au moins, sur son cada-vre, nous nous serions rassasiés de larmes et de sanglots, la mère malheureuse qui l'a enfanté et moi !

Il parla ainsi en pleurant. Et tous les citoyens pleuraient. Et, parmi les Troiennes, Hékabè commença le deuil sans fin :

— Mon enfant ! Pourquoi suis-je encore vivante, malheu-reuse, puisque tu es mort ? Toi qui, les nuits et les jours, étais ma gloire dans Ilios, et l'unique salut des Troiens et des Troiennes, qui, dans la Ville, te recevaient comme un Dieu ! Certes, tu faisais toute leur gloire, quand tu vivais ; mais voici que la Moire et la mort t'ont saisi !

Elle parla ainsi en pleurant. Et la femme de Hektôr ne savait rien encore, aucun messager ne lui ayant annoncé que son époux était resté hors des portes. Et, dans sa haute demeure fermée, elle tissait une toile double, splendide et ornée de fleurs variées. Et elle ordonnait aux servantes à la belle chevelure de préparer, dans la demeure, et de mettre un grand trépied sur le feu, afin qu'un bain chaud fût prêt pour Hektôr à son retour du combat. L'insensée ignorait qu'Athènè aux yeux clairs avait tué Hektôr par les mains d'Akhilleus, loin de tous les bains. Mais elle entendit des lamentations et des hurlements sur la tour. Et ses membres tremblèrent, et la navette lui tomba des mains, et elle dit aux servantes à la belle chevelure :

— Venez. Que deux d'entre vous me suivent, afin que je voie ce qui nous arrive, car j'ai entendu la voix de la vénéra-ble mère de Hektôr. Mon cœur bondit dans ma poitrine, et mes genoux défaillent. Peut-être quelque malheur menace-t-il les fils de Priamos. Plaise aux Dieux que mes paroles soient vaines ! mais je crains que le divin Akhilleus, ayant écarté le brave Hektôr de la Ville, le poursuive dans la plaine et dompte son courage. Car mon époux ne reste point dans

la foule des guerriers, et il combat en tête de tous, ne le
cédant à aucun.

Elle parla ainsi et sortit de sa demeure, semblable à une
bakkhante et le cœur palpitant, et les servantes la suivaient.
Arrivée sur la tour, au milieu de la foule des hommes, elle
s'arrêta, regardant du haut des murailles, et reconnut Hektôr traîné devant la Ville. Et les chevaux rapides le traînaient
indignement vers les nefs creuses des Akhaiens. Alors, une
nuit noire couvrit ses yeux, et elle tomba à la renverse, inani-
mée. Et tous les riches ornements se détachèrent de sa tête,
la bandelette, le nœud, le réseau, et le voile que lui avait
donné Aphroditè d'or le jour où Hektôr au casque mouvant
l'avait emmenée de la demeure d'Étiôn, après lui avoir
donné une grande dot. Et les sœurs et les belles-sœurs de
Hektôr l'entouraient et la soutenaient dans leurs bras, tandis
qu'elle respirait à peine. Et quand elle eut recouvré l'esprit,
elle dit, gémissant au milieu des Troiennes :

— Hektôr ! ô malheureuse que je suis ! Nous sommes nés
pour une même destinée : toi, dans Troiè et dans la demeure
de Priamos ; moi, dans Thèbè, sous le mont Plakos couvert
de forêts, dans la demeure d'Étiôn, qui m'éleva toute petite,
père malheureux d'une malheureuse. Plût aux Dieux qu'il
ne m'eût point engendrée ! Maintenant tu descends vers les
demeures d'Aidès, dans la terre creuse, et tu me laisses, dans
notre demeure, veuve et accablée de deuil. Et ce petit enfant
que nous avons engendré tous deux, malheureux que nous
sommes ! tu ne le protégeras pas, Hektôr, puisque tu es
mort, et lui ne te servira point de soutien. Même s'il échappait à cette guerre lamentable des Akhaiens, il ne peut s'attendre qu'au travail et à la douleur, car ils lui enlèveront ses
biens. Le jour qui fait un enfant orphelin lui ôte aussi tous
ses jeunes amis. Il est triste au milieu de tous, et ses joues
sont toujours baignées de larmes. Indigent, il s'approche des
compagnons de son père, prenant l'un par le manteau et
l'autre par la tunique. Si l'un d'entre eux, dans sa pitié, lui
offre une petite coupe, elle mouille ses lèvres sans rafraîchir
son palais. Le jeune homme, assis entre son père et sa mère,
le repousse de la table du festin, et, le frappant de ses mains,
lui dit des paroles injurieuses : Va-t'en ! ton père n'est pas
des nôtres ! Et l'enfant revient en pleurant auprès de sa mère
veuve. Astyanax, qui autrefois mangeait la moelle et la
graisse des brebis sur les genoux de son père ; qui, lorsque
le sommeil le prenait et qu'il cessait de jouer, dormait dans

son doux lit, aux bras de sa nourrice, et le cœur rassasié de délices ; maintenant Astyanax, que les Troiens nommaient ainsi, car Hektôr défendait seul leurs hautes murailles, subira mille maux, étant privé de son père bien-aimé. Et voici, Hektôr, que les vers rampants te mangeront auprès des nefs éperonnées, loin de tes parents, après que les chiens se seront rassasiés de ta chair. Tu possédais, dans tes demeures, de beaux et doux vêtements, œuvre des femmes ; mais je les brûlerai tous dans le feu ardent, car ils ne te serviront pas et tu ne seras pas enseveli avec eux. Qu'ils soient donc brûlés en ton honneur au milieu des Troiens et des Troiennes !

Elle parla ainsi en pleurant, et toutes les femmes se lamentaient comme elle.

RHAPSODIE XXIII

Et tandis qu'ils gémissaient ainsi par la Ville, les Akhaiens arrivèrent aux nefs et au Hellespontos. Et ils se dispersèrent, et chacun rentra dans sa nef. Mais Akhilleus ne permit point aux Myrmidones de se séparer, et il dit à ses braves compagnons :

— Myrmidones aux chevaux rapides, mes chers compagnons, ne détachons point des chars nos chevaux aux sabots massifs ; mais, avec nos chevaux et nos chars, pleurons Patroklos, car tel est l'honneur dû aux morts. Après nous être rassasiés de deuil, nous délierons nos chevaux, et, tous, nous prendrons notre repas ici.

Il parla ainsi, et ils se lamentaient, et Akhilleus le premier. Et, en gémissant, ils poussèrent trois fois les chevaux aux belles crinières autour du cadavre ; et Thétis augmentait leur désir de pleurer. Et, dans le regret du héros Patroklos, les larmes baignaient les armes et arrosaient le sable. Au milieu d'eux, le Pèlèide commença le deuil lamentable, en posant ses mains tueuses d'hommes sur la poitrine de son ami :

— Sois content de moi, ô Patroklos, dans les dermeures d'Aidès. Tout ce que je t'ai promis, je l'accomplirai. Hektôr, jeté aux chiens, sera déchiré par eux ; et, pour te venger, je tuerai devant ton bûcher douze nobles fils des Troiens.

Il parla ainsi, et il outragea indignement le divin Hektôr
en le couchant dans la poussière devant le lit du Ménoitiade.
Puis, les Myrmidones quittèrent leurs splendides armes d'airain, dételèrent leurs chevaux hennissants et s'assirent en
foule autour de la nef du rapide Aiakide, qui leur offrit le
repas funèbre. Et beaucoup des bœufs blancs mugissaient
sous le fer, tandis qu'on les égorgeait ainsi qu'un grand nombre de brebis et de chèvres bêlantes. Et beaucoup de porcs
gras cuisaient devant la flamme du feu. Et le sang coulait
abondamment autour du cadavre. Et les princes Akhaiens
conduisirent le prince Pèléiôn aux pieds rapides vers le divin
Agamemnôn, mais non sans peine, car le regret de son
compagnon emplissait son cœur.

Et quand ils furent arrivés à la tente d'Agamemnôn, celui-
ci ordonna aux hérauts de poser un grand trépied sur le feu,
afin que le Pèléide, s'il y consentait, lavât le sang qui le souillait. Mais il s'y refusa toujours et jura un grand serment :

— Non ! par Zeus, le plus haut et le meilleur des Dieux,
je ne purifierai point ma tête que je n'aie mis Patroklos sur
le bûcher, élevé son tombeau et coupé ma chevelure. Jamais,
tant que je vivrai, une telle douleur ne m'accablera plus.
Mais achevons ce repas odieux. Roi des hommes, Agamemnôn, commande qu'on apporte, dès le matin, le bois du
bûcher, et qu'on l'apprête, car il est juste d'honorer ainsi
Patroklos, qui subit les noires ténèbres. Et le feu infatigable
le consumera promptement à tous les yeux, et les peuples
retourneront aux travaux de la guerre.

Il parla ainsi, et les princes, l'ayant entendu, lui obéirent.
Et tous, préparant le repas, mangèrent ; et aucun ne se plaignit d'une part inégale. Puis, ils se retirèrent sous les tentes
pour y dormir.

Mais le Pèléide était couché, gémissant, sur le rivage de la
mer aux bruits sans nombre, au milieu des Myrmidones, en
un lieu où les flots blanchissaient le bord. Et le doux sommeil, lui versant l'oubli de ses peines, l'enveloppa, car il avait
fatigué ses beaux membres en poursuivant Hektôr autour
de la haute Ilios. Et l'âme du malheureux Patroklos lui apparut, avec la grande taille, les beaux yeux, la vóix et jusqu'aux
vêtements du héros. Elle s'arrêta sur la tête d'Akhilleus et lui
dit :

— Tu dors, et tu m'oublies, Akhilleus. Vivant, tu ne me
négligeais point, et, mort, tu m'oublies. Ensevelis-moi, afin
que je passe promptement les portes d'Aidès. Les âmes,

ombres des morts, me chassent et ne me laissent point me
mêler à elles au delà du fleuve ; et je vais, errant en vain
autour des larges portes de la demeure d'Aidès. Donne-moi
la main, je t'en supplie en pleurant, car je ne reviendrai plus
du Hadès, quand vous m'aurez livré au bûcher. Jamais plus,
vivants tous deux, nous ne nous confierons l'un à l'autre,
assis loin de nos compagnons, car la Kèr odieuse qui m'était
échue dès ma naissance m'a enfin saisi. Ta Moire fatale, ô
Akhilleus égal aux Dieux, est aussi de mourir sous les murs
des Troiens magnanimes ! Mais je te demande ceci, et puis-
ses-tu me l'accorder : Akhilleus, que mes ossements ne
soient point séparés des tiens, mais qu'ils soient unis comme
nous l'avons été dans tes demeures. Quand Ménoitios m'y
conduisit tout enfant, d'Opoén, parce que j'avais tué déplo-
rablement, dans ma colère, le fils d'Amphidamas, en jouant
aux dés, le cavalier Pèleus me reçut dans ses demeures, m'y
éleva avec tendresse et me nomma ton compagnon. Qu'une
seule urne reçoive donc nos cendres, cette urne d'or que t'a
donnée ta mère vénérable.

Et Akhilleus aux pieds rapides lui répondit :

— Pourquoi es-tu venu, ô tête chère ! et pourquoi me
commander ces choses ? Je t'obéirai, et les accomplirai
promptement. Mais reste, que je t'embrasse un moment, au
moins ! Adoucissons notre amère douleur.

Il parla ainsi, et il étendit ses mains affectueuses ; mais il
ne saisit rien, et l'âme rentra en terre comme une fumée,
avec un âpre murmure. Et Akhilleus se réveilla stupéfait ; et,
frappant ses mains, il dit ces paroles lugubres :

— Ô Dieux ! l'âme existe encore dans le Hadès, mais
comme une vaine image, et sans corps. L'âme du malheureux Patroklos m'est apparue cette nuit, pleurant et se
lamentant, et semblable à lui-même ; et elle m'a ordonné
d'accomplir ses vœux.

Il parla ainsi, et il excita la douleur de tous les Myrmidones ; et Eôs aux doigts couleur de rose les trouva gémissant
autour du cadavre.

Mais le roi Agamemnôn pressa les hommes et les mulets
de sortir des tentes et d'amener le bois. Et un brave guerrier
les commandait, Mèrionès, compagnon du courageux Idoméneus. Et ils allaient, avec les haches qui tranchent le bois,
et les cordes bien tressées, et les mulets marchaient devant
eux. Et, franchissant les pentes, et les rudes montées et les
précipices, ils arrivèrent aux sommets de l'Ida où abondent

les sources. Et aussitôt, de leurs haches pesantes, ils abattirent les chênes feuillus qui tombaient à grand bruit. Et les Akhaiens y attelaient les mulets qui dévoraient la terre de leurs pieds, se hâtant d'emporter vers le camp leur charge à travers les broussailles épaisses. Et les Akhaiens traînaient aussi les troncs feuillus ainsi que le commandait Mèrionès, le compagnon d'Idoméneus qui aime les braves. Et ils déposèrent le bois sur le rivage, là où Akhaileus avait marqué le grand tombeau de Patroklos et le sien.

Puis, ayant amassé un immense monceau, ils s'assirent, attendant. Et Akhilleus ordonna aux braves Myrmidones de se couvrir de leurs armes et de monter sur leurs chars. Et ils se hâtaient de s'armer et de monter sur leurs chars, guerriers et conducteurs. Et, derrière les cavaliers, s'avançaient des nuées d'hommes de pied ; et, au milieu d'eux, Patroklos était porté par ses compagnons, qui couvraient son cadavre de leurs cheveux qu'ils arrachaient. Et, triste, le divin Akhilleus soutenait la tête de son irréprochable compagnon qu'il allait envoyer dans le Hadès.

Et quand ils furent arrivés au lieu marqué par Akhilleus, ils déposèrent le corps et bâtirent le bûcher. Et le divin Akhilleus aux pieds rapides eut une autre pensée.

Et il coupa, à l'écart, sa chevelure blonde qu'il avait laissée croître pour le fleuve Sperkhéios ; et, gémissant, il dit, les yeux sur la mer sombre :

— Sperkhéios ! c'est en vain que mon père Pèleus te promit qu'à mon retour dans la chère terre de la patrie je couperais ma chevelure, et que je te sacrifierais de saintes hécatombes et cinquante béliers, à ta source, là où sont ton temple et ton autel parfumé. Le vieillard te fit ce vœu ; mais tu n'as point exaucé son désir, car je ne reverrai plus la chère terre de la patrie. C'est au héros Patroklos que j'offre ma chevelure pour qu'il l'emporte.

Ayant ainsi parlé, il déposa sa chevelure entre les mains de son cher compagnon, augmentant ainsi la douleur de tous, et la lumière de Hélios fût tombée tandis qu'ils pleuraient encore, si Akhilleus, s'approchant d'Agamemnôn, ne lui eût dit :

— Atréide, à qui tout le peuple Akhaien obéit, plus tard il pourra se rassasier de larmes. Commande-lui de s'éloigner du bûcher et de préparer son repas. Nous, les chefs, qui avons un plus grand souci de Patroklos, restons seuls.

Et le Roi des hommes, Agamemnôn, l'ayant entendu, renvoya aussitôt le peuple vers les nefs égales ; et les ensevelisseurs, restant seuls, amassèrent le bois. Et ils firent le bûcher de cent pieds sur toutes ses faces, et, sur son faîte, ils déposèrent, pleins de tristesse, le cadavre de Patroklos. Puis ils égorgèrent et écorchèrent devant le bûcher une foule de brebis grasses et de bœufs aux pieds flexibles. Et le magnanime Akhilleus, couvrant tout le cadavre de leur graisse, de la tête aux pieds, entassa tout autour leurs chairs écorchées. Et, s'inclinant sur le lit funèbre, il y plaça des amphores de miel et d'huile. Puis, il jeta sur le bûcher quatre chevaux aux beaux cous. Neuf chiens familiers mangeaient autour de sa table. Il en tua deux qu'il jeta dans le bûcher. Puis, accomplissant une mauvaise pensée, il égorgea douze nobles enfants des Troiens magnanimes. Puis, il mit le feu au bûcher, afin qu'il fût consumé, et il gémit, appelant son cher compagnon :

— Sois content de moi, ô Patroklos ! dans le Hadès, car j'ai accompli tout ce que je t'ai promis. Le feu consume avec toi douze nobles enfants des magnanimes Troiens. Pour le Priamide Hektôr, je ne le livrerai point au feu, mais aux chiens.

Il parla ainsi dans sa colère ; mais les chiens ne devaient point déchirer Hektôr, car, jour et nuit, la fille de Zeus, Aphroditè, les chassait au loin, oignant le corps d'une huile ambroisienne, afin que le Pèléide ne le déchirât point en le traînant. Et Phoibos Apollôn enveloppait d'une nuée Ouranienne le lieu où était couché le cadavre, de peur que la force de Hélios n'en desséchât les nerfs et les chairs.

Mais le bûcher de Patroklos ne brûlait point. Alors le divin Akhilleus aux pieds rapides pria à l'écart les deux vents Boréas et Zéphyros, leur promettant de riches sacrifices. Et, faisant des libations avec une coupe d'or, il les supplia de venir, afin de consumer promptement le cadavre, en enflammant le bûcher. Et la rapide Iris entendit ses prières et s'envola en messagère auprès des Vents. Et, rassemblés en foule dans la demeure du violent Zéphyros, ils célébraient un festin. Et la rapide Iris survint et s'arrêta sur le seuil de pierre. Et, dès qu'il l'eurent vue de leurs yeux, tous se levèrent, et chacun l'appela près de lui. Mais elle ne voulut point s'asseoir et leur dit :

— Ce n'est pas le temps de m'asseoir. Je retourne aux bouches de l'Okéanos, dans la terre des Aithiopiens, là où ils sacrifient des hécatombes aux Immortels, et j'en ai ma part. Mais Akhilleus appelle Boréas et le sonore Zéphyros. Il les supplie de venir, leur promettant de riches sacrifices s'ils excitent le feu à consumer le bûcher sur lequel gît Patroklos que pleurent tous les Akhaiens.

Elle parla ainsi et s'envola. Et les deux Vents se ruèrent avec un bruit immense, chassant devant eux les nuées tumultueuses. Et ils traversèrent la mer, et l'eau se souleva sous leur souffle violent ; et ils arrivèrent devant la riche Troiè et se jetèrent sur le feu ; et toute la nuit, soufflant horriblement, ils irritèrent les flammes du bûcher ; et, toute la nuit, le rapide Akhilleus, puisant le vin à pleine coupe d'un kratère d'or, et le répandant, arrosa la terre, appelant l'âme du malheureux Patroklos. Comme un père qui se lamente, en brûlant les ossements de son jeune fils dont la mort accable ses malheureux parents de tristesse ; de même Akhilleus gémissait en brûlant les ossements de son compagnon, se roulant devant le bûcher, et se lamentant.

Et quand l'étoile du matin reparut, messagère de lumière ; et, après elle, quand Eôs au péplos couleur de safran se répandit sur la mer, alors le bûcher s'apaisa et la flamme s'éteignit, et les Vents partirent, s'en retournant dans leur demeure, à travers la mer Thrèkienne, dont les flots soulevés grondaient. Et le Pèléide, quittant le bûcher, se coucha accablé de fatigue, et le doux sommeil le saisit. Mais bientôt le bruit et le tumulte de ceux qui se rassemblaient autour de l'Atréiôn le réveillèrent. Et il se leva, et il leur dit :

— Atréides, et vous, princes des Akhaiens, éteignez avec du vin noir toutes les parties du bûcher que le feu a brûlées, et nous recueillerons les os de Patroklos Ménoitiade. Ils sont faciles à reconnaître, car le cadavre était au milieu du bûcher, et, loin de lui, tout autour, brûlaient confusément les chevaux et les hommes. Déposons dans une urne d'or ces os recouverts d'une double graisse, jusqu'à ce que je descende moi-même dans le Hadès. Je ne demande point maintenant un grand sépulcre. Que celui-ci soit simple. Mais vous, Akhaiens, qui survivrez sur vos nefs bien construites, vous nous élèverez, après ma mort, un vaste et grand tombeau.

Il parla ainsi, et ils obéirent au rapide Pèléide. Et ils éteignirent d'abord avec du vin noir toutes les parties du bûcher que le feu avait brûlées ; et la cendre épaisse tomba. Puis, en pleurant, ils déposèrent dans une urne d'or, couverts d'une double graisse, les os blancs de leur compagnon plein de douceur, et ils mirent, sous la tente du Pèléide, cette urne enveloppée d'un voile léger. Puis, marquant la place du tombeau, ils en creusèrent les fondements autour du bûcher, et ils mirent la terre en monceau, et ils partirent, ayant élevé le tombeau.

Mais Akhilleus retint le peuple en ce lieu, et le fit asseoir en un cercle immense, et il fit apporter des nefs les prix : des vases, des trépieds, des chevaux, des mulets, des bœufs aux fortes têtes, des femmes aux belles ceintures, et du fer brillant. Et, d'abord, il offrit des prix illustres aux cavaliers rapides : une femme irréprochable, habile aux travaux, et un trépied à anse, contenant vingt-deux mesures, pour le premier vainqueur ; pour le second, une jument de six ans, indomptée et pleine d'un mulet ; pour le troisième, un vase tout neuf, beau, blanc, et contenant quatre mesures ; pour le quatrième, deux talents d'or ; et pour le cinquième, une urne neuve à deux anses. Et le Pèléide se leva et dit aux Argiens :

— Atréides, et vous, très braves Akhaiens, voici, dans l'enceinte, les prix offerts aux cavaliers. Si les Akhaiens luttaient aujourd'hui pour un autre mort, certes, j'emporterais ces prix dans mes tentes, car vous savez que mes chevaux l'emportent sur tous, étant immortels. Poseidaôn les donna à mon père Pèleus qui me les a donnés. Mais ni moi, ni mes chevaux aux sabots massifs nous ne combattrons. Ils ont perdu l'irréprochable vigueur de leur doux conducteur qui baignait leurs crinières d'huile liquide, après les avoir lavées dans une eau pure ; et maintenant ils pleurent, les crinières pendantes, et ils restent immobiles et pleins de tristesse. Mais vous qui, parmi tous les Akhaiens, vous confiez en vos chevaux et en vos chars solides, descendez dans l'enceinte.

Le Pèléide parla ainsi, et de rapides cavaliers se levèrent. Et, le premier, se leva le Roi des hommes Eumèlos, le fils bien-aimé d'Admètos, très habile à mener un char. Et, après lui, se leva le brave Diomèdès Tydéide, conduisant sous le joug les chevaux de Trôs, qu'il avait enlevés autrefois à Ainéias, quand celui-ci fut sauvé par Apollôn. Et, après Diomèdès, se leva le blond Ménélaos Atréide, aimé de Zeus. Et il conduisait sous le joug deux chevaux rapides : Aithè, jument d'Agamemnôn, et Podargos, qui lui appartenait. Et l'Ankhisiade Ekhépôlos avait donné Aithè à Agamemnôn, afin de ne point le suivre vers la haute Ilios. Et il était resté, vivant

dans les délices, car Zeus lui avait donné de grandes richesses, et il habitait la grande Sikyôn. Et Ménélaos la conduisait sous le joug, pleine d'ardeur. Et, après l'Atréide, se leva,
conduisant deux beaux chevaux, Antilokhos, l'illustre fils du
magnanime roi Nestôr Nèlèiade. Et les chevaux rapides qui
traînaient son char étaient Pyliens. Et le père, debout auprès
de son fils, donnait des conseils excellents au jeune homme
déjà plein de prudence.

— Antilokhos, certes, Zeus et Poseidaôn, t'ayant aimé
tout jeune, t'ont enseigné à mener un char ; c'est pourquoi
on ne peut t'instruire davantage. Tu sais tourner habilement
la borne, mais tes chevaux sont lourds, et je crains un malheur. Les autres ne te sont pas supérieurs en science, mais
leurs chevaux sont plus rapides. Allons, ami, réfléchis à tout,
afin que les prix ne t'échappent pas. Le bûcheron vaut mieux
par l'adresse que par la force. C'est par son art que le pilote
dirige sur la mer noire une nef rapide, battue par les vents ;
et le conducteur de chars l'emporte par son habileté sur le
conducteur de chars. Celui qui s'abandonne à ses chevaux
et à son char vagabonde follement çà et là, et ses chevaux
s'emportent dans le stade, et il ne peut les retenir. Mais celui
qui sait les choses utiles, quand il conduit des chevaux
lourds, regardant toujours la borne, l'effleure en la tournant.
Et il ne lâche point tout d'abord les rênes en cuir de bœuf,
mais, les tenant d'une main ferme, il observe celui qui le
précède. Je vais te montrer la borne. On la reconnaît aisément. Là s'élève un tronc desséché, d'une aune environ hors
de terre, et que la pluie ne peut pourrir. C'est le tronc d'un
chêne ou d'un pin. Devant lui sont deux pierres blanches,
posées de l'un et de l'autre côté, au détour du chemin, et, en
deçà comme au delà, s'étend l'hippodrome aplani. C'est le
tombeau d'un homme mort autrefois, ou une limite plantée
par les anciens hommes, et c'est la borne que le divin Akhilleus aux pieds rapides vous a marquée. Quand tu en appro-
cheras, pousse tout auprès tes chevaux et ton char. Penche-
toi, de ton char bien construit, un peu sur la gauche, et
excite le cheval de droite de la voix et du fouet, en lui lâchant
toutes les rênes. Que ton cheval de gauche rase la borne, de
façon que le moyeu de la roue la touche presque ; mais évite
de heurter la pierre, de peur de blesser tes chevaux et de
briser ton char, ce qui ferait la joie des autres, mais ta propre honte. Enfin, ami, sois adroit et prudent. Si tu peux
dépasser la borne le premier, il n'en est aucun qui ne te

poursuive vivement, mais nul ne te devancera, quand même
on pousserait derrière toi le divin Atréiôn, ce rapide cheval
d'Adrestos, qui était de race divine, ou même les illustres
chevaux de Laomédôn qui furent nourris ici.

Et le Nèlèiôn Nestôr, ayant ainsi parlé et enseigné toute
chose à son fils, se rassit. Et, le cinquième, Mèrionès conduisait deux chevaux aux beaux crins.

Puis, ils montèrent tous sur leurs chars, et ils jetèrent les
sorts ; et Akhilleus les remua, et Antilokhos Nestoride vint
le premier, puis le roi Eumèlos, puis l'Atréide Ménélaos
illustre par sa lance, puis Mèrionès, et le dernier fut le
Tydéide, le plus brave de tous. Et ils se placèrent dans cet
ordre, et Akhilleus leur marqua la borne, au loin dans la
plaine ; et il y envoya comme inspecteur le divin Phoinix,
compagnon de son père, afin qu'il surveillât la course et dît
la vérité.

Et tous ensemble, levant le fouet sur les chevaux et les
excitant du fouet et de la voix, s'élancèrent dans la plaine
loin des nefs. Et la poussière montait autour de leurs poitrines, comme un nuage ou comme une tempête ; et les crinniè-
res flottaient au vent ; et les chars tantôt semblaient
s'enfoncer en terre, et tantôt bondissaient au-dessus. Mais
les conducteurs se tenaient fermes sur leurs sièges, et leur
cœur palpitait du désir de la victoire, et chacun excitait ses
chevaux qui volaient, soulevant la poussière de la plaine.

Mais quand les chevaux rapides, ayant atteint la limite de
la course, revinrent vers la blanche mer, l'ardeur des
combattants et la vitesse de la course devinrent visibles. Et
les rapides juments du Phèrètiade parurent les premières ;
et les chevaux troiens de Diomèdès les suivaient de si près,
qu'ils semblaient monter sur le char. Et le dos et les larges
épaules d'Eumèlos étaient chauffés de leur souffle, car ils
posaient sur lui leurs têtes. Et, certes, Diomèdès eût vaincu
ou rendu la lutte égale, si Phoibos Apollôn, irrité contre le
fils de Tydeus, n'eût fait tomber de ses mains le fouet splendide. Et des larmes de colère jaillirent de ses yeux, quand il
vit les juments d'Eumèlos se précipiter plus rapides, et ses
propres chevaux se ralentir, n'étant plus aiguillonnés.

Mais Apollôn, retardant le Tydéide, ne put se cacher
d'Athènè. Et, courant au prince des peuples, elle lui rendit
son fouet et remplit ses chevaux de vigueur. Puis, furieuse,
et poursuivant le fils d'Admètos, elle brisa le joug des
juments, qui se dérobèrent. Et le timon tomba, rompu ; et

Eumèlos aussi tomba auprès de la roue, se déchirant les bras, la bouche et les narines. Et il resta muet, le front meurtri et les yeux pleins de larmes.

Alors, Diomèdès, le devançant, poussa ses chevaux aux sabots massifs, bien au delà de tous, car Athènè leur avait donné une grande vigueur et accordait la victoire au Tydéide. Et après lui, le blond Ménélaos Atréide menait son char, puis Antilokhos, qui exhortait les chevaux de son père :

— Prenez courage, et courez plus rapidement. Certes, je ne vous ordonne point de lutter contre les chevaux du brave Tydéide, car Athènè donne la vitesse à leurs pieds et accorde la victoire à leur maître ; mais atteignez les chevaux de l'Atréide, et ne faiblissez point, de peur que Aithè, qui n'est qu'une jument, vous couvre de honte. Pourquoi tardez-vous, mes braves ? Mais je vous le dis, et, certes, ceci s'accomplira : Nestôr, le prince des peuples, ne se souciera plus de vous ; et il vous percera de l'airain aigu, si, par lâcheté, nous ne remportons qu'un prix vil. Hâtez-vous et poursuivez promptement l'Atréide. Moi, je vais méditer une ruse, et je le devancerai au détour du chemin, et je le tromperai.

Il parla ainsi, et les chevaux, effrayés des menaces du prince, coururent plus rapidement. Et le brave Antilokhos vit que le chemin se rétrécissait. La terre était défoncée par l'amas des eaux de l'hiver, et une partie du chemin était rompue, formant un trou profond. C'était là que se dirigeait Ménélaos pour éviter le choc des chars. Et Antilokhos y poussa aussi ses chevaux aux sabots massifs, hors de la voie, sur le bord du terrain en pente. Et l'Atréide fut saisi de crainte et dit à Antilokhos :

— Antilokhos, tu mènes tes chevaux avec imprudence. Le chemin est étroit, mais il sera bientôt plus large. Prends garde de nous briser tous deux en heurtant mon char.

Il parla ainsi, mais Antilokhos, comme s'il ne l'avait pas entendu, aiguillonna plus encore ses chevaux. Aussi rapides que le jet d'un disque que lance de l'épaule un jeune homme qui éprouve ses forces, les deux chars s'élancèrent de front. Mais l'Atréide ralentit sa course et attendit, de peur que les chevaux aux sabots massifs, se heurtant dans le chemin, ne renversassent les chars, et qu'Antilokhos et lui, en se hâtant pour la victoire, ne fussent précipités dans la poussière. Mais le blond Ménélaos, irrité, lui dit :

— Antilokhos, aucun homme n'est plus perfide que toi !

Va ! c'est bien faussement que nous te disions sage. Mais tu ne remporteras point le prix sans te parjurer.

Ayant ainsi parlé, il exhorta ses chevaux et il leur cria :

— Ne me retardez pas, et n'ayez point le cœur triste. Leurs pieds et leurs genoux seront plus tôt fatigués que les vôtres, car ils sont vieux tous deux.

Il parla ainsi, et ses chevaux, effrayés par la voix du Roi, s'élancèrent, et atteignirent aussitôt ceux d'Antilokhos.

Cependant les Argiens, assis dans le stade, regardaient les chars qui volaient dans la plaine, en soulevant la poussière. Et Idoméneus, chef des Krètois, les vit le premier. Étant assis hors du stade, sur une hauteur, il entendit une voix qui excitait les chevaux, et il vit celui qui accourait le premier, dont toute la robe était rouge, et qui avait au front un signe blanc, rond comme l'orbe de Sélènè. Et il se leva et dit aux Argiens :

— Ô amis, princes et chefs des Argiens, voyez-vous ces chevaux comme moi ? Il me semble que ce sont d'autres chevaux et un autre conducteur qui tiennent maintenant la tête. Peut-être les premiers au départ ont-ils subi un malheur dans la plaine. Je les ai vus tourner la borne et je ne les vois plus, et cependant j'embrasse toute la plaine troienne. Ou les rênes auront échappé au conducteur et il n'a pu tourner la borne heureusement, ou il est tombé, brisant son char et ses juments furieuses se sont dérobées. Mais regardez vous-mêmes ; je ne vois point clairement encore ; cependant, il me semble que c'est un guerrier Aitôlien qui commande parmi les Argiens, le brave fils de Tydeus dompteur de chevaux, Diomèdès.

Et le rapide Aias, fils d'Oileus, lui répondit amèrement :

— Idoméneus, pourquoi toujours bavarder ? Ce sont ces mêmes juments aux pieds aériens qui arrivent à travers la vaste plaine. Tu n'es certes pas le plus jeune entre les Argiens, et les yeux qui sortent de ta tête ne sont point les plus perçants. Mais tu bavardes sans cesse. Il ne te convient pas de tant parler, car beaucoup d'autres ici valent mieux que toi. Ce sont les juments d'Eumèlos qui arrivent les premières, et c'est lui qui tient toujours les rênes.

Et le chef des Krètois, irrité, lui répondit :

— Aias, excellent pour la querelle, homme injurieux, le dernier des Argiens, ton âme est toute féroce ! Allons ! déposons un trépied, ou un vase, et prenons tous deux pour arbitre l'Atréide Agamemnôn. Qu'il dise quels sont ces chevaux, et tu le sauras à tes dépens.

Il parla ainsi, et le rapide Aias, fils d'Oileus, plein de colère, se leva pour lui répondre par d'outrageantes paroles, et il y aurait eu une querelle entre eux, si Akhilleus, s'étant levé, n'eût parlé :

— Ne vous adressez pas plus longtemps d'injurieuses paroles, Aias et Idoméneus. Cela ne convient point, et vous blâmeriez qui en ferait autant. Restez assis, et regardez. Ces chevaux qui se hâtent pour la victoire vont arriver. Vous verrez alors quels sont les premiers et les seconds.

Il parla ainsi, et le Tydéide arriva, agitant sans relâche le fouet sur ses chevaux, qui, en courant, soulevaient une haute poussière qui enveloppait leur conducteur. Et le char, orné d'or et d'étain, était enlevé par les chevaux rapides ; et l'orbe des roues laissait à peine une trace dans la poussière, tant ils couraient rapidement. Et le char s'arrêta au milieu du stade ; et des flots de sueur coulaient de la tête et du poitrail des chevaux. Et Diomèdès sauta de son char brillant et appuya le fouet contre le joug. Et, sans tarder, le brave Sthénélos saisit le prix. Il remit la femme et le trépied à deux anses à ses magnanimes compagnons, et lui-même détela les chevaux.

Et, après Diomèdès, le Nèlèiôn Antilokhos arriva, poussant ses chevaux et devançant Ménélaos par ruse et non par la rapidité de sa course. Et Ménélaos le poursuivait de près. Autant est près de la roue un cheval qui traîne son maître, sur un char, dans la plaine, tandis que les derniers crins de sa queue touchent les jantes, et qu'il court à travers l'espace ; autant Ménélaos suivait de près le brave Antilokhos. Bien que resté en arrière à un jet de disque, il l'avait atteint aussitôt, car Aithè aux beaux crins, la jument d'Agamemnôn, avait redoublé d'ardeur ; et, si la course des deux chars eût été plus longue, l'Atréide eût sans doute devancé Antilokhos. Et Mèrionès, le brave compagnon d'Idoméneus, venait, à un jet de lance, derrière l'illustre Ménélaos, ses chevaux étant très lourds, et lui-même étant peu habile à conduire un char dans le stade.

Mais le fils d'Admètos venait le dernier de tous, traînant son beau char et poussant ses chevaux devant lui. Et le divin Akhilleus aux pieds rapides, le voyant, en eut compassion, et, debout au milieu des Argiens, il dit ces paroles ailées :

— Ce guerrier excellent ramène le dernier ses chevaux aux sabots massifs. Donnons-lui donc le second prix, comme il est juste, et le fils de Tydeus emportera le premier.

Il parla ainsi, et tous y consentirent ; et il allait donner à Eumèlos la jument promise, si Antilokhos, le fils du magnanime Nestôr, se levant, n'eût répondu à bon droit au Pèléide Akhilleus :

— Ô Akhilleus, je m'irriterai violemment contre toi, si tu fais ce que tu as dit. Tu veux m'enlever mon prix, parce que, malgré son habileté, Eumèlos a vu son char se rompre ! Il devait supplier les Immortels. Il ne serait point arrivé le dernier. Si tu as compassion de lui, et s'il t'est cher, il y a, sous ta tente, beaucoup d'or, de l'airain, des brebis, des captives et des chevaux aux sabots massifs. Donne-lui un plus grand prix que le mien, dès maintenant, et que les Akhaiens y applaudissent, soit ; mais je ne céderai point mon prix. Que le guerrier qui voudrait me le disputer combatte d'abord contre moi.

Il parla ainsi, et le divin Akhilleus aux pieds vigoureux rit, approuvant Antilokhos, parce qu'il l'aimait ; et il lui répondit ces paroles ailées :

— Antilokhos, si tu veux que je prenne dans ma tente un autre prix pour Eumèlos, je le ferai. Je lui donnerai la cuirasse que j'enlevai à Astéropaios. Elle est d'or et entourée d'étain brillant. Elle est digne de lui.

Il parla ainsi, et il ordonna à son cher compagnon Automédôn de l'apporter de sa tente, et Automédôn partit et l'apporta. Et Akhilleus la remit aux mains d'Eumèlos, qui la reçut avec joie.

Et Ménélaos se leva au milieu de tous, triste et violemment irrité contre Antilokhos. Un héraut lui mit le sceptre entre les mains et ordonna aux Argiens de faire silence, et le divin guerrier parla ainsi :

— Antilokhos, toi qui étais plein de sagesse, pourquoi en as-tu manqué ? Tu as déshonoré ma gloire ; tu as jeté en travers des miens tes chevaux qui leur sont bien inférieurs. Vous, princes et chefs des Argiens, jugez équitablement entre nous. Que nul d'entre les Akhaiens aux tuniques d'airain ne puisse dire : Ménélaos a opprimé Antilokhos par des paroles mensongères et a ravi son prix, car ses chevaux ont été vaincus, mais lui l'a emporté par sa puissance. Mais je jugerai moi-même, et je ne pense pas qu'aucun des Danaens me blâme, car mon jugement sera droit. Antilokhos, approche, enfant de Zeus, comme il est juste. Debout, devant ton char, prends en mains ce fouet que tu agitais sur tes chevaux, et jure par Poseidaôn qui entoure la terre que tu n'as point traversé ma course par ruse.

Et le sage Antilokhos lui répondit :

— Pardonne maintenant, car je suis beaucoup plus jeune que toi, roi Ménélaos, et tu es plus âgé et plus puissant. Tu sais quels sont les défauts d'un jeune homme ; l'esprit est très vif et la réflexion très légère. Que ton cœur s'apaise. Je te donnerai moi-même cette jument indomptée que j'ai reçue ; et, si tu me demandais plus encore, j'aimerais mieux te le donner aussi, ô fils de Zeus, que de sortir pour toujours de ton cœur et d'être en exécration aux Dieux.

Le fils du magnanime Nestôr parla ainsi et remit la jument entre les mains de Ménélaos ; et le cœur de celui-ci se remplit de joie, comme les épis sous la rosée, quand les campagnes s'emplissent de la moisson croissante. Ainsi, ton cœur fut joyeux, ô Ménélaos ! Et il répondit en paroles ailées :

— Antilokhos, ma colère ne te résiste pas, car tu n'as jamais été ni léger, ni injurieux. La jeunesse seule a égaré ta prudence ; mais prends garde désormais de tromper tes supérieurs par des ruses. Un autre d'entre les Akhaiens ne m'eût point apaisé aussi vite ; mais toi, ton père excellent et ton frère, vous avez subi beaucoup de maux pour ma cause. Donc, je me rends à ta prière, et je te donne cette jument qui m'appartient, afin que tous les Akhaiens soient témoins que mon cœur n'a jamais été ni orgueilleux, ni dur.

Il parla ainsi, et il donna la jument à Noèmôn, compagnon d'Antilokhos. Lui-même, il prit le vase splendide, et Mèrionès reçut les deux talents d'or, prix de sa course. Et le cinquième prix restait, l'urne à deux anses. Et Akhilleus, la portant à travers l'assemblée des Argiens, la donna à Nestôr, et lui dit :

— Reçois ce présent, vieillard, et qu'il te soit un souvenir des funérailles de Patroklos, que tu ne reverras plus parmi les Argiens. Je te donne ce prix que tu n'as point disputé ; car tu ne combattras point avec les cestes, tu ne lutteras point, tu ne lanceras point la pique et tu ne courras point, car la lourde vieillesse t'accable.

Ayant ainsi parlé, il lui mit l'urne aux mains, et Nestôr, la recevant avec joie, lui répondit ces paroles ailées :

— Mon fils, certes, tu as bien parlé. Ami, je n'ai plus, en effet, mes membres vigoureux. Mes pieds sont lourds et mes bras ne sont plus agiles. Plût aux Dieux que je fusse jeune, et que ma force fût telle qu'à l'époque où les Epéiens ensevelirent le roi Amarynkeus dans Bouprasion ! Ses fils déposèrent des prix, et aucun guerrier ne fut mon égal parmi les

Epéiens, les Pyliens et les magnanimes Aitôliens. Je vainquis
au pugilat Klytomèdès, fils d'Enops ; à la lutte, Ankaios le
Pleurônien qui se leva contre moi. Je courus plus vite que le
brave Iphiklos ; je triomphai, au combat de la lance, de Phyleus et de Polydôros ; mais, à la course des chars, par leur
nombre, les Aktoriônes remportèrent la victoire, et ils m'enlevèrent ainsi les plus beaux prix. Car ils étaient deux : et
l'un tenait fermement les rênes, et l'autre le fouet. Tel j'étais
autrefois, et maintenant de plus jeunes accomplissent ces
travaux, et il me faut obéir à la triste vieillesse ; mais, alors,
j'excellais parmi les héros. Va ! continue par d'autres
combats les funérailles de ton compagnon. J'accepte ce présent avec joie, et mon cœur se réjouit de ce que tu te sois
souvenu de moi qui te suis bienveillant, et de ce que tu
m'aies honoré, comme il est juste qu'on m'honore parmi les
Argiens. Que les Dieux, en retour, te comblent de leurs
grâces !

Il parla ainsi, et le Pèléide s'en retourna à travers la grande
assemblée de Akhaiens, après avoit écouté jusqu'au bout la
propre louange du Nèlèiade.

Et il déposa les prix pour le rude combat des poings. Et il
amena dans l'enceinte, et lia de ses mains une mule laborieuse, de six ans, indomptée et presque indomptable ; et il
déposa une coupe ronde pour le vaincu. Et, debout, il dit au
milieu des Argiens :

— Atréides, et vous Akhaiens aux belles knèmides, j'appelle, pour disputer ces prix, deux hommes vigoureux à se
frapper de leurs poings levés. Que tous les Akhaiens le
sachent, celui à qui Apollôn donnera la victoire, conduira
dans sa tente cette mule patiente, et le vaincu emportera
cette coupe ronde.

Il parla ainsi, et aussitôt un homme vigoureux et grand se
leva, Epéios, fils de Panopeus, habile au combat du poing.
Il saisit la mule laborieuse et dit :

— Qu'il vienne, celui qui veut emporter cette coupe, car
je ne pense pas qu'aucun des Akhaiens puisse emmener cette
mule, m'ayant vaincu par le poing ; car, en cela, je me glorifie de l'emporter sur tous. N'est-ce point assez que je sois
inférieur dans le combat ? Aucun homme ne peut exceller
en toutes choses. Mais, je le dis, et ma parole s'accomplira :
je briserai le corps de mon adversaire et je romprai ses os.
Que ses amis s'assemblent ici en grand nombre pour l'emporter, quand il sera tombé sous mes mains.

Il parla ainsi, et tous restèrent muets. Et le seul Euryalos se leva, homme illustre, fils du roi Mèkisteus Talaionide qui, autrefois, alla dans Thèbè aux funérailles d'Oidipous, et qui l'emporta sur tous les Kadméiônes. Et l'illustre Tydéide s'empressait autour d'Euryalos, l'animait de ses paroles, car il lui souhaitait la victoire. Et il lui mit d'abord une ceinture, et il l'arma de courroies faites du cuir d'un bœuf sauvage.

Puis, les deux combattants s'avancèrent au milieu de l'enceinte. Et tous deux, levant à la fois leurs mains vigoureuses, se frappèrent à la fois, en mêlant leurs poings lourds. Et on entendait le bruit des mâchoires frappées ; et la sueur coulait chaude de tous leurs membres. Mais le divin Epéios, se ruant en avant, frappa de tous les côtés la face d'Euryalos qui ne put résister plus longtemps, et dont les membres défaillirent. De même que le poisson qui est jeté, par le souffle furieux de Boréas, dans les algues du bord, et que l'eau noire ressaisit ; de même Euryalos frappé bondit. Mais le magnanime Epéios le releva lui-même, et ses chers compagnons, l'entourant, l'emmenèrent à travers l'assemblée, les pieds traînants, vomissant un sang épais, et la tête penchée. Et ils l'emmenaient ainsi, en le soutenant, et ils emportèrent aussi la coupe ronde.

Et le Pèléide déposa les prix de la lutte difficile devant les Danaens : un grand trépied fait pour le feu, et destiné au vainqueur, et que les Akhaiens, entre eux, estimèrent du prix de douze bœufs ; et, pour le vaincu, une femme habile aux travaux et valant quatre bœufs. Et le Pèléide, debout, dit au milieu des Argiens :

— Qu'ils se lèvent, ceux qui osent combattre pour ce prix.

Il parla ainsi, et aussitôt le grand Télamonien Aias se leva ; et le sage Odysseus, plein de ruses, se leva aussi. Et tous deux, s'étant munis de ceintures, descendirent dans l'enceinte et se saisirent de leurs mains vigoureuses, tels que deux poutres qu'un habile charpentier unit au sommet d'une maison pour résister à la violence du vent. Ainsi leurs reins, sous leurs mains vigoureuses, craquèrent avec force, et leur sueur coula abondamment, et d'épaisses tumeurs, rouges de sang, s'élevèrent sur leurs flancs et leurs épaules. Et tous deux désiraient ardemment la victoire et le trépied qui en était le prix ; mais Odysseus ne pouvait ébranler Aias, et Aias ne pouvait renverser Odysseus. Et déjà ils fatiguaient l'attente des Akhaiens aux belles knèmides ; mais le grand Télamonien Aias dit alors à Odysseus :

— Divin Laertiade, très sage Odysseus, enlève-moi, ou je t'enlèverai, et Zeus fera le reste.

Il parla ainsi, et il l'enleva ; mais Odysseus n'oublia point ses ruses, et, le frappant du pied sur le jarret, il fit ployer ses membres, et, le renversant, tomba sur lui. Et les peuples étonnés les admiraient. Alors le divin et patient Odysseus voulut à son tour enlever Aias ; mais il le souleva à peine, et ses genoux ployèrent, et tous deux tombèrent côte à côte, et ils furent souillés de poussière. Et, comme ils se relevaient une troisième fois, Akhilleus se leva lui-même et les retint :

— Ne combattez pas plus longtemps et ne vous épuisez pas. La victoire est à tous deux. Allez donc, emportant des prix égaux, et laissez combattre les autres Akhaiens.

Il parla ainsi ; et, l'ayant entendu, ils lui obéirent ; et, secouant leur poussière, ils se couvrirent de leurs vêtements.

Alors le Pèléide déposa les prix de la course : un très beau kratèr d'argent contenant six mesures. Et il surpassait par sa beauté tous ceux qui étaient sur la terre. Les habiles Sidônes l'avaient admirablement travaillé ; et des Phoinikes l'avaient amené, à travers la mer bleue ; et, arrivés au port, ils l'avaient donné à Thoas. Le Ièsonide Eunèos l'avait cédé au héros Patroklos pour l'affranchissement du Priamide Lykaôn ; et Akhilleus le proposa en prix aux plus habiles coureurs dans les jeux funèbres de son ami. Puis, il offrit un bœuf énorme et très gras ; puis, enfin, un demi-talent d'or. Et, debout, il dit au milieu des Argiens :

— Qu'ils se lèvent, ceux qui veulent combattre pour ce prix.

Il parla ainsi, et, aussitôt, le rapide Aias, fils d'Oileus, se leva ; puis le sage Odysseus, puis Antilokhos fils de Nestôr. Et celui-ci dépassait tous les jeunes hommes à la course. Ils se placèrent de front, et Akhilleus leur montra le but, et ils se précipitèrent. L'Oiliade les devançait tous ; puis, venait le divin Odysseus. Autant la navette qu'une belle femme manie habilement, approche de son sein, quand elle tire le fil à elle, autant Odysseus était proche d'Aias, mettant ses pieds dans les pas de celui-ci, avant que leur poussière se fût élevée. Ainsi le divin Odysseus chauffait de son souffle la tête d'Aias. Et tous les Akhaiens applaudissaient à son désir de la victoire et l'excitaient à courir. Et comme ils approchaient du but, Odysseus pria en lui-même Athènè aux yeux clairs :

— Exauce-moi, Déesse ! soutiens-moi heureusement dans ma course.

Il parla ainsi ; et Pallas Athènè, l'exauçant, rendit ses membres plus agiles et ses pieds plus légers. Et comme ils revenaient aux prix, Athènè poussa Aias qui tomba, en courant, là où s'était amassé le sang des bœufs mugissants qu'Akhilleus aux pieds rapides avait tués devant le corps de Patroklos ; et sa bouche et ses narines furent emplies de fumier et du sang des bœufs ; et le divin et patient Odysseus, le devançant, saisit le kratèr d'argent. Et l'illustre Aias prit le bœuf ; et se tenant d'une main à l'une des cornes du bœuf sauvage, et rejetant le fumier de sa bouche, il dit au milieu des Argiens :

— Malheur à moi ! Certes, la Déesse Athènè a embarrassé mes pieds, elle qui accompagne et secourt toujours Odysseus comme une mère.

Il parla ainsi, et tous, en l'entendant, se mirent à rire. Et Antilokhos enleva le dernier prix, et il dit en riant aux Argiens :

— Je vous le dis à tous, et vous le voyez, amis ; maintenant et toujours, les Immortels honorent les vieillards. Aias est un peu plus âgé que moi ; mais Odysseus est de la génération des hommes anciens. Cependant, il a une verte vieillesse, et il est difficile à tous les Akhaiens, si ce n'est à Akhilleus, de lutter avec lui à la course.

Il parla ainsi, louant le Pèléion aux pieds rapides. Et Akhilleus lui répondit :

— Antilokhos, tu ne m'auras point loué en vain, et je te donnerai encore un autre demi-talent d'or.

Ayant ainsi parlé, il le lui donna, et Antilokhos le reçut avec joie. Puis, le Pèléide déposa dans l'enceinte une longue lance, un bouclier et un casque ; et c'étaient les armes que Patroklos avaient enlevées à Sarpèdôn. Et, debout, il dit au milieu des Argiens :

— Que deux guerriers, parmi les plus braves, et couverts de leurs armes d'airain, combattent devant la foule. À celui qui, atteignant le premier le corps de l'autre, aura fait couler le sang noir à travers les armes, je donnerai cette belle épée Thrèkienne, aux clous d'argent, que j'enlevai à Astéropaios. Quant à ces armes, elles seront communes ; et je leur offrirai à tous deux un beau repas dans mes tentes.

Il parla ainsi, et, aussitôt, le grand Télamônien Aias se leva ; et, après lui, le brave Diomèdès Tydéide se leva aussi. Et tous deux, à l'écart, s'étant armés, se présentèrent au milieu de tous, prêts à combattre et se regardant avec des

yeux terribles. Et la terreur saisit tous les Akhaiens. Et
quand les héros se furent rencontrés, trois fois, se jetant l'un
sur l'autre, ils s'attaquèrent ardemment. Aias perça le bouclier de Diomèdès, mais il n'atteignit point le corps que protégeait la cuirasse. Et le Tydéide dirigea la pointe de sa
lance, au-dessus du grand bouclier, près du cou ; mais les
Akhaiens, craignant pour Aias, firent cesser le combat et
leur donnèrent des prix égaux. Cependant le héros Akhilleus
donna au Tydéide la grande épée, avec la gaine et le riche
baudrier.

Puis, le Pèléide déposa un disque de fer brut que lançait
autrefois la force immense d'Étiôn. Et le divin Akhilleus aux
pieds rapides, ayant tué Étiôn, avait emporté cette masse
dans ses nefs, avec d'autres richesses. Et, debout, il dit au
milieu des Argiens :

— Qu'ils se lèvent, ceux qui veulent tenter ce combat.
Celui qui possédera ce disque, s'il a des champs fertiles qui
s'étendent au loin, ne manquera point de fer pendant cinq
années entières. Ni ses bergers, ni ses laboureurs n'iront en
acheter à la Ville, car ce disque lui en fournira.

Il parla ainsi, et le belliqueux Polypoitès se leva ; et, après
lui, la force du divin Léonteus ; puis, Aias Télamôniade, puis
le divin Epéios. Et ils prirent place ; et le divin Epéios saisit
le disque, et, le faisant tourner, le lança ; et tous les Akhaiens
se mirent à rire. Le second qui le lança fut Léonteus, rejeton
d'Arès. Le troisième fut le grand Télamônien Aias qui, de sa
main vigoureuse, le jeta bien au delà des autres. Mais quand
le belliqueux Polypoitès l'eut saisi, il le lança plus loin que
tous, de l'espace entier que franchit le bâton recourbé d'un
bouvier, que celui-ci fait voler à travers les vaches vagabon-
des. Et les Akhaiens poussèrent des acclamations, et les
compagnons du brave Polypoitès emportèrent dans les nefs
creuses le prix de leur Roi.

Puis, le Pèléide déposa, pour les archers habiles, dix grandes haches à deux tranchants et dix petites haches, toutes
en fer. Et il fit dresser dans l'enceinte le mât noir d'une nef
éperonnée ; et, au sommet du mât, il fit lier par un lien léger
une colombe tremblante, but des flèches :

— Celui qui atteindra la colombe emportera les haches à
deux tranchants dans sa tente ; et celui qui, moins adroit, et
manquant l'oiseau, aura coupé le lien, emportera les petites
haches.

Il parla ainsi, et le prince Teukros se leva aussitôt ; et

après lui, Mèrionès, brave compagnon d'Idoméneus, se leva aussi. Et les sorts ayant été remués dans un casque d'airain, celui de Teukros parut le premier. Et, aussitôt, il lança une flèche avec vigueur, oubliant de vouer à l'Archer Apollôn une illustre hécatombe d'agneaux premiers-nés. Et il manqua l'oiseau, car Apollôn lui envia cette gloire ; mais il atteignit, auprès du pied, le lien qui retenait l'oiseau ; et la flèche amère trancha le lien, et la colombe s'envola dans l'Ouranos, tandis que le lien retombait. Èt les Akhaiens poussèrent des acclamations. Mais, aussitôt, Mèrionès, saisissant l'arc de la main de Teukros, car il tenait la flèche prête, voua à l'Archer Apollôn une illustre hécatombe d'agneaux premiers-nés, et, tandis que la colombe montait en tournoyant vers les hautes nuées, il l'atteignit sous l'aile. Le trait la traversa et revint s'enfoncer en terre aux pieds de Mèrionès ; et l'oiseau tomba le long du mât noir de la nef éperonnée, le cou pendant, et les plumes éparses, et son âme s'envola de son corps. Et tous furent saisis d'admiration. Et Mèrionès prit les dix haches à deux tranchants, et Teukros emporta les petites haches dans sa tente.

Puis le Pèléide déposa une longue lance et un vase neuf et orné, du prix d'un bœuf ; et ceux qui devaient lancer la pique se levèrent. Et l'Atréide Agamemnôn qui commande au loin se leva ; et Mèrionès, brave compagnon d'Idoméneus, se leva aussi. Mais le divin et rapide Akhilleus leur dit :

— Atréide, nous savons combien tu l'emportes sur tous par ta force et ton habileté à la lance. Emporte donc ce prix dans tes nefs creuses. Mais, si tu le veux, et tel est mon désir, donne cette lance au héros Mèrionès.

Il parla ainsi, et le Roi des hommes, Agamemnôn, y consentit. Et Akhilleus donna la lance d'airain à Mèrionès, et le roi Atréide remit le vase magnifique au héraut Talthybios.

RHAPSODIE XXIV

Et les luttes ayant pris fin, les peuples se dispersèrent, rentrant dans les nefs, afin de prendre leur repas et de jouir du doux sommeil. Mais Akhilleus pleurait, se souvenant de son cher compagnon ; et le sommeil qui dompte tout ne le saisissait pas. Et il se tournait çà et là, regrettant la force de Patroklos et son cœur héroïque. Et il se souvenait des choses

accomplies et des maux soufferts ensemble, et de tous leurs
combats en traversant la mer dangereuse. Et, à ce souvenir,
il versait des larmes, tantôt couché sur le côté, tantôt sur le
dos, tantôt le visage contre terre. Puis, il se leva brusquement, et, plein de tristesse, il erra sur le rivage de la mer. Et
les premières lueurs d'Eôs s'étant répandues sur les flots et
sur les plages, il attela ses chevaux rapides, et, liant Hektôr
derrière son char, il le traîna trois fois autour du tombeau
du Ménoitiade. Puis, il rentra de nouveau dans sa tente pour
s'y reposer, et il laissa Hektôr étendu, la face dans la poussière.

Mais Apollôn, plein de pitié pour le guerrier sans vie, éloignait du corps toute souillure et le couvrait tout entier de
l'Aigide d'or, afin que le Pèléide, en le traînant, ne le déchirât
point. C'est ainsi que, furieux, Akhilleus outrageait Hektôr ;
et les Dieux heureux qui le regardaient en avaient pitié, et
ils excitaient le vigilant Tueur d'Argos à l'enlever. Et ceci
plaisait à tous les Dieux, sauf à Hèrè, à Poseidaôn et à la
Vierge aux yeux clairs, qui, tous trois, gardaient leur
ancienne haine pour la sainte Ilios, pour Priamos et son peuple, à cause de l'injure d'Alexandros qui méprisa les Déesses
quand elles vinrent dans sa cabane, où il couronna Celle qui
le remplit d'un désir funeste.

Et quand Eôs se leva pour la douzième fois, Phoibos Apollôn parla ainsi au milieu des Immortels :

— Ô Dieux ! vous êtes injustes et cruels. Pour vous,
naguère, Hektôr ne brûlait-il pas les cuisses des bœufs et
des meilleures chèvres ? Et, maintenant, vous ne voulez pas
même rendre son cadavre à sa femme, à sa mère, à son fils,
à son père Priamos et à ses peuples, pour qu'ils le revoient,
et qu'ils le brûlent, et qu'ils accomplissent ses funérailles. Ô
Dieux ! vous ne voulez protéger que le féroce Akhilleus dont
les desseins sont haïssables, dont le cœur est inflexible dans
sa poitrine, et qui est tel qu'un lion excité par sa grande force
et par sa rage, qui se jette sur les troupeaux des hommes
pour les dévorer. Ainsi Akhilleus a perdu toute compassion,
et cette honte qui perd ou qui aide les hommes. D'autres
aussi perdent quelqu'un qui leur est très cher, soit un frère,
soit un fils ; et ils pleurent et gémissent, puis ils se consolent,
car les Moires ont donné aux hommes un esprit patient.
Mais lui, après avoir privé le divin Hektôr de sa chère âme,
l'attachant à son char, il le traîne autour du tombeau de son
compagnon. Cela n'est ni bon, ni juste. Qu'il craigne, bien

que très brave, que nous nous irritions contre lui, car, dans sa fureur, il outrage une poussière insensible.

Et, pleine de colère, Hèrè aux bras blancs lui répondit :

— Tu parles bien, Archer, si on accorde des honneurs égaux à Akhilleus et à Hektôr. Mais le Priamide a sucé la mamelle d'une femme mortelle, tandis qu'Akhilleus est né d'une Déesse que j'ai nourrie moi-même et élevée avec tendresse, et que j'ai unie au guerrier Pèleus cher aux Immortels. Vous avez tous assisté à leurs noces, ô Dieux ! et tu as pris part au festin, tenant ta kithare, toi, protecteur des mauvais, et toujours perfide.

Et Zeus qui amasse les nuées, lui répondant, parla ainsi :

— Hèrè, ne t'irrite point contre les Dieux. Un honneur égal ne sera point fait à ces deux héros ; mais Hektôr était le plus cher aux Dieux parmi les hommes qui sont dans Ilios. Et il m'était cher à moi-même, car il n'oublia jamais les dons qui me sont agréables, et jamais il n'a laissé mon autel manquer d'un repas abondant, de libations et de parfums, car nous avons ces honneurs en partage. Mais, certes, nous ne ferons point enlever furtivement le brave Hektôr, ce qui serait honteux, car Akhilleus serait averti par sa mère qui est auprès de lui nuit et jour. Qu'un des Dieux appelle Thétis auprès de moi, et je lui dirai de sages paroles, afin qu'Akhilleus reçoive les présents de Priamos et rende Hektôr.

Il parla ainsi, et la messagère Iris aux pieds tourbillonnants partit. Entre Samos et Imbros, elle sauta dans la noire mer qui retentit. Et elle s'enfonça dans les profondeurs comme le plomb qui, attaché à la corne d'un bœuf sauvage, descend, portant la mort aux poissons voraces. Et elle trouva Thétis dans sa grotte creuse ; et autour d'elle les Déesses de la mer étaient assises en foule. Et là, Thétis pleurait la destinée de son fils irréprochable qui devait mourir devant la riche Troiè, loin de sa patrie. Et, s'approchant, la rapide Iris lui dit :

— Lève-toi, Thétis. Zeus aux desseins éternels t'appelle.

Et la Déesse Thétis aux pieds d'argent lui répondit :

— Pourquoi le grand Dieu m'appelle-t-il ? Je crains de me mêler aux Immortels, car je subis d'innombrables douleurs. J'irai cependant, et, quoi qu'il ait dit, il n'aura point parlé en vain.

Ayant ainsi parlé, la noble Déesse prit un voile bleu, le plus sombre de tous, et se hâta de partir. Et la rapide Iris

aux pieds aériens allait devant. Et l'eau de la mer s'entr'ouvrit devant elles ; et, montant sur le rivage, elles s'élancèrent
dans l'Ouranos. Et elles trouvèrent là le Kronide au large
regard, et, autour de lui, les éternels Dieux heureux, assis et
rassemblés. Et Thétis s'assit auprès du Père Zeus, Athènè lui
ayant cédé sa place. Hèrè lui mit en main une belle coupe
d'or, en la consolant ; et Thétis, ayant bu, la lui rendit. Et le
Père des Dieux et des hommes parla le premier :

— Déesse Thétis, tu es venue dans l'Olympos malgré ta
tristesse, car je sais que tu as dans le cœur une douleur
insupportable. Cependant, je te dirai pourquoi je t'ai appe-
lée. Depuis neuf jours une dissension s'est élevée entre les
Immortels à cause du cadavre de Hektôr, et d'Akhilleus destructeur de citadelles. Les Dieux excitaient le vigilant Tueur
d'Argos à enlever le corps du Priamide ; mais je protège la
gloire d'Akhilleus, car j'ai gardé mon respect et mon amitié
pour toi. Va donc promptement à l'armée des Argiens, et
donne des ordres à ton fils. Dis-lui que les Dieux sont irrités,
et que moi-même, plus que tous, je suis irrité contre lui,
parce que, dans sa fureur, il retient Hektôr auprès des nefs
aux poupes recourbées. S'il me redoute, qu'il le rende.
Cependant, j'enverrai Iris au magnanime Priamos afin que,
se rendant aux nefs des Akhaiens, il rachète son fils bien-
aimé, et qu'il porte des présents qui fléchissent le cœur
d'Akhilleus.

Il parla ainsi, et la Déesse Thétis aux pieds d'argent obéit.
Et, descendant à la hâte du faîte de l'Olympos, elle parvint
à la tente de son fils, et elle l'y trouva gémissant. Et, autour
de lui, ses compagnons préparaient activement le repas. Et
une grande brebis laineuse avait été tuée sous la tente. Et,
auprès d'Akhilleus, s'assit la mère vénérable. Et, le caressant
de la main, elle lui dit :

— Mon enfant, jusques à quand, pleurant et gémissant,
consumeras-tu ton cœur, oubliant de manger et de dormir ?
Cependant il est doux de s'unir par amour à une femme. Je
ne te verrai pas longtemps vivant ; voici venir la mort et la
Moire toute-puissante. Mais écoute, car je te suis envoyée
par Zeus. Il dit que tous les Dieux sont irrités contre toi, et
que, plus que tous les Immortels, il est irrité aussi, parce
que, dans ta fureur, tu retiens Hektôr auprès des nefs éperonnées, et que tu ne le renvoies pas. Rends-le donc, et
reçois le prix de son cadavre.

Et Akhilleus aux pieds rapides, lui répondant, parla ainsi :

— Qu'on apporte donc des présents et qu'on emporte ce cadavre, puisque l'Olympien lui-même le veut.

Et, auprès des nefs, la mère et le fils se parlaient ainsi en paroles rapides. Et le Kronide envoya Iris vers la sainte Ilios :

— Va, rapide Iris. Quitte ton siège dans l'Olympos, et ordonne, dans Ilios, au magnanime Priamos qu'il aille aux nefs des Akhaiens afin de racheter son fils bien-aimé, et qu'il porte à Akhilleus des présents qui fléchissent son cœur. Qu'aucun autre Troïen ne le suive, sauf un héraut vénérable qui conduise les mulets et le char rapide, et ramène vers la Ville le cadavre de Hektôr que le divin Akhilleus a tué. Et qu'il n'ait ni inquiétude, ni terreur. Nous lui donnerons pour guide le Tueur d'Argos qui le conduira jusqu'à Akhilleus. Et quand il sera entré dans la tente d'Akhilleus, celui-ci ne le tuera point, et même il le défendra contre tous, car il n'est ni violent, ni insensé, ni impie, et il respectera un suppliant.

Il parla ainsi, et la messagère Iris aux pieds tourbillonnants s'élança et parvint aux demeures de Priamos, pleines de gémissements et de deuil. Et les fils étaient assis dans la cour autour de leur père, et ils trempaient de larmes leurs vêtements. Et, au milieu d'eux, le vieillard s'enveloppait dans son manteau, et sa tête blanche et ses épaules étaient souillées de la cendre qu'il y avait répandue de ses mains en se roulant sur la terre. Et ses filles et ses belles-filles se lamentaient par les demeures, se souvenant de tant de braves guerriers tombés morts sous les coups des Argiens. Et la messagère de Zeus, s'approchant de Priamos, lui parla à voix basse, car le tremblement agitait les membres du vieillard :

— Rassure-toi, Priamos Dardanide, et ne tremble pas. Je ne viens point t'annoncer de malheur, mais une heureuse nouvelle. Je suis envoyée par Zeus qui, de loin, prend souci de toi et te plaint. L'Olympien t'ordonne de racheter le divin Hektôr, et de porter à Akhilleus des présents qui fléchissent son cœur. Qu'aucun autre Troïen ne te suive, sauf un héraut vénérable qui conduise les mulets et le char rapide, et ramène vers la Ville le cadavre de Hektôr que le divin Akhilleus a tué. N'aie ni inquiétude, ni terreur. Le Tueur d'Argos sera ton guide et il te conduira jusqu'à Akhilleus. Et quand il t'aura mené dans la tente d'Akhilleus, celui-ci ne te tuera point, et même il te défendra contre tous, car il n'est ni violent, ni insensé, ni impie, et il respectera un suppliant.

Ayant ainsi parlé, la rapide Iris partit. Et Priamos ordonna à ses fils d'atteler les mulets au char, et d'y attacher une corbeille. Et il se rendit dans la chambre nuptiale, parfumée, en bois de cèdre, et haute, et qui contenait beaucoup de choses admirables. Et il appela sa femme Hékabè, et il lui dit :

— Ô chère ! un messager Olympien m'est venu de Zeus, afin qu'allant aux nefs des Akhaiens, je rachète mon fils bien-aimé, et que je porte à Akhilleus des présents qui fléchissent son cœur. Dis-moi ce que tu penses dans ton esprit. Pour moi, mon courage et mon cœur me poussent vers les nefs et la grande armée des Akhaiens.

Il parla ainsi, et la femme se lamenta et répondit :

— Malheur à moi ! Tu as perdu cette prudence qui t'a illustré parmi les étrangers et ceux auxquels tu commandes. Tu veux aller seul vers les nefs des Akhaiens, et rencontrer cet homme qui t'a tué tant de braves enfants ! Sans doute ton cœur est de fer. Dès qu'il t'aura vu et saisi, cet homme féroce et sans foi n'aura point pitié de toi et ne te respectera point, et nous te pleurerons seuls dans nos demeures. Lorsque la Moire puissante reçut Hektôr naissant dans ses langes, après que je l'eus enfanté, elle le destina à rassasier les chiens rapides, loin de ses parents, sous les yeux d'un guerrier féroce. Que ne puis-je, attachée à cet homme, lui manger le cœur ! Alors seraient expiés les maux de mon fils qui, cependant, n'est point mort en lâche, et qui, sans craindre et sans fuir, a combattu jusqu'à la fin pour les Troiens et les Troiennes.

Et le divin vieillard Priamos lui répondit :

— Ne tente point de me retenir, et ne sois point dans nos demeures un oiseau de mauvais augure. Si quelque homme terrestre m'avait parlé, soit un divinateur, soit un hiérophante, je croirais qu'il a menti, et je ne l'écouterais point ; mais j'ai vu et entendu une Déesse, et je pars, car sa parole s'accomplira. Si ma destinée est de périr auprès des nefs des Akhaiens aux tuniques d'airain, soit ! Akhilleus me tuera ; tandis que je me rassasierai de sanglots en embrassant mon fils.

Il parla ainsi, et il ouvrit les beaux couvercles de ses coffres. Et il prit douze péplos magnifiques, douze couvertures simples, autant de tapis, autant de beaux manteaux et autant de tuniques. Il prit dix talents pesant d'or, deux trépieds éclatants, quatre vases et une coupe magnifique que les guerriers Thrèkiens lui avaient donnée, présent merveilleux, quand il était allé en envoyé chez eux. Mais le vieillard en priva ses demeures, désirant dans son cœur racheter son fils. Et il chassa loin du portique tous les Troïens, en leur adressant ces paroles injurieuses :

— Allez, misérables couverts d'opprobre ! N'avez-vous point de deuil dans vos demeures ? Pourquoi vous occupez-vous de moi ? Vous réjouissez-vous des maux dont le Kronide Zeus m'accable, et de ce que j'ai perdu mon fils excellent ? Vous en sentirez aussi la perte, car, maintenant qu'il est mort, vous serez une proie plus facile pour les Akhaiens. Pour moi, avant de voir de mes yeux la Ville renversée et saccagée, je descendrai dans les demeures d'Aidès !

Il parla ainsi, et de son sceptre il repoussait les hommes, et ceux-ci se retiraient devant le vieillard qui les chassait. Et il appelait ses fils avec menace, injuriant Hélénos et Pâris, et le divin Agathôn, et Pammôn, et Antiphôn, et le brave Politès, et Dèiphobos, et Hippothoos, et le divin Agavos. Et le vieillard, les appelant tous les neuf, leur commandait rudement :

— Hâtez-vous, misérables et infâmes enfants ! Plût aux Dieux que tous ensemble, au lieu de Hektôr, vous fussiez tombés devant les nefs rapides ! Malheureux que je suis ! J'avais engendré, dans la grande Troïè, des fils excellents, et pas un d'entre eux ne m'est resté, ni l'illustre Mèstor, ni Trôilos dompteur de chevaux, ni Hektôr qui était comme un Dieu parmi les hommes, et qui ne semblait pas être le fils d'un homme, mais d'un Dieu. Arès me les a tous enlevés, et il ne me reste que des lâches, des menteurs, des sauteurs qui ne sont habiles qu'aux danses, des voleurs publics d'agneaux et de chevreaux ! Ne vous hâterez-vous point de préparer ce char ? N'y placerez-vous point toutes ces choses, afin que je parte ?

Il parla ainsi, et, redoutant les menaces de leur père, ils amenèrent le beau char neuf, aux roues solides, attelé de mulets, et ils y attachèrent une corbeille. Et ils prirent contre la muraille le joug de buis, bossué et garni d'anneaux ; et ils prirent aussi les courroies du timon, longues de neuf coudées, qu'ils attachèrent au bout du timon poli en les passant dans l'anneau. Et ils les lièrent trois fois autour du bouton ; puis, les réunissant, ils les fixèrent par un nœud. Et ils apportèrent de la chambre nuptiale les présents infinis destinés au rachat de Hektôr, et ils les amassèrent sur le char. Puis ils mirent sous le joug les mulets aux sabots solides que les Mysiens avaient autrefois données à Priamos. Et ils

amenèrent aussi à Priamos les chevaux que le vieillard nour-
rissait lui-même à la crèche polie. Et, sous les hauts portiques, le héraut et Priamos, tous deux pleins de prudence, les
attelèrent.

Puis, Hékabè, le cœur triste, s'approcha d'eux, portant de
sa main droite un doux vin dans une coupe d'or, afin qu'ils
fissent des libations. Et, debout devant les chevaux, elle dit
à Priamos :

— Prends, et fais des libations au Père Zeus, et prie-le,
afin de revenir dans tes demeures du milieu des ennemis,
puisque ton cœur te pousse vers les nefs, malgré moi. Supplie le Kroniôn Idaien qui amasse les noires nuées et qui
voit toute la terre d'Ilios. Demande-lui d'envoyer à ta droite
celui des oiseaux qu'il aime le mieux, et dont la force est la
plus grande ; et, le voyant de tes yeux, tu marcheras, rassuré,
vers les nefs des cavaliers Danaens. Mais si Zeus qui tonne
au loin ne t'envoie point ce signe, je ne te conseille point
d'aller vers les nefs des Argiens, malgré ton désir.

Et Priamos semblable à un Dieu, lui répondant, parla
ainsi :

— Ô femme, je ne repousserai point ton conseil. Il est bon
d'élever ses mains vers Zeus, afin qu'il ait pitié de nous.

Le vieillard parla ainsi, et il ordonna à une servante de
verser une eau pure sur ses mains. Et la servante apporta le
bassin et le vase. Et Priamos, s'étant lavé les mains, reçut la
coupe de Hékabè ; et, priant, debout au milieu de la cour, il
répandit le vin, regardant l'Ouranos et disant :

— Père Zeus, qui règnes sur l'Ida, très glorieux, très
grand, accorde-moi de trouver grâce devant Akhilleus et de
lui inspirer de la compassion. Envoie à ma droite celui de
tous les oiseaux que tu aimes le mieux, et dont la force est
la plus grande, afin que, le voyant de mes yeux, je marche,
rassuré, vers les nefs des cavaliers Danaens.

Il parla ainsi en priant, et le sage Zeus l'entendit, et il
envoya le plus véridique des oiseaux, l'aigle noir, le chasseur,
celui qu'on nomme le tacheté. Autant s'ouvrent les portes de
la demeure d'un homme riche, autant s'ouvraient ses deux
ailes. Et il apparut, volant à droite au-dessus de la Ville ; et
tous se réjouirent de le voir, et leur cœur fut joyeux dans
leurs poitrines.

Et le vieillard monta aussitôt sur le beau char, et il le
poussa hors du vestibule et du portique sonore. Et les mulets
traînaient d'abord le char aux quatre roues, et le sage Idaios

les conduisait. Puis, venaient les chevaux que Priamos excitait du fouet, et tous l'accompagnaient par la Ville, en gémissant, comme s'il allait à la mort. Et quand il fut descendu d'Ilios dans la plaine, tous revinrent dans la Ville, ses fils et ses gendres.

Et Zeus au large regard, les voyant dans la plaine, eut pitié du vieux Priamos, et, aussitôt, il dit à son fils bien-aimé Herméias :

— Herméias, puisque tu te plais avec les hommes et que tu peux exaucer qui tu veux, va ! conduis Priamos aux nefs creuses des Akhaiens, et fais qu'aucun des Danaens ne l'aperçoive avant qu'il parvienne au Pèléide.

Il parla ainsi, et le Messager tueur d'Argos obéit. Et aussitôt il attacha à ses talons de belles ailes immortelles et d'or qui le portaient sur la mer et sur la terre immense comme le souffle du vent. Et il prit la verge qui, selon qu'il le veut, ferme les paupières des hommes ou les éveille. Et, la tenant à la main, l'illustre Tueur d'Argos s'envola et parvint aussitôt à Troiè et au Hellespontos. Et il s'approcha, semblable à un jeune homme royal dans la fleur de sa belle jeunesse.

Et les deux vieillards, ayant dépassé la grande tombe d'Ilos, arrêtèrent les mulets et les chevaux pour les faire boire au fleuve. Et déjà l'ombre du soir se répandait sur la terre. Et le héraut aperçut Herméias, non loin, et il dit à Priamos :

— Prends garde, Dardanide ! Ceci demande de la prudence. Je vois un homme, et je pense que nous allons périr. Fuyons promptement avec les chevaux, ou supplions-le en embrassant ses genoux. Peut-être aura-t-il pitié de nous.

Il parla ainsi et l'esprit de Priamos fut troublé, et il eut peur, et ses cheveux se tinrent droits sur sa tête courbée, et il resta stupéfait. Mais Herméias, s'approchant, lui prit la main et l'interrogea ainsi :

— Père, où mènes-tu ces chevaux et ces mulets, dans la nuit solitaire, tandis que tous les autres hommes dorment ? Ne crains-tu pas les Akhaiens pleins de force, ces ennemis redoutables qui sont près de toi ? Si quelqu'un d'entre eux te rencontrait par la nuit noire et rapide, emmenant tant de richesses, que ferais-tu ? C'est un vieillard qui te suit, et tu n'es plus assez jeune pour repousser un ennemi qui nous attaquerait. Mais, loin de nuire, je te préserverai de tout mal, car tu me sembles mon père bien-aimé.

Et le vieux et divin Priamos lui répondit :

— Mon cher fils, tu as dit la vérité. Mais un des Dieux me protège encore, puisqu'il envoie heureusement sur mon chemin un guide tel que toi. Ton corps et ton visage sont beaux, ton esprit est sage, et tu es né de parents heureux.

Et le Messager, tueur d'Argos, lui répondit :

— Vieillard, tu n'as point parlé au hasard. Mais réponds, et dis la vérité. Envoies-tu ces trésors nombreux et précieux à des hommes étrangers, afin qu'on te les conserve ? ou, dans votre terreur, abandonnez-vous tous la sainte Ilios, car un guerrier illustre est mort, ton fils, qui, dans le combat, ne le cédait point aux Akhaiens ?

Et le vieux et divin Priamos lui répondit :

— Qui donc es-tu, ô excellent ! Et de quels parents es-tu né, toi qui parles si bien de la destinée de mon fils malheureux ?

Et le Messager, tueur d'Argos, lui répondit :

— Tu m'interroges, vieillard, sur le divin Hektôr. Je l'ai vu souvent de mes yeux dans la mêlée glorieuse, quand, repoussant vers les nefs les Argiens dispersés, il les tuait de l'airain aigu. Immobiles, nous l'admirions ; car Akhilleus, irrité contre l'Atréide, ne nous permettait point de combattre. Je suis son serviteur, et la même nef bien construite nous a portés. Je suis un des Myrmidones et mon père est Polyktôr. Il est riche et vieux comme toi. Il a sept fils et je suis le septième. Ayant tiré au sort avec eux, je fus désigné pour suivre Akhilleus. J'allais maintenant des nefs dans la plaine. Demain matin les Akhaiens aux sourcils arqués porteront le combat autour de la Ville. Ils se plaignent du repos, et les Rois des Akhaiens ne peuvent retenir les guerriers de combattre.

Et le vieux et divin Priamos lui répondit :

— Si tu es le serviteur du Pèléide Akhilleus, dis-moi toute la vérité. Mon fils est-il encore auprès des nefs, ou déjà Akhilleus a-t-il tranché tous ses membres, pour les livrer à ses chiens ?

Et le Messager, tueur d'Argos, lui répondit :

— Ô vieillard, les chiens ne l'ont point encore mangé, ni les oiseaux, mais il est couché devant la nef d'Akhilleus, sous la tente. Voici douze jours et le corps n'est point corrompu, et les vers, qui dévorent les guerriers tombés dans le combat, ne l'ont point mangé. Mais Akhilleus le traîne sans pitié autour du tombeau de son cher compagnon, dès que la divine Eôs reparaît, et il ne le flétrit point. Tu admirerais, si

tu le voyais, combien il est frais. Le sang est lavé, il est sans
aucune souillure, et toutes les blessures sont fermées que
beaucoup de guerriers lui ont faites. Ainsi les Dieux heureux
prennent soin de ton fils, tout mort qu'il est, parce qu'il leur
était cher.

Il parla ainsi, et le vieillard, plein de joie, lui répondit :

— Ô mon enfant, certes, il est bon d'offrir aux Immortels
les présents qui leur sont dus. Jamais mon fils, quand il
vivait, n'a oublié, dans ses demeures, les Dieux qui habitent
l'Olympos, et voici qu'il se souviennent de lui dans la mort.
Reçois cette belle coupe de ma main, fais qu'on me rende
Hektôr, et conduis-moi, à l'aide des Dieux, jusqu'à la tente
du Pèléide.

Et le Messager, tueur d'Argos, lui répondit :

— Vieillard, tu veux tenter ma jeunesse, mais tu ne me
persuaderas point de prendre tes dons à l'insu d'Akhilleus.
Je le crains, en effet, et je le vénère trop dans mon cœur
pour le dépouiller, et il m'en arriverait malheur. Mais je t'ac-
compagnerais jusque dans l'illustre Argos, sur une nef
rapide, ou à pied, et aucun, si je te conduis, ne me bravera
en t'attaquant.

Herméias, ayant ainsi parlé, sauta sur le char, saisit le
fouet et les rênes et inspira une grande force aux chevaux et
aux mulets. Et ils arrivèrent au fossé et aux tours des nefs
là où les gardes achevaient de prendre leur repas. Et le Messager, tueur d'Argos, répandit le sommeil sur eux tous ; et,
soulevant les barres, il ouvrit les portes, et il fit entrer Priamos et ses présents splendides dans le camp, et ils parvinrent à la grande tente du Pèléide. Et les Myrmidones
l'avaient faite pour leur Roi avec des planches de sapin, et
ils l'avaient couverte d'un toit de joncs coupés dans la prairie. Et tout autour ils avaient fait une grande enceinte de
pieux ; et la porte en était fermée par un seul tronc de sapin,
barre énorme que trois hommes, parmi les Akhaiens,
ouvraient et fermaient avec peine, et que le Pèléide soulevait
seul. Le bienveillant Herméias la retira pour Priamos, et il
conduisit le vieillard dans l'intérieur de la cour, avec les
illustres présents destinés à Akhilleus aux pieds rapides. Et
il sauta du char sur la terre, et il dit :

— Ô vieillard, je suis Herméias, un Dieu immortel, et
Zeus m'a envoyé pour te conduire. Mais je vais te quitter, et
je ne me montrerai point aux yeux d'Akhilleus, car il n'est
point digne d'un Immortel de protéger ainsi ouvertement les

mortels. Toi, entre, saisis les genoux du Pèléiôn et supplie-
le au nom de son père, de sa mère vénérable et de son fils,
afin de toucher son cœur.

Ayant ainsi parlé, Herméias monta vers le haut Olympos ;
et Priamos sauta du char sur la terre, et il laissa Idaios pour
garder les chevaux et les mulets, et il entra dans la tente où
Akhilleus cher à Zeus était assis. Et il le trouva. Ses compagnons étaient assis à l'écart ; et seuls, le héros Automédôn et
le nourrisson d'Arès Alkimos le servaient. Déjà il avait cessé
de manger et de boire, et la table était encore devant lui. Et
le grand Priamos entra sans être vu d'eux, et, s'approchant,
il entoura de ses bras les genoux d'Akhilleus, et il baisa les
mains terribles et meurtrières qui lui avaient tué tant de fils.

Quand un homme a encouru une grande peine, ayant tué
quelqu'un dans sa patrie, et quand, exilé chez un peuple
étranger, il entre dans une riche demeure, tous ceux qui le
voient restent stupéfaits. Ainsi Akhilleus fut troublé en
voyant le divin Priamos ; et les autres, pleins d'étonnement,
se regardaient entre eux. Et Priamos dit ces paroles sup-
pliantes :

— Souviens-toi de ton père, ô Akhilleus égal aux Dieux !
Il est de mon âge et sur le seuil fatal de la vieillesse. Ses
voisins l'oppriment peut-être en ton absence, et il n'a personne qui écarte loin de lui l'outrage et le malheur ; mais,
au moins, il sait que tu es vivant, et il s'en réjouit dans son
cœur, et il espère tous les jours qu'il verra son fils bien-aimé
de retour d'Ilios. Mais, moi, malheureux ! qui ai engendré
des fils irréprochables dans la grande Troiè, je ne sais s'il
m'en reste un seul. J'en avais cinquante quand les Akhaiens
arrivèrent. Dix-neuf étaient sortis du même sein, et plusieurs
femmes avaient enfanté les autres dans mes demeures. L'impétueux Arès a rompu les genoux du plus grand nombre. Un
seul défendait ma Ville et mes peuples, Hektôr, que tu viens
de tuer tandis qu'il combattait pour sa patrie. Et c'est pour
lui que je viens aux nefs des Akhaiens ; et je t'apporte, afin
de le racheter, des présents infinis. Respecte les Dieux,
Akhilleus, et, te souvenant de ton père, aie pitié de moi qui
suis plus malheureux que lui, car j'ai pu, ce qu'aucun
homme n'a encore fait sur la terre, approcher de ma bouche
les mains de celui qui a tué mes enfants !

Il parla ainsi, et il remplit Akhilleus du regret de son père.
Et le Pèléide, prenant le vieillard par la main, le repoussa
doucement. Et ils se souvenaient tous deux ; et Priamos,

prosterné aux pieds d'Akhilleus, pleurait de toutes ses larmes le tueur d'hommes Hektôr ; et Akhilleus pleurait son père et Patroklos, et leurs gémissements retentissaient sous la tente. Puis, le divin Akhilleus, s'étant rassasié de larmes, sentit sa douleur s'apaiser dans sa poitrine, et il se leva de son siège ; et plein de pitié pour cette tête et cette barbe blanche, il releva le vieillard de sa main et lui dit ces paroles ailées :

— Ah ! malheureux ! Certes, tu as subi des peines sans nombre dans ton cœur. Comment as-tu osé venir seul vers les nefs des Akhaiens et soutenir la vue de l'homme qui t'a tué tant de braves enfants ? Ton cœur est de fer. Mais prends ce siège, et, bien qu'affligés, laissons nos douleurs s'apaiser, car le deuil ne nous rend rien. Les Dieux ont destiné les misérables mortels à vivre pleins de tristesse, et, seuls, ils n'ont point de soucis. Deux tonneaux sont au seuil de Zeus, et l'un contient les maux, et l'autre les biens. Et le foudroyant Zeus, mêlant ce qu'il donne, envoie tantôt le mal et tantôt le bien. Et celui qui n'a reçu que des dons malheureux est en proie à l'outrage, et la mauvaise faim le ronge sur la terre féconde, et il va çà et là, non honoré des Dieux ni des hommes. Ainsi les Dieux firent à Pèleus des dons illustres dès sa naissance, et plus que tous les autres hommes il fut comblé de félicités et de richesses, et il commanda aux Myrmidones, et, mortel, il fut uni à une Déesse. Mais les Dieux le frappèrent d'un mal : il fut privé d'une postérité héritière de sa puissance, et il n'engendra qu'un fils qui doit bientôt mourir et qui ne soignera point sa vieillesse ; car, loin de ma patrie, je reste devant Troiè, pour ton affliction et celle de tes enfants. Et toi-même, vieillard, nous avons appris que tu étais heureux autrefois et que sur toute la terre qui va jusqu'à Lesbos de Makar, et, vers le nord, jusqu'à la Phrygiè et le large Hellespontos, tu étais illustre, ô vieillard, par tes richesses et par tes enfants. Et voici que les Dieux t'ont frappé d'une calamité, et, depuis la guerre, et le carnage, des guerriers environnent ta Ville. Sois ferme, et ne te lamente point dans ton cœur sur l'inévitable destinée. Tu ne feras point revivre ton fils par tes gémissements. Crains plutôt de subir d'autres maux.

Et le vieux et divin Priamos lui répondit :

— Ne me dis point de me reposer, ô nourrisson de Zeus, tant que Hektôr est couché sans sépulture devant tes tentes. Rends-le-moi promptement, afin que je le voie de mes yeux, et reçois les présents nombreux que nous te portons. Puisse-tu en jouir et retourner dans la terre de ta patrie, puisque tu m'as laissé vivre et voir la lumière de Hélios.

Et Akhilleus aux pieds rapides, le regardant d'un œil sombre, lui répondit :

— Vieillard, ne m'irrite pas davantage. Je sais que je dois te rendre Hektôr. La mère qui m'a enfanté, la fille du Vieillard de la mer, m'a été envoyée par Zeus. Et je sais aussi, Priamos, et tu n'as pu me cacher, qu'un des Dieux t'a conduit aux nefs rapides des Akhaiens. Aucun homme, bien que jeune et brave, n'eût osé venir jusqu'au camp. Il n'eût point échappé aux gardes, ni soulevé aisément les barrières de nos portes. Ne réveillle donc point les douleurs de mon âme. Bien que je t'aie reçu, vieillard, comme un suppliant sous mes tentes, crains que je viole les ordres de Zeus et que je te tue.

Il parla ainsi, et le vieillard trembla et obéit. Et le Pèléide sauta comme un lion hors de la tente. Et il n'était point seul, et deux serviteurs le suivirent, le héros Automédôn et Alkimos. Et Alkhilleus les honorait entre tous ses compagnons depuis la mort de Patroklos. Et ils dételèrent les chevaux et les mulets, et ils firent entrer le héraut de Priamos et lui donnèrent un siège. Puis ils enlevèrent du beau char les présents infinis qui rachetaient Hektôr ; mais ils y laissèrent deux manteaux et une riche tunique pour envelopper le cadavre qu'on allait emporter dans Ilios.

Et Akhilleus, appelant les femmes, leur ordonna de laver le cadavre et de le parfumer à l'écart, afin que Priamos ne vît point son fils, et de peur qu'en le voyant, le père ne pût contenir sa colère dans son cœur irrité, et qu'Akhilleus, furieux, le tuât, en violant les ordres de Zeus.

Et après que les femmes, ayant lavé et parfumé le cadavre, l'eurent enveloppé du beau manteau et de la tunique, Akhilleus le souleva lui-même du lit funèbre, et, avec l'aide de ses compagnons, il le plaça sur un beau char. Puis, il appela en gémissant son cher compagnon :

— Ne t'irrite point contre moi, Patroklos, si tu apprends, chez Aidès, que j'ai rendu le divin Hektôr à son père bien-aimé ; car il m'a fait des présents honorables, dont je te réserve, comme il est juste, une part égale.

Le divin Akhilleus, ayant ainsi parlé, rentra dans sa tente. Et il reprit le siège poli qu'il occupait en face de Priamos, et il lui dit :

— Ton fils t'est rendu, vieillard, comme tu l'as désiré. Il est couché sur un lit. Tu le verras et tu l'emporteras au retour d'Eôs. Maintenant, songeons au repas. Niobè aux beaux cheveux elle-même se souvint de manger après que ses douze enfants eurent péri dans ses demeures, six filles et autant de fils florissants de jeunesse. Apollôn, irrité contre Niobè, tua ceux-ci de son arc d'argent, et Artémis qui se réjouit de ses flèches, tua celles-là, parce que Niobè s'était égalée à Lètô aux belles joues, disant que la Déesse n'avait conçu que deux enfants, tandis qu'elle en avait conçu de nombreux. Elle le disait, mais les deux enfants de Lètô tuèrent tous les siens. Et depuis neuf jours ils étaient couchés dans le sang, et nul ne les ensevelissait, car le Kroniôn avait changé ces peuples en pierres ; mais, le dixième jour, les Dieux les ensevelirent. Et, cependant, Niobè se souvenait de manger lorsqu'elle était fatiguée de pleurer. Et maintenant, au milieu des rochers et des montagnes désertes, sur le Sipylos, où sont les retraites des Nymphes divines qui dansent autour de l'Akhélôios, bien que changée en pierre par les Dieux, elle souffre encore. Allons, divin vieillard, mangeons. Tu pleureras ensuite ton fils bien-aimé, quand tu l'auras conduit dans Ilios. Là, il te fera répandre des larmes.

Le rapide Akhilleus parla ainsi, et, se levant, il tua une brebis blanche. Et ses compagnons, l'ayant écorchée, la préparèrent avec soin. Et, la coupant en morceaux, ils les fixèrent à des broches, les rôtirent et les retirèrent à temps. Et Automédôn, prenant le pain, le distribua sur la table dans de belles corbeilles. Et Akhilleus distribua lui-même les chairs. Tous étendirent les mains sur les mets qui étaient devant eux. Et quand ils n'eurent plus le désir de boire et de manger, le Dardanide Priamos admira combien Akhilleus était grand et beau et semblable aux Dieux. Et Akhilleus admirait aussi le Dardanide Priamos, son aspect vénérable et ses sages paroles. Et, quand ils se furent admirés long-temps, le vieux et divin Priamos parla ainsi :

— Fais que je puisse me coucher promptement, nourrisson de Zeus, afin que je jouisse du doux sommeil ; car mes yeux ne se sont point fermés sous mes paupières depuis que mon fils a rendu l'âme sous tes mains. Je n'ai fait que me lamenter et subir des douleurs infinies, prosterné sur le fumier, dans l'enceinte de ma cour. Et je n'ai pris quelque nourriture, et je n'ai bu de vin qu'ici. Auparavant, je n'avais rien mangé.

Il parla ainsi, et Akhilleus ordonna à ses compagnons et
aux femmes de préparer des lits sous le portique, et d'y éten-
dre de belles étoffes pourprées, puis des tapis, et, par-dessus,
des tuniques de laine. Et les femmes, sortant de la tente avec
des torches aux mains, préparèrent aussitôt deux lits. Et
alors Akhilleus aux pieds rapides dit avec bienveillance :

— Tu dormiras hors de la tente, cher vieillard, de peur
qu'un des Akhaiens, venant me consulter, comme ils en ont
coutume, ne t'aperçoive dans la nuit noire et rapide. Et aussitôt il en avertirait le prince des peuples Agamemnôn, et
peut-être que le rachat du cadavre serait retardé. Mais
réponds-moi, et dis la vérité. Combien de jours désires-tu
pour ensevelir le divin Hektôr, afin que je reste en repos
pendant ce temps, et que je retienne les peuples ?

Et le vieux et divin Priamos lui répondit :

— Si tu veux que je rende de justes honneurs au divin
Hektôr, en faisant cela, Akhilleus, tu exauceras mon vœu le
plus cher. Tu sais que nous sommes renfermés dans la Ville,
et loin de la montagne où le bois doit être coupé, et que
les Troiens sont saisis de terreur. Pendant neuf jours nous
pleurerons Hektôr dans nos demeures ; le dixième, nous
l'ensevelirons, et le peuple fera le repas funèbre ; le onzième,
nous le placerons dans le tombeau, et, le douzième, nous
combattrons de nouveau, s'il le faut.

Et le divin Akhilleus aux pieds rapides lui répondit :

— Vieillard Priamos, il en sera ainsi, selon ton désir ; et
pendant ce temps, j'arrêterai la guerre.

Ayant ainsi parlé, il serra la main droite du vieillard afin
qu'il cessât de craindre dans son cœur. Et le héraut et Priamos, tous deux pleins de sagesse, s'endormirent sous le portique de la tente. Et Akhilleus s'endormit dans le fond de sa
tente bien construite, et Brisèis aux belles joues coucha
auprès de lui.

Et tous les Dieux et les hommes qui combattent à cheval
dormaient dans la nuit, domptés par le doux sommeil ; mais
le sommeil ne saisit point le bienveillant Herméias, qui songeait à emmener le roi Priamos du milieu des nefs, sans être
vu des gardes sacrés des portes. Et il s'approcha de sa tête
et lui dit :

— Ô vieillard ! ne crains-tu donc aucun malheur, que tu
dormes ainsi au milieu d'hommes ennemis, après qu'Akhilleus t'a épargné ? Maintenant que tu as racheté ton fils bien-
aimé par de nombreux présents, les fils qui te restent en

donneront trois fois autant pour te racheter vivant, si l'Atréide Agamemnôn te découvre, et si tous les Akhaiens l'apprennent.

Il parla ainsi, et le vieillard trembla ; et il ordonna au héraut de se lever. Et Hermćias attela leurs mulets et leurs chevaux, et il les conduisit rapidement à travers le camp, et nul ne les vit.

Et quand ils furent arrivés au gué du fleuve au beau cours, du Xanthos tourbillonnant que l'immortel Zeus engendra, Herméias remonta vers le haut Olympos.

Et déjà Eôs au péplos couleur de safran se répandait sur toute la terre, et les deux vieillards poussaient les chevaux vers la Ville, en pleurant et en se lamentant, et les mulets portaient le cadavre. Et nul ne les aperçut, parmi les hommes et les femmes aux belles ceintures, avant Kassandrè semblable à Aphroditè d'or. Et, du haut de Pergamos, elle vit son père bien-aimé, debout sur le char, et le héraut, et le corps que les mulets amenaient sur le lit funèbre. Et aussitôt elle pleura, et elle cria, par toute la Ville :

— Voyez, Troiens et Troiennes ! Si vous alliez autrefois au-devant de Hektôr, le cœur plein de joie, quand il revenait vivant du combat, voyez celui qui était l'orgueil de la Ville et de tout un peuple !

Elle parla ainsi, et nul, parmi les hommes et les femmes, ne resta dans la Ville. tant un deuil irrésistible les entraînait tous. Et ils coururent, au delà des portes, au-devant du cadavre. Et, les premières, l'épouse bien-aimée et la mère vénérable, arrachant leurs cheveux, se jetèrent sur le char en embrassant la tête de Hektôr. Et tout autour la foule pleurait. Et certes, tout le jour, jusqu'à la chute de Hélios, ils eussent gémi et pleuré devant les portes, si Priamos, du haut de son char, n'eût dit à ses peuples :

— Retirez-vous, afin que je passe avec les mulets. Nous nous rassasierons de larmes quand j'aurai conduit ce corps dans ma demeure.

Il parla ainsi, et, se séparant, ils laissèrent le char passer. Puis, ayant conduit Hektôr dans les riches demeures, ils le déposèrent sur un lit sculpté, et ils appelèrent les chanteurs funèbres, et ceux-ci gémirent un chant lamentable auquel succédaient les plaintes des femmes. Et, parmi celles-ci, Andromakhè aux bras blancs commença le deuil, tenant dans ses mains la tête du tueur d'hommes Hektôr.

— Ô homme ! tu es mort jeune, et tu m'as laissée veuve

dans mes demeures, et je ne pense pas qu'il parvienne à la puberté, ce fils enfant que nous avons engendré tous deux, ô malheureux que nous sommes ! Avant cela, cette Ville sera renversée de son faîte, puisque son défenseur a péri, toi qui la protégeais, et ses femmes fidèles et ses petits enfants. Elles seront enlevées sur les nefs creuses, et moi avec elles. Et toi, mon enfant, tu me suivras et tu subiras de honteux travaux, te fatiguant pour un maître féroce ! ou bien un Akhaien, te faisant tourner de la main, te jettera du haut d'une tour pour une mort affreuse, furieux que Hektôr ait tué ou son frère, ou son père, ou son fils ; car de nombreux Akhaiens sont tombés, mordant la terre, sous ses mains. Et ton père n'était pas doux dans le combat, et c'est pour cela que les peuples le pleurent par la Ville. Ô Hektôr ! tu accables tes parents d'un deuil inconsolable, et tu me laisses surtout en proie à d'affreuses douleurs, car, en mourant, tu ne m'auras point tendu les bras de ton lit, et tu ne m'auras point dit quelque sage parole dont je puisse me souvenir, les jours et les nuits, en versant des larmes.

Elle parla ainsi en pleurant, et les femmes gémirent avec elle ; et, au milieu de celles-ci, Hékabè continua le deuil désespéré :

— Hektôr, le plus cher de tous mes enfants, certes, les Dieux t'aimaient pendant ta vie, car ils ont veillé sur toi dans la mort. Akhilleus aux pieds rapides a vendu tous ceux de mes fils qu'il a pu saisir, par delà la mer stérile, à Samos, à Imbros, et dans la barbare Lemnos. Et il t'a arraché l'âme avec l'airain aigu, et il t'a traîné autour du tombeau de son compagnon Patroklos que tu as tué et qu'il n'a point fait revivre ; et, maintenant, te voici couché comme si tu venais de mourir dans nos demeures, frais et semblable à un homme que l'Archer Apollôn vient de frapper de ses divines flèches.

Elle parla ainsi en pleurant, et elle excita les gémissements des femmes ; et, au milieu de celles-ci, Hélénè continua le deuil :

— Hektôr, tu étais le plus cher de tous mes frères, car Alexandros, plein de beauté, est mon époux, lui qui m'a conduite dans Troiè. Plût aux Dieux que j'eusse péri auparavant ! Voici déjà la vingtième année depuis que je suis venue, abandonnant ma patrie, et jamais tu ne m'as dit une parole injurieuse ou dure, et si l'un de mes frères, ou l'une de mes sœurs, ou ma belle-mère, — car Priamos me fut toujours un père plein de douceur, — me blâmait dans nos demeures, tu les avertissais et tu les apaisais par ta douceur et par tes paroles bienveillantes. C'est pour cela que je te pleure en gémissant, moi, malheureuse, qui n'aurai plus jamais un protecteur ni un ami dans la grande Troiè, car tous m'ont en horreur.

Elle parla ainsi en pleurant, et tout le peuple gémit. Mais le vieux Priamos leur dit :

— Troiens, amenez maintenant le bois dans la Ville, et ne craignez point les embûches profondes des Argiens, car Akhilleus, en me renvoyant des nefs noires, m'a promis de ne point nous attaquer avant qu'Eôs ne soit revenue pour la douzième fois.

Il parla ainsi, et tous, attelant aux chars les bœufs et les mulets, aussitôt se rassemblèrent devant la Ville. Et, pendant neuf jours, ils amenèrent des monceaux de bois. Et quand Eôs reparut pour la dixième fois éclairant les mortels, ils placèrent, en versant des larmes, le brave Hektôr sur le faîte du bûcher, et ils y mirent le feu. Et quand Eôs aux doigts rosés, née au matin, reparut encore, tout le peuple se rassembla autour du bûcher de l'illustre Hektôr. Et, après s'être rassemblés, ils éteignirent d'abord le bûcher où la force du feu avait brûlé, avec du vin noir. Puis, ses frères et ses compagnons recueillirent en gémissant ses os blancs ; et les larmes coulaient sur leurs joues. Et ils déposèrent dans une urne d'or ses os fumants, et ils l'enveloppèrent de péplos pourprés. Puis, ils la mirent dans une fosse creuse recouverte de grandes pierres, et, au-dessus, ils élevèrent le tombeau. Et des sentinelles veillaient de tous côtés de peur que les Akhaiens aux belles knèmides ne se jetassent sur la Ville. Puis, le tombeau étant achevé, ils se retirèrent et se réunirent en foule, afin de prendre part à un repas solennel, dans les demeures du roi Priamos, nourrisson de Zeus.

Et c'est ainsi qu'ils accomplirent les funérailles de Hektôr dompteur de chevaux.

TABLE DES MATIÈRES

IMPRIMÉ EN UNION EUROPÉENNE
le 25-07-2001
002/01 – Dépôt légal, juillet 2001